W. Cameron Forbes

1906

VIAJES POR FILIPINAS.

VIAJES

POR

FILIPINAS

DE F. JAGOR

TRADUCIDOS DEL ALEMAN

POR S. VIDAL Y SOLER

INGENIERO DE MONTES.

Edicion ilustrada con numerosos grabados.

MADRID:
IMPRENTA, ESTEREOTIPIA Y GALVANOPLASTIA DE ARIBAU Y C.ª
(SUCESORES DE RIVADENEYRA),
IMPRESORES DE CÁMARA DE S. M.
salle del Duque de Osuna, núm. 3.
1875.

AL Sr. D. JOSÉ SAINZ DE BARANDA Y CALATRAVA,

Jefe de 2.ª clase del Cuerpo de Montes, profesor de la Escuela del ramo.

Mi querido Pepe: ¿Recuerdas las amargas horas de nuestros primeros tiempos en Sajonia, los pueriles desahogos contra el carácter de un pueblo por el solo motivo de no entender su lengua?—Vencimos al fin las dificultades; tú has llegado á dominar aquel rico idioma y hoy eres entusiasta admirador del génio aleman, te concedo justa preferencia en lo primero, no en lo segundo.

Examina esta traduccion y déle autoridad tu nombre escrito al frente de ella. Se refiere á tu querido Archipiélago, describe Albay—donde naciste—; el apellido que llevas recibió allí nuevos timbres de gloria, todo te obliga, pues, á acogerla benévolo.

Tu amigo y compañero, tu hermano

S. VIDAL.

Madrid, 15 de Setiembre de 1874.

LA obra de Jagor, que he puesto en español, es la más moderna de viajes por el Archipiélago y aventaja á tódas las anteriores en exactitud y precision científica. Las observaciones del país, de sus costumbres y de su vida social son, en su mayor parte, excelentes; y la clasificacion de objetos naturales, confiada á sabios profesores alemanes, está conforme con los últimos adelantos de la ciencia.

Fiel al compromiso contraido de publicar cuanto contribuya al más exacto conocimiento de la incomparable joya, que en el remoto Oriente poseemos, en cuanto leí el presente libro formé decidido propósito de dar una edicion española de él; hoy, que lo veo cumplido, confieso que si se ha llevado á cabo se debe al apoyo prestado por altos funcionarios entusiastas por el estudio de nuestras provincias ultramarinas, sin su eficáz concurso esta traduccion hubiera seguramente quedado inédita. Siento no poder escribir aquí los nombres de quienes siempre están dispuestos á hacer toda clase de sacrificios por el bien de la patria. —En la traduccion me he ceñido estrictamente al texto, no permitiéndome modificarlo áun en los puntos en que mis ideas difieren de las del autor. He sido parco en las notas, limitándome á algunas aclaraciones que me han parecido pertinentes á la mejor inteligencia del texto. Conozco que doy un pálido trasunto del animado cuadro hábilmente bosquejado por el via-

jero aleman, su falta de mérito literario espero halle indulgen-
cia en gracia de la novedad é interés del relato, cualidades que
confio no queden ocultas en la version.

Si al dar á conoeer este libro á mis compatriotas despierto en
alguno los deseos de emprender viajes y estudios análogos á los
descritos en él, consideraré logrado mi principal objeto y mi
tarea hallará la mayor recompensa á que aspiro.

EL TRADUCTOR.

PREFACIO.

EL *viaje, cuya descripcion es objeto del presente libro, se emprendió durante los años de* 1859 *y* 1860, *viéndose de repente interrumpido por circunstancias imprevistas, mucho ántes de haber llegado al término que me proponia. No pude realizar mi deseo de proseguir lo comenzado; pero esto motivó otros estudios sobre la misma materia, que me dieron noticias poco conocidas, y me demostraron cuán escasas é inciertas son las que existen acerca del hermoso Archipiélago filipino, particularmente las referentes á las provincias, donde estuve más largo tiempo.*

Algunos datos preciosos debo al Ministerio de Ultramar, en especial relativos á la administracion, al sistema tributario y al ramo de aduanas, que se me facilitaron en el Archivo de aquel departamento.—Una Memoria hallada en él, escrita por D. Ormacheo con el título Apuntes para la razon general, etc., *me fué de utilidad para trazar el bosquejo de la historia del comercio, del tributo y de la renta del tabaco. — Tambien me suministraron bastante material las bibliotecas de Berlin y de Lóndres, en parte penosamente extractado de voluminosas y áridas crónicas de religiosos.—El resúmen de todos estos trabajos constituye la obra que hoy ofrezco al público.*

He ilustrado la parte descriptiva de mis viajes con bosquejos hechos en las mismas localidades; las noticias tomadas en el país me han servido en toda ella. Hoy, transcurrido tan largo tiempo, creo deber atenerme á estos apuntes, sin desnaturalizarlos con cuadros más ó ménos animados y pintorescos y con aventuras interesantes, que engañando mi memoria me separarian de la verdad. No me he propuesto escribir un libro de entretenimiento, sino hacer una pintura exacta de aquellas islas.

En la Revista etnológica de Bastian y Hartmann publiqué algun fragmento de este libro, por ejemplo, mucho del capítulo vigésimo.

La parte que tiene mayor importancia científica la forman dos artículos debidos á la amistad de los profesores Roth y Virchow.

Pocos países del mundo son peor conocidos y ménos visitados que las islas Filipinas; y, sin embargo, ninguno más ameno de recorrer que aquel Archipiélago, tan pródigamente dotado por la naturaleza que apénas en otro alguno puede hallarse igual tesoro de objetos desconocidos.—Los naturalistas, que deseen estudiarlo y les detenga la falta de medios, no deben olvidar que el producto de la venta de colecciones les sufragará con creces los gastos de viaje.

ÍNDICE.

APÉNDICES.

ÍNDICE DE LOS GRABADOS.

A fin de que se pueda apreciar la exactitud de los dibujos, se indican con las siguientes iniciales los métodos empleados para obtenerlos:

    c = cámara clara.
    p = calco.
    f = fotografía.
    r = reduccion.
    t = dibujo original de un tagalo.
    z = apunte tomado del natural.

La primera inicial se refiere al dibujo original, y las siguientes á su reproduccion.

EXPLICACION DE ALGUNAS PALABRAS.

Abacá.—Filamento de la *Musa textilis*, que se emplea para járcia, cordelería, tejidos, etc.

Alcalde ó alcalde mayor.—Jefe superior de una provincia, un gobernador que asume además el cargo de juez.

Banca.—Pequeña embarcacion, canoa.

Barangay.—Grupo de 40 á 50 familias dependientes de un cabeza.

Bolo.—Cuchillo de monte.

Buyo.—Un pedazo de nuez de Areca, arrollado en una hoja de *pimienta-betel* (*Piper Betle*) dada con cal apagada.

Casa real.—Aquella en que vive el jefe de la provincia.

Camote.—Batata (*Convolvulus Batatas*).

Castila.—Llaman los indios en general á los europeos, y en particular á los españoles.

Cimarron.—Sinónimo de salvaje y de indio no reducido.

Convento.—Casa parroquial habitada por algun religioso de una de las cuatro órdenes.

Cuadrillero.—Guardia de policía rural: especie de guardia civil para guardar los caminos.

Gabi.—Planta, especie del género *Caladium*, de tubérculos comestibles.

Gobernadorcillo.—Alcalde de un pueblo.

Guinara.—Tejido de abacá.

L.—Legua (20=1° ecuador).

£.—Libra esterlina (95 reales vellon).

M.—Milla (15=1° ecuador).

Mm.—Milla marina (60=1° ecuador).

} Abreviaturas usadas en esta obra.

Polista.—Trabajador obligado y gratuito para obras públicas.

Polos.—Trabajos obligatorios y gratuitos para obras públicas.

Principalía.—Los notables de un pueblo.

Sundang.—Cuchillo.

Tapis.— Sobrefalda sujeta en las caderas, que usan las indias.

Tribunal.—Casas consistoriales.

Tuba.—Sávia de palma fermentada.

Visita.—Dependencia de una parroquia.

MEDIDAS, PESOS y MONEDAS.

Desde Enero de 1862 rigen en Filipinas las siguientes medidas, pesos y monedas:

MEDIDAS LONGITUDINALES.

1 braza=1 doble vara de Búrgos=1^m,617.
1 vara=1 vara de id.=0^m,835.
1 pié=1 pié de id.=0^m,278.

MEDIDAS ITINERARIAS.

1 legua tiene próximamente 20.000 piés=3 millas marinas. 20 leguas=60 Mm
=15 millas geográficas ó alemanas (M)=69 millas inglesas=111,1 kilóm.

MEDIDAS PARA ÁREAS.

1 quiñon=10 balitas=100 loanes=10.000 brazas cuadradas=27949,486 metros cuadrados=2$^{hect.}$,79495.
1 hectárea=3577,833 brazas cuadradas=0,35778 quiñones=3,5778 balitas=35,778 loanes.
 La braza cuadrada tiene 4 varas de Búrgos cuadradas así:
1 quiñon=10,946 ó sea próximamente 11 morgen prusianos.

MEDIDAS PARA ÁRIDOS.

1 cavan=25 gantas=200 chupas=800 apatanes=75 litros=1,35132 fanegas de Castilla.
 Desde 1.º de Enero de 1862 la unidad legal para todas las provincias es el cavan, que mide exactamente 75 litros, ó sea un cubo de 422^{mm} en sus aristas interiores, cuya capacidad es de 5990,96 pulgadas cúbicas castellanas. (El cavan de 1859 equivalia á 80,00919 litros.) 1 cavan de arroz pesa de 128 á 137 libras españolas, ó sean de 59 á 68 kilógramos.

MEDIDAS PARA LÍQUIDOS.

1 ganta=8 chupas=8 litros.
 La tinaja es medida variable, cuyo número de gantas se estipula en las transacciones, ó está fijado por el uso en algunas provincias : p. ej. una tinaja de aceite de coco de la Laguna=16 gantas.

PESOS.

1 quintal=1 quintal de Castilla=4 arrobas=46,009 kilógramos.

1 arroba=25 libras castellanas=11,502 kilógramos.

1 libra=2 marcos=0,460 kilógramos. 1 marco=8 onzas=0,230 kilógrames.

1 onza=16 adarmes= 28,76 gramos. 1 adarme=16 granos=1,80 gramos.

1 grano=0,005 gramos.

1 pico=10 chinantas= 100 cates= 1,600 tael= 137,500 libras castellanas = 62,262 kilógramos (1 tael=22,000 adarmes=89,539243 gramos).

El pico no es una medida de peso fija: en China mismo varía.—En Manila el uso ha fijado la equivalencia de 1 pico=137,5 libras castellanas.—En los puertos de China y en Singapore los ingleses han adoptado 1 pico=133$^{1}/_{3}$ libras inglesas, 1 pico de Manila=140 libras inglesas, 1 pico inglés=131,4 libras castellanas.

PESOS PARA METALES PRECIOSOS.

1 tael=10 mas=100 condrin = 754,75 granos del marco de Castilla= 37,68 gramos.

MONEDAS.

1 peso=2 escudos=5 pesetas=8 reales plata (r)=160 cuartos=100 céntimos.

Vulgarmente se cuenta por cuartos; en el comercio por céntimos. La unidad oficial, que era ántes el escudo, es hoy la peseta.

La casa de moneda de Manila, establecida en 1861, acuña en oro: monedas de 4 pesos, de 2 id. y de 1 id; en plata: 1 escudo, y desde 1866 tambien 0,2 de peso = 4 reales vellon, y de 0,1 = 2 reales vellon.

CAPÍTULO PRIMERO.

OBSERVACIONES PRELIMINARES.

Diferencia de meridiano.—Extension del comercio de Filipinas.—Division de la tierra.
—Primera impresion de Manila.— Terremoto.

—————

CUANDO en Madrid dan las doce del dia, señalan los relojes de Manila, capital del Archipiélago filipino, las 8ʰ 18′ 41″ de la noche; es decir, que está situada á los 124° 40′ 15″ al Este de Madrid (7ʰ 54′ 35″ de París. —*Conn. des temps*).—Al celebrarse en la capital de España el dia de Año nuevo, era ántes en Manila San Silvestre.

Como Magallánes descubrió las islas Filipinas (1521), en su célebre viaje de circumnavegacion, siguiendo el curso del movimiento de rotacion de la tierra, ó el aparente del sol, iba atrasándose por cada grado que avanzaba á Oriente cuatro minutos, y la diferencia ascendia á su llegada al Archipiélago á unas 16 horas. — Parece que el atrevido navegante no observó estas diferencias, pues Elcano, capitan del único buque que se salvó, no sabía, al emprender su viaje de vuelta, que, segun el diario de á bordo, tenía que contar un dia ménos á su llegada al punto de partida, que alcanzó navegando siempre con rumbo al Oeste (*) (1).

En Filipinas no se atendió tampoco á esta circunstancia, por lo cual era allí 31 de Diciembre cuando en el resto del mundo habia empezado ya el nuevo año. — Esto duró hasta fines de 1844, en que se resolvió, prévia autorizacion del Arzobispo, saltar por completo una vez el dia de San

—————

(*) NAVARRETE, IV, 97. Obs. 2.ª

(1) Segun el cuaderno de vitácora, Albo notó la diferencia al arribar á las islas de cabo Verde el 9 de Julio de 1522; pues dice «este dia fué miércoles, y este dia tienen ellos por juéves.»

Viajes por Filipinas.

2

Silvestre (2). Desde entónces no pueden considerarse situadas las islas en el extremo Occidente, sino en el extremo Oriente; y la cuenta del tiempo se anticipa, respecto á la de la Península, en unas 8 horas. Su área comercial es, sin embargo, nuestro extremo Occidente; desde allí se colonizó el Archipiélago, y durante siglos, hasta 1811, no tenía casi otra comunicacion con Europa que la proporcionada por un viaje anual de la nao, que hacia la travesía entre Manila y Acapulco. Pero al poblarse las costas orientales del mar Pacífico, y al desarrollarse con pasmosa rapidéz su prosperidad, no podian quedar las Filipinas apartadas del general movimiento, pues al Occidente de América ninguna colonia tropical asiática está situada tan favorablemente como el Archipiélago, y respecto á Australia sólo las Indias holandesas pueden disputarle la supremacía. En cambio no es su posicion tan ventajosa para el comercio con China, cuyo emporio fué en otro tiempo Manila, ni para el de los puertos occidentales del Atlántico más próximos al continente asiático, ó sea á nuestro extremo Oriente (3).

Considerando exactas las indicaciones anteriores, el Archipiélago filipino, ó, por lo ménos su área comercial, corresponde exclusivamente al hemisferio occidental, en el cual las colocaron ya los célebres geógrafos de Badajoz.

Segun la bula de Alejandro·VI, dada en 4 de Mayo de 1493 (*), que dividió el globo terráqueo en dos mitades por un meridiano, debian pertenecer á los portugueses todos los países infieles que se descubrieran en la oriental, y á los españoles los de la occidental. Las Filipinas podian corresponder á estos últimos, siempre sólo y cuando se hallasen situadas en el hemisferio occidental. La línea de demarcacion pasaba, desde el polo Norte al Sur, 100 leguas al Occidente de las islas Azores y de cabo Verde. Por el tratado de Tordesillas entre España y Portugal, hecho en 7

---

(2) En una nota de la pág. 18 de la magistral traduccion inglesa de Morga, hallamos la curiosa noticia de haberse hecho al mismo tiempo una rectificacion análoga en Macao, donde habia la falta contraria de un dia en la cuenta del tiempo, por llegar allí los portugueses desde Oriente.

(8) Á fines del siglo XVI importaron los artículos de China introducidos unos 40.000 pesos; la importacion en junto ascendió á 1 ¹/₈ millones. — En 1810, despues de 250 años de tranquilo dominio de los españoles, ésta no pasó de 1.150.000 pesos. Desde entónces ha progresado gradualmente, siendo en 1861 de 2.130.000 pesos.

(*) NAVARRETE, IV, Obs. 1.ª

de Junio de 1494, y ratificado por el papa Julio II en 1506, se corrió la línea 370 leguas al Oeste de las islas de cabo Verde.

Las leguas usuales por aquellos tiempos en España y Portugal eran de 17 $^1/_2$ al grado del Ecuador, importando en el paralelo de cabo Verde las 370 21° 55′; si calculamos la diferencia de longitudes entre la punta occidental del Archipiélago de cabo Verde y Cádiz, hallamos 18° 48′, resultando así ser los límites del hemisferio, cuyos descubrimientos correspondian á los españoles, al Oeste el meridiano 40° 35′, y al Este el 130° 17′, contados desde Cádiz; los medios de que entónces se disponia eran, empero, insuficientes para determinar estos datos con exactitud.

La latitud se midió con astrolabios imperfectos ó brújulas de madera, calculándola con tablas muy incompletas; la desviacion de la aguja magnética era punto ménos que desconocida, así como la corredera (4), no habiendo instrumentos ni métodos para averiguar la longitud con alguna precision. En semejantes circunstancias, representaron los españoles desde Badajoz á los portugueses, alegando que la divisoria oriental pasaba por las bocas del Gánges, y por tanto, que les pertenecian las islas de la especiería, de lo cual éstos protestaron.

En realidad debia caer el límite E. 46° $^1/_2$ más al Oriente, ó sea la distancia de Berlin á las costas de Labrador ó al pequeño Altaï, puesto que en el paralelo de Calcuta 46° $^1/_2$ equivalen á 2.575 Mm. — El diario de Albo una diferencia de longitud de 106° 30′ entre las islas más orientales del Archipiélago y cabo Fermoso (estrecho de Magallánes), siendo, en realidad, de 159° 25′.

Las cuestiones, suscitadas entre españoles y portugueses á causa de esta inseguridad en la divisoria oriental, se igualaron mediante un convenio hecho en 1529, por el que cedia Cárlos I todos sus derechos á las Molucas, recibiendo 350.000 ducados. Las Filipinas no tenian entónces valor alguno.

* *

De Hong-Kong á Manila se cuentan 650 Mm., casi exactamente al S. E.,

---

(4) Segun el diccionario físico de Gehler (*Gehler's Phys. Lex.*, VI, 450), la primera cita de la corredera se hace por Purchas en la descripcion de un viaje á las Indias Orientales en 1606. Pigafetta nada indica de ella en su tratado de la navegacion (*Trattato di navigatione*); pero en la pág. 45 de sus viajes dice: « Secondo la misura che facevamo del viaggio colla cadena a poppa, noi parcorrevamo 60 a 70 leghe al giorno.» Lo cual daria una marcha como la de un buen vapor, ó sea la de 10 nudos por hora.

que anda un vapor en tres ó cuatro dias, haciéndose por esta via el·servicio postal entre el Archipiélago y el resto del mundo (5).

Sin estos pequeños vapores, nada daria á conocer en Hong-Kong, cuyo puerto frecuentan buques de todas naciones, que en su proximidad habia un Archipiélago que, por su configuracion y fertilidad, parece más favorecido por la naturaleza que otro alguno.

Si bien las islas Filipinas pertenecen á España, apénas hay comercio entre ambos países. Las comunicaciones con la metrópoli eran ántes tan dificiles, que la llegada de un buque con el correo de.la Península se celebraba echando á vuelo las campanas y cantando un *Te Deum* en accion de gracias al Todopoderoso, por haber llevado á buen término viaje tan aventurado. Hasta que Portugal volvió á incorporarse á España, estuvo cerrado el camino alrededor de África. Lo que era entónces el viaje por tierra nos lo prueba el hecho de que dos padres agustinos, que debian llevar al Rey un importante mensaje, se decidieron á hacer el viaje, como camino más corto, por Goa, Turquía ó Italia, y llegaron á Madrid tres años despues de su salida de Manila (*).

El mayor coste de los fletes en buques españoles hacia hasta poco há, á pesar de la proteccion arancelaria y del derecho diferencial de bandera, que casi sólo llegasen á la colonia artículos extranjeros, y que los del país se exportasen, igualmente, á puertos extranjeros. Las relaciones con España se reducian al pasaje de empleados y frailes, y al transporte de los comestibles necesarios á su sostenimiento; conservas, vinos y caldos en general, y exceptuando algunas obras francesas, muy pocas, á un comercio de libros sin interés, vidas de santos y otros análogos.

La bahía de Manila es capáz de contener todas las escuadras de Europa; pasa por ser una de las más hermosas del mundo. El panorama que

---

(5) El correo de Europa vá por Singapore y Hong-Kong á Manila. — Áquél dista de estos dos últimos puntos casi lo mismo. — Se podria tener la correspondencia tan pronto en Filipinas como en China, si se recogiese directamente en Singapore.— En este caso, deberia, sin embargo, conservarse la línea de vapores de Hong-Kong, y el gasto de sostener ambas no está compensado, ni lo exige el movimiento mercantil actual. Posteriormente ha habido variacion, como puede verse en las notas del apéndice.

Segun una Memoria del cónsul inglés (Mayo 1870), además de los vapores del Gobierno, hace actualmente la carrera de Hong-Kong un vapor mercante. El número de pasajeros fué en 1868 : 441 europeos y 3.048 chinos, total, 3.489; para Manila : 330 europeos y 4.664 chinos; total, 4.994. El pasaje importa 30 pesos para los europeos y 20 para los chinos.

(*) ZÚÑIGA, Mavers, I, 225.

desde ella se descubre no corresponde, ni con mucho, á las entusiastas descripciones que hacen algunos viajeros, sobre todo cuando se llega en la estacion de sequías, como pasó al autor. Es circular, la rodean cinco provincias, y mide unas 120 Mm. de circuito (ó de bojeo, como en Filipinas se dice); en los alrededores de Manila, el país se presenta llano y monótono. La escasa vegetacion estaba agostada por la fuerza del sol; sólo algunos grupos de bambúes y de palmas-arecas, y á lo léjos los azulados montes de San Mateo, interrumpian la monotonía del paisaje. En tiempo de lluvias, cuando se desbordan los innumerables canales que atraviesan el llano, formando como una gran laguna, toda la comarca se convierte en un arrozal lozanamente verde.

Manila está situada á ambas orillas del Pasig. La ciudad, llamada propiamente Manila, con sus murallas y fosos, que se halla á la izquierda del rio, vista desde el mar en 1859, presentaba el aspecto de una vasta y antigua fortaleza europea, con sus tejados bajos y algunas torres. Cuatro años más tarde fué destruida, en gran parte, á consecuencia de un violento terremoto (*).

El 3 de Junio de 1863, cuando todo Manila estaba ocupada con los preparativos para la festividad del Corpus, osciló la tierra á las 7 y 31 minutos de la tarde, despues de un dia de pesado bochorno, los edificios más sólidos se bambolearon, los muros se agrietaron, el maderámen crujió, el terrible estrépito duró medio minuto. Un tiempo tan corto fué bastante para convertir toda la ciudad en un campo de ruinas y sepultar vivos á centenares de habitantes. Segun una carta del Gobernador superior civil, se arruinaron completamente el palacio, la catedral, los cuarteles y casi todos los edificios públicos. Las pocas casas particulares que no desaparecieron, quedaron resentidas. Informes posteriores aseguran que murieron 400 personas, y hubo 2.000 heridos; calculan las pérdidas en 8.000.000

(*) Considero la opinion del autor muy justa y muy exacta. La impresion que recibí al desembarcar en Manila viniendo del ameno Singapore, y habiendo visto las pintorescas costas de Mindoro, fué tristísima; una llanura con poquísimo arbolado, rodeando á una poblacion ceñida por tétricas y negruzcas murallas, con pestilentes fosos, de calles tiradas á cordel con casas bajas, cuyos miradores cerrados por placas de concha les dan un aspecto de conventos, la hierba crece doquier, y un silencio sepulcral reina en todas partes. Es un contraste desconsolador, con la vida y animacion de las colonias inglesas. —Se necesita habitar bastante tiempo Manila y adquirir relaciones muy agradables para oir con calma llamarla la Perla de Oriente. (*N. del T.*)

de pesos, 46 edificios públicos y 528 particulares derruidos ó próximos á desplomarse, y todos los demás habiendo padecido en mayor ó menor grado.

Al mismo tiempo se sintió en Cavite, donde está el arsenal, un temblor de 40 segundos, que causó la caida de muchos edificios.

Tres años despues de esta catástrofe, halló aún el Duque de Alençon (*Luçon et Mindanao*, París, 1870, pág. 38) vestigios de ella en todas partes. Tres lados de la plaza principal de la ciudad, en los cuales ántes estaban el palacio, la catedral y la casa Ayuntamiento, se veian convertidos en montones de escombros, cubiertos de maleza. Los edificios oficiales se reemplazaron con barracones provisionales de madera, sin haberse construido aún algo definitivo.

Manila está expuesta á frecuentes temblores; los más tristemente célebres son los de 1601, 1610 (30 de Noviembre), 1645 (30 de Noviembre), 1658 (20 de Agosto), 1675, 1699, 1796, 1824, 1852 y 1863. — En 1645 murieron 600 personas (*) y segun algunos hasta 3.000 (**), quedaron sepultados en las ruinas de las casas. De todos los edificios públicos, permanecieron sólo en pié el convento y la iglesia de los Agustinos y la de los Jesuitas.

Pequeños terremotos, que hacen oscilar de repente las lámparas, son muy frecuentes y pasan, por lo comun, desapercibidos. Á causa de los efectos de estos movimientos, las casas constan de un solo piso, y la toba volcánica, con sus insterticios numerosos, aminora los efectos del temblor. Muy poco convenientes parecen en semejantes circunstancias las pesadas cubiertas de tejas. En provincias son los terremotos tambien frecuentes; pero como causan escasos daños en las casas de tabla ó de caña y nipa, en su mayor parte poca atencion merecen.

Mr. Alexis Perrey publicó, en las Memorias de la Academia de Dijon, teniendo á la vista gran número de autores, un índice de todos los terremotos de Filipinas, y principalmente de Manila. Hasta respecto de los más notables, son vagas las noticias, á veces hasta hay dudas en las fechas; los ménos importantes apénas están consignados, á ménos de haberlos apuntado algun hombre científico, que por casualidad se hallára allí.

(*) ZÚÑIGA, XVIII. M. Velarde, f. 139.
(**) CAPT. SALMON, *Goch.*, pág. 33.

Un temblor muy violento se experimentó, segun Aduarte (i. 141), en 1610. Doy aquí la abreviada descripcion, que no hallo en ninguna otra obra.

Á fines de Noviembre de este año (1610), hácia el dia de San Andrés, se sintió en esta isla—desde Manila hasta la última extremidad de la provincia de Nueva Segovia, una distancia de 200 leguas—un terremoto tan terrible, que no habia memoria de otro igual; causó grandes daños en todo el país, en la provincia de Ilocos enterró palmeras, dejando asomar á flor de tierra sólo las copas; montañas fueron impulsadas, por la violencia de las sacudidas, unas contra otras; muchos edificios se arruinaron y numerosas personas sucumbieron. Donde más fuerte se experimentó fué en Nueva Segovia; allí se abrieron montañas, aparecieron lagos, la tierra vomitó grandes masas de arena, y osciló de tal suerte que las gentes no podian aguantar en pié, teniendo que sentarse en tierra y sujetarse, como si estuvieran corriendo un temporal en el mar. En las alturas habitadas por los Mandayas se hundió una montaña, aplastando una aldea y causando la muerte á sus moradores. Un enorme trozo de tierra cayó al rio, de modo que ahora hay una llanura donde ántes se elevaban colinas. En el lecho del rio fué tan fuerte el movimiento, que se levantaron olas encrespadas como si un horroroso huracan azotára las aguas. Los edificios de sillería fueron los que más padecieron; nuestra iglesia y convento se desplomaron.....

Barra del Pasig, Manila.

CAPÍTULO II.

Rada. — Aduanas. — Historia del comercio. — Política colonial española. —
Viajes de las naos.

EL registro de la aduana y otras formalidades llevadas con rigurosa mi-
nuciosidad por los empleados subalternos indígenas, son tanto más
molestas para el viajero, cuanto que acaba de dejar los puertos francos
ingleses del Asia Oriental. Con fianza de un comerciante establecido se
le permite desembarcar á las 16 horas como un especial favor; teniendo,
sin embargo, que dejar todo su equipaje á bordo.

La rada es poco segura en la monzon del S. O. y en tiempos tempestuosos
de cambio de monzon, por lo cual los buques mayores van á buscar abrigo
en el puerto de Cavite, distante 7 Mm.; en la monzon del N. E. pueden
fondear sin temor á $\frac{1}{2}$ l. de tierra. Barcos menores de 300 toneladas entran rio arriba salvando la barra y llegan hasta el puente. Desde el centro
del rio hasta las mismas orillas hay muchas filas, y el número de buques
y su movimiento indican la importancia del comercio de cabotaje.

En la monzon de lluvias arrastra el Pasig tal cantidad de tierras, que
la limpia apénas es posible con las pocas dragas existentes.

El corto número de buques fondeados allí, especialmente con bandera extranjera, es más notable, por ser Manila el único punto accesible al comercio extranjero. Es verdad que desde 1855 tenian otros tres puertos esta franquicia (posteriormente se dió aún á otro) pero á mi llegada (Marzo 1859) no los habia visitado buque extranjero alguno. Pocas semanas despues se registró el primer barco inglés en Ilo-ilo, donde iba á cargar azúcar para Australia (6).

La principal causa de este hecho, á pesar de la feracidad extrema del suelo, se halla en el poco desarrollo de la agricultura, subordinada á la artificiosa legislacion vigente, que no está acorde con las necesidades modernas, y es un obstáculo á la prosperidad de la riqueza. Los derechos arancelarios en sí no son demasiado altos, en general importan un 7 por 100 del valor de los cargamentos de buques españoles, el doble para los extranjeros, y siendo los géneros de procedencia española un 3 por 100 con bandera nacional, y un 8 con extranjera. De aquí que los buques extranjeros casi solo pueden llegar en lastre (7). Como los artículos ingleses y norte-americanos satisfacen la mayor parte de las necesidades del país, deben cargarse en barcos españoles, cuyos fletes importan triple (4-5 en vez de 1 $\frac{1}{2}$-2 £ tonelada) y frecuentan poco los puertos de aquellos países, ó bien trasbordarse en Singapore ó Hong-Kong á buques españoles que los condúzcan á Manila, aumentándose así naturalmente los gastos. Además se cobran tambien derechos de tonelaje á buques en lastre, y hasta á aquellos que sin apagar sus fuegos ni tomar carga arriban á Manila. Estos, si cargan un solo bulto, ya no se consideran en lastre y se tasan los derechos por una tarifa mucho más elevada. Un buque debe, pues, no tomar carga alguna ó tomar tanta como le sea posible, á fin de sufragar el importe de los derechos, lo cual es casi imposible por lo gravada que está la diferencia de bandera. La proteccion que se dispensa á la navegacion nacional equivale casi á una prohibicion para la extranjera. Por esto los buques de las otras naciones llegan casi siempre

---

(6) La apertura de estos puertos no ha dado los resultados que se esperaban. En otro capítulo tratarémos con más detenimiento tan importante cuestion, sacando los datos principalmente de las comunicaciones verbales y de los informes oficiales del vicecónsul inglés N. Loney, que hace tres años falleció.

(7) En 1868 entraron en el puerto de Manila 112 buques extranjeros, sumando 74.054 toneladas, y 93 españoles con 26.762 id. Los primeros casi en su totalidad en lastre, en busca de cargamento, los segundos cargados á su ida y retorno. (Memoria del cónsul inglés 1869.)

10

sólo en lastre y cuando son llamados por las casas de comercio con determinado objeto.

La colonia exporta de preferencia productos naturales no manufacturados, que pagan un 3 por 100 de derechos de salida, y en buque español
un 1 por 100; pero como por lo alto de los fletes en los buques nacionales
apénas hay exportacion y ésta no se dirige casi á la Península, es pura
apariencia la proteccion que se cree dispensar al comercio (8). Estas leyes
aduaneras, inconvenientes en sí, entorpecen además las transacciones
por las formas de desconfianza, siempre dilatorias, que revisten, alejando
del puerto todos los buques en busca de flete: á veces no hay medio de
despachar á tiempo los pedidos de artículos del país. El movimiento de
buques es tan escaso, que la total recaudacion de los derechos de puerto,
no obstante de ser altos, apénas llega á 10.000 pesos, término medio de
un decenio.

La situacion de Manila es en sí ventajosísima para el comercio, pues
puede considerarse como el centro entre el Japon, China, Anam y los
puertos holandeses é ingleses del archipiélago malayo y Australia (9).

Durante la monzon del N. E., en los meses de nuestro invierno, los
buques, que van del archipiélago índico á China para hallar algun abrigo,
siguen la derrota del estrecho de Gilolo, pasando muy cerca de Manila,
que sería un excelente punto de escala: además, es la situacion de Filipinas, como ya se ha indicado, muy propicia al comercio de las costas occidentales de las Américas.

El decreto de 5 de Abril de 1869, tan importante para la prosperidad de
las colonias españolas, prueba que el Ministerio de Ultramar conoce perfectamente estas circunstancias y las atiende. Ya ántes se hubiera dictado
esta disposicion á no haberse opuesto tenazmente los navieros peninsulares y ultramarinos á abandonar un privilegio, cuya desaparicion les obligaba á desarrollar más actividad en sus negocios.

Los puntos culminantes del decreto son: rebaja de los derechos diferenciales de bandera y su total extincion trascurridos dos años, supresion

---

de los derechos de exportacion y fusion de varios derechos de puerto en uno solo (*).

Al desembarcar por primera vez los españoles en Filipinas, hallaron á los indígenas vestidos de telas de algodon y de seda, que adquirian de los chinos, á quienes en cambio daban sibucao (10), polvo de oro, balate (holoturidos), nidos comestibles y pieles (**). Tambien comerciaban los filipinos con el Japon, Cambodje, Siam (11), las Molucas y el Archipiélago Malayo. De Barros cita barcos de Luzon que en 1511 visitaron Malacca (***).

A causa de la mayor seguridad de que en el país se disfrutó desde la dominacion española, y por haberse abierto el comercio con América y Europa, aumentaron todas las transacciones, extendiéndose á los países de la India hasta el golfo Pérsico. Manila se convirtió en un depósito de artículos del Oriente de Asia para cargarlos en las naos, que desde 1565 hacian la travesía de Nueva España, dirigiéndose primero á Navidad, y desde 1602 á Acapulco. De retorno llevaban principalmente plata (12). Los comerciantes de Nueva España y del Perú hallaron tan ventajosos estos negocios, y las manufacturas asiáticas introducidas en la Península tuvieron tal aceptacion, que motivaron una baja en los precios de las europeas. Los monopolizadores sevillanos, acostumbrados á imponer la

---

(*) Para más detalles véase el apéndice sobre aduanas.

(10) Sapan ó Sibucao, *Caesalpinia Sappan*. El palo de Fernambuco ó del Brasil, llamado así por su procedencia, se obtiene de las especies *C. echinata* y *C. brasiliensis*. El mapa de América más antiguo hace notar que en el país del palo del Brasil no hay otro producto de utilidad. El sibucao de Filipinas es más rico en materia tintórea que todos los demás del Oriente de Asia; pero ménos que el brasileño. En estos últimos tiempos ha perdido su crédito á causa de cortarse demasiado pronto. Se exporta principalmente para China y sirve para teñir de rojo. La tela, empapada primero con una disolucion de alumbre, se introduce en un baño alcalino y algo alcohólico. El color rojo parduzco, tan frecuente en los trajes de los chinos pobres, se produce con el sibucao.

(**) Un catálogo interesante de los objetos importados en aquella época por los chinos, puede verse en el apéndice.

(11) Entónces ya se exportaban para Siam grandes cantidades de conchas pequeñas (*Cyprea moneta*), que áun hoy sirven allí de moneda.

(***) Véase la Memoria geo-hidrográfica de Berghaus.

(12) Manila no se fundó hasta 1571; pero ya en 1565 el P. Urdaneta, compañero de Legaspi, logró hacer el viaje de vuelta por el Occéano Pacífico, buscando en altas latitudes los vientos N. O. Realmente no fué Urdaneta el primero que efectuó el viaje de regreso, pues uno de los cinco barcos de Legaspi, mandado por D. Alonso de Arellano y gobernado por un piloto mulato, Lope Martin, se separó de los restantes despues de la llegada al Archipiélago, y volvió á Nueva España por la derrota del Norte, á fin de obtener el premio prometido á este descubrimiento, lo cual no alcanzó por la pronta llegada de Urdaneta.

12

ley, se disgustaron hasta el punto de solicitar el abandono de la colonia, alegando que se mandaban á ella anualmente grandes sumas, con detrimento de América, y que era sensible que la plata de los reinos de S. M. fuera á parar á manos de idólatras. Ya habia surgido gran oposicion al establecimiento de la colonia (†). Estas pretensiones se estrellaron, ante la ambicion de la Corona y el influjo de las órdenes religiosas; representaban, sin embargo, la opinion dominante en aquellos tiempos (††). Y se dió alguna satisfaccion prohibiendo á los comerciantes de Nueva España y del Perú comprar géneros chinos directamente ó tomándolos en Manila. Sólo á los naturales de Filipinas se permitió llevar á América artículos de China, limitando su importe al valor de 250.000 pesos anuales y á 500.000 el de los géneros de retorno (13). Más tarde se elevó la primera suma á 300.000 pesos con el correspondiente retorno, continuando vigente la prohibicion de que los españoles visitasen los puertos de China, de modo que les era preciso esperar la llegada de los juncos de aquel país. Finalmente, en 1720, se prohibió la entrada de géneros de China en todos los puertos españoles de ambos mundos. Una disposicion de 1734, completada en 1769, volvió á permitir el comercio con China, elevando el valor máximo de los cargamentos para Acapulco á 500.000 pesos, y de los de retorno á 1.000.000 de pesos en plata.

Cuando la nao de Acapulco, sostenida por las cajas reales, cesó en sus viajes (la última salió de Manila en 1811 y regresó de Acapulco en 1815), pasó el comercio con América á manos de particulares, á quienes se permitió exportar de Filipinas, en 1820, por valor de 750.000 pesos anuales, y hacer los viajes no sólo á Acapulco, sino tambien á San Blas, Guayaquil y Callao. Estas concesiones no bastaron, sin embargo, á compensar los perjuicios que al comercio filipino resultaron de la pérdida de Méjico para España. La toma de Manila por los ingleses en 1762 dió á conocer una porcion de manufacturas, que sus relaciones con China y la India no pudieron ántes proporcionarle. Para atender á la demanda salieron de los

---

(†) Véase Kottenkamp, I, 1594.

(††) Apoyada en las leyes de Indias 1.ª y 6.ª, c. IV, l. IX.

(13) En un principio se limitó la importacion fijando un valor máximo, lo cual ocasionó que los comerciantes manileños consignáran en las facturas precios más bajos que los verdaderos; para evitar este fraude se determinó un máximo para la exportacion de plata. Segun D. Sinibaldo de Mas. (Informe I, 8, 60.)

puértos de la Península, desde fines de 1764, buques de guerra con productos de la industria española (caldos, comestibles, sombreros, telas, lencería en general, géneros de lujo, etc.).

Los comerciantes de Manila, acostumbrados á la comodidad y descanso de los negocios en tiempo de la nao de Acapulco, se irritaban contra esta innovacion á pesar de proporcionarles buen lucro, pues el Gobierno les compraba los géneros de China y de la India para fletar sus buques á doble precio del que tenian en aquellos países. En 1784 se verificó el último de estos viajes (*).

Desde la invasion inglesa se prohibió terminantemente á barcos europeos visitar Manila; pero como no se podia prescindir de comprar los artículos de la India y no habia disponibles buques del país, se conducian al Archipiélago desde los puertos ingleses y franceses como producto de Turquía, á nombre de un simulado capitan indio (**).

En 1785 se concedió á la Compañía de Filipinas el monopolio del comercio entre la metrópoli y la colonia, sin incluir el trato directo entre Manila y Acapulco. Queria obtener grandes cantidades de productos coloniales : seda, índigo, canela, algodon, pimienta, etc.—como más tarde sucedió en Java al plantearse el sistema de cultivos—pero como no se apoyaba en el trabajo obligatorio, se malograron las tentativas de aumentar de repente la produccion del país.

Por lo erróneo del sistema y la incapacidad de los empleados experimentó la Compañía grandes pérdidas (pagó, por ejemplo, 13,5 pesos por el pico de pimienta, cuando en Sumatra se vendia á 3-4 pesos).

En 1789 se permitió á buques extranjeros llevar á Manila artículos de la India y China, pero no europeos, y en 1809 se facultó á una casa inglesa para establecerse en Manila (14). Finalmente, en 1814, despues de ajustar la paz con Francia, se consintió á todos los extranjeros, con más ó ménos limitaciones, comerciar en aquella plaza (***).

El comercio directo entre la Peninsula y Filipinas se declaró libre por diez años en 1820, sin limitar el importe de los productos de la colonia,

---

(*) Informe. Hist., 2.
(**) Informe, I, 4, 6.
(14) Lapérouse (358) cita en 1787 una casa francesa (Sebis), diciendo que hacia ya bastantes años estaba establecida en Manila.
(***) Informe. Comercio, 2.

14

pero con la cortapisa de que cada cargamento de objetos de China ó de la India no debia representar un valor que excediese de 50.000 pesos. Al terminar en 1834 el privilegio de la Compañía se hizo extensiva esta libertad á las transacciones con el extranjero, debiendo, sin embargo, satisfacer dobles derechos los buques no españoles. Desde 1855 se han habilitado cuatro puertos más para la exportacion y la importacion, y en 1869 se ha reformado la tarifa arancelaria como hemos dicho.

Hoy, despues de tres siglos de tranquila posesion, no tiene Manila en aquellos mares la importancia que alcanzára poco despues de la llegada de los españoles. El comercio con China ha tomado otra direccion, debido á diversas causas, como el haberse cerrado durante largo tiempo los puertos del Japon y del imperio indo-chino de resultas principalmente de la indiscreta predicacion de los misioneros católicos en aquellos países (15), de la pérdida de las colonias de América, y en particular de aferrarse España á una política mercantil y colonial llena de desconfianza, miéntras se creaban notables emporios en excelente situacion con grandes medios y razonado espíritu liberal en las Indias inglesa y holandesa. Las causas son tan claras como evidentes los efectos que produjeron; pero se engañaria quien supusiese ser motivada por la ignorancia la política que se adoptó. Los españoles llevaron en parte al colonizar el Archipiélago un fin religioso, junto con el aumento del poder real, por disponer de numerosos y muy productivos empleos ultramarinos. Lo mismo la Corona que los favoritos del monarca no trataban más que de explotar las colonias en provecho propio, faltándoles voluntad y medios para acrecentar su riqueza con el fomento de la agricultura y del comercio. Parte integrante de este sistema era la exclusion de los extranjeros (16). Pareció áun más necesario en las lejanas islas Filipinas que en las posesiones de América impedir su contacto con los indígenas, si se queria conservar el dominio español. Con la actual facilidad de comunicaciones y las exigencias del co-

---

(15) Véase el escrito R. Cocks á Thos. Wilson (*Calendar of State Papers* (India), número 823 : «Si Inglaterra quiere sostener comercio con China, debe prescindir de los *padres* (así les llaman), de quienes los chinos no pueden oir hablar, porque ántes fueron allí en gran número mendigando siempre sin vergüenza.»

(16) En 1857 se renovaron aún por una ley (Leg. ultram., II, 512) las antiguas y rigurosas disposiciones contra el establecimiento de extranjeros. Una Real órden de 1844 (Leg. ultram., II, 465) prohibe, bajo cualquier pretexto, permitir el acceso del interior de la colonia á los extranjeros.

mercio universal de utilizar las fuerzas productoras de un país tan pro-
digiosamente rico, no pueden mantenerse las anteriores restricciones;
debe saludarse, por consiguiente, la tarifa arancelaria decretada recientemente como una medida en consonancia con las necesidades de la época presente.

.

Los viajes de las naos entre Manila y Acapulco, ya várias veces citados,
ocupan un lugar tan preferente en la historia de Filipinas, y dan una idea
tan clara del antiguo sistema colonial, que merecen reseñarse brevemente,
por lo ménos en sus principales rasgos.

En tiempo de Morga, á fines del siglo xvi, llegaban anualmente de 30
á 40 juncos chinos (por lo comun en Marzo); á fines de Julio salia la nao
para Acapulco. El comercio de Acapulco, cuyos negocios se limitaban á
los tres meses de intervalo, era tan lucrativo, cómodo y seguro, que los
españoles no querian lanzarse á ninguna otra empresa.

Como la cabida del único buque anual no bastaba al tráfico, la repartia
el Gobernador segun su buen saber y entender, y los favorecidos generalmente no comerciaban y sólo traspasaban las concesiones á los verdaderos
negociantes.

Segun dice De Guignes (*), la nao se dividia en 1,500 partes, de las
cuales una buena porcion correspondia á las órdenes religiosas, y el resto
á personas privilegiadas. En realidad el valor del cargamento excedia en
mucho ál oficialmente permitido de 600.000 pesos, y en su mayor parte
se componia de telas chinas é indias de algodon y de seda (entre estos géneros unos 50.000 pares de medias de seda chinas) y adornos de oro. El
cargamento de retorno consistia principalmente en unos 2 ó 3 millones de
pesos en plata.

Todo estaba dispuesto de antemano para alimentar este comercio: número, forma, tamaño y valor de los fardos, hasta los precios de venta fijados. Como estos representaban el doble de los de coste, la concesion
para embarcar géneros hasta un valor fijo equivalia casi, en circunstancias normales, á regalar otro tanto. Estos permisos (boletas) se dieron despues como una gracia á pensionados, viudas de militares y á empleados en

---

(*) Pinkerton, xi, 85.

vez de una parte de sus haberes ; pero sin poder usar de ellos inmediatamente , pues sólo tenian derecho á comerciar con Acapulco los miembros
del Consulado (una especie de Junta de Comercio) que, residentes en el
país hacía algunos años, contaban con un capital de 8.000 duros.

El astrónomo Legentil (*) describe minuciosamente las disposiciones
vigentes en su tiempo y su práctica : el cargamento constaba de 1.000 fardos, cada uno de cuatro paquetes (**), de valor de 250 pesos. El número de fardos no podia aumentarse ; pero por lo general contenian más de
cuatro paquetes, y su valor excedia tanto á aquél, que una boleta valia de
200 á 225 pesos. Los empleados cuidaban que ninguna mercancía entrase
á bordo sin la boleta correspondiente, y la investigacion era á veces lleva-
da á cabo con tanto celo, que más tarde Comyn (†) vió pagar 500 pesos
para que se facturáran géneros que valian apénas 1.000. Los comerciantes
solian tomar prestado á las Obras Pías el dinero que necesitaban para sus
compras, cuyos establecimientos, hasta hace poco tiempo, reemplazaron á
los bancos (17). En tiempos anteriores salia la nao (***) de Cavite, navegaba con viento S. O. hácia el Norte hasta más allá de la zona de las
calmas, y encontraba los vientos del Oeste en el paralelo 38° ó 40° (****).
Más tarde se dispuso que estos buques dejáran Cavite con los primeros
vientos del S. O., pasáran á lo largo de la costa S. de Luzon por el estrecho de San Bernardino, y navegáran por los 13° lat. N. tan al E. como

----

(*) II, 201.
(**) De 5 × 2¹/₂ × 1¹/₂ = 18,75 piés cúbicos de Castilla (St. Croix, II, 360).
(†) Comercio exterior, 47.
(17) Constituyen generalmente los fondos de las Obras Pías legados y donaciones piadosas, que por lo comun deben destinarse en sus dos terceras partes á empresas comerciales de
navegacion, como préstamo á interes, hasta acrecentar el capital á una cierta suma, y cuyos
réditos se destinaban para sufragios por el alma del donador ú objetos benéficos (Arenas,
397).—El interés importaba : para Acapulco 50 por 100, para China 25 por 100, para la
India 35 por 100.—Un tercio solia dejarse como fondo de reserva, á fin de cubrir las pérdidas que ocurrieran. (Estos fondos de reserva los tomó hace tiempo el Gobierno á título de
empréstito forzoso ; sin embargo, se consideran aún como existentes.)
Al cesar el comercio con Acapulco, no pudo darse ya á estos capitales el destino de los
donantes, y se prestaron á otras empresas mediante pago de los correspondientes intereses.
Por Real órden de 3 de Noviembre de 1854 (Leg. ultram., II, 205) se instituyó una Junta
para administrar los fondos de Obras Pías. El capital total de las cinco asociaciones (propiamente sólo cuatro, pues una no lo poseia ya) importa algo ménos de 1 millon de pesos.
Las ganancias de los préstamos hechos se reparten segun la importancia del capital impuesto, que no existe en numerario, pues hace tiempo el Gobierno ha echado mano de él.
(***) Thevenot Religieux, 12.
(****) 14-15°. Morga, 171.

posible les fuese, hasta que el alisio N. E. les obligára á buscar los vientos del cuarto cuadrante en latitudes más altas. Despues debian conservar cuanto pudieran la latitud de 30° (*), en vez de la indicada por la derrota anterior de 37°. No se permitia al capitan gobernar más al Norte, á pesar de que así hubiera hecho un viaje más rápido y seguro y alcanzado ántes la zona de las lluvias. Esto último, sin embargo, tenía especial importancia, pues el barco, excesivamente cargado, disponia de poco espacio para agua, y para el consumo de los 4 ó 600 hombres de á bordo se necesitaba recoger la de lluvia, yendo provistos al efecto de esteras y canalones de bambú (†).

A causa de la inconstancia de los vientos, los viajes en latitudes tan bajas eran extremadamente pesados, durando cinco y más meses. El temor de exponer barcos con tan preciosos cargamentos á los fuertes y á veces tempestuosos vientos de altas latitudes, parece haber sido la causa de adoptar esta derrota.

Así que los buques llegaban al gran banco de Sargaso, tomaban al Sur, pasando por la punta meridional de la península de California (San Lúcas), en donde recibian noticias, renovaban los víveres y hacian aguada (††). En los primeros tiempos tocaban más al Norte de América, hácia el Cabo Mendocino, y á la vista de las costas derivaban al Sur; pues cuando Vizcaíno en 1603 emprendió su viaje de descubierta desde Méjico á California, halló notables montañas y cabos, que—á pesar de no haber sido visitados por europeos—tenian nombres puestos por las tripulaciones de los galeones de Filipinas, á los cuales servian de puntos de orientacion (*).

El viaje de vuelta al Archipiélago era cómodo y duraba tan sólo de 40 á 60 dias (**). La nao salia del puerto de Acapulco en Febrero ó Marzo, navegaba al Sur hasta encontrar el alisio, comunmente de los 10° á los 11° Norte, á favor del cual, y sin dificultad, llegaba hasta las islas de los La-

---

(*) Segun Legentil, 32-34°.
(†) De Guignes, Pinkerton, xɪ. Anson, x.
(††) Anson, x.
(*) Edmond Randolf, *History of California.*
(**) En la época de Morga, 70 dias hasta las islas do los Ladrones, 10-12 hasta Cabo Espíritu Santo, y 8 dias hasta Manila.

drones, y de allí se dirigia, pasando á lo largo de Samar, á Manila (18).

Una nao medía 1.200-1.500 toneladas, é iba armada con 50-60 cañones, que solian meterse en la cala, por lo ménos en el viaje á Oriente, montándolos en el de vuelta, que se disponia de más espacio.

Fray Gaspar (pág. 456) refiere de la nao *Santa Ana*, que fué abordada é incendiada por Tomas Candish en 1586 cerca de las costas de California, que «los nuestros navegaban tan desprevenidos, que llevaban la artillería como lastre..... El corsario hizo tan buena presa, que entró en Lóndres desplegando velas de damasco chino y luciendo jarcia de seda.»

En Acapulco se vendia el cargamento con un 100 por 100 de ganancia, pagándose en plata, cochinilla, azogue, etc. El valor total del de retorno importaba de 2-3 millones de pesos (*), de los cuales 250.000 á 300.000 pertenecian al fisco real.

La entrada del buque cargado de pesos de plata y de pasajeros en el puerto de Manila era una gran fiesta para la colonia. Una parte considerable del dinero ganado á tan poca costa, casi como en el juego, se derrochaba presto, volviendo despues todo á su habitual estado de monotonía.

A menudo se perdian tambien barcos que traspasaban los límites marcados en el derrotero y los de la prevision, ya cargándolos con exceso por demasiada confianza en la pericia de los marinos, ya tambien por otras faltas cometidas en la navegacion, pues no bastaban la experiencia y los conocimientos para obtener los productivos destinos de capitanes, sino que se daban al favoritismo (19). Varios galeones fueron apresados por los ingleses y holandeses (20). Tambien fueron disminuyendo las ganancias cada vez más, pues la Compañía de Filipinas logró despues la concesion de con-

---

(18) Una excelente descripcion de los viajes de estos galeones se halla en Anson, capítulo x. La misma obra contiene una copia de la carta marina cogida á bordo de la *Covadonga*, en la cual están indicadas las derrotas de ida y vuelta para los viajes de Manila á Acapulco.

(*) De Guignes.

(19) Al comandante, que llevaba el título de general, acompañaba un capitan, cuya ganancia no bajaba de 40.000 pesos por viaje. La del piloto era de unos 20.000. El maestre de á bordo tenía un 9 por 100 del producto de la venta de los géneros, además de la parte de cargamento que le pertenecia, más de 350.000 pesos. (Arenas, *Hist.*, 394.)

(20) El cargamento apresado por Anson importó 1.313.000 pesos, sin contar 35.682 onzas de plata fina y cochinilla. El robado por Drake en tiempos de paz entre España é Inglaterra se valoró en 1¹/₂ millon de pesos. Candish (véase más arriba) quemó el rico cargamento de la *Santa Ana* por no tener donde meterlo.

ducir por Veracruz, con un 6 por 100 de derechos, telas de algodon de la India, que formaban una parte principal de los cargamentos, y los ingleses y americanos hicieron un fuerte contrabando (21). Finalmente, debe citarse aquí que los pesos españoles conducidos por las naos á Manila iban á China y á la India, en cuyos países son áun hoy dia moneda corriente en todas las transacciones.

(21) La nao *San Andrés* en 1786 no halló salida para su cargamento, importante 2 millones de pesos, en el mercado de Acapulco; lo mismo sucedió en 1787 al *San José* y al mismo *San Andrés* en 1789. (Informe I, 4, 33.)

Casco ó barco de carga, t. r.

Casa con azotea junto al rio Pasig.

CAPÍTULO III.

Manila. — Vida en la ciudad y sus arrabales. — Riñas de gallos. — Trajes
de las diferentes clases.

LA ciudad de Manila, propiamente tal, habitada por peninsulares, mestizos é indígenas y chinos (22), en inmediata dependencia ó en contínuo roce con ellos, está situada en la márgen Sur del Pasig, mira al mar por una parte, y la rodean murallas circuidas de anchos fosos. Es triste y calurosa. Abunda en conventos, fundaciones piadosas, cuarteles y otros edificios oficiales. Al construirla se atendió más á la seguridad que á la belleza. Manila recuerda algunas capitales de provincia de aspecto levítico de la Península, y despues de Goa es la ciudad más antigua de las Indias orientales. Los extranjeros habitan en la márgen septentrional del Pasig, en Binondo, punto principal del comercio, ó en los pintorescos pueblos vecinos, que vienen á estar unidos formando como una sola poblacion. El número de habitantes se calcula, quizá exageradamente,

(22) 1855 : 586 peninsulares, 1.378 españoles del país, 6.323 mestizos é indios, 332 chinos, 2 hamburgueses, 1 portugues, 1 africano. (*Com. central de Estadística.* Cuad. I.)

en 200.000. Un bonito y antiguo puente de sillería de diez tramos y otro de hierro colgado unen las dos orillas del rio (23).

Entre los habitantes de Manila y los de Binondo no hay mucha comunicacion. La vida en la ciudad murada no debe ser muy agradable : vanidad, envidia, empleomanía, odios de razas están á la órden del dia. Los peninsulares se conceptúan superiores á los españoles del país, quienes á su vez les echan en cara que sólo van á la colonia para medrar. Entre blancos y mestizos reinan tambien odios y envidias. Estas circunstancias se observan igualmente en todas las colonias españolas, y se originan en su esencia de la política colonial de la metrópoli, encaminada siempre á mantener separadas las razas y las clases, á fin de evitar una accion separatista comun (*).

La falta de grandes propietarios ligados al país por sus fincas rústicas aumenta este malestar. En los últimos tiempos parece que el hacerse más considerable la demanda de productos filipinos motiva mayor desarrollo en este sentido. Antes la única fuente de riqueza consistia en el comercio de las naos, el cual, semejante á un juego de azar, influia en la poblacion española, como con gran verdad pinta Murillo Velarde (pág. 272) : « Los españoles que llegan aquí no consideran estas islas como una patria, sino como una posada. Si se casan, que á veces sucede, ¿dónde hallar una familia que dure algunas generaciones? El padre amontona los caudales, el hijo los malgasta, el nieto mendiga. Las fortunas más crecidas son inestables, cual las olas del mar que las proporcionáran. »

Tambien entre los extranjeros de Binondo hay ménos trato que en las colonias inglesas y holandesas, y casi ninguna sociedad con los españoles, que envidian á aquéllos, y consideran poco ménos que una usurpacion las adquisiciones hechas en un país cuyo dominio creen que exclusivamente les corresponde. La vida es, además, muy cara ; más cara que en Singapore y Batavia. Lo que gastan muchos empleados no guarda proporcion con el sueldo que disfrutan.

Las casas, en parte muy espaciosas, son sombrías y destartaladas, con

---

(23) El terremoto de 1863 destruyó parte del puente de sillería, que se está terminando ; las pilas están concluidas, y se espera el hierro para los tramos (Abril de 1872).—La reconstruccion parcial es una obra excelente, que honra al distinguido ingeniero jefe D. Casto Olano.

(*) Véase ROSCHER · KOLONIEN.

poca ventilacion, atendido el clima; en vez de persianas tienen pesadas ventanas corredizas, en las cuales la luz no pasa á traves de cristales, sino á traves de placas de marisco (*Placuna placenta*, L.), llamadas conchas en el país, de unas dos pulgadas en cuadro, clavadas en listones de madera de una pulgada de ancho. La parte baja, á causa de la humedad excesiva, queda, en general, deshabitada, utilizándose sólo para almacenes, cuadras y otras dependencias.

Casa de caña y nipa en el arrabal del Trozo.

Los harigues ó piés derechos, sobre los que descansa, son generalmente de palma brava (Caryota), el armazon restante consiste en bambúes enlazados con bejucos, el piso es de bambúes partidos, las paredes se cubren con hojas de pándano y los postigos con las de una palma (Corypha) unidas por tiras delgadas de caña; el suelo de la azotea está formado por cañas enteras hendidas sólo en las juntas. La techumbre es de nipa, que se une en el caballete con cañas partidas.

Las casas, de tabla, ó sólo de caña y nipa, son sencillas, y tienen una distribucion muy conveniente; para evitar la humedad, descansan sobre piés derechos (*harigues*), su parte inferior, cerrada con tablas ó cañas, sirve para cuadra ó almacen; están aisladas y tienen la misma construccion ligera que las habitadas por los indígenas en tiempo de Magallánes Lapérouse estima el peso de alguna de ellas, con todo su menaje, en poco más de 200 libras.

En casi todas las casas, inclusas las chozas de los indios, hay una azotea, que sirve de patio y de mirador. Los españoles, segun parece, tomaron esta disposicion de las habitaciones de los moros; los indígenas la debian conocer ya ántes de la llegada de los europeos, pues Morga (fólio 140) cita estos «batalanes.» En los arrabales las casitas suelen tener cada una su jardin.

El agua, exceptuando la de cisterna, es muy mala. Se recoge en las afueras de la ciudad con bambúes, y se lleva á las casas. La del rio es á veces completamente verde por las muchas confervúceas, y no es raro ver sobrenadar en ella perros y gatos muertos. Las grandes *pistias* (quiapos), que arrastra en mucha cantidad, parecen cabezas de lechuga ó de col. En tiempo de secas, los numerosos canales (esteros) de los arrabales se convierten en una especie de cloacas; los fosos de la ciudad presentan igual aspecto en marea baja.

Manila es muy pobre en diversiones. Durante mi permanencia no hubo funciones en ningun teatro español; en el tagalo se representaban dramas y comedias (las más traducciones). No habia tampoco casinos ni se encontraban libros que leer. Ni las noticias de los periódicos interrumpen la monotonía de la vida, pues despues de pasar por la censura las quincenales que lleva el correo de Hong-Kong, quedan sólo algunas de las córtes de Madrid y de París, para pasto de los diarios locales (24). Sólo la magnificencia abigarrada de las fiestas religiosas rompe á veces tanta monotonía.

La diversion favorita de los indios consiste en las riñas de gallos, á las que concurren con una pasion que debe extrañar á los extranjeros. Casi todos los indios frecuentan estos espectáculos. Muchos no salen de casa sin llevar en brazos su querido gallo; á veces pagan 50 y más pesos por

---

(24) Las siguientes cifras pueden dar una idea de la índole de aquéllas; no elijo como tipo el *Boletin oficial* ó la *Gaceta*, destinada á las disposiciones, noticias y anuncios oficiales, conteniendo apénas otra cosa. El número de *El Comercio*, que tengo á la vista, de 29 de Noviembre de 1858 (sale seis veces por semana), consta de cuatro páginas, cuyo espacio impreso mide en cada una 11×17, ó sea un total de 748 pulgadas cuadradas. Se dividen del modo siguiente :

Título, 27 1/2 pulgadas cuadradas; artículo sobre la densidad de poblacion en la Península, tomado de una obra, 102 1/2 pulgadas cuadradas.— Con el título de *Noticias de Europa*, un artículo copiado de los *Anales de la Caridad*, sobre el incremento de la piedad y de la enseñanza católica en Francia, 40 1/2 pulgadas cuadradas; sobre el arte y su orígen (lugares comunes retóricos), primera seccion, 70 pulgadas cuadradas; noticias oficiales, 20 1/2; anécdotas, 59.—Parte religiosa: se divide en oficial y extraoficial; la primera contiene el santo del dia y del siguiente, así como las fiestas de iglesia; la segunda dá el anuncio de una espléndida procesion, y la primera parte de un sermon predicado tres años ántes, en igual solemnidad «tan bello, que debe comunicarse íntegro á los lectores», 99 pulgadas cuadradas. —Trozo de una novela antigua en muchos capítulos, 154.—Anuncios, 175. En junto, 748 pulgadas cuadradas.—En estos últimos años van insertando los periódicos algunos artículos interesantes y bien escritos; son, sin embargo, extremadamente raros.

uno, y le colman de las más expresivas caricias. La aficion á las luchas de gallos puede llamarse un vicio nacional. Segun parece, la aclimataron los españoles ó los mejicanos—así como los ingleses introdujeron el vicio nacional de los chinos: los fumaderos de opio—pero más probable es que la extendieran los malayos. En el Oriente de Filipinas no habia peleas en tiempo de Pigafetta, quien vió las primeras en Palauan. « Tienen grandes gallos; por supersticion dejan de comérselos; los crian sólo para hacerlos reñir, apostando á favor de uno y otro. El dueño del gallo vencedor percibe su importe» (*) (25).

Para un europeo es un espectáculo altamente repugnante. El espacio circular alrededor de la arena se destina al público, que se compone de indios, sudando por todos los poros de su cuerpo, y expresando en sus caras las malas pasiones que les dominan. Los gallos van armados de afiladísimos cuchillos corvos, de unas tres pulgadas de longitud, que hieren profundamente, causando siempre lesiones horribles, y con ellas la muerte de uno de los combatientes. El gallo que huye cobardemente es desplumado en vida. Se atraviesan sumas considerables en proporcion de los medios de los jugadores.

Es evidente que este género de diversiones desmoraliza más y más á un pueblo de suyo dado á la ociosidad y al vicio, y que se deja llevar sólo de las impresiones del momento. El indio no puede resistir á la tentacion de ganar dinero sin trabajar; muchos se plagan de deudas por las pérdidas que sufren, y los bandidos y piratas, de los que despues hablarémos, son en su mayor parte jugadores arruinados (26).

(*) PIGAFETTA, 111.

(25) En las *Ordenanzas de buen Gobierno*, de Hurtado Cotenero. — A mediados del siglo XVII no se citan aún riñas de gallos. — Hasta 1779 no constituyeron una renta pública, y no podian verificarse más que en las plazas públicas; en 1781 arrendó el Gobierno el derecho de cobrar entrada en las galleras, por 14.798 pesos anuales. En 1864 los ingresos por este concepto ascendieron á 106.000 pesos.

(26) Existe una disposicion especial de 100 párrafos sobre las riñas de gallos (Madrid, 21 de Marzo de 1861). § 1.º Ordena que estos espectáculos, cuyos rendimiéntos constituyen una renta pública, se verifiquen sólo en sitios públicos. § 6.ª Deben permitirse los domingos y dias festivos. § 7.º Desde la conclusion de la misa mayor, hasta puesta de sol. § 12. La apuesta mayor no excederá de 50 pesos. § 88. Cada gallo no puede llevar más que una cuchilla en el espolon de la pata izquierda. § 52. La pelea se dará por terminada á la muerte de uno de los combatientes, ó cuando huya por cobardía. En el periódico inglés *Daily News*, de 30 de Junio de 1869, se lee la noticia que en Leeds fueron condenados cinco hombres á dos meses de cárcel, por haber hecho reñir seis gallos con espolones de acero. Segun esto, en Inglaterra se castiga hoy una diversion que ántes era tan frecuentada.

Manila sobrepuja á todas las ciudades de la India transgangética por la hermosura de las mujeres que animan sus calles. Mallat las describe con ardientes palabras. (En las amenas *Aventuras de un hidalgo de Bretaña* (*), hay un cuadro animadísimo de las calles de Manila, lleno de color local, que prueba la imaginacion de su autor.)

No es fácil averiguar hasta qué grado es pura la sangre de las lindas indias. Algunas son muy blancas y se aproximan al tipo europeo, diferenciándose en esto notablemente de las de su misma raza, naturales de provincias distantes de la capital.

Aunque los inmediatos alrededores de Manila son ricos en hermosos sitios, es de mal tono el concurrir á ellos, pues se sale á paseo con objeto de lucir trajes, y no con el de gozar en la contemplacion de la naturaleza. En la estacion de secas, los paseantes, cruzando calles llenas de polvo, van en carruaje á la calzada, que está orillas del mar. Allí dan vueltas arriba y abajo con mucha gravedad, y algunos dias de la semana toca una buena banda de músicos indígenas. Los españoles visten uniforme ó trajes de paño, levitas negras, etc. Al tocar las campanas el *Angelus*, cesa el movimiento, se descubren todos la cabeza y hacen ademan de rezar.

El mismo General que construyó el paseo fundó un jardin botánico. Las pocas plantas que se pusieron se han secado en breve tiempo, no pudiendo vegetar en un suelo pantanoso y expuestas á los ardores del sol; esto no quiere decir que el sitio no esté rodeado de una verja, dividido en almacigas, llenas de maleza, y bautizado con su pomposo nombre (27).

Las fiestas religiosas de los alrededores de Manila merecen ser visitadas por el extranjero, aunque no sea más que por ver las numerosas y lindas mestizas é indias que se dan cita por las tardes y noches, para lucir sus mejores galas en las calles, festivamente iluminadas y adornadas con

---

(*) El plantador de la Gironière ha suministrado los datos que probablemente Alejandro Dumas engalanó con su prosa

(27) Los jardines botánicos parece que no quieren prosperar en tierra española. Chamisso (pág. 71) se quejaba ya en su época de que hubiese desaparecido el jardin botánico creado en Cavite por el sabio Cuéllar. El jardin de Madrid se halla en un triste estado; los invernáculos están casi vacíos.— Tambien va perdiéndose el de Orotava, fundado á expensas de un rico propietario, y que podia ser un establecimiento de aclimatacion de primer órden. Segun parece, se consigna todos los años una cantidad bastante crecida en los presupuestos para su sostenimiento, pero es raro que llegue rastro de ella hasta la Orotava. Durante mi permanencia allí, en 1867, se debian al jardinero veintidos meses de sueldo, y se habia tenido que despedir á todos los trabajadores, y hasta los riegos más indispensables estaban suspendidos.

banderas y guirnaldas. Su vista es muy agradable para el que acaba de llegar de países malayos. Las indias tienen buena estatura, magnífico

Tagala
con sarong, tápis, camisa y pañuelo.

pelo negro y grandes ojos oscuros; la parte superior de su cuerpo la visten con una camisa blanca de tela del país; esta camisa es á veces preciosa, de transparente finura y blanca como la nieve. Desde las caderas llevan un vestido de muchos pliegues (saya), cuya parte superior — hasta la rodilla ó ménos, segun la moda — está cubierta por una sobrefalda oscura (tápis), tan ceñida al cuerpo, que los pliegues de la vistosa saya salen de ella como los pétalos de la flor del granado de su cáliz. Las muchachas apénas pueden dar pasitos cortos, lo cual, unido á su mirada, fija en el suelo, les presta un gracioso tinte de modestia y pudor. Los piés, desnudos, lucen diminutas chinelas bordadas, retenidas por el dedo meñique, que no puede entrar en ellas (*).

Las indias pobres usan sólo una saya y un camisolin tan corto que á veces no llega á juntarse con aquélla. En las islas del E., las muchachas ya crecidas y las mujeres llevan, además, un escapulario ó un relicario. Cuando despues de bañarse, que suelen hacerlo con camisolin y saya, se ponen al sol para secarse, se transparentan todas sus formas.

Unos pantalones y una camisa suelta, ambas prendas de vasta guinara, constituyen, con el sombrero, el traje de los indios pobres. Las camisas de los ricos son, á veces, de costosas telas del país (tejidos finísimos de la fibra de la piña, *Bromelia Ananasa*, L.), lisas ó con listas de seda. Tambien las hay de *jusi* (seda de florete china), que no pueden lavarse, y sólo sirven para una postura. El sombrero, llamado *salacot* (un segmento

_____

(*) Hay ejemplares en el Museo etnográfico del Berlín, (números 294 y 295.)

esférico de tejidos indígenas), sirve de paraguas y de quitasol; úsanse algunos de gran valor, con adornos de plata. Los Principales tienen el derecho de vestir una chaqueta de paño sobre la camisa, y llevan con ridícula gravedad, como insignia de sus cargos, un sombrero de viso atornasolado por la accion del tiempo, que pasa de padres á hijos. Los indios elegantes se calzan zapatos de charol en los piés desnudos; lucen ajustado pantalon negro ó de rayas de vivos colores; encima una camisa de córte europeo, muy planchada y con muchos pliegues; en la cabeza sombrero de felpa y en la mano un bastoncito. Los criados, sirviendo la mesa de un banquete, con su camisa por fuera, muy almidonada, tienen un aspecto extraño. Nunca me ha parecido más horrible nuestro traje europeo, que viendo pavonearse con él á un elegante manileño.

Tagalos.   Elegante.

Las mestizas visten como las indias, pero no usan tápis; las casadas con europeos, llevan zapatos y medias. Algunas son de notable hermosura; cuando andan parece que arrastran los piés; esto proviene de la costumbre de calzar chinelas.

Por lo general, son juiciosas, hacendosas y muy hábiles para los nego-

28

cios; pero torpes y poco agradables en la conversacion. La falta de educacion no debe ser la única causa de tales defectos, pues una andaluza aprende poco más que la doctrina cristiana, y es, sin embargo, en su juventud una criatura encantadora; acaso el verdadero motivo de lo indicado se halle en la posicion ambigua de la mestiza, que tratada con desden por la blanca, desprecia, á su vez, á su familia materna. Su trato carece del aplomo, del tacto exquisito que la mujer del Mediodía de Europa muestra en tan alto grado.

Los mestizos, principalmente los de chino é india, forman la parte más rica y más emprendedora de la poblacion indígena; conocen todas las buenas y malas cualidades del indio, y las explotan sin conciencia para sus fines particulares.

Niña tagala, f. s.

CAPÍTULO IV.

Relaciones entre los europeos y los indígenas en las colonias inglesas, holandesas y españolas.—Influencia de la política colonial española en las costumbres de los naturales.—Comodidad de la vida.—Cocoteros, bambúes ó cañas.

Un comerciante escocés, á quien iba yo recomendado, me ofreció su casa con una amabilidad tan insinuante, que no pude dejar de aceptarla. A pesar de hallarme así bajo la proteccion de uno de los capitalistas más considerados de la ciudad, los cocheros de plaza me exigian siempre que les pagase anticipado. Esta desconfianza indica á las claras cuán poco respeto inspira á los indígenas la mayor parte de los europeos. Muchas observaciones posteriores me han confirmado en esta opinion. ¡Bien distinto es, por cierto, lo que pasa en Java y en Singapore! La causa puede, quizás, explicarse satisfactoriamente.

Los holandeses, así como los ingleses, se aclimatan con dificultad en los países tropicales, explotan las colonias, en las cuales residen temporalmente, aquéllos con el trabajo obligatorio y el monopolio, y éstos con su comercio; en ambos casos, empero, bastan pocos individuos, que son siempre muy superiores á la masa de la poblacion por la magnitud de sus empresas ó por su posicion oficial, por sus capitales ó por su instruccion. En Java constituyen además la mayoría de los europeos los gobernantes, siendo gobernados los indígenas; pero tambien en Singapore, en donde ambas razas son iguales ante la ley, saben conservarse los pocos europeos qué hay muy por encima, si no legalmente, por lo ménos haciendo valer una porcion de privilegios de casta superior que nadie les disputa. La diferencia de religion aumenta las distancias. Finalmente, todos los europeos hablan allí el idioma del pais, miéntras que los naturales no comprenden el del extranjero. Los empleados holandeses estudian, ántes de salir de su patria, en escuelas especiales el servicio de la India oriental, el arte de tratar al indígena, la conservacion del prestigio, verdadero secreto del poder holandés sobre la numerosa poblacion indígena, que dominan. Por esto se atienen en su trato con los malayos, por más que les exploten, puntualmente á las reglas del *Adat* (antiguos usos), no lastiman jamás el afan de adquirir honores, peculiar del indígena, y en contacto con él no descubren flaco alguno, quedando así impenetrables como un libro cerrado.

En Filipinas sucede todo lo contrario. Excepcion hecha de los empleados, á quienes la ley ó los cambios de personal subsiguientes á la formacion de un nuevo ministerio consienten tan sólo una residencia muy breve, regresan pocos españoles á su patria; á los religiosos de las órdenes no se les permite volver, y á la mayoría de los demás se lo imposibilita la falta de medios; una parte considerable la forman empleados subalternos, soldados y marinos, delincuentes políticos y descontentos del régimen de la Península, de los cuales la metrópoli se ha librado; tampoco son raros los aventureros á quienes falta el dinero necesario y á menudo tambien ganas para el viaje, pues la vida colonial, comparada con la que lleváran en su patria, tiene muchos atractivos. Llegan sin conocimiento alguno del país, faltos de toda preparacion; muchos son tan perezosos, que jamás logran aprender el idioma, aunque se casen con hijas del Archipiélago. Sus criados entienden el español, espian las conversaciones y todos los actos de la vida, conociendo los secretos de sus amos, que en general no observan gran discrecion, al paso que los indios quedan para ellos como un impenetrable misterio que ni tratan siquiera de descubrir.

Es fácil comprender cuanto debe necesariamente rebajar el prestigio de los europeos ser la mayoría de ellos, en Filipinas, personas de escasa educacion, que viviendo fuera de su esfera se dan tono de caballeros. La posicion relativa de los indios gana con esto, y difícil sería hallar una colonia cuyos naturales vivan tan á gusto como los filipinos. Han adoptado la religion, los usos y las costumbres de sus dominadores, de los cuales no están separados por la alta valla que, prescindiendo de Java, levanta entre europeos é indígenas la desdeñosa altanería británica.

La misma religion con las prácticas de su culto, la vida social con los indios, todo contribuye á aproximar ambas razas, como prueba la existencia de la clase de mestizos, relativamente muy numerosa (*).

(*) Segun datos estadísticos en la proporcion de 1 : 44 con la indígena. (*N. del T.*)

En efecto, los españoles y los portugueses parecen ser los únicos europeos que se arraigan en los países tropicales, y cuya sangre puede mezclarse bien con el tiempo á la de los indígenas, influyendo beneficiosamente el celibato de los sacerdotes (28).

La falta de carácter propio en los mestizos originada, al parecer, de su ambigua posicion, se nota tambien en los indios. En vano se buscan costumbres nacionales características, que debieran existir en habitantes de países tan remotos; siempre se observa en aquellas gentes ser todo aprendido y sólo exterioridad.

Así como el catolicismo español exterminó en la Península la civilizacion tan alta de los moros, y en el Perú la de los incas, ha destruido en el Archipiélago toda costumbre propia de sus pobladores, amoldando de un modo increible, para echar ántes raíces, sus prácticas á los usos y á los abusos que hallára existentes (29).

Los filipinos, poco civilizados, adoptaron pronto las exterioridades de la religion nueva, y al propio tiempo las sociales de sus nuevos señores, despreciando las suyas mismas como bárbaras ó idólatras. Hoy cantan

(28) BERTILLON (*Aclimatement et aclimatation.— Dict. encycl. d. sc. méd.*) atribuye esa facilidad de los españoles para aclimatarse en un país tropical, principalmente á la notable mezcla de sangre siria y africana que corre por sus venas; los antiguos iberos se cree que llegaron á la Península á través del África, procedentes de Caldea. Los fenicios y cartagineses tuvieron largo tiempo colonias florecientes en sus costas, los árabes dominaron el país durante siglos, desarrollando gran magnificencia en sus córtes. Tres veces se ha mezclado, pues, la sangre africana con la española. El clima cálido de la Península puede contribuir tambien á la ventaja que para aclimatarse en la zona tórrida tienen. Los indo-europeos de sangre pura no han podido perpetuarse en las costas meridionales del Mediterráneo, y ménos en tierras más próximas al Ecuador.

La poblacion europea de la Martinica, compuesta de 8 á 9.000 blancos que viven con todo desahogo explotando el trabajo de una de 125.000 de color, en vez de aumentar disminuye. Los criollos franceses han perdido la facultad de conservarse en relacion de los medios de subsistencia de que disponen y de multiplicarse. Las familias, que no se regeneran con nueva sangre europea de tiempo en tiempo se extinguen á las tres ó cuatro generaciones. Lo mismo sucede en las Antillas inglesas; pero no en las españolas, cuyas condiciones climatológicas son las mismas. Segun D. Ramon de la Sagra, el número de defunciones entre los criollos es menor, y el de nacimientos mayor que en la Península; la mortalidad en la guarnicion, al contrario, es muy crecida. En los españoles se vé, pues, una verdadera aclimatacion por seleccion; los individuos no adecuados á ella mueren, y los otros prosperan.

(29) DEPONS (pág. 171) dice lo siguiente acerca de los medios empleados en América con el mismo objeto: «De antiguo nació la conviccion que el cristianismo no podia, en manera alguna, propagarse entre los indios si no amoldaba sus prácticas á las tendencias y costumbres de aquéllos, lo cual se llevó tan léjos, que los teólogos plantearon la cuestion de si podia permitirse comer carne humana. Siendo lo más curioso que la solucion fué favorable á los antropófagos.»

canciones andaluzas y bailan danzas españolas, pero ¡cómo! Todo lo imitan, cual monos, sin comprender el espíritu de las cosas, en cuya superficie únicamente se fijan. Por esto son ellos y las producciones de su arte tan fastidiosos y desprovistos de carácter, que podriamos calificarles de falsos, á pesar de la gran habilidad y paciencia que suelen emplear en su ejecucion. Ambas circunstancias se observan, por lo comun, en todas las naciones poco adelantadas; la admirada paciencia no significa más, en casi todos los casos, que una pérdida de tiempo y un trabajo inútil no proporcionados al objeto, y la gran aptitud general es consecuencia de lo poco avanzado de la division del trabajo.

Si se entra en la habitacion de un indio acomodado, que hable el español, nos recibe con las mismas frases que su modelo; pero se echa de ver en seguida que están mal aplicadas. En aquellos países, cuyos naturales se han conservado fieles á sus antiguas costumbres, nunca se nota esto, y hasta cuando no se nos recibe con toda la atencion debida, apénas observamos que se establezcan inmediatas comparaciones entre formas sociales, distintas por completo, como sucede con pesos y medidas extranjeros. Miéntras que en Java, y más especialmente aún en Borneo y en las Molucas, se adornan los utensilios de uso ordinario con un sentimiento tan delicado de forma y color, que les hace elogiar por nuestros artistas como modelos de ornamentacion, y que prueban haberse hecho aquellos trabajos con gusto y cariño, junto con un íntimo conocimiento, poco encontramos en Filipinas de bellezas semejantes. Todo es imitacion servil, todo recursos torpes. Hasta los mismos bordados en telas de piña, célebres por su finura, hechos á costa de una paciencia increible y con una habilidad no menor, son, por regla general, imitaciones sin gusto de modelos españoles. A idénticas conclusiones llegamos involuntariamente cuando se comparan las obras artísticas de los pueblos hispano-americanos con las de los salvajes. El museo de Berlin tiene suficientes objetos, cuyo estudio lo demuestra.

Los remos consisten frecuentemente allí en una caña de bambú, en cuya extremidad se ata con tiras de bejuco (*Calamus Rotang* y otras especies del género) una tablita de madera; si ésta se rompe, mejor; pues tiene que cesar el trabajo hasta hacer un nuevo atado.

Las carretas tiradas por búfalos se resguardan en Java con toldos completamente impermeables y se adornan con mucho gusto y gran variedad.

En Filipinas la carreta no tiene toldo, y por lo comun no se construye hasta el momento preciso de necesitarla. Si la carga se ha de proteger contra el agua, se echa encima un par de esteras viejas, más para acallar las reconvenciones de los *castilas* que para preservarla de la lluvia.

Los ingleses y los holandeses permanecen en los trópicos siendo siempre extranjeros sin ejercer ninguna influencia en los antiguos usos, que tienen su más alta expresion en la religion del país. Los pueblos, empero, sometidos al catolicismo por los españoles, han perdido toda su originalidad, todo lo que era peculiar de su raza, la nueva religion no ha penetrado en su interior, carecen del freno moral, y no es cosa rara que se distingan más ó ménos por cierta falta de dignidad, gran elasticidad en las reglas del decoro y hasta libertinaje de costumbres.

Prescindiendo de esta falta de rasgos nacionales característicos y usos antiguos, que dan á muchos pueblos del Oriente de Asia su principal encanto, el filipino es simpático, como tipo del hombre viviendo en las mejores condiciones. Las arbitrariedades de los caudillos y la esclavitud se suprimieron por los españoles poco despues de su llegada, reemplazando la paz y la seguridad á las contínuas guerras y depredaciones. El Gobierno español se ha mostrado allí siempre humano, no sólo por ser las leyes de Indias muy suaves, casi mimosas para el indígena, á quien juzgan como á un menor de edad, sino tambien por faltar las causas que en la América española motivaron sus crueldades, no obstante de regir la misma legislacion en unas y en otras colonias.

Fué una gran suerte para los indígenas que sus islas no tuvieran en abundancia metales preciosos ni ricas especies. Los voluminosos productos de su agricultura no podian hallar en aquellos tiempos ventajosa salida; su explotacion no se recompensaba, pues, suficientemente. Los pocos españoles radicados en la Colonia hallaron en el comercio de las Naos, establecido entre China y Méjico (pág. 11), un medio cómodo de hacer fortuna, que les apartó de otras empresas mercantiles, las cuales se avenian mal á sus tendencias aristocráticas, y hubieran exigido un trabajo constante del indígena. No era posible que España sostuviera una gran fuerza armada en el Archipiélago, atendiendo la extension de sus colonias en América, y lo pesado y peligroso de la travesía. La conquista, en la cual brillan hechos de armas muy notables, se llevó á cabo principalmente por la cooperacion de las órdenes religiosas, cuyos misioneros tuvieron que emplear ante todo prudencia y paciencia. Así se dominaron las Filipinas en primer lugar por la pacificacion.

El impuesto pagado por los indígenas era demasiado exíguo para sufragar los gastos de la colonia. El déficit se cubria con los sobrantes anuales de Méjico. Ciertamente no faltaron depredaciones por parte de los empleados. Crueldades como las cometidas en los distritos mineros americanos y en las fábricas de Quito, no las registra la historia de Filipinas.

La tierra inculta es de quien quiera labrarla; pero vuelve á la Corona si su usufructuario no la pone en cultivo dentro del plazo de dos años (30). Lo único que paga el indio es una capitacion llamada tributo, la cual hace tres síglos importaba un peso por cada dos habitantes, que en un país donde los hombres se casan pronto equivalia á un peso por familia. Progresivamente se ha ido aumentando el importe del tributo hasta 2 $^{1}/_{16}$ pesos. Un habitante viene á pagar, pues, 1 $^{1}/_{32}$ peso desde los 16 hasta los 60 años, sin distincion de sexo. Además, el hombre tiene la obligacion de trabajar 40 dias gratuitamente en obras de utilidad pública. Estas imposiciones, que es á lo que se llama *polos* y *servicios*, se dividen en ordinarias y extraordinarias; aquéllas consisten en el servicio de vigilancia y comunicaciones, policía del tribunal y otros trabajos ligeros, y las últimas en la construccion de caminos y análogas faenas en beneficio del pueblo ó de la provincia. Cuán poco se aprovechan tales servicios se deduce ya de la circunstancia que cualquiera puede eximirse de prestarlos, pagando una cantidad que nunca excede de 3 pesos. Las mujeres no están obligadas á la prestacion personal. En otro capítulo consignamos detalles importantes acerca de esta materia, ateniéndonos principalmente á datos oficiales facilitados por el Ministerio de Ultramar.

En otros países de clima tan templado y de suelo tan feráz, se vé á los indígenas oprimidos por sus mismos príncipes, explotados y exterminados sin miramiento por los extranjeros, si no se hallan muy altos en civilizacion. En estas apartadas islas, tan favorecidas por la naturaleza, donde ni habia presion de arriba ni impulso interior ó exterior, ha podido desarrollarse la vida cómoda, con pequeñas necesidades, en toda su exten-

---

(30) Realmente la propiedad rural está siempre en las mismas manos, y en algunas comarcas se paga cara. En los alrededores de Manila y en Bulacan hace años que se dan más de 1.000 pesos por quiñon.

sion. Filipinas puede disputar á todos los países el nombre de *tierra* de *Jauja*. Conociendo el *dolce far niente* napolitano, no puede uno formarse áun idea exacta de lo que significa esta frase : hay que estudiarlo bajo las palmeras. Las siguientes descripciones de viajes por las provincias pueden indicar lo que es esta eterna holgazanería; pero un paseo por el Pasig basta ya para sospechar cómo se vive en el interior del Archipiélago. Lindas casitas de madera ó de caña y nipa, rodeadas de follaje y flores, se agrupan pintorescamente orillas del rio, con ramilletes de arecas ó matas de bambúes, finamente recortados como plumas. Los cercados llegan á veces hasta el rio mismo, rodeando un sitio destinado á la cria de patos ó dispuesto para baño. La orilla está cubierta de canoas, de redes, de balsas, de enseres para la pesca y otros utensilios análogos. Bancas cargadas bajan y remontan el rio, y pequeñas canoas lo atraviesan abriéndose camino entre los bañistas.

La mayor animacion está en las tiendas, puestos de venta semejantes á los *warongs* javaneses, cuya abertura mira al rio, que es la via más frecuentada. Ejercen una poderosa fascinacion sobre los banqueros y sus pasajeros, que hallan allí comida y diversiones para ambos sexos : juegos de azar, tuba, buyo y tabaco.

A veces se vé algun indio dormido sobre un monton de cocos, balanceándose con la marea baja, que dobla la velocidad de la corriente del rio. Tropieza su balsa ó banca con la márgen, se despierta en seguida y la empuja con un largo bambú (tiquin) y sigue la corriente, reanudando su interrumpido sueño. Con un golpe de *bolo* es fácil separar una estrecha tira de la cáscara exterior del coco que, atada á otras, forman todas una atadura que sujeta los montones de la carga.

Nuestros medios de trasporte representan otras tantas conquistas del ingenio humano, que suponen miles de años de penoso trabajo; pero en Filipinas el hombre puede utilizar mucho de la naturaleza inmediatamente para lograr el fin que se propone y proporcionarse, á poca costa, grandes comodidades.

En la isla Talim (laguna de Bay) los tripulantes de mi banca compraron por algunos cuartos muchas docenas de pescados, casi de un pié de longitud; los que no pudieron comer los abrieron y limpiaron, los salaron, y á las pocas horas de ponerlos al sol encima de la cubierta de la banca se secaron perfectamente. Despues de comprar el apetecido desayuno, los pescadores llenaban sin trabajo sus *carajais* (especies de pucheros) de moluscos (*Paludina costata, Q et G*) que cogian á puñados, guardando los vivos y tirando los muertos.

Casi todas las aldeas están situadas junto al agua. Los rios son caminos dados por la naturaleza, que se conservan sin trabajo y que permiten llevar las mercancías hasta la falda misma de las montañas. En las orillas, preferentemente en las de su ancha desembocadura, levantan los naturales sus chozas sobre pilotes, construcciones muy bien entendidas para llenar su objeto. Allí reside principalmente la vida, porque allí es donde con mayor comodidad se puede vivir. Al bajar la marea queda siempre una buena cantidad de pescado en las redes; las mujeres y los niños lo cogen casi sin molestia alguna, con los piés para evitar encorvarse y así agarran admirablemente los moluscos, ó reunen en la arena cangrejos y otros mariscos y tambien algas comestibles.

Delicioso es ver á hombres, mujeres y niños bañarse y juguetear á la sombra de las palmeras, miéntras llenan otros jarras de agua, que llevan en la cabeza, ó grandes bambúes que se cargan á las espaldas; los chicos, montados en carabaos, les meten en el rio con gran algazara y chacota.

En estos sitios es donde mejor se dá tambien el cocotero, que no sólo les proporciona comida y bebida, sino tambien los materiales para su casa y menaje. Miéntras que tierra adentro produce escasos frutos exigiendo muchos cuidados, rinde abundante cosecha á orillas del mar en el peor terreno, sin cultivo casi. (Creo que en invernáculo no ha llegado nunca á florecer.) Thomson (*) observa que en tales estaciones suele inclinar su tronco al mar, cuyas olas arrastran sus frutos á áridas costas ó bajas islas, haciendo así posible en ellas la vida del hombre. Gran parte de la holgazanería marítima de los pueblos malayos y oceánicos debe atribuirse á este modo de vegetar el cocotero.

Junto á los rodales de cocoteros se vé una faja de nipas, palmeras que sólo crecen en agua salobre (**) y cuyas hojas dan uno de los materiales más útiles para techar las chozas. De su sávia se obtiene azúcar, aguardiente y vinagre. Pigafetta, hace 350 años, vió ya florecer estas industrias

---

(*) *Journ. Ind. Arch.*, IV, 307.
(**) En el jardin botánico de Buitenzorgen, en Java, hay algunos ejemplares criados en agua dulce.

que áun hoy parece están limitadas al archipiélago filipino. Los pándanos, con los cuales se tejen las esteras más blandas, tampoco se alejan de la costa.

Hácia el interior se extienden plantíos de arroz, que por las inundaciones anuales reciben tierra vegetal de las montañas, la cual les sirve de abono. Al carabao ó búfalo—animal doméstico favorito del malayo, que preferentemente lo emplea en las labores agrícolas—le placen estos sitios más que otro alguno, pues le gusta revolcarse en el cieno y no puede trabajar si no se baña amenudo. En las orillas de los rios y en los marjales de los campos de arroz se levantan grupos de bambués gallardos y enhiestos, como delicadas plumas. No podemos detallar aqui todos los usos para que se destinan los productos de esta colosal gramínea (31). Permítase sólo indicar algunos ejemplos de con cuán sencillos medios se utilizan sus preciosas cualidades. El hombre halla en él un material dispuesto al que bastan algunos fáciles córtes para que dé todo el menaje de una casa. El bambú tiene en proporcion á su poco peso una resistencia prodigiosa, ocasionada por la forma tubular y los sostenes que le prestan los tabiques de sus nudos. A causa del paralelismo y cohesion de sus fibras se puede rajar perfecta y fácilmente, siendo las tiras muy flexibles y elásticas. La abundancia de sílice que contienen les dá una gran consistencia y forma principalmente su superficie lisa, dura, siempre limpia y de un color y brillo que se hermosean áun con el uso.

Bambú.

De particular importancia, especialmente para pueblos faltos de medios de comunicacion, es el hallarse el bambú (caña se llama en Filipinas) abundante en muy distintas localidades y en todos sus grados de desarrollo, desde pocos milímetros hasta 10, 15 y más centímetros de diámetro, y ser fácil su trasporte por agua

---

(31) BOYLE (*Aventuras entre los Dayaks.—Adventures among the Dayaks*, pág. 67) vió usar en las tribus de Dayaks tubos pneumáticos de bambú para encender fuego, y lo mismo observó Bastian en Birmania. Boyle refiere tambien que un dayak colocó un trozo de mecha en un cacharro de loza, sosteniéndolo con el dedo pulgar miéntras daba una fuerte percusion con un canuto de bambú, la mecha se encendió. Wallace, en sus viajes por Ternate, describe el mismo procedimiento para proporcionarse lumbre.

en comarcas donde no hay medios de conducirlo por tierra, gracias á lo bien que se presta á la flotacion.

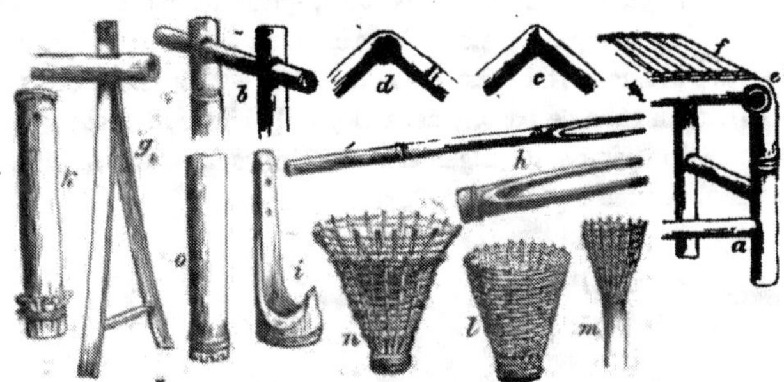

Modo de trabajar el bambú.

Un golpe de bolo es bastante muchas veces para cortar el tallo de un bambú; si se quitan los tabiques se obtienen largos tubos que pueden enchufarse perfectamente. Partiéndolo se hacen canales, tejas, etc.; cortándolos en tiras se tiene un excelente material para obras de cestería y esterería. Dos córtes laterales dan un agujero redondo, en el cual se introduce un palo ó un trozo de caña, formando peldaños de escalera ó pasamanos, etc. (*a*). Si se abren dos agujeros correspondientes, se puede atravesar la otra caña (*b*), construyéndose así puertas correderas vertical ú horizontalmente, ó ejes giratorios con ó sin roce, útiles para muchos objetos.

Dos córtes más profundos hacen tomar al bambú una forma geniculada (*c*); más separados permiten doblarle segun otra caña trasversal; por ejemplo, para formar el caballete de un tejado (*d*), ó para el asiento de sillas ó mesas (*e*) sujetando despues en él una tabla ó caña partidas, alisadas y aplanadas, que forman el asiento propiamente tal ó el tablero (*f*). Fácil es tambien hacer una abertura larga y estrecha para adaptar listones de madera (*g*). Dos córtes casi bastan para tener hecha una horquilla ó tenaza (*h*), ó un gancho (*i*).

Si se abre un agujero que pueda taparse con el dedo, lateralmente debajo de un nudo, resulta construido un caño, y el filtro (*k*) se obtiene atando sólo un trapo en el extremo abierto.

Rajando una caña cortada en tiras hasta un nudo, doblando éstas y entrelazándolas se hace una cesta cónica, que, cortada debajo del nudo, sirve de antorcha, llenándola de resina y prendiéndola fuego (*m*). Si en una de estas cestas cónicas se introducen cañas planas de igual circuito, cortadas en los nudos ó con ellos rebajados, queda dispuesto un cogedor para la pesca de cangrejos, etc. (*n*). Abriendo entalladuras debajo de un nudo y separando el tabique correspondiente se hace una especie de barrena (*o*), ó un tubo de pozo, y así mil y mil objetos diversos y de uso diario todos. Un ejemplo de ingeniosa y complicada construccion hecha de cañas dá el siguiente grabado.

Salambau ó balsa con redes para la pesca.

El extranjero que viaja por el interior de las islas tiene tambien contínuas ocasiones de gozar plenamente la espléndida generosidad de la naturaleza. El aire es tan igualmente tibio, que se pueden dispensar todas las prendas de vestir; basta un sombrero que defienda del sol y un calzado ligero. Si se tiene que pasar la noche al raso, en un momento se hace una choza de hojas de palma ó frondas de helechos. En casi todos los pueblos, por pequeños que sean, se encuentra la Casa Real donde poder alojarse y proveerse de lo más indispensable para la vida, á los precios del mercado. Allí hay tambien una porcion de *semaneros* (gentes que tienen el servicio durante una semana), dispuestos á servir de emisarios ó cargadores, mediante un pequeño jornal. Con el tiempo se convence uno de que su trabajo consiste en no hacer nada. Me sucedió en cierta ocasion querer mandar con un recado á uno de ellos, que jugaba con los demás á las cartas y bebia tuba (sávia de palma fresca ó poco fermentada); sin fijar gran atencion en el juego, me contestó no poder ir, pues estaba allí en calidad de preso, y uno de sus guardianes tuvo que darse el incómodo paseo, en la fuerza del sol. Los presos no se pueden quejar. Lo único desagradable para ellos son los bejucazos, que en castigo de delitos leves recetan generosamente por docenas las autoridades locales. Estos golpes, á los cuales, por lo demás, parecen acostumbrados ya desde niños, no les causan otro efecto que el dolor físico que de ellos les resulta en el primer momento. Sus conocidos están con frecuencia alrededor del apaleado, mirándole y preguntándole con burla si le sabe bien el bejuco.

Despues de permanecer algun tiempo entre los graves y silenciosos malayos, atentos siempre á no perder un ápice de su dignidad, angustiosamente ávidos de honores, serviles con los de mayor categoría, se encuentra lo contrario en los naturales del Archipiélago filipino; y es tanto más notable, en cuanto esencialmente pertenecen á la misma raza malaya. Parece esta circunstancia consecuencia natural de la dominacion española, ya descrita á grandes rasgos. En la América del Sur se encuentran hechos análogos. Bajo la autoridad de sus primitivos jefes debian hallarse los indígenas en las mismas condiciones que los actuales malayos.

CAPÍTULO V.

Descripcion geográfica y meteorológica. — Division política. — Razas.—Idiomas.

Los alrededores de Manila, el rio Pasig y la laguna de Bay, visitados por todo extranjero, han sido descritos tantas veces, que creo deber limitarme á algunas breves indicaciones acerca de estas comarcas, relatando con más detalles mis viajes por las provincias del S. E. de Luzon, Camarines y Albay, así como por las islas de Samar y de Leyte. Pero ántes será oportuno considerar el mapa del Archipiélago, dando una rápida ojeada á su geografía.

Las islas Filipinas están situadas entre Formosa y Borneo, y las bañan el Océano Pacífico y el mar de la China. Desde las islas de Joló, al Sur, hasta las Babuyanes, al Norte, se extienden por 14° ¹/₂ de latitud, desde 5° á 19° ¹/₂ latitud N., y contando desde las islas de Bashee hasta las Batanes 21°. Ni en el Norte ni en el Sur llega, sin embargo, la dominacion efectiva de los españoles hasta estos límites, así como tampoco se extiende al interior de muchas de las islas que constituyen el Archipiélago. De Este á Oeste comprenden 9° de longitud. Hay dos islas mayores en extension que todas las demás juntas: Luzon, de 2.000 M. cuadradas, y Mindanao, de más de 1.500. Despues siguen en órden de magnitud siete islas: la Paragua ó Paláwan, Sámar, Panay, Mindoro, Leyte, Negros y Cebú; la primera mide 250, y la segunda 100 M. cuadradas; hay, además, Bohol, Masbate, cada una próximamente de una extension mitad de la de Cebú, veinte islas menores, pero notables todas, y numerosos islotes, atoles, arrecifes y peñascos (*).

(*) En el Apéndice se consigna la extension de las islas principales.

El Archipiélago filipino está extraordinariamente favorecido por su situacion y su fraccionamiento. Extendiéndose desde los 5 á los 21° latitud N. ó sea 16°, goza de gran variedad en su clima, de la cual no disfrutan las posesiones holandesas, que se prolongan de E. á O., ocupando pocos grados á uno y otro lado del Ecuador. Las diferencias climatológicas, subsiguientes á la disposicion de las islas, aumentan aún por su orografía, de modo que allí se obtienen los productos de la zona tórrida y de las templadas : las palmeras y los pinos, la piña, el trigo y la patata.

Las islas mayores tienen, además de profundas recortaduras en sus costas como bahías, ensenadas, etc., lagos numerosos y extensos rios navegables en grandes trozos ; son ricas en seguros puertos é innumerables abrigos para los buques. Una circunstancia, que es en extremo favorable, y que no se evidencia bastante á la vista del mapa, es la de contar muchísimos pequeños rios y arroyos, que bajan de las montañas y se extienden en anchos estuarios, ántes de morir en el mar, pudiendo los barcos, gracias á ellos, ir hasta el pié de las sierras y tomar allí carga. La fertilidad del suelo es incomparable, las aguas saladas y dulces están llenas de peces y mariscos ; en todo el Archipiélago no existe una sola fiera. Segun creo, hay sólo dos ginetas, llamadas : *Miro* (*Paradoxurus philippinensis*, Temm.), y *Galong* (*Viverra tangalunga*, Gray).

Más aún que por su extension, sobrepuja Luzon por su importancia á todas las islas restantes, y bien puede considerarse, como dice Crawfurd, como la más privilegiada de todo el mundo tropical, por su fertilidad y demás condiciones naturales.

La masa principal, lo que podemos llamar el cuerpo de Luzon, forma un cuadrilátero alargado de 25 millas de ancho, desde los 18° 40′ N. hasta la bahía de Manila, á los 14° 30′ N., extendiendo sus miembros, cortados por grandes lagos y profundas ensenadas, hácia el Este. A Oriente y Occidente de la vasta laguna de Bay está unida sólo por dos estrechas lenguas de tierra. Muchos vestigios de levantamientos recientes indican claramente que ambas mitades estuvieron ántes separadas por un brazo de mar, formando dos islas independientes. El gran pedazo dirigido al E., casi tan largo como el septentrional, se divide en su mitad por el S. E., penetrando el seno de Ragay, y por el N. O. el de Sogod, en dos partes casi iguales, de modo que se la puede considerar formada por dos penínsulas paralelas, unidas por un istmo, que en el sitio mencionado mide apénas tres millas. Dos pequeños rios, que nacen á corta distancia uno de otro y desembocan en los golfos opuestos, hacen la separacion casi completa, y forman, á la vez, los límites de la provincia de Tayabas al Oeste y de Camarines al Este. La más occidental de ambas penínsulas contiene casi sólo la provincia de Tayabas y la oriental, que es mayor, las tres de Camarines N., Camarines S. y Albay. La primera está separada de Camarines S. por el ya citado límite, y por una línea tirada desde el golfo de San Miguel á Oriente, hasta la costa. El litoral E. de la península lo forma la provincia de Albay, separada de Camarines S. por una línea que corre de Donsol á la costa S., al N. del volcan Mayon, y luégo describe un arco al O., hasta hallar la costa septentrional. Una ojeada á la carta aclarará en seguida estas ideas.

En Filipinas se distinguen dos estaciones: una de secas y otra de lluvias. La monzon del S. O. lleva, en los meses que corresponden á nuestro verano, aguas á los comarcas expuestas á los vientos del tercer y cuarto cuadrante. En las costas N. y E. coincide la estacion lluviosa con nuestro invierno, ó sea está determinada por la monzon del N. E. Estas circunstancias generales sufren notables variaciones locales, ocasionadas por la orografía del país. En Manila dura la época de secas desde Noviembre hasta Junio (monzon N. E.), y la de aguas los restantes meses (monzon S. O.). El mes de mayores lluvias es Setiembre; Marzo y Abril pasan frecuentemente sin caer una gota; de Octubre á Febrero reina tiempo seco y fresco (vientos dominantes: N. O.—N.—N. E.); en Marzo, Abril y Mayo caluroso y seco (E. N. E. — E. — E. S. E.); de Junio á fines de Setiembre húmedo y regular calor (†).

Desde hace algunos años se ha establecido en Manila un observatorio metereológico, á cargo de la Compañía de Jesús. Lo que sigue es extracto de la Memoria anual de 1867, que debo á la bondad del profesor Dove (*).

(†) Ácerca del clima de Filipinas se pueden ver los artículos de la *Revista forestal*, t. VII, 1874, páginas 349, 413 y 449, y publicados en un folleto titulado *Estudios sobre el clima de Filipinas*, traducidos del aleman por el ingeniero de montes D. Sebastian Vidal y Soler.

(*N. del T.*)

(*) Un estado de las condiciones climatológicas y otro conteniendo los términos medios de las observaciones de cinco años (1865-69) se incluyen en el Apéndice.

44

Barómetro. — La altura media de la columna de mercurio fué en 1867 de 755^{mm},5 (en 1865 : 754^{mm},57; en 1866 : 753^{mm},37).

1867 : la diferencia entre las alturas extremas no pasó de 13^{mm},96, y hubiera sido mucho menor si no hubieran hecho descender el mercurio las violentas tempestádes de Julio y Setiembre; las oscilaciones horarias fueron sólo de pocos milímetros.

Marcha diaria del barómetro. — A la madrugada sube hasta las nueve, despues baja hasta las tres ó las cuatro de la tarde; vuelve á subir hasta las nueve de la noche, desde cuya hora empieza el descenso. Las dos grandes corrientes atmosféricas ejercen gran influencia en el barómetro; la septentrional le hace subir (altura normal 756 ^{mm}), y bajar la meridional (altura normal 753 ^{mm}).

Temperatura. — El calor aumenta desde Enero hasta fines de Mayo, disminuyendo luégo hasta últimos de Diciembre. Media anual de 27°,9 C. (0°,4 más que en los años anteriores). La máxima observada fué de 37°,7 C. (15 Abril á las tres de la tarde); la mínima 19°,4 (14 Diciembre y 30 Enero á las seis de la mañana).—Diferencia 18°,3 C.

Oscilaciones termométricas. — Enero, 13°,9 — Febrero, 14°,2 — Marzo, 15° — Abril, 14°,6 — Mayo, 11°,1 — Junio, 9°,9 — Julio, 9° — Agosto, 9° — Setiembre, 10° — Octubre, 11°,9 — Noviembre, 11°,8 — Diciembre, 11°,7.— *Meses más frios:* Noviembre, Diciembre, Enero: época de los Nortes.— *Meses más calurosos:* Abril y Mayo. Su alta temperatura determina el cambio de monzon N. E. á S. O. Desde Junio á Setiembre es cuando más se aproxima la temperatura á la normal; las oscilaciones son las ménos considerables del año por las constantes lluvias y estar el cielo siempre cubierto. *Marcha diaria:* las horas más frescas son de seis á siete de la mañana; el calor sube gradualmente, alcanzando su máximum á las tres de la tarde, y despues vá en disminucion. Durante algunas horas de la noche, la temperatura es casi constante; desde la madrugada desciende rápidamente.

La *direccion de los vientos* es en toda estacion muy regular, áun cuando varíe á veces por circunstancias locales; en el trascurso del año recorren todos los cuadrantes. En Enero y Febrero reinan los Nortes, en Marzo y Abril los Surestes, de Mayo á Setiembre los del S. O. A principios de Octubre vacilan entre el segundo y tercer cuadrante, afirmándose hácia fines de mes en el N. E., direccion que conservan con bastante constancia en los dos siguientes meses. Los cambios de monzon se efectúan siempre en Abril ó Mayo y en Octubre. En general, duraŋ igualmente ambas monzones; peró en Manila, cuya situacion es resguardada al Norte por altas montañas, se desvia la del N. E. con frecuencia al S. E. y al N. O.; por la misma razon sopla el S. O. con mayor fuerza.

El cielo está, por lo general, parcialmente cubierto; dias del todo despejados son raros, y sólo los hay de Enero á Abril (con la monzon N. E.).

Dias de lluvia. 168. Las más frecuentes y fuertes se presentan de Junio hasta fines de Octubre; el agua cae á torrentes: en Setiembre importó su cantidad 1^m,5, ó sea casi triple de la llovida en Berlin por término medio durante un año. En los doce meses fué de 3072,^{mm}8 (más del término medio).

La evaporacion ascendió sólo á 2.307^{mm},3. En años ordinarios suele ser igual á la cantidad de lluvia (en todo el año, pero no en los distintos meses).

La evaporacion media diaria fué de unos 6^{mm},3.

Horribles tempestades suelen acompañar los cambios de monzon; durante una de ellas, la velocidad del viento alcanzó 37 á 38 metros por segundo. (La *Memoria* del vicecónsul inglés menciona un tifon ó baguío en 27 de Setiembre de 1865, que causó en Manila daños de consideracion, arrojando 17 buques á la playa.)

* *

Las islas Filipinas se dividen en provincias (P), y en distritos (D), al cargo de un Alcalde mayor de 1.ª, 2.ª y 3.ª clase, ó bien de término, de ascenso y de entrada (A$_1$, A$_2$, A$_3$); de un Gobernador político militar (G) ó de un Comandante (C). En algunas provincias está un A$_2$ subordinado á un G. Esta division varía con frecuencia.

La poblacion total se estima en unos cinco millones de habitantes.

A pesár del largo tiempo que los españoles dominan el Archipiélago, apénas han entendido el conocimiento de su idioma. Hay gran diversidad de lenguas y dialectos; las más extendidas son: el tagalo, el ilocano, el vicol, el pangasinan y el pampango.

Isla de Luzon.

Categoría administrativa de los empleados.	distritos.	Nombres.	Dialectos dominantes.	Número de habitantes.	Número de pueblos.
G.	P.	Abra.	ilocano.	34,337	5
A₁.	P.	Albay.	vicol.	230,121	34
A₂.	P.	Bataan.	tagalo, pampango.	44,794	10
A₁.	P.	Batangas.	tagalo.	280,100	
	D.	Benguet.	igorrote, ilocano pangasinan.	8,465	
	D.	Bontoc.	suflin, ilocano, igorrote y otros en las tribus de los montes.	7.052	
A₁.	P.	Bulacan.	tagalo.	240.341	23
A₁.	P.	Cagayan.	ibanag, itanes, idayan, gaddan, ilocano, dadaya, apayao, malaneg.	64,437	16
A₂.	P.	Camarines Norte.	tagalo, vicol.	26,872	7
A₂ (?)	P.	Camarines Sur.	vicol.	81,047	31
A₃.	P.	Cavite.	español, tagalo.	109,501	17
A₁.	P.	Ilocos Norte.	ilocano, tinguian..	134,767	12
A₁.	P.	Ilocos Sur.	ilocano.	105,251	18
C.	D.	Infanta.	tagalo.	7,813	2
G.	P.	Isabela.	ibanag, gaddan, tagalo.	29,200	9
A₁.	P.	Laguna.	tagalo, español.	121.251	26
	D.	Lepanto.	igorrote, ilocano.	8,851	48
Gob. y A₁	P.	Manila.	tagalo, español, chino.	325,683	28
C.	D.	Morong.	tagalo.	44,239	12
A₂.	P.	Nueva Ecija.	tagalo, pangasinan, pampango, ilocano	84,520	12
A₂.	P.	Nueva Vizcaya.	gaddan, ifugao, ibilao, ilongote.	32,961	8
A₁.	P.	Pampanga.	pampango, ilocano.	193,423	24
A₁.	P.	Pangasinan.	pangasinan, ilocano.	263,472	26
	D.	Porac.	pampango.	6,950	1
C.	D.	Príncipe.	tagalo, ilocano, ilongote.	8,609	3
	D.	Saltan.	gaddan.	6,640	
A₂.	P.	Tayabas.	tagalo, vicol.	93,918	17
	D.	Tiagan.	distintos dialectos del igorrote.	5,723	
G.	P.	Union.	ilocano.	88,024	11
A₂.	P.	Zambales.	zambal, ilocano, aeta, pampango, tagalo, pangasinan.	72,936	16

Islas entre Luzon y Mindanao.

Categoría administrativa de los empleados.	distritos.	Nombres.	Dialectos dominantes.	Número de habitantes.	Número de pueblos.
G a₂.	P.	Antique (Panay).	visaya.	88,874	18
G a₂.	P.	Bojol.	visaya.	187,327	26
C.	D.	Burias.	visaya.	1,786	1
G a₂.	P.	Capiz (Panay).	visaya.	206,288	26
G a₂.	P.	Cebú.	visaya.	318,715	44
G a₂.	P.	Iloilo (Panay).	visaya.	565,500	35
G a₂.	P.	Leyte.	visaya.	170,591	28
C.	D.	Masbate, Ticao.	visaya.	12,457	9
A₂.	P.	Mindoro.	tagalo.	23,054	10
G a₂.	P.	Negros.	cebuano, panayano, visaya.	144,923	31
C.	D.	Romblon.	visaya.	21,579	4
G a₂.	P.	Sámar.	visaya.	146,539	28

Isla de Mindanao.

Categoría administrativa de los empleados.	distritos.	Nombres.	Dialectos dominantes.	Número de habitantes.	Número de pueblos.
G a₂.	D.	Cottabato.	español, manobo.	1,103	1
G a₂.	D.	Misamis.	visaya.	63,639	14
G a₂.	D.	Surigao.		24,104	12
G a₂.	D.	Zamboanga.	mandaya, español..	9,608	2
G a₂.	D.	Davao.	visaya.	1,537	
G a₂.	D.	Isabela de Basilan.			

Islas distantes.

Categoría administrativa de los		Nombres.	Dialectos dominantes.	Número de habitantes.	Número de pueblos.
provincias.	Distritos.				
G ag.	P.	Batanes.	ibanag.	8,381	6
G ag.	P.	Calamianes. . . .	coyuvo, agutaino, calamiano. . . .	17,708	5
G.	P.	Balabac.			
G.	P.	(Marianas). . . .	chamorro, carolino.	5,940	5

Los datos del estado anterior se han tomado principalmente de la obrita del Sr. Barrantes, secretario que fué del Gobierno superior civil de Filipinas, ordenándoles segun me ha parecido más conveniente. No obstante de haber dispuesto el Sr. Barrantes de los mejores documentos oficiales, no puede darse gran valor á las anteriores cifras, porque en todos los estudios de ese orígen y desarrollo se han podido padecer grandes errores, de los cuales no se tiene idea en Europa al emprender trabajos análogas.

Por ejemplo, dice el mismo Sr. Barrantes, que, segun datos oficiales, resultaba para Cavite una poblacion de 115.300 habitantes y de 65.225; para Mindoro 45.630 y 23.054; para Manila 230.443 y 323.683, y para Cápiz 788.947 y 191.818 almas.

Chozas de pescadores cerca de Bulacan.

CAPÍTULO VI.

Viaje á Bulacan. — Frecuentes incendios. — Fertilidad. — Pesca. — Fabricacion
de petacas.—Clero español.—Hospitalidad.—Robos.

Mı primera excursion fué á la provincia de Bulacan, situada en la costa septentrional de la bahía de Manila. La travesía en vapor hasta la
barra Binuánga (y no Bincanga, como se lee en el mapa de Coello) dura
dos horas, y una la de aquel punto hasta Bulacan, cabecera de la provincia, recorriendo un brazo del delta del rio de la Pampanga, que se desli-
za entre tierras bajas cubiertas de manglar (*). Yo era el único europeo
á bordo, el pasaje se componia de ţagalos, dominando en número las mujeres de mestizos y de algunos chinos. Las mujeres indias viajan más que
los hombres, pues suelen encargarse de los negocios, para cuyo buen desempeño son mucho más hábiles que sus maridos. Es opinion general que
en los nacimientos abundan más las niñas que los niños: sin embargo, los

(*) Forman los manglares especies arbóreas, principalmente de los géneros Rizophora
(*gymnorhiza, Mangle, Candel,* etc.). Sonneratia (esp. Pagatpat, y Pandanus (*spiralis, exal-
tatus,* etc.). (N. del T.)

libros parroquiales registrados en las provincias del Este de Luzon me probaron lo contrario. En el desembarcadero hallamos muchas carrómatas; es ésta un vehículo algo parecido á la calesa, pero más tosco ó incómodo; se asemeja á una especie de cajon plano, pintado de abigarrados colores, con una cubierta y dos ruedas; suelen tirar de él un par de caballos, que llevan con velocidad á los pasajeros algo acomodados que las usan.

La poblacion de Bulacan, que no cuenta ménos de 11 á 12.000 habitantes, se presentó á mis ojos como un monton de ruinas. Un gran incendio, ocurrido un_mes ántes, lo destruyó todo ménos la iglesia y algunas casas de piedra. La gente se ocupaba en levantar de nuevo sus viviendas, empezando por el techado, lo cual parece raro; pero en realidad es una marcha excelente. (En el grabado anterior se representan algunas casas comenzadas). Largas filas de techados de nipa y caña, ya terminados, se veian en el suelo y servian tambien de tiendas. Los incendios son muy frecuentes. Las casas, construidas, por lo comun, de madera, caña y nipa, se secan á los ardores del sol en la época de sequías; los indios viven sin precaucion alguna contra el fuego, faltos de medios para atajar el incendio cuando se declara, y si esto sucede en dia de viento, arde todo el pueblo sin remedio.

Durante mi permanencia en Bulacan se quemó el barrio de San Miguel en Manila, el fuego se contuvo al llegar á la casa de un amigo mio, suizo, gracias al auxilió de una bomba de propiedad particular y á un jardinito de plátanos, cuyos tallos en plena savia detuvieron, por aquella parte, los progresos de las llamas.

En un buen carruaje de un amigo y siguiendo una excelente carretera sombreada por árboles frutales, cocoteros y arecas, hice las tres leguas que median entre Bulacan y Calumpit. Esta fértil provincia recuerda las comarcas más ricas de Java; pero los pueblos revelan un bienestar mayor que las *desas* de aquella isla. Las casas son mejores, con frecuencia espaciosas construcciones de tabla, las de sillería no son raras, miéntras que en Java sólo las poseen algunos empleados ó los príncipes indígenas. Pero así como el javanés más pobre se afana por adornar cual un canastillo su casita, tejiéndola con tanta delicadeza, y rodea el pueblo de floridos setos, demostrando en todo aficion á lo bonito y limpio, aquí hallamos poco de esto. Tampoco hay en los pueblos de Bulacan el *alun-alun*, aquella plaza de las aldeas javanesas esmeradamente cuidada, tan hermosa con su corona de *Waringis*. El gran número y variedad de frutales que con sus frondosas copas ocultan por completo la *desa* de Java, son mucho menores hasta en Bulacan, que es el jardin de Filipinas.

Por la tarde llegué á Calumpit cuando entraba ya en la majestuosa iglesia una bonita procesion con muchas banderas y cirios, acompañada de bien entonados cantos. El excelente P. Llanos, para quien traia una carta de Madrid, me dió hospitalaria acogida en el convento. Calumpit es un rico pueblo de 12.250 habitantes, situado en la confluencia del Quingoa, que baja del E., y del rio de la Pampanga, en una llanura muy feráz y sujeta á frecuentes inundaciones. Hácia al Norte, unas seis leguas N. O., se levanta el Arayat, alta montaña cónica aislada (*). Vista desde Calumpit, su vertiente occidental aparece (*ab*) de unos 20°, la oriental (*ef*) de 25°, y la meseta de la cumbre (*bc*) de 4-5° de inclinacion respecto al horizonte.

Monte Arayat.

Cerca de Calumpit vi á un chino pescar de una manera curiosa. Habia dispuesto trasversalmente al lecho de un arroyo, casi seco, pues sólo tenía algunas charcas, un enrejado de cañas debajo de una de éstas, y detras de ella un pequeño dique. Con un cubo, al extremo de un largo palo, echaba el agua sobre el dique, una cuerda lo sujetaba á un soporte de bambú de unos 10' de altura, cuya elasticidad favorecia el trabajo. Una vez seca la charca sacaba el chino, sin gran molestia, del fango un crecido número de *dalags* (*Ophiocephalus vagus, Peters.*). Estos peces están provistos de un aparato especial que quizá les permita respirar directamente el aire atmosférico; pero que es seguro les dispone para resistir mucho tiempo en seco ó con escasa humedad. Son tan frecuentes en las épocas de lluvias

(*) Una detallada descripcion geológica de esta montaña, con indicaciones preciosas acerca de su flora, publicó el sabio P. Llanos en la *Ilustracion Filipina*. (*N. del T.*)

en los pantanos, charcas y arrozales, que se les mata á palos (*). Al retirarse ó evaporarse el agua penetran en el lodo cada vez á mayor profundidad, segun va secándose la superficie (Pr. Semper), y quedan metidos allí debajo de una costra dura en seguro contra las asechanzas de los pescadores y sumidos en una especie de letargo invernal. El aparato del chino me pareció muy apropiado á las costumbres. del dalag. La circunstancia de poner un enrejado sólo en la parte baja del charco y la de cogerse los peces en mayor número inmediatamente delante de aquél, parecen indicar que siguen moviéndose en el lodo y pasan de unas charcas á otras, á medida que van quedando en seco.

Rio arriba del Quingoa hácia el Este, por una cómoda carretera abierta en comarca de gran fertilidad, llegué al notable pueblo de Balivag en el carruaje de cuatro caballos puesto á mi disposicion por el P. Llanos. Por el camino se ven muchas iglesias de sillería y capillas deliciosamente distribuidas en lindos grupos, con palmeras y matas de bambú. La industria de Balivag extiende su fama hasta más allá de los límites de la provincia.

Visité algunas familias, hallando en todas la más cordial acogida. Las casas de tabla se levantan sobre harigues á unos 5 piés del suelo, y constan de una espaciosa sala que sirve tambien de dormitorio, y á cuyos lados hay una cocina y una azotea (V. pág. 22); un alto techado de nipa permite la libre circulacion del aire. La entrada es por la azotea, que llega hasta casi la mitad de la altura del techado. El suelo lo forman tablas de una pulgada de ancho con intersticios de media pulgada. El ajuar de la sala consistia en sillas, mesas y bancos, en un armario ó aparador, como en Filipinas se llama, y en distintos objetos de lujo: espejos y cuadros con litografias al difumino. El aseo y la bondad de los muebles indicaban órden y bienestar.

En casi todas las casas hallé mujeres ocupadas en tejer tápis, que gozan gran reputacion en el mercado de Manila. Son tiras de seda de unas seis varas de longitud y de tejido muy tupido, las más de color pardo oscuro con listas blancas sesgadas. Se llevan encima del *sarong* ó de la saya (véase pág. 26).

(*) Véanse las noticias curiosas que acerca del dalag y su pesca da el Dr. Semper en su interesante libro *Die Philippinen und ihre Bewohner*. Wurzbourg, 1869.— Una traduccion de esta parte publiqué en los ya citados *Estudios sobre el clima de Filipinas*. (*N. del T.*)

Su principal fama la debe Balivag á las petacas, que exceden en finura
á las hechas en las demas provincias. No son de paja, sino de finísimas
tiras de bejuco, de la parte inferior de los peciolos de una especie del género *Calamus* que, segun se dice, crece tan sólo en la vecina provincia de
Nueva Ecija. Un manojo con 100 de estos palitos, del grueso del dedo y
de dos piés de longitud, se paga hasta 6 reales plata. Se abren los palitos longitudinalmente cuatro ó cinco veces, se quita la madera interior
dejando la parte exterior, y estas tiras se pasan entre un trozo de loza
cóncavo, y la hoja de cuchillo inclinado y despues entre dos hojas de acero
convergentes.

Fabricacion de petacas.

Esta labor exige mucha paciencia y práctica; á la primera pasada se
rompen, por término medio, la mitad de los hilos, y á la segunda más de
la mitad, de modo que vienen á quedar un 20 por 100. Para tejidos muy
finos la proporcion es áun mucho más desventajosa. Se tejen sobre rollos
de madera. Una petaca de mediana finura cuesta en el sitio de fabricacion
unos dos pesos; trabajando sin interrupcion puede quedar lista en seis dias.
Las extraordinariamente finas, hechas por encargo de inteligentes, llegan
á pagarse más de 50 pesos.

Desde Balivag, siguiendo siempre Quingoa arriba, se pasan muchas
canteras, donde se explota en bancos la toba volcánica para emplearla en
construcciones (*). Las márgenes, cubiertas de espinosos bambúes, se levantan 10 — 12 piés; el rio las salva en la época de lluvias, inundando
gran extension de la llanura, y de aquí los grandes manchones de molus-

(* Notable es en la misma provincia la cantera de Meycauyan, de donde se extrae mucha sillería para Manila; está en los límites de ambas provincias, cerca de un rio, que, unién-
dose al de Malabon, facilita grandemente el trasporte. Dos inteligentes constructores de
Manila la han puesto en excelente estado de explotacion. Mi amigo D. L. Céspedes, distinguido arquitecto, me regaló un tronco petrificado y carbonizado, que halló en uno de sus
bancos. (*N. del T.*)

cos de agua dulce (*Corbicula*, sp.) yaciendo en la tierra vegetal, que recubre las tobas. Las primeras colinas se encuentran cerca de Tobog, una visita á medio camino de Balivag á Angat. Sus vertientes, poco inclinadas, están dispuestas en campos escalonados para cultivar el arroz, como se hace en Java. Sólo aquí y en Lucban he visto en Filipinas estas *sawas*. Muchos pequeños cañamelares, cuyos propietarios no sacan aún todo el producto que pueden dar, prueban que existen en el país los elementos necesarios para imprimir gran desarrollo á su agricultura. De trecho en trecho hay en la carretera tinglados con bancos para reposar á la sombra, lo cual únicamente en esta provincia he visto. Parece que se está en una de las más pobladas y productivas comarcas de Java.

Pasé la noche en un convento (así se llama en Filipinas á las casas parroquiales). La habitacion era muy sucia, y el cura, un agustino, se mostraba deseoso en extremo de conversacion. Tuve que oir un largo discurso suyo sobre la diferencia geográfica entre Rusia y Prusia, en el cual planteaba la trascendental y difícil cuestion de si Norimbergo era la capital del Gran Ducado ó del Imperio ruso. Aseguraba que los ingleses iban á entrar en el seno de la Iglesia católica, y que «los demas» estaban prontos á seguir su ejemplo. A pesar de la recomendacion del P. Llanos, me recibió bastante mal. Más tarde, y en otro lugar, caí en manos de dos jóvenes capuchinos (*), que me tomaron como objeto de sus sermones de conversion; pero prescindiendo de esta inconveniencia de mezclarse en mis asuntos, me trataron y cuidaron perfectamente. Hasta me dieron *paté de foie gras* hervido-en agua, que reconocí por las suculentas trufas. Para castigarles de sus deseos de catequizarme, no les inicié en los secretos de comer esa deliciosa golosina; les compré todos los tarros que tenian, y me reservé el placer de saborear tan delicada comida en las soledades de las selvas vírgenes. Estos son los dos únicos casos en que durante más de año y medio recuerdo haber sido importunado por el estilo.

El viajero provisto de su pasaporte no está, por lo demas, reducido á tener que pedir hospitalidad al cura, como sucede en muchas comarcas poco visitadas de la misma Europa. Cada lugar, cada pequeña aldea po-

---

(*) Como es sabido, en Filipinas no hay capuchinos; se comprende fácilmente la imposibilidad de rectificar el texto en este punto. Las órdenes religiosas existentes en el Archipiélago, son: dominicos, agustinos calzados, franciscanos, agustinos descalzos ó recoletos, y padres de la Compañía de Jesus. (*N. del T.*)

54

see sus Casas consistoriales, llamadas Casa real ó Tribunal (*), donde
puede alojarse y obtener comestibles á precios de mercado. El viajero queda, pues, en este punto completamente libre, por lo ménos en teoría; en
la práctica, ciertamente, muchas veces no le es fácil excusarse de ir al convento, sobre todo recorriendo las provincias apartadas de Manila, porque
el padre, que es, quizá, el único blanco á una porcion de leguas á la redonda, deja perder con dificultad la ocasion de recibir al huésped europeo,
y pone á su disposicion el mejor aposento de la casa, ofreciéndole todo lo
que su cocina y bodega pueden proporcionar. Y esto hecho con una alegría tan cordial y sincera, que el huésped parece que no es quien tiene
que agradecerlo, y al contrario, se convence de que su compañía causa placer á su anfitrion, si prolonga la visita. Una vez que, á pesar de la invitacion del cura, me obstiné en ir al Tribunal, y cuando ya me habia apo-
sentado allí, llegó el padre con la Principalía y la música, que se hallaba
en el convento para el ensayo de una funcion religiosa , me hizo levantar
en la silla donde estaba sentado, y llevar en triunfo á su casa entre general algazara.

Al dia siguiente visité una explotacion de mineral de hierro en Cupang,
situada al N. N. E. de Angat. Me acompañaron dos hombres armados,
á causa de los muchos robos que en la comarca se cometian. Despues
de una hora de marcha en direccion Norte, atravesamos el Banavon, sólo
un estrecho arroyo, que corre entre cantos rodados principalmente plutó-
nicos; en la estacion de lluvias, sin embargo, tiene tales crecidas, que llega
á convertirse en un rio ancho de muchos centenares de piés. A las dos
horas de caminar llegamos á la mina, es decir, á un gran tinglado en medio del monte y junto á un córte del terreno, donde habita un inglés y
su esposa, linda mestiza, quienes residieron ántes en Samar. Hace algunos años se fijó allí dicho inglés para explotar el mineral. En cuanto dejaba un pañuelo, un lápiz ó cualquier objeto encima de un mueble, se
apresuraba la mujer á encerrarlo, para evitar que los criados lo hurtasen.
La vida de estas pobres gentes, cuya empresa no prometia dar resultados
positivos, debia de ser muy triste. Dos años ántes habian sufrido el asal-
to de veintisiete bandidos, que se llevaron cuanto habia, y echaron por

---

(*) Estos dos nombres no indican realmente un mismo edificio. Casa real se llama con
propiedad á la habitada por el Jefe de una provincia ó distrito en su capital, y donde están las oficinas; y Tribunal equivale á la casa del Municipio. (*N. del T.*)

la ventana á la mujer y á una criada, que se hallaban solas; la primera no sufrió lesiones notables; pero sí la criada, que murió á consecuencias de la caida. Es cosa fácil á estos salteadores secuestrar á los mineros y habitantes de Angat; algunos eran buscados infructuosamente hacia ya dos años.

Encontré en aquel sitio á una familia de negritos, amiga de los dueños de la mina, y que cambiaba productos del monte por comestibles. El hombre me acompañó á caza armado de un arco y dos flechas, cuyas puntas eran de hierro, en forma de lanza, y de dos pulgadas de largo; una de ellas estaba recubierta de una capa de cierta resina negra, que le daba propiedades venenosas. Las mujeres cogieron guitarras (*tabaüa*), de la misma forma que las *mintras* de la península malaya, ó sea formadas por tubos de caña de un pié de longitud, á los cuales van sujetas las cuerdas de una especie de enea partida. El grabado siguiente representa una negrita, pero no de las que vi en este sitio, de las cuales sólo poseo dibujos muy imperfectos.

A fin de no tener que pernoctar en el malhadado convento, donde dejé á mi criado con el equipaje, seguí el consejo de estas amables gentes de partir tarde, para llegar allí despues de las diez; porque, como á semejante hora ya está cerrado, podia, sin agraviar al padre, alojarme en la casa de un rico mestizo, amigo de los mineros. A las diez y media entré en su casa, sentándome al lado de las alegres mujeres, que empezaban á cenar; pero de repente apareció en el umbral de la puerta el cura, con otros dos agustinos, que habian estado jugando á los naipes con el dueño de la casa, y llevándome con ellos encarecieron mi dicha, pues decian: «Si hubiese usted llegado sólo un minuto más tarde, no hubiera podido ya entrar en el convento.»

Negrita de Panay.

Vista de la isla Talim desde Jalajala.

CAPÍTULO VII.

Provincia de la Laguna. — Viaje en *banca.*— Barra del Pasig. — Laguna de Bay.—
Pantanos de Calauan. — Tuba ó vino de palma. — Viajes sin criado.— Volcan de
Majaijai (Banajao).— Viaje en carabao.

M I segundo viaje me llevó por el rio Pasig á la laguna de Bay. Salí de
Manila por la tarde, en una *banca* ó canoa hecha de un tronco de árbol, y provista de una toldilla baja de cañas entrelazadas, cuya altura no
permite estar de pié. Una especie de emparrillado de bambú en el fondo
de la banca preserva del agua, que siempre hay en él, y sirve de cama.
Jurien de la Gravière compara acertadamente una banca á un cajon de
cigarros, en el cual queda encerrado el viajero tan herméticamente, que
en caso de volcarse la canoa, pocas esperanzas de salvacion puede tener (*). La tripulacion se componia de cuatro remeros y un timonel, cada
uno de los cuales ganaba un jornal de 5 r. pl., ó sea entre todos unos tres
pesos y medio, precio alto para esas gentes perezosas, si se toma en cuenta el coste de la vida. El arroz, por ejemplo, que necesita un indio para
el dia, raro es que le cueste más de cuatro ó seis cuartos, y en algunas
provincias lo tiene por ménos de dos cuartos, siendo todavía más baratos
los otros manjares, que se reducen á mariscos y verduras ó pescado.

(*) *Voyage en Chine*, II, 83.

Numerosas aldeas y tiendas, en las cuales se venden comestibles á bajos precios, se ven en todas partes á una y otra orilla. La tripulacion, despues de haber intentado interrumpir el viaje bajo especiosos pretextos dejó la barca al llegar al pueblo de Pasig para ir en busca de una vela, y no volvió. Sólo con ayuda de los serenos pude irla sacando de las casas de sus amigos, en donde se habia escondido.

Despues de varar algunas veces en bancos de arenas, llegamos á la laguna de Bay, rodeada de colinas y altas montañas, y tocamos por la mañana en la península de Jalajala.

El Pasig forma una especie de canal de seis leguas de longitud, entre la bahía de Manila y la laguna de Bay. Esta tiene 35 leguas de circuito ó de bojeo, y baña á tres de las más ricas provincias del Archipiélago: Manila, La Laguna y Cavite (*). Ántes llegaban los buques de carga hasta la misma Laguna (**); pero ahora impiden su navegacion numerosos bancos de arena. En las barras de Napindan y de Taguig embarrancan hasta canoas de poquísimo calado (33). Si el rio se limpiase convenientemente y se sustituyese el puente de piedra que enlaza Manila con Binondo por uno giratorio, ó se le rodease con un canal, podrian tomar los buques de cabotaje los productos de las provincias bañadas por la Laguna en las orillas de los mismos campos donde se cosechan. Las transacciones ganarian mucho, el nivel del agua bajaria, y se conquistarian fértiles terrenos para emplearlos en cañamelares ó en arrozales. Un plan semejante se aprobó por el Gobierno de Madrid hace ya más de treinta años; pero no ha llegado á ponerse en ejecucion. El enarenamiento del rio aumenta con las numerosas redes que se tienden para la pesca, cuyo fomento impulsa de un modo incomprensible la administracion naval, que percibe una pequeña cantidad de derechos por cada red.

La hacienda de Jalajala comprende la más oriental de las dos penínsulas que penetran en la Laguna de N. á S. Es una de las comarcas más visitadas por los viajeros á causa de su situacion próxima á Manila, y de

(*) Tambien el distrito de Morong. (*N. del T.*)
(**) Informe II, 37.
(33) Segun el informe de un ingeniero, estos bancos de arena se forman de los depósitos arrastrados por el rio de San Mateo que se une al Pasig á poco trecho de su salida de la Laguna desembocando en él casi en ángulo recto. La limpia del Pasig sería, por consiguiente, dé escasa utilidad si al mismo tiempo no se variase la direccion del rio de San Mateo haciéndole desaguar en la Laguna.

58

la descripcion pintoresca é interesante, escrita por su antiguo propietario
el Sr. de la Gironnière. El terreno es volcánico, la roca se presenta muy
avanzada en su descomposicion, las avenidas depositan anualmente mucha tierra vegetal, contribuyendo á la fertilidad de su suelo. La parte baja
forma prados naturales de gramíneas y sensitivas espinosas hasta de 8'
de altura *(Mimosa pudica)*, en los cuales pastan carabaos ; más al interior
empiézan los arrozales y cañamelares que se extienden hasta la falda de
las montañas. Al Norte sirve de límite á la hacienda la alta montaña
Sembrano, muy emboscada, de donde arranca la península, y por los otros
lados las aguas de la Laguna. Exceptuando las orillas, toda la comarca es
ondulada y está cubierta de gramíneas y grupos de árboles, siendo excelente sitio para apacentar grandes ganados (1000 carabaos, 1500-2000
bueyes, 600-700 caballos casi en estado salvaje). Al bajar de una montaña
se nos acercaron seis hombres armados, que nos habian tomado por ladrones de ganado, y que tuvieron el sentimiento de no poder ganarse la
cantidad asignada para los aprehensores de tales delincuentes.

Volcan Maquiling, desde el E. N. E.

En frente de Jalajala, en la orilla meridional de la Laguna, está el pueblo de « Los Baños », cuyo nombre debe á una fuente termal que brota al
pié del volcan Maquiling (*) (34). El agua de la Laguna es tan somera en
esta orilla, que ni áun en una canoa de muy poco calado se puede abordar

(*) Una buena descripcion de los Baños, escrita por D. Francisco de P. Martinez, contiene
La Ilustracion Filipina. (N. del Tr.)

(34) *« Ils se baignent aussi dans leurs maladies et ont des sources d'eau chaude pour cet
effet, particulièrement au bord de l'Estang du Roy* (Laguna del Rey en ¦vez de Bay, lo que
es probable sea una errata) *qui est dans l'ile de Manille »* Thevenot. Religieux.

hasta poner pié en tierra seca. Una capa de moluscos de pantanos (Paludina) cubre el suelo.

Al N. O. de los Baños hay un pequeño lago en el cráter de un antiguo volcan, rodeado de un espeso monte, llamado «Dagatan» (laguna encantada de los turistas), para diferenciarla de Dagat (mar), como los tagalos llaman á la gran Laguna de Bay. No vi ninguno de los muchos cocodrilos que se dice pululan en ella: sólo el vuelo de bandadas de aves acuáticas interrumpia el silencio.

Desde los Baños quise visitar *Lupang puti* (tierra blanca) donde, según las muestras que me enseñaron, se recogia la sílice blanca *(bianchetto)* empleada en Manila para los enlucidos. No llegué al sitio, por decirme el guia que estaba reventado, y en la imposibilidad de seguir adelante con él, como á duras penas habia podido proporcionármele, no cabia pensar en su sustitucion. Las noticias que me dieron parecen indicar la existencia de una *solfatara*, de las cuales dicen hay várias al pié del Maquiling (35).

A la vuelta visité la isla Talim, que, exceptuando un claro donde se levantan algunas miserables chozas, está inhabitada y cubierta de espeso monte y matorral. En su centro descuella el *Soson dalaga* (pecho de muchacha), que es una montaña de dolerita formando un pintoresco pico. En la orilla encontré sobre la pelada roca cuatro huevos con cocodrilitos ya desarrollados, que saltaron al romper las cáscaras.

Si bien la monzon del S. O. entra en Jalajala por lo comun más tarde que en Manila, llovia ya mucho; tanto que decidi ir al pueblo de Calauan, situado al S. de la Laguna y abrigado por el Maquiling de la monzon lluviosa, que no se siente en él hasta más tarde. Allí vi al Sr. de la Gironnière, conocido por las espeluznantes aventuras referidas en su *Gentilhomme breton*. Habia regresado de Europa hacía poco tiempo con el proyecto de montar una gran fábrica de azúcar, cuya empresa se malogró.

---

(35) Desde el Maquiling hasta el sitio llamado Bacon, al E. de los Baños, apénas se pueden andar 30 pasos sin tropezar con arroyos de distinta naturaleza: muy calientes, templados, naturales y muy frios. En una descripcion hecha en 1739 y conservada en este archivo, se dice que al S. S. E. ¹/₄ S. hay una colina llamada Natognos, en cuya meseta un sitio de 400 piés cuadrados se halla en contínuo movimiento á causa de los violentos vapores ascendentes. El suelo impregnado de estas emanaciones es de una tierra blanca, despedida á veces hasta una y 1 ¹/₂ varas de altura, y que se desagrega en pequeños fragmentos en el momento de enfriarse. (*Estado geográfico*, 1865.)

60

La casa de este anciano, fallecido poco tiempo despues, no se distinguia por su órden y limpieza, á pesar de alojarse tambien en ella dos sócios suyos, escocés el uno y jóven compatriota suyo el otro, acostumbrados al mundo elegante de París. Este señor habia adoptado por simpatía los hábitos y las pocas necesidades de los indios.

En la hacienda hay algunos pantanos y cráteres sin agua. Al S. O., no léjos de la casa y á la izquierda del camino de San Pablo, está la llanura de Imuc, que es una especie de valle rodeado de altos muros de *rapili* dolerítico. Trepando por grandes cantos basálticos se puede llegar al borde; todo lo demás lo cubre el bosque. En el fondo del valle hay un cafetal plantado por el anterior propietario. No pude hacerme cargo de más detalles á causa de la espesura.

Al Norte de este sitio existe otro cráter con bordes ménos elevados. El terreno es pantanoso y está cubierto de cañas y ásperas hierbas; pero ni en tiempos de lluvias se reune bastante agua para formar un lago. Sería fácil |desecarlo y ponerlo en cultivo.

Al S. O. del cráter y á la derecha del camino de San Pablo está el lago Tigui. En una llanura de toba gris blanquizca con muchas amigdalas de textura concoidea-concéntrica se levanta un muro circular de suave declive interrumpido únicamente por una estrecha cortadura (de N. á O.) que sirve de entrada y muestra el rapili suelto del cual está formada esta montaña anular. El muro sobresale unos cien piés sobre el suelo completamente plano. Trasversalmente por su línea céntrica corre un camino de E. á O. dividiéndole en dos mitades; la septentrional está cubierta de cocoteros y otras plantas cultivadas, y la meridional la ocupa un lago cuyas aguas verdea una capa de Pistias (*Quiapos* en tagalo). El terreno consiste en rapili negro.

Desde el lago Tigui volví á la hacienda situada sobre un banco de toba volcánica llena de recientes impresiones de hojas; su potencia es de unos dos piés. El estado de conservacion de estos fósiles vegetales no permite determinar las especies correspondientes; pero sí reconocer qué todas ellas son tropicales (*) y segun el Sr. Braun pueden pertenecer á las mismas que hoy crecen en aquel sitio.

(*) Lauríneas, scitamíneas, palmas de hojas digitadas, dombeyáceas, araliáceas.

Media legua al S. E. hay dos pequeños pantanos; el camino atraviesa escombros y acarreos volcánicos apoyados sobre tobas, y en el lecho del rio yacen grandes bloques tambien volcánicos.

El primer lago, llamado *Maycap*, está completamente cercado, y tiene sólo en la parte N. O. una abertura artificial con una presa para surtir de agua á un canal; desde su borde N., único que deja paso á la vista, se presenta la punta sur de San Cristóbal al N. 73° E. El muro, de unos 80' de altura, se eleva al O. hasta 500', formando la colina *Maiba*. Lo forman tambien el rapili y las tobas, y está muy emboscado.

Junto á él hay otro lago, el *Palakpakan*, próximamente de la misma circunferencia é igual estructura (arenas negras y rapili); su muro es de 30 á 100 piés de altura. Desde el borde N. O. aparece San Cristóbal al N. 70° E.—Se llega con facilidad hasta el agua, en la que sobresalen gran número de aparatos para la pesca.

A las nueve de la mañana salí á caballo de Calauan en direccion á Pila, de donde pasé á Santa Cruz por una carretera llana, ancha y muy bien cuidada, que bordea una faja de cocoteros, circuyendo la laguna en una longitud de algunas millas; pero cuyo ancho no tiene más de media milla. Estas palmeras no se destinan á la obtencion de aceite, sino de aguardiente. Se impide que fructifiquen cortando sus yemas florales, y la sávia azucarada que mana de los córtes se destila despues de su fermentacion (36). Como la sávia se recoge dos veces al dia, y las flores salen á una altura de 40 á 50', hay necesidad de pares de bambúes de tronco á tronco para evitar la molestia de un contínuo trepar por ellos; así va el trabajador por el bambú más bajo, apoyándose en el de arriba, que hace el oficio de pasamano.

La venta de la tuba, ó bebida espirituosa de sávia de palmera, estaba

---

(36) Pigafetta dice (pág. 55), que para fabricar el vino de palmera se barrena el tronco del cocotero en su ápice hasta la médula (del brote terminal) y se recoge la sávia que mana. Segun Reynaud (*Hist. natur. du cocotier*, pág. 120), los negros de Santo Tomás siguen aún hoy un sistema parecido, muy perjudicial al árbol, y que dá sólo una corta cantidad de buen producto.

Hernandez describe, I, 344, un procedimiento singular para obtener vino, miel y sagú de la palmera *Sacsac*, cuya descripcion la hace suponer afine, si no idéntica, á la *Areca saccarifera*. Se desmocha al rape de la corona su tronco tierno, se ahueca, y la sávia se deposita allí. Despues se deja secar el árbol, una vez agotada su sávia, y se corta en pequeños trozos que, secos al sol, se muelen para obtener fécula.

ántes estancada, constituyendo un monopolio del Gobierno: se expendía como el tabaco y el papel sellado. La fabricacion corria á cargo de particulares; pero el artículo pasaba en su totalidad al dominio de la Hacienda pública, que lo pagaba, sin embargo, á buenos precios, y los cosecheros se aseguraban excelentes ganancias.

Despues hallé en Camarines á un español, quien con semejantes negocios habia adquirido una fortuna muy regular. Compró cocoteros al precio medio de 5 r. pl. tronco (el ordinario es más crecido; no obstante, hay ocasiones en que se hacen ventas á 2 r. pl.). En el caso más desventajoso, 35 árboles dan al dia 36 cuartillos de tuba, de cuya fermentacion resultan 6 cuartillos de aguardiente de la fuerza requerida. Basta para todas las operaciones un trabajador, á quien se dá la mitad del producto. La Hacienda pagaba entónces el cuartillo de aguardiente á 6 cuartos. El contratista recibia, pues, por los 35 cocoteros, cuya adquisicion le costaba 21 $^7/_8$ pesos:
$$360 \times \frac{6}{2} \times 6 \text{ cuartos} = 40 \, ^1/_8 \text{ pesos},$$
sacando del capital invertido en el negocio casi un 200 por 100.

Los ingresos por venta de vinos y licores figuraban en el presupuesto de 1861 por 1.622.810 pesos; su recaudacion era, sin embargo, muy difícil, y en proporcion excesivamente dispendiosa, llevándose casi todas las utilidades. La extremada vigilancia que exigia, ocasionaba choques y complicaciones desagradables, y hasta desmoralizacion en el personal inferior, siempre tentado por el soborno. La venta de bebidas espirituosas por empleados interesados con un tanto por 100 de las ganancias, rebajaba el prestigio del Gobierno. Esta poco atinada contribucion traia además perjuicios á algunas industrias del país, no solo á la misma de fabricacion de vino de palma, sino tambien á la azucarera; pues como consecuencia del monopolio sobre las bebidas espirituosas estaba prohibido destilar ron de las melazas, quedando éstas tan sin valor, que se hizo costumbre darlas á los caballos. Las quejas de los fabricantes de azúcar decidieron, por fin, al Gobierno á permitir la destilacion de ron (Enero 1862), pero continuando estancada la tuba. Entónces los indios bebian sólo ron, y tuvo que abandonarse el monopolio (Enero, 1864).—Desde aquella época vienen pagando las fábricas de licores espirituosos una contribucion industrial, segun su importancia, y, para cubrir el déficit, se arbitró un pequeño recargo sobre el tributo. El consumo de bebidas fermentadas ha tenido con esto gran aumento; es, sin embargo, antigua y general costumbre entre los indios, y por lo demás, la supresion ha dado excelentes resultados (37).

En Santa Cruz, poblacion rica (1865: 11.385 habitantes), atravesamos el rio, lleno de bañistas por ser domingo. Entre ellos habia muchas mujeres con sombreros de paja de anchas alas, bajo las cuales flotaban magníficas cabelleras. Pasado este pueblo forma el camino un recodo brusco, dirigiéndose primero al E. y despues al S. E. por Magdalena, donde la comarca empieza á ser montañosa, á Majaijai. Ántes de llegar á este pueblo (de más de 9.000 habitantes) salva un profundo barranco por un puente rodeado de notables helechos arbóreos, que indican la mayor altura sobre el nivel del mar (más de 600'). El convento de Majaijai,

Iglesia y convento de Majaijai.

construido por los jesuitas, es muy espacioso y célebre por el panorama que desde él se divisa. Al N. O. se extiende la laguna de Bay, coronada á lo léjos por la península de Jalajala y la isla Talim, con el volcan Soson-dalaga por límite.

Desde el convento hasta la laguna, al E. y O., se extienden cocales tan vastos, que la vista no puede abarcarlos. Hácia el Sur la pendiente

---

(37) Pigafetta ya cuenta que los indígenas obtenian del cocotero aceite, vinagre, vino y leche, bebiendo mucho vino de la sávia de esta palmera ; en las fiestas, todos los caciques se emborrachaban muchas veces.

se hace más rápida y se levanta formando una majestuosa montaña cónica, cortada por profundos barrancos: es el volcan Banajao ó de Majaijai, junto al cual se destaca el de San Cristóbal con su hermosa cima
en forma de campana.

Isla Talim con el pico Soson-dalaga, desde Majaijai.

Como todos los habitantes de Majaijai estuvieran muy atareados con
los preparativos para una funcion religiosa, me encaminé sin dilacion á
Lucban, para dirigirme desde allí á Mauban, en la costa del Pacífico.
El camino va, siguiendo hondos barrancos de bloques basálticos, por la
falda del Banajao. La vegetacion ofrece una magnificencia indescriptible,
y la pésima via estaba animada por los grupos de gentes que de los
inmediatos pueblos acudian á la fiesta (38).

Á las tres horas de marcha se llega á Lucban, rico pueblo de 13.000
habitantes, situado al N. E. de Majaijai (un año despues sufrió un terrible incendio). La agricultura, á causa de lo accidentado del terreno, no
es de gran consideracion; pero hay bastante industria. Los habitantes tejen sombreros y petacas con tiras de hojas de una palma llamada *buri*
(Corypha sp.), y hacen petacas de hojas de pandanos. Comercian tambien por Mauban con los lavadores de oro de Camarines Norte. El agua
corre en abundancia por los lados de la calle, abiertos como canales,
todas están empedradas con una especie de macadam.

El camino de Lucban á Mauban, situado en la bahía de Lamong, en
frente del de la isla de Alabat, corre por el estrecho valle del rio Mapon,
á través de profundos precipios formados por arcillas cuyas capas están
casi verticalmente levantadas. Cerca de Lucban hay arrozales escalonados
como en Java, lo que es una rareza en Filipinas. Pronto se entra en el monte. Casi todos los árboles se ven estar cubiertos de aroideas y helechos

---

(38) En la *Ilustracion inglesa* (*London Illustrited News*) de fines de 1857 ó principios de
1858, se insertó una curiosa descripcion de un viaje por este camino, debida á la pluma de
un notable escritor, con el título *A Macadamized road in Manilla.*

(Angiopteris, etc.). Los pandanos y las palmeras de hojas digitadas (Corypha), con su corona de frutos, parecida á los brazos de un candelabro, están salpicados entre los otros árboles de monte.

Tres leguas más allá de Lucban el rio se ciñe á una gran breña, formada de columnas prismáticas, y corre despues por un conglomerado de cantos volcánicos completamente redondos del tamaño de una nuez; tambien los hay de caliza blanca de aspecto algo marmóreo, en la que se reconocen algunos restos de conchas bivalves y de corales. Rio abajo van subordinándose los acarreos volcánicos, consistiendo los conglomerados tan sólo en pedazos de mármol, unidos por un cemento de espato calizo, que alternan con capas de arcilla y de toba groseramente granuda, y en las cuales se distinguen escasas y mal conservadas impresiones de hojas y de moluscos; pude, sin embargo, recoger una *Melania* fósil, áun reconocible, si bien aplastada. Estas capas estarán próximamente á 500' sobre el nivel del mar.

Ya habia anochecido cuando atravesamos el rio, állí bastante ancho, una legua más arriba de Mauban, en una mala balsa de caña, hundida y agujereada por todas partes, que con el peso de los caballos se sumergía más de ¹/₂ pié. Atracó en un pantano de la orilla.

Con motivo de una fiesta religiosa (la bendicion de la iglesia), el Tribunal estaba lleno de gente. Los Cabezas llevaban, como distintivo de su dignidad, una chaquetilla sobre la camisa. Junto á la pared habia várias mesas abigarradamente adornadas y cubiertas de frutas y pastas, y en medio una dispuesta para la cena y capáz de 40 cubiertos.

Un europeo que viaja sin criado — el mio se habia escapado con algunos anticipos — es mirado como un vagamundo; por esto tuve que sufrir preguntas importunas. En vez de responder á ellas, busqué en la cocina, ya que no lograba hacerme servir la cena, una buena tajada de la olla de la carne, comiéndola en medio de un círculo de mirones. Luégo, no hallando sitio mejor, me tendí á dormir en el banco de la mesa dispuesta para la cena, que por dos veces se llenó de comensales.

Al dispertar por la mañana habia ya tanta gente, que no me fué posible mudar de ropa. En mi sucio traje de viaje me dirigí á casa de un español, que al ver mis papeles depuso la desconfianza inspirada por mi aspecto, y me recibió con la mayor amabilidad. Mi afectuoso anfitrion hacia un comercio no insignificante en el puerto; tenía dos buques ingleses que cargaban molave (*Vitex geniculata*, Bl.), que es una madera afine á la teca, con destino á China.

A la vuelta visité la hermosa cascada del Botocan, entre Mauban y Lucban, algo separada del camino.—Un caudaloso rio se despeña por un profundo córte de toba volcánica, unida por un cemento de obsidiana forma conglomerados parecidos al raro *piperno* de la llanura de Nápoles, todo está recubierto por una exuberante vegetacion. La caida es de unos 360', siendo el precipicio tan estrecho y tanta la aspereza, que desde arriba apénas se ve la masa de agua llegar al fondo.—Esta cascada recuerda mucho la que hay en la vertiente del Semeru, en Java. En ambas una corriente de lava solidificada constituye, extendida sobre grandes masas de toba, una capa horizontal, sobre la que se apoyan otras de toba. El rio ha abierto fácilmente su cauce, hasta llegar á la dura capa de lava; corre entre altos y estrechos muros, ocultos por la frondosidad de las plantas, y se precipita en un abismo abierto por la fuerza erosiva de sus aguas, y que indica la diferencia de nivel de los estratos de lava. — Un fuerte chubasco me impidió dibujar tan notable cascada (*). Lloviendo llegué al convento de Majaijai, y, despues de tres dias, cuando lo dejé, seguia diluviando; las pocas esperanzas que habia de que mejorase el tiempo en unos meses, me decidió á seguir mi marcha. « En Majaijai dura el tiempo de aguas ocho ó nueve meses, y en esta estacion apénas pasa un dia sin que llueva á torrentes.» (*Estado geográfico*, pág. 150.)

Una ascension al Banajao no era posible en tales circunstancias. Segun notas escritas por el cura de Majaijai, los Sres. Montero y Roldan, dos oficiales de marina muy distinguidos, individuos de la Comision hidrográfica, subieron á la cumbre y midieron su altura, el 22 de Abril de 1858. — Visaron á la catedral de Manila, al volcan mayor de Albay y la isla Polillo, determinando la altura del Banajao; es de 7.020 piés castellanos, y la profundidad del cráter de 700'. El cráter formaba ántes un lago, que desapareció en la última erupcion de 1730, saliendo el agua por una abertura del borde Sur (39).

(*) En la *Ilustracion Filipina* puede vérse una lámina que representa el Botocan. No es inferior en belleza á las más célebres cascadas de los Alpes. (*N. del T.*)

(39) Erd y Pickering (*U. S. Expl. Exp.*, v. 314), hallaron una altura de 6.500' ingleses = 7.148' castellanos, resultado satisfactorio, atendidos los imperfectos medios de que disponian.

Volcan Majaijai y *San Cristóbal.*

Vista tomada desde el Convento de Majaijai.

Cabalgando en hambrientos caballos del Tribunal, y siempre con el agua encima, hundiéndose la reblandecida arcilla, llegué, por fin, á Calauan. Allí no encontré embarcacion para seguir el viaje por la Laguna, y tuve que esperar hasta el dia siguiente. Por la mañana no encontré caballos; pasado ya mediodia me dieron un carro y dos carabaos con que ir á Santa Cruz, de donde salia la falúa para Manila aquella noche, al terminar el mercado. Enganchamos ó uncimos sólo un carabao, atando el otro á la trasera, para que sirviese de remuda. Pero el carabao núm. 1 no queria tirar, y el núm. 2 se echaba para atras en camino llano. Los cambiamos, y entónces el núm. 2, notando que el núm. 1 iba detras, se tumbó, sin llevar trazas de levantarse, á lo que le obligamos á fuerza de palos. Lo hizo receloso, y apénas vió un gran charco, tendióse en él con el vehículo. A duras penas pudimos arrastrarle hasta el camino, dejando á los dos carabaos revolcarse por el fango á su completa satisfaccion. Se volvió á cargar el equipaje y enganchamos otra vez las bestias. El carretero echó todo el peso de su cuerpo sobre el hocico del animal delantero, y éste comenzó á andar con pausa, siguiéndole el carro y su compañero de la reserva. En Pila hallé un vehículo mejor, que me entró, ya de noche, en un barrio de Santa Cruz. El mercado se habia ya concluido; todos los pasos para proporcionarme una barca que me llevase al mismo pueblo sirvieron sólo para provocar las más desvergonzadas exigencias; entónces desistí y me acomodé en una de las casas más espaciosas, habitada por una viuda y su hija. Despues de vencer algunos inconvenientes, fuí admitido; mandé por aceite para las luces y por vituallas, las mujeres volvieron con algunos parientes, quienes ayudaron á preparar la cena y se quedaron de guardianes en la casa. A la mañana siguiente pasé el rio entre alegres grupos de bañistas, y en Santa Cruz me proporcionaron una embarcacion para llegar á Pasig, desde donde podia ir á Manila en coche. El viento contrario nos obligó á desembarcar en la punta de Jalajala, y á

En el *Estado Geográfico*, Manila, 1865, pág. 150, se consigna una elevacion de 7.030' 7" sin indicar autoridad. En la misma obra se lee : « El gran volcan está apagado desde 1730, en cuyo año tuvo lugar su última erupcion, reventó en la parte Sur, vomitando torrentes de agua, candentes lavas y piedras de monstruoso tamaño, cuyas señales se ven aún hasta el mismo pueblo de Sariaya. El cráter tendrá próximamente una legua de circunferencia, en la parte N. es más alto, su forma interior es la de la cáscara de un huevo, su profundidad parece equivaler á la mitad de la altura de la montaña. »

esperar la calma, precursora del amanecer. Entre la punta Sur y la casa se ven en muchos sitios, elevados más de 15′ sobre el nivel del agua, depósitos de moluscos marinos (principalmente *Tapes virgineus*, Lin. phil., y *Cerithium moniliferum*, Kien.). La presencia de las mismas especies que son hoy frecuentes en las costas, indica que estos terrenos han experimentado un levantamiento.

CAPÍTULO VIII

A fines de Agosto me embarqué en Manila para Albay, á bordo de un
schoner, que habia llegado de aquel punto con abacá y se volvia en
lastre. Nos hicimos á la mar con buen tiempo; pero al dia siguiente se
presentaron señales de tempestad, inspi-
rándonos cuidado y decidiendo al capitan
á buscar un abrigo en el pequeño y seguro puerto de Mariveles, recortadura del
extremo Sur de la península de Bataan,
que baña al Oeste la bahía de Manila.
Fondeamos á las dos de la noche en el
sitio delante del cual habiamos cruzado
catorce horas ántes. — En dos semanas
no pudimos salir de él, por lo incesante
de la lluvia y lo tempestuoso del mar.

Las excursiones debieron limitarse, por
el mal tiempo, á los inmediatos alrededores. En los últimos dias averigüé que en
aquellas montañas hay tribus de negritos, y no logré ver ninguno hasta poco
ántes de hacernos á la vela, que pude dibujar á un hombre y á una mujer.

Negrito de Mariveles.

La poblacion de Mariveles tiene mala fama. El puerto apénas es visitado por otros buques que los obligados á buscar abrigo en tiempos
duros. Las tripulaciones ociosas no hacen más que beber y jugar. Algunas
muchachas, probablemente mestizas, son de notable belleza y blancura,

aunque las consideren como tagalas. Lo mismo se observa en muchos puertos y en los alrededores de Manila ; en las comarcas poco visitadas por los españoles la poblacion es de color más oscuro y de raza más pura.

Tagala en una hamaca.

El número de barcos refugiados entónces en el puerto de Mariveles ascendia á diez, entre ellos tres schoners. Un pequeño *pontin* (40) intentaba todas las mañanas salir á la mar, pero tan luégo dejaba el puerto volvia á entrar saludado con las burlas de las demás tripulaciones. El hambre les hacía atrevidos. Su gente habia llevado á Manila productos de su propiedad, y despues de jugarse el importe de la venta, emprendió el viaje de vuelta sin víveres con la esperanza de llegar pronto á su pueblo, contando con vientos favorables. Casos semejantes no son raros. Algunos indios se reunen y fletan un buque de pequeño porte, lo cargan con lo que tienen y se dirigen á Manila. El mar, entre las islas, parece un hermoso y ancho

---

(40) De *puente*, cubierta, son embarcaciones de dos palos con velas de estera, y miden unas 100 toneladas de porte.

rio con encantadores paisajes en las orillas salpicadas de pueblecitos. Por
la tarde temen los navegantes el tiempo durante la noche, y deciden esperar fondeados hasta la siguiente mañana. La hospitalaria costa les ofrece
con abundancia pescados, cangrejos, multitud de moluscos y frecuentemente tambien cocos sin dueño, y si la costa está habitada, mejor aún. La
hospitalidad entre los indios se ejerce de un modo mucho más completo
que en Europa. Los forasteros se distribuyen en las distintas chozas. Despues de una comida comun, en la que no falta nunca la tuba, se tienden
los petates en el suelo, la lámpara, que suele ser un gran caracol con torcida de junco, se apaga y todos duermen juntos. En una ocasion, al llegar
á la bahía de Manila, despues de un viaje de cinco dias, alcanzamos un
pequeño buque que habia salido de la misma comarca de donde veníamos
para trasportar aceite de coco á la capital, y que llevaba ya seis meses en
su argonáutica travesía. No es raro que despues de navegar tanto tiempo
se malgasten en la ciudad el dinero del cargamento, si ya no lo hicieron
por el camino.

Por la tarde cedió la tempestad y dejamos el puerto de Mariveles. En
su boca hay un islote volcánico formado por una aglomeracion de rocas columnares que le dan notable semejanza con las islas Cícoples, cerca de
Trezza (Sicilia); como en aquéllas, se ve en ésta una puntiguada pirámide, y en su base una pequeña llanura. Costeamos la provincia de Cavite
hasta Punta Santiago, que es el cabo S. O. de Luzon, y derivamos despues al Este entrando en el magnífico canal que limita al Norte Luzon y
al Sur las Visayas. A la salida del sol se ofreció á mi vista un espléndido
panorama. Al Norte se levantaba el volcan de Taal sobre los llanos de Batangas, al Sur las emboscadas costas de Mindoro (al parecer de roca caliza) con el Puerto Galera, al cual sirve de rompeolas y da seguridad
una pequeña isla situada en su entrada. Escuadrillas de buques menores,
con rumbo á Manila, que habian buscado refugio durante la tempestad en
los puertos de Visayas, se cruzaban con nosotros.

Este es el gran camino marítimo del Archipiélago, abierto de S. E.
á N. O., y navegable durante todo el año, protegido por el brazo de Luzon, que se extiende al S. E., y por la isla de Samar contra las violentas
tempestades del N. E., y por las Visayas contra los vientos del S. O.
Forman la valla S. de este ancho canal las islas Mindoro, Panay, Cebú y
Bohol, dejando en sus intervalos otras tantas vias de comunicacion, abier-

72

tas al S. en el mar de Mindoro, limitado al O. por la Paragua, al E. por
Mindanao y al S. por el Archipiélago de Joló. En su extremo oriental es-
tán las islas de Samar y de Leyte, y entre ellas tres estrechos hácia el
Océano Pacífico, son los de San Bernardino, San Juanico y de Surigao.
Otras islas grandes y un sinnúmero de pequeñas se levantan dentro de la
extension ligeramente bosquejada.

Dos anchurosas ensenadas en la costa meridional de Batangas ofrecen
á los buques buenos fondeaderos, pero sólo un mediano abrigo; en mal
tiempo vense obligados á ir á Puerto Galera de la inmediata isla de Mín-
doro. Taal, principal puerto de la provincia, está enlazado por un rio, que
recorre una y media leguas, con el gran lago de su mismo nombre llamado tambien Bombon. Este rio era ántes navegable, pero hoy está cegado
hasta tal punto, que sólo embarcaciones muy pequeñas pueden llegar al
lago á favor de la marea. Limpiando el cauce probablemente se converti-
ria el lago de Taal en un vasto puerto. La provincia de Batangas da el mejor ganado para el abastecimiento del mercado de Manila y exporta azúcar y café (1865 : 16.000 picos).

En Luzon descuellan elevadas cordilleras, cuyos hermosos contornos
indican su naturaleza volcánica. Las islas meridionales parecen ser en su
mayor parte de rocas sedimentarias, terminan por lo general en abruptas
cimas de emboscadas laderas. El punto culminante del panorama lo forma
el Mayon ó volcan de Albay, de perfecta forma cónica. Por la tarde llegamos á distinguir en la punta S. E. de Luzon el Bulusan, y en seguida derivamos al Norte, entrando en el estrecho de San Bernardino, entre Luzon
y Samar.

El volcan Bulusan, que parecia extinguido de mucho tiempo, pero que
en 1852 empezó de nuevo á humear (*), recuerda de un modo admirable
al Vesubio. Como el Vesubio tiene dos picos; al O. una cima arredondeada en forma de campana (el cono de erupcion), al E. como resto de una
cumbre anular, una alta cresta dentellada parecida al monte Somma, en
sus vertientes se nota bien la estratificacion paralela. Como en aquél, el
cono de erupcion está en medio del antiguo muro del cráter, el espacio
que le separa de la valla montañosa situada en frente, ó sea el piso del

---

(*) *Estado geográfico*, pág. 314.

Volcan Bulusan desde el Este.

Volcan Bulusan desde el SSO.

antiguo cráter, es considerablemente mayor y mucho más desigual que el *Atrio del Cavallo* en el Vesubio.

La corriente es tan fuerte en el estrecho de San Bernardino, que tuvimos que echar anclas dos veces para no retroceder por su accion. Delante de nosotros estaba siempre el imponente volcan con la aldea Bulusan situada en su falda E. en medio de un bosquecillo de cocoteros. Con viento flojo y desigual, luchando contra la fuerza de la corriente, llegamos al anochecer del siguiente dia á Legaspi, que es el puerto de Albay.

El capitan del buque era español, y habia procurado hacer la travesía en el menor tiempo posible. A mi regreso de Leyte fuí en un buque mandado por un indio. Como este viaje ofreció bastantes particularidades, permítaseme extractar algo de mi diario para comparar los dos..... El capitan queria embarcar legumbres para nosotros; pero se «olvidó de hacerlo.» Hizo atracar el barco á una pequeña isla, y despues de un rato volvió con un gran cogollo de palmera que en ausencia del dueño habia cortado de un cocotero apeado con este objeto..... Parte de la tripulacion habia ido en tanto á una aldea, del extremo N. O. de Leyte, á comprar víveres. En vez de hacer sus provisiones antes de la partida, en el puerto de Tacloban, prefieren los marinos comprarlas en algun pueblo del estrecho, donde están más baratas, y además esto les sirve de pretexto para holgazanear un poco en tierra. El estrecho de San Juanico, cuyo ancho no excede de una milla marina, queda reducido en ciertos sitios sólo á algunos miles de piés por las islas que hay en él; su longitud es de unas veinte millas, los buques necesitan, sin embargo, á veces, más de una semana para pasarlo; porque con vientos contrarios y á causa de la fuerte corriente se fondea durante la noche. Todos los dias al anochecer opinaba nuestro capitan que el aspecto del cielo inspiraba cuidados, y metia el barco en la ensenada de Náve (isla de Masbate). Anclado el buque, saltaba á tierra con parte de la tripulacion.

El domingo le dió recelos el tiempo desde por la tarde, y además dijo que tenía necesidad de comprar algo en tierra. Hizo fondear en Magdalena de Masbate, donde pernoctamos. El lúnes navegamos con buen tiempo y viento favorable con rapidez hácia Marinduque, pasando por el islote «Elefante», situado al S. de aquella isla. El «Elefante» parece ser el resto de un antiguo cráter, su forma es la misma que la del Iriga; pero sólo tiene la mitad de su altura; está cubierto de praderas con grupos de árboles en los barrancos. Pasta en él un centenar de reses vacunas medio salvajes. Cada res cuesta 4 pesos y otros 4 su trasporte á Manila, pagándose allí á 16. Los tripulantes de buques costaneros roban muchas, pues casi no tienen custodia alguna. Mi capitan indio se lamentaba amargamente que el no poder desperdiciar el buen viento le impidiese desembarcar. ¿ Quizás le detenia mi presencia á bordo? «¡ Qué ganado tan hermoso! — exclamaba—¡qué bien vendria coger un par de cabezas! Apénas si tienen dueño, y los ricos propietarios ni tampoco saben su número, y el ganado siempre va criando..... Se meten un par de pesos en el bolsillo, si se tropieza con un pastor se le dan, y el pobre se considera feliz; si no, tanto mejor; tampoco se le necesita para nada, con un tiro ó con echar el lazo basta.....» Cruzóse con nosotros un barco, *Luisa*, que maniobró de un modo original, y al poco rato oimos grandes gritos de triunfo por haber logrado quitar á los pescadores de Marinduque sus enseres de pesca, cogiendo el cable de la boya con un gancho hábilmente echado. Nuestro capitan estaba fuera de sí de envidia.

Legaspi es el principal puerto de Albay por su situacion en el centro de la comarca abacalera. Su rada es, sin embargo, muy poco segura; en los meses de invierno, por estar abierta al N. E., de donde vienen los vientos tempestuosos, no se puede utilizar.

El viento dominante en esta costa es el N. N. E.; el S. O. apénas sopla con constancia durante dos meses, Junio y Julio. Las tempestades más fuertes suelen ser en Octubre y en Enero. Por lo comun empiezan con viento O., débil, acompañado de lluvia, que rola luégo á N. ó S., y alcanza su mayor impetuosidad como N. E. ó S. E. A la tormenta sucede generalmente calma, y luégo vuelve á soplar el viento de la monzon reinante. Las casas, construidas de materiales ligeros y elásticos, resisten mucho los huracanes; pero las techumbres son arrancadas á menudo y derribadas completamente las casas ya viejas. La navegacion entre Manila y Legaspi es casi todos los años ó solo posible de Enero á Octubre, cesando las comunicaciones entre ambos puertos durante el otoño. El correo se recibe una vez por semana con bastante regularidad. Las mercancías no pueden expedirse más que por un camino de gran rodeo y muy costoso, como es la costa Sur, y de allí trasportarse á Manila. El puerto de Sorsogon tiene mejores condiciones; su bahía, cuya entrada mira al O., está protegida por la isla Bagalao. Además de la mayor seguridad que ofrece, posee la ventaja de un enlace más rápido y nunca interrumpido con la capital del Archipiélago, miéntras que los buques salidos de Legaspi en los meses que les es posible la navegacion, se ven precisados á doblar la extremidad oriental de Luzon, operacion muchas veces difícil por la corriente grande de las aguas del estrecho de San Bernardino. Embarcaciones menores están tambien siempre muy expuestas á ser apresadas por piratas. La comarca de Sorsogon no es empero, tan rica como la de Legaspi.

Llevaba cartas de recomendacion para dos de los más notables españoles de la provincia. Me recibieron con la mayor amabilidad, y me fueron muy útiles durante todo el tiempo de mi estancia en la comarca. Tambien tuve la dicha de hallar un Alcalde mayor que hacía honor á los empleados de las islas. De buena familia, afable en su trato, era un verdadero caballero. Hablando de su probidad, se decia en Samar que habia llegado allí con un legajo de papeles bajo el brazo y salido con el mismo capital.

CAPÍTULO IX.

G RACIAS á los buenos oficios de mis amigos españoles, conseguí alquilar una casa en Daraga (41), rico pueblo de unos 20.000 habitantes, situado en la falda S. S. E. del volcan Mayon, á una y media leguas de Legaspi. Este volcan pasaba por inaccesible hasta que dos jóvenes escoceses, Paton y Stewart, hicieron su ascension en Abril de 1858 (42). Despues de ellos han subido varios indígenas ; pero ninguno europeo.

Emprendí la marcha en la tarde del 25 de Setiembre, y pernocté, por consejo del Sr. Muñoz, en una choza á 1.000 piés sobre el nivel del mar, para empezar á la mañana siguiente la ascension con nuevas fuerzas. Pero numerosos desocupados, que me habian seguido hasta allí, no me dejaron reposar con sus gritos y algazara, y pocode scansado volví á la marcha á las cinco de la madrugada. El resplandor rojizo que durante la noche rodeaba la cumbre, desapareció al rayar el dia. Despues de subir centenares de metros entre gramíneas de 6 piés de altura, hallé otras de pequeña talla cubriendo el suelo en unos mil piés de elevacion ; más arriba

---

(41) Su nombre oficial es Cagsáua, pueblo antiguo que fué destruido por la erupcion de 1814, y que estaba situado muy arriba de la montaña ; se reedificó en el sitio ocupado por la aldea insignificante de Daraga.

(42) Segun me comunica el Sr. Paton en una carta, en Albay se les dijo por todos que la empresa era imposible. Ningun español ni indio alguno habia logrado jamás llegar á la cumbre, impidiéndoselo las arenas y las cenizas. En gran cabalgata salieron á las cinco y llegaron hasta el pié del cono de lavas y escorias, donde empezaron á subir la parte difícil acompañados de dos indígenas, que en el camino se quedaron atras. Al descansar á mitad de la altura, vieron distintos puntos en erupcion que vomitaban lavas incandescentes. Con gran trabajo alcanzaron la cúspide entre 2 y 3; pero sólo pudieron permanecer en ella dos ó tres minutos á causa de los vapores sulfurosos. A la bajada se confortaron con provisiones enviadas por el Sr. Muñoz, llegando á Albay al anochecer, donde durante dos dias se les festejó como héroes, recibiendo un documento oficial que certificaba su «conquista», y por el que tuvieron que pagar algunos pesos.

Volcan de Albay ó Mayon,

visto desde el Convento de Daraga.

hay sólo líquenes, que cesan pronto. La parte superior de la montaña consiste únicamente en desnudos montones de escombros. En todo lo ocupado por las gramíneas vegetan tambien casuarinas, formando primero rodales, y despues diseminadas á ranchos ; al fin se presentan en ejemplares aislados, y van disminuyendo de tamaño hasta ser raquíticos arbolitos que penosamente extienden sus raíces entre las rocas. A la una llegamos á la cima. En todas direcciones se ven en ella grietas, de las que salen calientes vapores sulfurosos y acuosos en tal cantidad, que para evitarlos debiamos atarnos pañuelos á boca y narices.

En un barranco ancho y profundo, del que se desprendian con notable abundancia vapores, hicimos alto ; probablemente estábamos en el borde de un cráter ; pero no se podia formar idea clara de él, pues la densidad de las emanaciones impedia ver la anchura de las grietas. Constituia la cima una capa de roca dura, de unos dos piés de potencia, tapizada con una costra de escorias, blanqueadas por la accion de los vapores sulfurosos. Muchos bloques prismáticos, diseminados sin órden, indicaban que se habia derrumbado lo más alto del pico. Cuando alguna ráfaga de viento disipaba las nubes de vapores, se distinguian al Norte columnas de roca de más de 100′, que habian resistido la accion del tiempo y los efectos de la erupcion de 1814 (véase más adelante).

Despues tuve ocasion de examinar detenidamente desde Daraga, con un buen anteojo, esta cumbre, y noté que el borde Norte es más alto que el lado Sur (véase la lámina anterior).

En muchos sitios donde la descomposicion de la roca estaba muy avanzada habia anchos surcos, sobre los cuales se habian depositado sustancias amarillas y rojas. En lo alto de la vertiente se veian lastrones de más de 20′ deslizados de la cumbre. Al lado opuesto de Daraga corrió un rio de lava, cuya superficie consistia en escorias finas y esponjosas, dándole el aspecto de un tapiz de musgos. La inclinacion de esta corriente de lava es de más de 30°; sin embargo, se ve claramente que formó una masa contínua; algunos trozos tienen 5 y 6′ de largo; pero su generalidad lo constituyen pequeños fragmentos de lava de unas 6″. En un sitio de unos 600′ de profundidad, donde la misma lava se extendió sobre lanchones de roca firme, forma una masa sin solucion de continuidad de más de 40′; los lanchones tienen una inclinacion de 45°.

Aun no habiamos subido dos terceras partes de la ladera, cuando oscureció. Con la esperanza de llegar á la choza, donde habian quedado nuestros víveres, vagamos hasta las 11 de la noche, hambrientos y cansados, entre un laberinto de grandes bloques, y al fin rendidos, decidimos esperar allí la mañana. Este contratiempo no fué ocasionado por imprevision mia, y sí por la informalidad de los indios. Dos hombres alquilados para llevar el agua y las vituallas habian desaparecido desde un principio; un tercero que quedó para guardar nuestras cosas en el vivac (un hombre de toda confianza) y que debia salirnos al encuentro con antorchas, se volvió á Daraga ántes de mediodia. Mi criado, que tenía una manta de lana y mi paraguas, desapareció de repente á favor de la oscuridad en cuanto empezó á llover, y á pesar de nuestras repetidas voces no acudió hasta la mañana siguiente. Pasamos la noche lluviosa sobre la pelada roca, y como nuestras ligeras mantas estaban caladas, nos helábamos dando diente con diente, de frio. Tan luégo salió el sol, empezó el calor á vivificarnos, devolviéndonos el perdido buen humor. A cosa de las 9 llegamos á la choza, y nos fortalecimos despues de un ayuno de 29 horas.

En los trabajos y hechos notables de la Sociedad Económica de Amigos del País se dice con fecha 4 de Setiembre de 1823 lo siguiente: «El miembro D. Antonio Sigüenza visitó el volcan de Albay el 11 de Marzo, y la Sociedad ordenó acuñar una medalla conmemorativa para perpetuar el hecho y recompensar así á dicho Sigüenza y á sus compañeros.» En la provincia de Albay nos aseguraron, sin embargo, todos, que los dos escoceses fueron los primeros en subir hasta la cumbre. Ciertamente, en la indicacion anterior no se consigna de un modo concreto una ascension total al Mayon; pero la recompensa casi la supone. Arenas (*Memorias*, 142) dice: «El capitan Sigüenza midió la altura del Mayon. Desde el cráter hasta la base de la montaña, que está al nivel del mar, dice ser de 1682 piés castellanos ($= 468^m,66$), y en la pág. 143 se añade «que leyó en las actas de la Sociedad Económica haberse acuñado una medalla de oro en honor de Sigüenza (y compañeros) por su investigacion del cráter, en 1823; dudando, sin embargo, por su parte, de la exactitud de tal ascension. Segun los registros de la órden de San Francisco, dos religiosos intentaron la subida en 1592 para destruir la supersticion de los indios respecto al volcan; el primero cejó pronto en la empresa, y el segundo, P. Estéban Solis, si bien no llegó hasta la misma cumbre por impedírselo tres profundas grietas, convirtió con el simple relato de su aventura á centenares de infieles, muriendo en el mismo año de resultas de las diversas temperaturas experimentadas en la ascension.»

En muchas obras se dice que la montaña es de notable altura, y en otras se lee—entre ellas en el *Estado geográfico de los franciscanos*, 1855, donde no era de esperar ver repetida tan sin criterio una errata material—que su elevacion es, segun el capitan Sigüenza, de 1.682 piés. La verdadera altura hallada por este excelente hidrógrafo no la he visto citada en parte alguna.

Segun mis observaciones barométricas, la meseta de la cumbre, dominada aún por algunas columnas, mide 2.734 metros $= 8.550$ piés castellanos $= 7.564$ piés rheneanos sobre el nivel del mar.

La primera erupcion del Mayon de que hay noticia es la citada por Al. Perrey, ocurrida en Febrero, 1616. *Anchoras suas 19 Februarij ad maximam insulam projecerunt, quæ Lucon appellatur et in qua sita ist urbs Manila...... videruntque incredibilis altitudinis montem perpetuo igne flagrantem, Albaca nomine, plenum sulphure.* (Tomado de los *Viajes de Spilbergen en Th. de Bry. Americæ*, tomo XI, App. 26, Francf. 1620, en fólio).

Terrible fué la erupcion de 23 de Octubre de 1766, que destruyó por completo la aldea de Malinao y causó muchos daños en Cagsaua, Camalig, Budiao, Guinobatan, Polangui y Ligao. Segun una carta del Alcalde mayor de la provincia (Legentil, II, pág. 14, da una traduccion, y Al. Perrey, pág. 71, un extracto de ella), se encendió la montaña en 20 de Julio y ardió durante seis dias. La llama tenía primero la forma de una pirámide; fué disminuyendo en altura, y la cúspide apareció incandescente. Desde la cumbre descendió hácia Oriente un rio de lava, al parecer de unos 120 piés de anchura, que se observó durante dos dias. El 23 de Oc-

80

tubre siguiente, el volcan expelió tal cantidad de agua, que entre Tibog y
Albay corrieron algunos rios de más de 30 varas de ancho, que se arrojaron
al mar con tanta violencia, que la marea creciente no dominaba su curso,
siendo imposible atravesarlos; á este fenómeno acompañó una fuerte tempestad, que empezó á las siete de la tarde por el O. N. O. y roló á las tres
de la mañana siguiente al Sur. «Entre Bacacay y Malinao era el lecho de
los rios de más de 80 varas. Desde Cemálig hácia el interior de Sarayas,
provincia de Naya, cambió tanto el país que no se reconocian los caminos.
Malinao quedó destruido completamente; casi todas sus chozas fueron
arrasadas, y sus campos se cubrieron con una espesa capa de arena; la tercera parte de Cagsaua sufrió igual suerte, y el resto forma desde entónces una isleta, ó mejor dicho, una colina rodeada de anchos y profundos
barrancos, á lo largo de los cuales corrió impetuosamente un rio de agua
y arenas. Este rio causó ademas gran devastacion en Cemalig, Guinobatan, Liga y Bolangui..... En el S. O. quedaron sepultados los cocoteros
y otros árboles hasta sus copas..... En Albay se encontraron 16 cadáveres,
y en Malinao más de 30..... Parecia que la monstruosa cantidad de agua
brotaba de las entrañas del volcan.....»

Otra erupcion asoladora fué la de 1800; la montaña vomitó muchas
piedras, arena y cenizas (Fr. Aragoneses).

La erupcion de 1.º de Febrero de 1814 fué, ciertamente, la más terrible.
Al. Perrey, pág. 85, da un resúmen de la narraciou de un testigo ocu-
lar (*). A eso de las ocho de la mañana el volcan arrojó de repente una
espesa columna de piedras, arena y cenizas, que se elevó rápidamente á
una gran altura..... Los costados del volcan se ocultaron y desaparecieron
de nuestra vista. Un rio de fuego se precipitó montaña abajo amenazando
envolvernos. Las gentes huian buscando los puntos más elevados. La oscuridad aumentó....., los fugitivos recibian piedras de las arrojadas..... En
las casas no habia seguridad, pues las piedras candentes llevaban á ellas
el incendio. Así fueron convertidos en cenizas los pueblos más ricos de
Camarines. A cosa de las diez cesó la caida de piedras grandes, sustitu-
yéndola una lluvia de arena; á la una y media disminuyó algo el ruido y
el cielo se fué despejando. El suelo estaba cubierto de cadáveres y de he-

---

(*) Francisco Aragoneses. Suceso espantoso y memorable acaecido en la provincia de
Camarines el dia 1.º de Febrero de 1814.

ridos graves; en la iglesia de Budiao yacian 200, y en una casa del mismo pueblo 35 personas. Cinco pueblos de Camarines fueron completamente destruidos, y la villa de Albay en su mayor parte. Murieron 12.000 personas, muchísimas recibieron heridas graves y las que se salvaron perdieron todos sus bienes. El aspecto del volcan era triste, horroroso; sus laderas, tan pintorescas ántes, llenas de cultivos, se veian cubiertas de arena; la capa de piedras y arena tenía un espesor de 10 á 12 varas. En el sitio donde estaba Budiao quedaron enterrados los cocoteros hasta sus copas. En los otros pueblos la capa no bajaba de media vara..... La cima del volcan, por lo que puedo juzgar, ha perdido unos 120 piés de altura; en su parte Sur se divisa una espantosa abertura; tres bocas más se han abierto á corta distancia del cráter principal; arrojan aún cenizas y nubes de humo..... Los sitios más hermosos de Camarines, las comarcas más fértiles de la provincia, se han convertido en un árido desierto de arena.»

En el *Estado geográfico* hay el resúmen del escrito de otro testigo presencial, del P. Franc. Tubino, de 1816 en Guinobatan; en él se dice lo siguiente: «Despues de frecuentes terremotos en la tarde anterior, y fuertes sacudidas por la mañana, la montaña arrojó de repente de sus entrañas una nube que parecia de nieve y que se levantó en forma de pirámide, tomando el aspecto de un hermoso penacho. Como el sol brillaba claro, el destructor fenómeno presentaba distintos y hermosísimos efectos. El volcan aparecia negro en su base, más arriba oscuro, en medio abigarrado y en la cúspide de color ceniciento. Miéntras contemplábamos este espectáculo se sintió un violento temblor seguido de un fuerte trueno. La montaña arrojaba lavas con gran fuerza, y la nube que la coronaba fué gradualmente aumentando. La tierra se oscureció, el aire se encendió, viéndose salir rayos y chispas de la montaña, que cruzándose formaban una horrible tempestad. En seguida empezó una lluvia de grandes é incandescentes piedras carbonizadas, que prendian fuego á cuanto tocabau y lo destruian; al poco tiempo cayeron piedras de menor tamaño, arena y cenizas. Esto no cesó en tres horas, las tinieblas duraron unas cinco. Las ciudades de Camalig, Cagsaua, Budiao, la mitad de la de Albay y Guinobatan, fueron incendiadas y destruidas. La oscuridad se extendió mucho hasta Manila é Ilocos; algunos aseguran que las cenizas llegaron hasta las costas de China y los ruidos subterráneos se oyeron en muchos puntos del Archipiélago.»

En 1827 hubo una erupcion del volcan de la provincia de Albay (Luzon), que duró hasta Febrero de 1828 (A. Perrey, pág. 93).

Los párrocos de los pueblos de la falda del Mayon me dieron las siguientes noticias acerca de las erupciones presenciadas por ellos.

1834 y 1835. Durante estos dos años la montaña estuvo en casi contínua actividad. No se observó que arrojára cenizas, pero en la mayor parte de las noches se vió correr desde su cúspide lava incandescente hácia distintas direcciones á lo largo de los barrancos más elevados. En el mes de Mayo de 1835 se verificó en la cumbre una erupcion de piedras y cenizas, que empezó á las seis de la mañana, pero que no duró hasta la tarde. Se veian alternando columnas de humo grises y blancas que se elevaban de la cima del volcan; el fenómeno·iba acompañado de un fuerte trueno.

Despues de las erupciones de 1835 permaneció tranquilo el Mayon hasta 1845, pasando meses sin verse siquiera humo. Segun lo que dice el capitan Wilkes (*U. S. Expl. Exp.* v, 283), sería de presumir que tambien en 1839 hubo una erupcion....., «pero muchos (volcanes) humeaban, principalmente el de la comarca de Albay, llamado Isarog. Su última erupcion se efectuó en 1839; no causó, sin embargo, los daños que la de 1814..... está situado á 150 millas al S. E. de Manila *y dicen que tiene la forma de un cono perfecto.*» En vez del Isarog se refieren estas líneas al Mayon; las palabras subrayadas sólo á éste pueden aplicarse, además el Isarog es un volcan apagado. La misma confusion en los nombres de ambas montañas se repite, sin duda alguna, en Dana (*U. S. Expl. Exp. Geology*, 541). «En la rinconada S. E. (de Luzon) se levanta el alto monte cónico Albay, llamado Isarog por los naturales.» La dudosa erupcion de 1839 debió ser de poca consideracion, pues los curas de aquellos pueblos no la mencionan.

El 21 de Enero de 1845, un fuerte ruido como de un trueno anunció una erupcion del cráter, que duró sólo diez minutos. Un cuarto de hora despues se reprodujo el mismo fenómeno durante otros diez minutos, y se repitió á la hora por tercera vez. Cerca de las nueve, y con gran estrépito, hubo una erupcion de cenizas no interrumpida por espacio de dos horas. En Daraga quedó el cielo despejado, y desde allí podia contemplarse el sublime espectáculo sin peligro, miéntras en Guinobatan estaban todos aterrados. La erupcion duró algunos dias, pero más débil; de dia se observaba una columna de humo oscura que por la noche tenía un resplandor de fuego. Vióse tambien arena candente correr por los barrancos; el fenómeno duró una semana entera. De noche se oia un ruido como el de una cascada; de dia sólo se percibia el de las piedras que entre sí chocaban. A causa de reinar el viento N. E., las cenizas cayeron en Guinobatan, Ligao y Camalig, en cuyos pueblos era tal la oscuridad que la gente tenía que ir con faroles por las calles. Los carabaos y bueyes sorprendidos murieron; no hubo que lamentar desgracias personales.

En 1846 ocurrió úna fuerte erupcion por la tarde. Desde Camalig apareció la montaña toda rodeada de una nube de humo, y encima de ella una columna negra de ceniza. Durante muchas noches se distinguió el fulgor del fuego en la cumbre.

Las dos erupciones de ceniza en 1851 fueron insignificantes; la segunda tuvo lugar en Junio.

El 27 de Julio de 1853 (segun el *Estado geográfico*, pág. 318, el 13 de Julio) hubo una gran erupcion desde mediodia hasta las tres de la tarde. Anuncióse con fuertes ruidos, pero sin terremoto. De la cima salia una alta columna de ceniza, cuya forma era la de un árbol; los pueblos de la comarca, á muchas leguas alrededor, se cubrieron de ceniza. Piedras incandescentes rodaron montaña abajo hasta su falda, destruyendo muchas casas. En una plantacion de abacá murieron 31 personas (33 segun el *Estado*, pág. 318).

Otra violenta erupcion se cuenta en 22 de Marzo de 1855, al tiempo de notarse en Manila un terremoto. (*A. Perrey*, pág. 105, de una noticia de los Sres. Meister y Kluge.)

Segun Hochstetter (*Sitzungsber. Wiener Akad.* t. 36, pág. 131), el Mayon arrojó en 1857 tantas cenizas, que murieron todas las abejas de la comarca.

El volcan estuvo en actividad durante todo el año de 1858, casi sin interrupcion, sin una erupcion fuerte; pero pocas noches dejaba de verse la roja lava correr cumbre abajo por los barrancos. En 1859 y 1860 se distinguia casí todas las noches, en tiempo despejado, un resplandor en la cumbre. No hubo, sin embargo, erupcion alguna.

Los terremotos son en esta provincia más raros que en Manila, y de ordinario no ofrecen cuidado por la construccion de las casas. En 1840 y 1846 se sintieron dos fuertes, el primero destruyó el pueblo de Sorsogon casi completamente. En el apéndice á la traduccion inglesa de Morga, pág. 373, no se cita un terrible terremoto que hizo perder grandes bienes en la provincia de Albay : el 19 de Octubre de 1865 los pueblos de Malinao y Tabaco fueron inundados por las aguas del mar.

Segun noticias comunicadas de Manila, empezó una erupcion del Mayon á mediados de Diciembre de 1871, que durante bastantes semanas despidió humo, piedras y lavas.

CAPITULO X.

Una piedra desprendida me lastimó en el pié, durante mi excursion al volcan de Albay, de tal modo, que no pude andar en un mes. En estas circunstancias me fué muy agradable tener una habitacion espaciosa y cómoda. Mi casita estaba á la orilla de un límpido arroyo y rodeada de un jardin, donde con el mayor vigor entre espesa maleza vegetaban cafetos, cacaos, naranjos, plátanos y papayas. Muchos frutos maduros de cacao yacian en el suelo sin haberse utilizado : hice recoger los ya sazonados, tostarlos, y, mezclados con igual cantidad de azúcar, convertirlos en chocolate. Esta industria la conocen todas las casas algo acomodadas, pues es sabido que el chocolate reemplaza entre los españoles en muchos casos al té y al café : los mestizos é indios ricos lo toman tambien con frecuencia.

El árbol del cacao procede de la América Central, llega allí hasta los 23° lat. N. y los 20° lat. S. (desde 30° N. hasta 30° S. *Rappt. Jury* xi, 268), pero sólo prospera en las comarcas más cálidas y húmedas. Segun Karsten deja de fructificar á una temperatura média de ménos de 23° 3 C.: de todos los frutos cultivados es el que exige mayor cantidad de calor.

Se introdujo en Filipinas desde Acapulco : en Camarines, por un piloto llamado Pedro Bravo de Lagunas (1670), y en Samar, por los jesuitas (*) en tiempo de Salcedo.

Desde entónces se ha ido extendiendo por gran parte de las islas, y si bien exige asíduos cuidados, su fruto se produce de excelente calidad. El cacao de Albay se aprecia, por lo ménos, tanto como el de Caracas ; habida cuenta de los precios á que se paga en el país, y sabido es que el Caracas

---

(*) *Flora de Filipinas*, BLANCO, pág. 420.

no tiene rival en los mercados de Europa, y por sus altos precios se mezcla con tres cuartas partes de clases inferiores (43). Por lo general sólo se encuentra el arbusto en pequeños jardines próximos á las casas, y la pereza de los indios es tal, que á menudo dejan pudrir los frutos sin utilizar sus preciosas semillas, no obstante de pagarse el cacao del país más caro que el importado: En Cebú y en Negros se cultiva algo más, pero no en cantidad suficiente á cubrir las necesidades de las mismas localidades, adonde áun acude además el de Ternate y el de Mindanao. El mejor cacao de Filipinas se produce en la pequeña isla de Maripipi, al N. O. de Leyte; pero es difícil obtenerlo, comunmente tiene que pedirse con anticipacion: el litro se paga bien á un peso, el de Albay se cotiza á 2 ó 2 ½ pesos ganta (3 litros).

El indio suele colocar las almendras, para su germinacion, en una especie de cucuruchos de hojas arrolladas llenas de tierra, que cuelga en el tejado. Las plantitas crecen rápidamente y se ponen espesas (6-7' una de otra) para impedir que las ahogue la maleza. A este procedimiento debe atribuirse que se desarrollen como arbustos de 8 á 10' de altura, al paso que en su patria alcanzan 30 y algunas especies hasta 40'. (Segun los datos suministrados por el Padre de Borongan, es verdad que se encuentran en una pequeña isla cerca de Guinau cacaos de extraordinario tamaño.) Sin embargo, uno de estos arbustos, que da fruto á los tres ó cuatro años,

---

(43) El consumo de cacao en Europa importa anualmente de 36 á 40 millones de libras (Humboldt en 1818 lo estimó en 23 millones de libras, *H. und Bonplaud Reise* III, 206) ; la tercera parte va á Francia, donde el consumo desde 1853 (6.215.000 libras) hasta 1866 (12.973.534 libras, por valor de 10.053.750 pesetas), ha aumentado más del doble. Venezuela proporciona á los mercados europeos las mejores clases, Porto-Cabello y Caracas. Las más superiores y caras del Caracas son : 1.°, Chuao ; 2.°, Ghoroni; 3.°, O'lumar, y 4.°, Rio chico: se obtienen en plantaciones establecidas por vascongados residentes allí hace tiempo y cuidadas con particular esmero.

Más estimadas aún que las clases más finas de Caracas, son los cacaos de Soconusco (América Central) y Esmeralda (Ecuador), pero se consumen en el país mismo, y apénas pueden ser objeto de comercio. Alemania se contenta con las clases inferiores. Guayaquil, cuyos precios suelen ser mitad de los del Caracas, es la más frecuente, importando más que todas las restantés juntas. (Compárese con lo dicho por A. Mitscherlich, págs. 39-46, donde se condensan hábilmente muchos datos acerca del comercio de cacao.)

Inglaterra consume el cacao producido por sus propias colonias, á pesar de ser los derechos arancelarios iguales para todas las procedencias (1 pen. la libra). España, que necesita gran cantidad, lo obtiene principalmente de Cuba, de Puerto-Rico, tambien del Ecuador, de Méjico y de la Trinidad. Los franceses han hecho recientemente en Nicaragua grandes plantaciones : 250.000 piés, de los cuales 60.000 dieron ya productos en 1867 (*Rapp. du Jury* XI, 268).

produce á los cinco ó seis años una ganta de almendra, en buenas cosechas, que, como se ha dicho más arriba, se paga á 2 ó 2 ¹/₂ pesos y siempre tiene compradores (44). Las utilidades de una plantacion deben ser, por lo tanto, considerables. A pesar de esto, no se ha logrado aún introducir en grande el cultivo del cacao. Tengo entendido que la Sociedad económica de *Amigos del País* habia señalado un considerable premio en dinero al que estableciese una plantacion de 10.000 piés, y sólo uno, el benemérito Oidor Azaola, se hizo acreedor á él, abandonando, sin embargo, la plantacion, por no compensar gastos. (En el informe de los progresos de la Sociedad no hallo mencionado este premio.)

La dificultad principal parece consistir en los destrozos hechos por las tempestades, que se repiten casi todos los años y á veces destruyen en un dia toda una plantacion de estos árboles, cuyas raíces son muy someras. En 1856 un solo báguio arrasó grandes plantaciones, poco ántes de la cosecha, desanimando á los agricultores (45). A consecuencia de esto se declaró la importacion de cacaos libre de derechos y contribuciones, y se podia comprar el Guayaquil á 15 pesos quintal, sosteniéndose el de las islas á dobles precios.

El árbol padece además mucho por los insectos que le atacan, y por una enfermedad cuya causa es desconocida (46) le perjudican, prescindiendo de otros roedores, los ratones á veces le atacan de tal modo, que una noche les basta para destruir toda la cosecha. Las plantaciones de cacao cuidadas con esmero son descritas por los viajeros americanos como de gran

---

(44) Segun C. Scherzer, *Central Amerika*, pág. 554, da el árbol durante veinte años de 30 á 40 onzas de producto; 1.000 piés, 1.250 libras de cacao = 250 pesos (á 20 pesos quintal), ó sea 1 ¹/₂ pesos cada árbol. Mitscherlich toma como término medio 4·6 libras de almendra fresca por pié. Un litro de cacao fresco pesa, seco al aire, 650 gram., tostado y mondado 610 gramos. (Jordan y Timaus.)

(45) Un huracan destruyó en 1727 las plantaciones de cacao de la Martinica, establecidas á costa de grandes trabajos durante muchos años, y lo mismo sucedió en Trinidad. Mitscherlich, pág. 14.

(46) F. Engel cita tambien una enfermedad (*Unsere Zeit*, 1, Diciembre 67), la *mancha* que en América empieza destruyendo la zona cambial de la base de la raíz, mata en breve el átbol y se extiende con tal rapidez, que se tienen que cortar bosques enteros de cacaos y convertirlos en terrenos de pasto para el ganado. Hasta en las comarcas más privilegiadas murieron, efecto de esta enfermedad, en una noche y poco ántes de la cosecha, miles de árboles. Un enemigo terriblemente perjudicial á este cultivo es la oruga de una mariposilla, que destruye por completo la almendra; sólo se conoce un medio para exterminarla, que es el frio y el aire. Humboldt ya dice que los cacaos de las frias regiones de las Cordilleras se ven libres de esta plaga.

belleza. En el Archipiélago filipino, por lo ménos en la parte oriental de Luzon, tiene el arbolito plantado muy espeso, descuidado, y al poco tiempo cubierto de líquenes, un aspecto de prematura decadencia. Su longevidad es corta. Las hojas, á veces de un pié de longitud y de forma oval, cuelgan aisladas de las ramas; su copa no es frondosa, las flores son insignificantes y no exceden en tamaño á las del tilo, de color amarillo rojizo, penden de largos pedúnculos aisladas, ó brotan en pequeños hacecillos del tronco ó de las ramas madres. El fruto madura en seis meses, alcanza de 5-8″ de longitud, se parece á un pepino de superficie muy rugosa, y en el estado de madurez es rojo ó amarillo. Segun parece, se cultivan en Filipinas dos variedades (47). La carne, blanca, blanda, mantecosa, tiene un sabor agradablemente ácido y encierra cinco filas de docena y media á dos docenas de semillas. El tamaño de éstas es el de una almendra, cada una tiene dos cotiledones y un pequeño embrion; la semilla se conoce en el comercio con el nombre de cacao; tostada y molida se mezcla con azúcar y generalmente con canela, para elaborar el chocolate. Hasta hace pocos años se hacía en Filipinas en casa misma. Los indios, que lo toman suelen mezclar tambien arroz tostado. Ahora hay en Manila una fábrica montada á la europea. Una adicion muy del gusto de las gentes de las provincias del Este consiste en la mezcla de granos de pili (48).

---

(47) C. BERNOULLI (*Uebersicht der jetzt bekannten Arten von Theobroma-Zürich*, 1869. Ojeada sobre las especies conocidas en el dia del género Theobroma-Zurich, 1869), menciona 18 especies: en Filipinas sólo una: Theobroma Cacao, Lín., clasificada por ejemplares de mi jardin de Daraga á la vista de flor y fruto.

(48) Pili, una especie del género *Canarium*, áun no bien determinada, abunda en el sur de Luzon, Samar y Leyte, donde se halla en todos los pueblos. (Los ejemplares en flor remitidos al Herbario de Berlin, en la travesía se estropearon por efecto de no poderse embalar con el cuidado necesario.)

El fruto, del tamaño de una ciruela, pero más puntiagudo, encierra una almendra dura, cuyo núcleo crudo se come en almíbar ó en competa, y tiene un gusto parecido al de los piñones. Lós grandes árboles, vistos por Pigafetta (pág. 55) en Jomonjol, con frutos «algo más pequeños que almendras, parecidos en su sabor á los piñones», debian ser pilis. De las semillas se obtiene un aceite semejante al de almendras dulces. Haciendo incisiones en el tronco fluye una especie de resina blanda, de olor agradable y color blanco, conocida con el nombre de resina de pili ó brea blanca, y que se emplea para calafatear buques ó para antorchas, amasándola con cáscara de arroz. Tambien goza fama para emplastos contra dolores reumáticos. Las primeras remesas se vendieron con gran ganancia; hace veinte años que se manda á Europa. Este producto, tan barato allí, se vendia aquí muy caro como un nuevo específico de resina Elmina.

Los europeos conocieron el chocolate (Chocolatl) (49) en Méjico. Ya en tiempo de Hernan Cortés, que era apasionado por el chocolate, se cultivaba el árbol del cacao en grande escala. Las almendras de cacao se usaban como moneda entre los Aztecas; Motezuma recibia en ellas parte del tributo. Sólo los magnates tomaban, en el antiguo Méjico, el cacao puro, los ótros mezclaban harina de maíz ó de mandioca á causa del alto precio que tenía. Áun hoy se emplea el cacao como moneda corriente en las comarcas del centro de América, en donde no la hay acuñada de cobre, y la menor pieza de plata es de medio real (*). Segun parece hay aún en el centro de América bosques impenetrables que casi están exclusivamente formados por cacaos silvestres (**). Parte de su fruto se recoge; pero es de poco valor, ménos aromático que el de las plantas cultivadas; no puede recolectarse en buena sazon y secarse bien, y se echa á perder al trasportarlo por las selvas húmedas.

Hasta hace poco que los franceses establecieron plantaciones en la América central, iba disminuyendo la produccion de aquellos países desde que se abolió la esclavitud. Si bien, segun F. Engel, una extensa plantacion de cacao da más productos, con ménos gastos y cuidados, que cualquier otro cultivo de los trópicos, son las cosechas tan castigadas y empiezan tan tarde, á los 5 ó 6 años, y tienen tantos enemigos, que el cultivo del cacao es sólo ventajoso para grandes propietarios ó para aldeanos que tengan el árbol en su mismo jardin. Las plantaciones extensas desaparecieron en su mayor parte, desde la emancipacion de los esclavos; pues los libertos son incapaces de cultivarlo como aquéllos hacian.

En Europa no gustó generalmente el chocolate puro al principio: posteriormente endulzado con azúcar halló mejor acogida. Las exageradas alabanzas de los aficionados motivaron las más terribles diatribas de los

---

(49) Su nombre general era, sin embargo, Cacahoa-atl (agua de cacao). Chocolate designaba una clase especial. F. Hernandez (*Opera omnia*, II, 155; véase tambien *E. Nicrombergius*, cap. XV), conoció en el país de los Aztecas cuatro especies de cacao (una quinta planta que nombra servia sólo para una sofisticacion), y describe cuatro bebidas diferentes, la tercera llamada *Chocolate*, y que al parecer se preparaba del modo siguiente: Partes iguales de la almendra del árbol pochotl (*Bombax Ceiba*) y cacahoatl (cacao) se muelen bien y calientan en una vasija de arcilla, y se separa la grasa que sobrenada. Se añade maíz molido y cocido, y se prepara una bebida, que se toma caliente despues de mezclarle la grasa que se separó.

(*) WAGNER, *Central Amerika*, 146.

(**) *Rapport du Jury*, XI.

contrarios á la nueva bebida ; entre los curas hubo escrúpulos de si el uso del nutritivo cacao rompia el ayuno. La lucha duró todo el siglo XVII, á fines del cual se generalizó su uso en España (*), donde se introdujo el año 1520, preparándose primero en secreto á causa del monopolio ejercido por los conquistadores; en 1580 se tomaba mucho. En Inglaterra no se conocia aún, tanto que en 1579 un capitan inglés quemó todo un cargamento de cacao como objeto sin valor (Kotters Kamp, I, 579). En Italia empezó á usarse en 1606, y en Francia es probable lo introdujera Ana de Austria. En Lóndres se abrió en 1657 el primer local público para tomar chocolate, y en Alemania despues (1700) (50).

Con el café sucede en Filipinas próximamente lo mismo que con el cacao. El arbusto se da perfectamente, su semilla es de exquisito gusto, el peor café de Manila se paga á los precios del buen Java, y, sin embargo, es la produccion de Filipinas muy insignificante, y hasta hace poco casi no merecia ocuparse de ella. Segun el informe de un inglés, escrito en 1828 (**), cuarenta años ántes el café era desconocido, habiendo tan sólo algunos arbustos en el jardin botánico de Manila ; de allí se plantaron en la Laguna, propagándose rápidamente, gracias á un pequeño mamífero (*Paradoxurus Musanga*) que se come las bayas maduras y expele los granos no digeridos, sin que pierdan su virtud germinativa (***). La Sociedad Económica se afanó por animar á establecer cafetales, señalando premios á los agricultores que lo realizáran en grande escala. En 1837 concedió uno de 1.000 pesos á D. P. de la Gironnière por tener en estado ya de produccion 60.000 cafetos, y en los años siguientes cuatro premios más á distintos propietarios por igual mérito. Pero en cuanto se obtenian estas recompensas se dejaban abandonadas las plantaciones. De estos hechos parece desprenderse que el estado de cosas de aquella época, los precios del mercado y el coste de los fletes no permitian obtener ganancias suficientes para dar vida propia á este cultivo.

(*) Más detalles en Mitscherlich y F. Engel.

(50) BERTOLDO SEEMANN (*Nicaragua, Ausland.,* 16, 7, 67) habla de un árbol de hojas digitadas con semillas duras y redondas, que á veces van á vender los indios. Con ellas se hace chocolate de mejor gusto que el preparado con el cacao. A la llegada de los europeos se plantó gran cantidad de estos árboles.

(**) *Remarks on the Philippine Islands, Calcutta*, 1828.—(Observaciones sobre las islas Filipinas.)

(***) *Reiseskizzen*, p. 157. (Apuntes de viaje.)

Lo que los esfuerzos patrióticos intentáran en vano, va realizándose hoy paulatinamente por efecto del alza de precios del café y de la mayor facilidad y baratura de los trasportes. En 1856 la exportacion no pasó de 7.000 picos; en 1865 llegó á 37.588 picos, y en 1871 á 53.370 picos. Este aumento áun no indica bastante el que han tenido las siembras, toda vez que éstas, en los primeros años, no dan producto alguno. Es de esperar que en breve tiempo crecerá considerablemente la produccion. Pero ni áun esto puede ser prueba suficiente del incremento de que es susceptible la colonia. Cuando grandes capitales europeos se inviertan en la creacion y sostenimiento de cafetales en sitios bien elegidos, tomarán las islas Filipinas el lugar que les corresponde entre los países productores de café.

El mejor café se cosecha en las provincias de la Laguna, Batangas y Cavite, el peor en Mindanao, que por efecto del poco cuidado con él tenido, es sucio y con muchos granos negros mezclados. El de Mindanao es blanco amarillento (pale), miéntras que el de la Laguna es verdoso y casi la mitad menor.

Los inteligentes estiman en mucho el café-Manila y lo pagan bien, á los mismos precios que el de Ceylan y otras clases superiores, á pesar de ser éstas muy limpias y tener mejor vista.

De todos modos es notable que Francia, en 1865, además de abacá por 105.000 francos casi sólo importára de las Filipinas café, y éste por valor de 1.042.000, francos, ó sea más de un tercio de la cosecha total (*). En Lóndres no se aprecia mucho el café-Manila, y no se paga mejor que el buen *Ceylan-indígena* (*Native-Ceylon*), ó sea 60 Shil. p. Cwt. (51) por no ser del gusto de los ingleses; esto no supone, sin embargo, ningun demérito del artículo, como concederá cualquiera que conozca lo exquisito del paladar británico para apreciar la bondad del café.

Uno de los países principalmente consumidores será, con el tiempo, California, donde se pagan los artículos buenos á excelentes precios, sin dificultad (52). En 1868 costaba el buen café, en el mismo Manila, con

---

(*) Informe del cónsul frances, 1866.

(51) Mysore y Moca alcanzaron los mejores precios: el 1.° de 80 á 90 sh., el 2.° de 5 á 6 años, hasta 120 sh.

(52) Importacion de café en San Francisco, años 1865, 66 y 67=8 $\frac{1}{2}$, 8, 10 millones de li-

insignificantes oscilaciones, 16 pesos pico (*) (1871: 13 pesos y $^1/_2$), ó sea poco ménos que en Lóndres. En Java se paga á los cosecheros de café, cuyo trabajo es obligatorio, 9 fl., 20 c., ó sea unos 3 $^1/_2$ pesos el pico.

Cuán menguada es la produccion actual de café, comparada con la que la colonia puede dar, se deduce claramente relacionándola con la exportacion de otros países. Segun los informes técnicos (*Fachmænische Berichte*) de Scherzer, 71, ascendió en 1868 la exportacion de café del Brasil á 4.262.000 quintales alemanes; la de Java y Sumatra á 1.400.058, y la de Ceylan á 1.023.455.

En mis *Apuntes de viaje* (pág. 158) se menciona la disminucion del cultivo de café en Java, bajo el sistema obligatorio, y su aumento en Ceylan con la libertad de cultivos, figurando producidas en Java, año 1858-59, 67.500 toneladas, y en Ceylan 35.000. Ambas causas se han dejado sentir desde entónces; así la India holandesa produjo en 1866 sólo 56.000 toneladas (en 7 años, 11.000 ménos), y Ceylan 36.000 (1.000 más) (53).

Durante mi permanencia forzosa en Daraga, los indios me trajeron muchos moluscos y coleópteros á la venta, y gran número de ellos me pidieron les admitiese á mi servicio por «sentirse con vocacion para ser naturalistas.» Al fin reuní una cocina llena de estos entusiastas. Todos los dias salian á recoger insectos; pero generalmente eran poco afortunados, lo cual no obstaba para que comiesen con excelente apetito. Casi diariamente recibí amistosas visitas de los españoles vecinos. Tambien acudian muchos mestizos é indios que desempeñaban destinos públicos, hasta de comarcas lejanas, no tanto por verme á mí, como por contemplar mi som-

---

bras, de los cuales 2, 4, 5 millones de café-Manila.—En 1868 parece ser Inglaterra el país que recibió más café.

(*) RAPPT. *Cons. Belge.*

(53) El café es una bebida tan exquisita, y es tan raro prepararlo bien, que podrán ser de interes las siguientes noticias extractadas de autores peritos (*Rappt du Jury*): 1.º Eleccion de las buenas clases; 2.º, su mezcla, lo mejor ateniéndose á las proporciones acreditadas por la experiencia; 3.ª, secar bien el grano, pues de lo contrario el vapor de agua desprendido al tostarle quita parte del aroma; 4.º, tostarle en agua caliente, midiendo exactamente el grado de calor necesario Cada clase debe tostarse por separado; 5.º, enfriar rápidamente el grano. El que pueda obtener el café de la clase que desea, será mejor que compre sólo de una vez el tostado para el dia. Exceptuando la 4.ª, todas las demas prescripciones pueden observarse en casa misma, y los pequeños tostadores que se vénden en Berlin dan aún medios para practicar aquélla; en efecto, así se pueden tostar con comodidad pequeñas cantidades con una lámpara de alcohol. La 3.ª regla se cumple bien comprando el café en grano para el consumo de algunos años, y conservándolo en paraje muy seco.

brero, cuya fama habia traspasado los límites de la provincia. Era de nito (54) y de la forma de hongo comun en el país ; pero tenía una espiga para sujetar una linterna pequeña y muy brillante, cuya lámpara de aceite se cerraba bien y se guardaba como la de un soplete, de modo que podia meterse en el bolsillo. Esta disposicion resultó ser muy conveniente, sobre todo para ir á caballo en noches oscuras.

En el vecino pueblo de Tabaco se tejen petacas de nito ; pero apénas se encuentran en el comercio, haciéndose casi sólo por encargo especial. Para obtener una docena es preciso pedirlas á otras tantas personas, y en el caso más favorable, pasan algunos meses hasta que queda concluida una. El peciolo del helecho tiene el grueso de un fósforo, se procura separar largos pedazos entre las inserciones de dos frondas consecutivas, se dividen en cuatro partes, y cada una se subdivide en dos, pasándola por los dedos ; despues coge el operario un cuchillo en la mano izquierda, que se mantiene fuerte sobre él, el pulgar hácia su dorso, el filo contra el índice, y va pasando las tiras bajo la hoja hasta que se desprende su parte inte-

Tejido de petacas.

rior ménos resistente y quedan bastante finas : este trabajo exige gran paciencia y mucha habilidad. El tejido se hace sobre una forma de madera cilíndrica terminada en punta, ó sea cónica en su extremidad, el tamaño es de unos 2 piés. En el centro de la base plana hay una espiga ; á cuyo rededor empieza el trabajo, y una vez terminado el fondo de la petaca, se asegura en la forma por medio de una punta delgada sujeta á un disco de madera.

Mi primera excursion se dirigió á Legaspi, cuya iglesia iba á ser bendecida, y donde los indios, para solemnizar la fiesta, habian anunciado una funcion de teatro. Un peninsular deportado por causas políticas se encargó de la parte directiva. A los lados del proscenio, cubierto de hojas de palma, se dispusieron galerías para las autoridades y personas notables, y el público ocupó el espacio restante situándose á campo raso. Representóse un gran drama en español sacado de episodios de la historia persa ; los

----

(54) *Lygopodium circinatum* (1) Swartz : un helecho que no es trepador, sino verdaderamente asidor, sin duda el único género del grupo que tiene esta particularidad.

trajes eran en extremo caprichosos. Como el teatro estaba en una calle muy animada, que formaba parte del sitio destinado á los espectadores, era tal el ruido, que imposibilitaba oir una sola palabra de las relaciones de los actores. Estos recorrian el escenario recitando sus papeles, que no comprendian, y moviendo los brazos como aspas de molino; al llegar á las candilejas hacian un cuarto de conversion y empezaban á andar en direccion opuesta, como buques que capean el viento contrario; hablaban automáticamente, con la fisonomía inmóvil. Si, por lo ménos, se hubiese oido lo que declamaban, se hubiera podido reir un rato con el contraste de las palabras y la mímica, que debia ser chistoso; el calor y malestar eran tales que sólo un corto tiempo permanecimos allí.

La representacion teatral y todo el resto de la fiesta llevaba el sello de la indiferencia y holgazanería; era una imitacion de algo que no se entiende. Al comparar con la animacion y alegría de igual solemnidad en un pueblo de Europa los rostros impasibles y sin expresion de afecto alguno de aquellos indios, apénas se comprende cómo pueden gastar tanto tiempo y dinero en análogas ceremonias.

La misma falta de alegría observan los viajeros en los indios americanos, y áun en mayor grado, y se explica por el menor desarrollo que en ellos tiene el sistema nervioso, de donde proviene tambien su admirable indiferencia para sufrir cualquier dolor. La fisonomía del indio es, segun Tylor (*), tan diferente de la nuestra, que sólo se aprende á conocer la expresion de sus emociones despues de mucho tiempo de práctica. Las dos causas pueden obrar de consuno. Pero áun cuando no se manifiesten en los indios vivas exterioridades de alegría, no dejan por esto de experimentarla al hacer los preparativos, que duran semanas enteras, para adornar el pueblo, y áun mayor en la fiesta misma, asistiendo á la procesion con sus mejores trajes y todos los distintivos del puesto oficial que ocupan. Sus luchas para alcanzar el honor de llevar un pendon llenan de satisfaccion y del mayor orgullo al favorecido, despertando envidia en sus rivales. De todos los pueblos vecinos llegan forasteros y á sus expensas levantan arcos de triunfo de bambúes y hojas con la inscripcion *Obsequio del pueblo de.....* Tambien se suele celebrar con espléndidos banquetes. Los

---

(*) *Anahuac*, pág. 24.

filipinos tienen aficion á las bebidas alcohólicas, hasta muchachas jóvenes
se embriagan en ocasiones solemnes. Los forasteros hallan amable hospitalidad en las casas del pueblo para pasar la noche, esta virtud se practica en tales fiestas del modo más completo. Las casas están abiertas para
todos. En los pueblos grandes hay buenos bailes, pero sólo suelen tomar
parte en la danza los peninsulares y los mestizos; es una excepcion que
uno de ellos invite á una india, que se considera siempre muy honrada
con esta distincion. Los indios bailan poco entre ellos; en Samar vi en
una ocasion danzar á estilo del país; el baile no estaba desprovisto de gracia, acompañado de cantares improvisados. El hombre comparaba á su
dama con una rosa, y ella contestaba que se guardase de tocarla, pues
tambien tenía espinas: esta idea, de tan buen efecto, expresada por la
graciosa boca de una andaluza, sólo hacía recordar, oida de labios de una
india, el orígen de la pretendida *improvisacion*.

La vida desocupada de Daraga gustó grandemente á mis criados y á sus
numerosos amigos, que querian hacerla durar todo lo posible. Para lo-
grarlo echaron mano á veces de medios ingeniosos. En dos ocasiones, al
estar todo dispuesto para partir á la mañana siguiente, robaron por la noche mis zapatos. Otra vez me quitaron el caballo. Si un indio tiene que
llevar una carga pesada ó hacer una larga jornada, procura coger el caballo de un *castila* y luégo le suelta sin darle de comer, el animal vaga por
el campo hasta que álguien le sujeta y presenta al Tribunal, inmediato.
Allí le atan y se queda ayunando hasta que su amo se presenta á pagar
los daños y perjuicios. Tuve que dar un peso, pues pretendia haber
comido *palay* por esta cantidad, si bien se me presentaba casi muerto
de hambre.

Los pequeños hurtos son muy frecuentes; pero, segun se me dijo al
quejarme de lo sucedido, sólo los sufren los recien llegados; á los establecidos en el país, conocidos y respetados, no les acontecen tales percan-
ces. No sé si algun astuto indio habia espiado nuestra conversacion; pero
lo cierto fué que el caballero que así me lo aseguraba me mandó á la mañana siguiente un recado pidiéndome chocolate, bizcochos y huevos, pues
durante la noche le habian limpiado la despensa y el corral.

En las tardes de los lúnes y viérnes habia mercado en Daraga, que en
buen tiempo presentaba un bonito golpe de vista. Allí se ven las mujeres,
casi exclusivamente encargadas de la venta, con sus trajes aseados y muy

arregladitos, sentadas en largas filas á la luz de antorchas y faroles; luégo vuelven á sus pueblos marcando filas de luces en las laderas de la montaña. Llevan sobre la cabeza sus mercancías, entre ellas muchas telas de
seda, de piña y de abacá, á las jóvenes no les faltan nunca galanes que
les aligeran la carga.

Naturalista vicol en tiempo de lluvia.

CAPÍTULO XI.

Miéntras tuve que quedarme en mi habitacion de Daraga, el tiempo fué siempre hermoso, sensiblemente los últimos dias buenos del año con los cuales podia contar, pues la monzon N. E., acompañada siempre de lluvias, suele entablarse en esta-parte del Archipiélago desde Octubre. A pesar de lo adelantado de la estacion intenté una ascension al Bulusan. Se va en bote hasta Bacon, en el seno de Albay (siete leguas al Este); de allí á caballo por un buen camino, al pueblo de Gubat (tres leguas), situado en la costa oriental; despues se sigue la orilla del mar al Sur hasta Bulusan, y si se quiere hasta Mátnog, la última aldea en la punta S. E. de Luzon. Un indio viejo y práctico se habia encargado de buscar el bote y la tripulacion, y se fijó la hora de las diez de la noche para partir, si el tiempo no lo impedia. Ya íbamos á desamarrar, cuando nos avisó que se habian visto cuatro barquichuelos de piratas en la bahía. Lo mismo fué oir esto los marineros que huir, dejándome solo en medio de la oscuridad. Al cabo de cuatro horas mortales conseguí, con el auxilio de un español, darles caza y decidirles á partir. A las nueve llegamos á Bacon, donde el camino, formando un ángulo agudo, se dirige á Gubat, al S. O., por San Roque; á ambos lados hay arrozales con chozas aisladas, medio ocultas entre cocoteros y bongas (*Areca catechu*). A diez minutos de Bacon se encuentran tres baletes (género *Ficus*) magníficos, los más hermosos que he visto en Filipinas, pertenecen á una de las especies que forman su tronco de numerosas raíces aéreas entrelazadas y unidas; estos troncos llegan á tener circunferencias colosales, y su aspecto es singular. Cubríanlos verdaderas y falsas parásitas, entre ellas un gran número de orquídeas en flor. El terreno es de cantos rodados traquíticos. Al S. O. de San Roque se bifurca el camino; un brazo se dirige al Sur hácia Sorsogon, situado en

un abrigado recodo al N. E. de una profunda ensenada; el otro corre de
E. á S. hasta Gubat. Detras de San Roque se ven muchas plantaciones de
abacá en los claros del monte. El último trozo de camino es malo; va
por lomas de resbaladiza arcilla, procedente de la descomposicion de las
traquitas y que contiene cristales de yeso, y desde Gubat sigue orilla del
mar. En muchos sitios se levantan pequeñas torres de bloques de coral
(prismáticos cuadrangulares) más ó ménos caidas y construidas por los
jesuitas como defensa contra los moros. Moros se llama á los piratas de
las islas del Sur, porque, como los antiguos dominadores de España, pro-
fesan el mahometismo, van allí desde Joló, Mindanao y costa N. O. de

Tronco de un balete cerca de Bacon.

Borneo. Cuando hice mi viaje, la piratería estaba en todo su apogeo. Algunos dias ántes habian apresado á unos indios, que en las cercanías de
Gubat se ocupaban en colocar redes para la pesca. Paralelamente á la
costa, y á corta distancia de ella, se extiende un arrecife de coral, que en
la monzon S. O. en marea baja queda en parte descubierto; á mi paso por
allí reinaba N. E., que levantaba las olas del Pacífico á tanta altura, que

no se veia nada de aquel bajo. Forman el suelo la caliza y las arenas volcánicas. Las tempestades habian arrojado á la playa, además de otros muchos restos de animales marinos, un gran número de esponjas, entre ellas una semejante á la conocida en el comercio y abundante en el Mediterráneo (*Spongia officinalis*, L.), que quizá era la misma especie, y de fijo pertenecia al mismo género. Son muy blandas al tacto, de un color pardo-oscuro, mayores que el puño y semi-esféricas; absorben el agua con gran facilidad y tal vez pudieran ser objeto de tráfico. Algunos ejemplares existen en el Museo de Berlin. Junto á la orilla vegetan raquíticos pándanos, y más tierra adentro casuarinas; despues siguen rodales de especies frondosas con plantaciones de abacá en los claros. El camino es muy bueno; atraviesan las desembocaduras de los rios puentes de molave, todos en excelente estado, no así los de piedra, de los cuales sólo quedan las pilas. Se pasan en barca y los caballos siguen á nado. A unos 2.000 piés ántes de llegar á Bulusan hay que pasar un barranco profundo de algunos centenares de piés, formado por piedra pómez blanca.

El pueblo es tan poco visitado por forasteros, que el Tribunal se llenó de gente ávida de verme. Las mujeres, sentadas en el suelo, ocupaban el lugar preferente del corro en várias filas concéntricas, y los hombres se disputaban el sitio á empujones detrás de ellas. Al bañarme en una barraca de cañas llena de rendijas, observé que en cada una habia pegada la cara de una mujer mirándome todas con la mayor curiosidad, comunicándose sus impresiones y sin apartarse del sitio. Otra vez que hacía la misma operacion al aire libre en la provincia de la Laguna, acudió un gran número de mujeres de todas edades, me miraron, se acercaron al tiempo de vestirme y me observaron con detencion señalando con el dedo todas las particularidades de mi cuerpo, objeto de sus conversaciones.

El último trozo del camino de Bulusan lo recorrí con fuerte lluvia y viento tempestuoso, que cesó al poco tiempo para aumentar despues en violencia; el huracan se llevó parte de la cubierta del Tribunal. A la mañana siguiente se veian esparcidos por el suelo los restos de las casas del pueblo ménos sólidas; gran número de techados habia volado. La tormenta duró casi sin interrupcion, pero no con igual fuerza, los tres dias de mi estancia; ni un solo momento pude ver el volcan, en cuya falda me hallaba, y como las personas conocedoras de la localidad no me pronosticáran mejor tiempo en la estacion en que nos hallábamos, decidí aplazar la ascension y emprender la vuelta. El anterior Alcalde Peñaranda parece que verificó la subida hace unos 15 años, despues de tener ocupados 60 hombres durante dos meses en abrir un camino hasta la cima; en su empresa tardó dos dias. El Teniente, un indio muy despejado, creia, sin embargo, que en tiempo de secas cuatro hombres pueden en dos dias hacer un camino hasta cerca de la cumbre, la cual sólo se alcanza con escalas de mano. El dia despues de mi llegada vino el Inspector de obras públicas con un guía, ambos calados hasta los huesos. El amable Alcalde le habia avisado para que acudiese en mi auxilio. En las circunstancias que nos rodeaban, no tuvieron más remedio que regresar conmigo.

Apénas llegué á Bacon dispararon un morterete al són de la música, gritando: «Viene el Sr. Alcalde.» Pasó en un carruaje abierto rodeado de un acompañamiento de jinetes indios y tambien de algunos españoles residentes en la comarca; los primeros lucian sus flotantes camisas de las fiestas y sus sombreros de copa atornasolados por el uso. Este galante caballero me tomó en su coche hasta Sorsogon, adonde llegamos en una hora.

La provincia de Albay tiene buenos caminos, pero en mal estado de conservacion, y quedarán destruidos si dura la inercia de la administracion. La mayor parte de puentes de fábrica están arruinados, sustituyéndose con pasos provisionales ó balsas, y tambien con barcas, en cuyo caso los caballos siguen á nado. Por los años 40 arregló estos caminos el ya citado Alcalde Peñaranda, un antiguo oficial de Ingenieros, á quien cabe la gloria de haber aumentado el bienestar de su provincia utilizando escasos medios para hacer cosas muy útiles, supliendo así con su inteligencia y celo la insuficiencia de recursos. Cuidó de hacer efectivos los polos y servicios en trabajo personal ó en dinero, invirtiendo las sumas recaudadas en la adquisicion de herramientas y material. Ántes de su gobierno se cometian grandes abusos, pues los parientes y amigos de la Principalía, ni prestaban trabajo alguno, ó sólo una apariencia de él, ni entregaban el dinero de la redencion á las cajas comunales, sino que se lo metian en el bolsillo los gobernadorcillos, teniendo á veces conocimiento y participacion el mismo Alcalde. Abusos semejantes son aún hoy bastante frecuentes en las provincias cuando el celo de los alcaldes no los impide.

Fácil sería conservar y completar los caminos de una provincia tan poblada y de general bienestar como es hoy la de Albay. Ciertamente no faltaba buen deseo á los excelentes empleados de ella; pero tenian las manos atadas. Los actuales alcaldes suelen permanecer sólo tres años en la misma provincia (seis en tiempo de Peñaranda), y los asuntos judiciales y gubernativos les absorben todo el tiempo. Ántes de haber podido conocer algo los recursos y necesidades de la localidad, tienen que dejarla; tanta es la desconfianza dél Gobierno en sus propios servidores. Su autoridad se ha limitado todo lo posible y carecen casi de iniciativa. Hoy no sería posible emprender obras como las hechas por Peñaranda. La redencion del servicio personal, que deberia invertirse exclusivamente en trabajos locales (*), se remesa á Manila. Si el alcalde propone alguna mejora de carácter urgente, tiene que acompañar tantos informes y presupuestos, que á veces quedan sin contestacion (**), que pronto le pasan las ganas de proyectar mejoras. Obras importantes, que suponen grandes gastos, se niegan, con cortas excepciones, por los centros gubernativos. No es la causa de esto la mala voluntad del Gobierno de la colonia, sino el vacío que casi siempre hay en la *Caja de la Comunidad* de Manila, á causa de los empréstitos hechos al Tesoro público, de contínuo aquejado por una necesidad crónica de dinero, y que nunca se ve en estado de satisfacer los fondos anticipados.

Sorsogon padeció mucho por los terremotos de 1840, que se repitieron á intervalos durante treinta y cinco dias. Su mayor intensidad fué en 21 de Marzo. Arruináronse las iglesias de Sorsogon y Casiguran, junto con las pocas casas de piedra existentes en ambos pueblos: murieron 17 personas y recibieron heridas 200. El suelo se hundió cinco piés.

El dia siguiente por la mañana acompañé al Alcalde, en una falúa con catorce remos, hasta Casiguran, situado al Sur de Sorsogon, en la rinconada S. E. de la bahía, cuyo ancho es de dos leguas; la travesía se hace en hora y media. El mar es allí tan tranquilo como un manso lago, la bahía está casi por completo rodeada de montañas, y además abrigada por la isla de Bagalao (no Bagatao como se lee en el mapa de Coello). La tripulacion se mostró muy animada, pues todos deseaban llamar la atencion del señor Alcalde. Al desembarcar hubo petardos, músicas, banderas y gallardetes.

(*) Véase el apéndice sobre la organizacion municipal.
(**) No supongo intencion de atacar la benemérita Junta de Obras públicas, de la cual uve la honra de formar parte durante mi residencia en Filipinas (1872). (*N. del T.*)

No pude acceder á la atenta invitacion del Sr. T. para seguir acompañándole, pues el viaje se reducia para mí, á quien no llevaban allí asuntos oficiales, á banquetes, refrescos y chocolates intercalados é incesante música, fuegos de artificio y otras estrepitosas demostraciones.

Hácia el año de 1850 se halló mercurio en un sitio de la costa, que hoy ha hecho desaparecer ya el mar, y que en cuanto pude ver consiste en una capa de 5 á 6 piés de arcilla, apoyada en otra de arenas volcánicas con fragmentos de piedra pomez. Un inglés llegado á esta comarca, el mismo que encontré en la ferrería cerca de Angat, empezó á recogerlo, obteniendo por el lavado de las arenas unas dos onzas. Pero al tener noticia el cura indígena que el mercurio era un veneno, describió á sus feligreses, segun su propio relato, los peligros de la nueva industria, y los pintó con tan vivos colores desde el púlpito, que todos la abandonaron. Posteriormente no se ha vuelto á descubrir vestigio alguno de mercurio, pudiera ser tambien que la cantidad hallada procediera de un barómetro roto. Por la tarde se vió durante algun tiempo el Bulusan al S. E. y el Mayon al N. O. Casiguran está en la alineacion de ambos puntos.

La deformacion de la costa de Casiguran es notable, pero las noticias acerca de ella difieren mucho. Segun su aspecto y los datos de más confianza, disminuye desde hace tiempo anualmente una vara. La bahía de Sorsogon está abrigada al Norte por una cordillera, que va aplanándose bruscamente al E. de Bacon, abriendo así un estrecho canal hácia el ángulo de la bahía de Casiguran: allí causa á veces una sola tempestad grandes destrozos en la costa, cuyo suelo es de arcilla y arena.

Por la noche, al desembarcar otra vez en Legaspi, averigüé que la alarma, causa de haber demorado mi partida por temor á los piratas, efectivamente tenía algun fundamento. No eran, por cierto, moros verdaderos, pues no pueden llegar en aquella estacion hasta estos mares, sino desertores y vagamundos de la misma comarca, que en las provincias marítimas prefieren robar en el mar á hacerlo en tierra. Durante mi viaje habian cometido una porcion de robos, haciendo cautivas á algunas personas (*).

A principios de Noviembre entra la época de las tempestades. La navegacion de Albay á Manila cesa por completo, y ni áun de la costa Sur se

---

(*) Segun los partes oficiales que obraban en la Alcaldía, veintiuna personas en las dos semanas últimas.

atreve á salir ningun buque. El 9 entró, sin embargo, el *Casaisai*, que se daba por perdido; sufrió avería gruesa, teniendo que echar al agua la mayor parte de su cargamento. Doce dias ántes pasó el estrecho de San Bernardino, pero vino una tempestad y tuvo que guarecerse entre las islas Balicuatro. Uno de los pasajeros, español recien llegado al país, se metió en un bote con siete marineros, dirigiéndose á cuatro panços que se veian inmóviles en la costa. Les creia pescadores, pero eran piratas, que hicieron fuego al llegar á tiro; su gente se echó al mar, siendo, no obstante, cogida como él mismo. El capitan, temiendo un ataque de los piratas, picó las amarras, dióse á la vela á pesar del mal tiempo y le costó trabajo evitar un naufragio completo. No se mata, comunmente, á los cautivos, y sólo se les condena al remo. Los europeos, sin embargo, escapan pocas veces con vida, pues no pueden resistir tan rudo trabajo, unido á una alimentacion insuficiente. Les quitan la ropa, dejándoles desnudos en todo tiempo, y les dan apénas un puñado de arroz para todo el dia.

CAPÍTULO XII.

Hasta Enero no habia que esperar en Albay mejor tiempo : todos los dias teníamos lluvias y tempestades ; por esta razon me fuí á la provincia de Camarines Sur, situada al Oeste, donde podia confiar en buen tiempo, pues está abrigada contra los vientos reinantes por altas montañas en su extremo N. E. Prescindiendo de la península Caramuan, en la parte N. E., unida á Camarines por el Isarog, el territorio de la provincia se extiende de N. E. á S. O., y forma otra ancha península, recortada en muchos sitios por profundas bahías y ensenadas. En su mitad N. E. hay una série de volcanes formados por traquitas y doleritas, y la faja S. O. consiste, en cuanto pude investigarlo, en calizas, al parecer procedentes de levantamientos de arrecifes madrepóricos. Entre ambas cordilleras se extiende una llanura ondulada, en la cual se reunen las aguas de las sierras vecinas, formando un rio navegable, el Bicol, en cuyas márgenes se han fundado várias poblaciones florecientes hoy. La cantidad de agua que afluye al Bicol desde las montañas del Este y la pendiente del valle es tan escasa, que se encharcan todos los terrenos que están destinados al cultivo del arroz, y en muchos sitios hay pequeños lagos, casi cada pueblo tiene uno : el más considerable es el lago Batu ; los pequeños se convierten en tiempo de sequía en insignificantes charcas. Partiendo del S. E. se encuentran en la linea N. E. los volcanes Bulusan, Albay, Mazaraga, Iriga, Isarog, y pasada la bahía de San Miguel, el Colasi, en una misma alineacion, como toda la lengua de tierra, extendida de N. O. á S. E. El volcan Buhi ó Malinao, llamado tambien Tikat, sale un poco de esta linea en el N. E. Paralelamente á dicha série de volcanes, están distribuidas las poblaciones de la provincia ; la faja meridional tiene escaso número de habitantes y da en toda su extension pocas aguas al valle, lo que tambien parece indicar que es de formacion caliza. El muro volcánico protège, como queda dicho, contra los vientos del N. E. y hace que se condensen los vapores acuosos en sus vertientes expuestas al mar; de modo que la parte de la provincia situada al S. O. carece de lluvias durante la monzon N. E. y las tiene en la contraria. La llamada época de secas, que en Camarines Sur empieza con el mes de Noviembre, está, sin embargo, interrumpida por frecuentes llovíznas; los meses relativamente más secos son los de Enero á Mayo. En Mayo y Junio se verifica el cambio de monzon, que se anuncia con fuertes tempestades y tormentas del S. O., las cuales duran á veces, sin interrupcion, una ó dos semanas, acompañadas de copiosas lluvias. Son la introduccion del verdadero tiempo de aguas, que no cesa hasta Octubre.

El camino pasa por la falda meridional de los volcanes Mayon y Mazaraga, atravesando los pueblos de Camalig, Guinobatan, Ligao, Oas, Polangui, situados todos á orillas de un rio : el Quinali, que corre en línea recta de S. E. á N. O., el cual, despues de recibir las aguas de numerosos arroyos se hace navegable á poca distancia del último pueblo de los enumerados. En este sitio hay algunas chozas que toman el nombre del rio mismo, ó sea Quinali. Exceptuando una sola, tienen todas las poblaciones citadas más de 14.000 habitantes, á pesar de no haber, por lo general, una legua de distancia entre las contiguas. Los conventos son edificios grandes y vistosos; los antiguos curas, en su mayoría ancianos, se mostraban hospitalarios y amables en alto grado. No se podia prescindir de alojarse en su casa : el Sr. Padre mandaba enganchar el coche y conducia al huésped hasta el próximo convento. Quise alquilar un bote en Polangui para visitar al lago de Batu, no habia ninguno, y sólo vi dos *barotos* de 80 piés de longitud, cada uno de una pieza, cargados de arroz, procedente de Camarines. A fin de evitarme toda detencion, compró el Padre el cargamento de uno de ellos, con obligacion de que lo descargáran en seguida, y así pude seguir el viaje por la tarde.

Si el viajero está bien con el cura, no se le presentan fácilmente estorbos. En una ocasion quise emprender un pequeño viaje despues de comer; á las once y media estaba todo dispuesto. Manifesté que era lástima esperar tres cuartos de hora hasta la comida. Inmediatamente dieron las doce y cesó el movimiento en la aldea; nos sentamos á la mesa, así como nuestra gente; era mediodía. El campanero habia recibido el aviso de que el señor cura le mandaba decir que de fijo se habia dormido, las doce tiempo há debian ser, pues el señor cura tenía hambre. *Il est l'heure, que Votre Majesté désire.*

La gran mayoría de los sacerdotes en las provincias orientales de Luzon y de Samar se componen de padres franciscanos (Religiosos menores descalzos de la regular y más estrecha observancia de nuestro Santo Padre San Francisco en las islas Filipinas de la Santa y Apostólica provincia de San Gregorio Magno), que se educan en seminarios especiales de la Península para formar misioneros. Ántes tenian libertad para regresar á su patria despues de diez años de estancia en las islas; pero desde la supresion de las órdenes religiosas en la Península no les está permitido, pues se verian obligados á salir de la Orden y vivir como particulares. Ahora saben que su vida debe pasar en el Archipiélago, y echan sus cuentas partiendo de este supuesto. Á su llegada se les suele mandar á un convento de provincias para aprender el idioma del país, despues reciben un pequeño curato para pasar luégo á otro más importante, en el cual suelen per-

Campana de una aldea en Camarines.

Un tronco hueco y tarugo de madera que oscila horizontalmente como badajo.

manecer hasta el fin de sus dias. La mayor parte de estos hombres proceden de las clases más ínfimas de la sociedad. Numerosas fundaciones piadosas establecidas en España hacen posible á los pobres, que carecen de recursos para mandar sus hijos á la escuela, enviarles al Seminario, en el que es verdad no aprende otra cosa que la disciplina especial de la Orden. Si los frailes tuvieran una educacion más esmerada, como la de parte de los misioneros ingleses, sus tendencias á mezclarse con el pueblo serian menores, y no tan considerable, por tanto, su influjo sobre el mismo, como por regla general sucede. Las antiguas costumbres de sus primeros años y su limitado criterio les hacen muy á propósito para vivir con los indígenas; precisamente por esto han fundado sobre bases tan sólidas su poder en las Islas.

Al llegar semejantes jóvenes recientemente salidos del Seminario, son en alto grado tímidos, ignorantes, y á veces están algo desprovistos de educacion, llenos de tenebrosas ideas, de ódio contra los herejes y deseosos de catequizarles. Poco á poco se van puliendo sus rudas exterioridades: la consideracion de que gozan, las importantes rentas que perciben y disfrutan les hacen benévolos. El sano juicio y la propia confianza peculiares al pueblo bajo español, tan admirablemente retratados en el gobierno de Sancho Panza, se ponen pronto de relieve en los importantes cargos de responsabilidad ocupados por los curas. Con frecuencia el Padre es el único *cara blanca* del lugar, no habitando otro europeo en muchas leguas á la redonda. Por esto no es sólo el pastor de almas, sino tambien el representante del gobierno, el oráculo de los indios, cuyo fallo, especialmente en todo lo relativo á la civilizacion y relaciones con los europeos, es inapelable; no hay asunto grave en que no se pida consejo al cura, sin que tenga nadie para poderle aclarar las dudas que se le ocurren.

Estas circunstancias le obligan á aguzar el ingenio y desarrollan sus facultades intelectuales. El mismo hombre que en España sólo hubiera manejado el arado emprende en Filipinas grandes cosas: sin instruccion técnica, sin medios auxiliares científicos, edifica iglesias, abre caminos y construye puentes. Todo esto, empero, tan ventajoso para el desarrollo de las facultades del sacerdote, lo es ménos para la ejecucion de las obras; mejor sería siempre que las dirigieran personas técnicas: los puentes suelen hundirse, los templos dejan á veces mucho que desear (*), algunos de los más importantes tienen ridículas fachadas, y los caminos se inutilizan pronto; pero nadie está obligado á hacer más de lo que puede. Casi todos los religiosos muestran gran celo por la prosperidad de su pueblo, áun cuando el camino que para obtenerla eligen suele ser distinto, segun el carácter y tendencias del individuo. En Camarines y Albay frecuenté mucho el trato con los frailes y les profesé, sin excepcion, cariño. Por regla general carecen de supersticiones, y en los pueblos apartados se consideran tan dichosos al recibir una visita, que ofrecen todo cuanto poseen para hacer al huésped lo más agradable posible la estancia en su Convento. La

---

(*) Me permito atenuar la frase algo dura del autor.— (*N. del T.*)

vida en una gran casa parroquial se asemeja á la que llevan los propietarios rurales del Oriente de Europa. Nada puede imaginarse más libre. Se vive con la misma independencia que en una fonda, y muchos huéspedes se conducen como si en efecto lo fuera. Vi llegar á un empleado subalterno, que sin más explicaciones encargó al mayordomo que le preparase una habitacion, le diese la comida y sólo de paso preguntó si estaba en casa el cura, á quien, sin embargo, sólo conocia muy superficialmente.

Es frecuente echar en cara á los frailes de Filipinas sus costumbres libres; se dice que el Convento está lleno de muchachas bonitas, entre las cuales el cura vive como un sultan en su serrallo. Respecto de los sacerdotes indígenas quizá haya algo de verdad; pero en los españoles, en cuya casa he vivido, nada he visto que pueda ofender en lo más mínimo la más rígida moral; la servidumbre estaba compuesta de hombres, y alguna vez de dos ó tres mujeres de avanzada edad. Rivadeneyra opina (*): «Al ver los indios que los frailes descalzos guardan la castidad, llegan á creer que no son hombres......, y á pesar de las tentaciones del demonio para seducir á muchos curas, ya difuntos, sirviéndose de la desvergüenza de algunas indias, salieron siempre victoriosos de las asechanzas de ellas y de Satanás.» Este autor no es, por lo demas, muy concienzudo, pues dice (cap. III, pág. 13) que la isla de Cebú se llama por otro nombre Luzon. Seguramente sus descripciones no se avienen al estado actual de Filipinas. El jóven fraile vive en su Convento como vivia el señor feudal en su castillo: las muchachas consideran como una honra tener tratos con él; las ocasiones le son muy cómodas, no tiene mujer celosa que vigile sus actos, y como confesor puede secretamente comunicar con todas (55). La confesion ha de ser para su virtud el escollo más peligroso. En un apéndice de la gramática tagala, suprimido en los ejemplares puestos á la venta, hay una serie de preguntas para que sirvan al confesor cuando todavía no conoce bien el idioma; muchas páginas llenan las cuestiones referentes sólo á actos carnales.

Como los alcaldes pueden estar á lo más tres años en la misma provincia, no llegan nunca á aprender el dialecto usual en ella, por tener el tiem-

---

(*) *Historia de las islas*, cap. XI.

(55) SAINT CROIX (II, 157) refiere que en su época los curas se hacian servir por muchachas jóvenes. Dice este autor que un franciscano de la Laguna de Bay tenía veinte á su disposicion, dos de las cuales nunca se separaban de su lado.

po muy ocupado con el despacho de los asuntos oficiales, y faltarles también ganas de comenzar este estudio y conocer las particularidades de la provincia que administran; al paso que el cura vive entre sus feligreses, les conoce á fondo, representa al Gobierno y llega á ser el verdadero jefe de la localidad. La situacion de los sacerdotes respecto á la de los empleados se conoce en las habitaciones de unos y otros. Las *Casas Reales* son, en general, pequeñas, sin adornos, á veces ruinosas, no correspondiendo al rango del primer funcionario de la provincia; los Conventos al contrario, son edificios espaciosos, aparentes y bien dispuestos. Antes, cuando los empleos de gobernador se vendian á aventureros, que sólo procuraban enriquecerse, el influjo del clero era mucho mayor que en la actualidad (56). Las siguientes disposiciones dicen más lo que era su antigua posicion que todos los comentarios. « Aunque algunos atentados dieron justo motivo al capítulo x de la Ordenanza que formó el gobernador D. Pedro Manuel de Arandía, en el que se mandaba que los alcaldes y justicias no tratasen á los Padres ministros sino por escrito, y que no los visitasen sino acompañados, se declara no deberse observar así....., en la inteligencia que los prelados eclesiásticos aplicarán todo su celo para contener á sus súbditos dentro de los límites de la moderacion..... » « Igualmente cuidarán y celarán dichos alcaldes que los curas y ministros doctrineros traten á los referidos gobernadorcillos y oficiales de justicia con la misma estimacion y agrado, sin permitir que los azoten, castiguen ó maltraten, ni que los tengan en pié, ni que dejen la vara en la puerta de la calle cuando suban á ver á los padres curas ó doctrineros, por ser contra el decoro y respeto de la justicia, ni que sirvan los platos en las mesas de dichos Padres » (**).

Los anteriores alcaldes, que sin práctica de los asuntos oficiales, frecuentemente sin instruccion, conocimientos ni otras cualidades, requeridos por un empleo de tanta responsabilidad é influencia, compraban el destino ó lo alcanzaban por el favoritismo, recibian un sueldo nominal y pagaban un derecho para poder negociar. Dice Arenas (página 444) que esta patente equivalia á una multa por la transgresion de la ley, pues se-

---

(56) Los frailes son los señores de las provincias....., dominan allí como señores....., su poder es ilimitado, no podria establecerse en ellas español alguno,..... Los frailes le suscitarian insuperables dificultades. LEGENTIL, I, 183.

(**) *Legislacion ultramarina*, I, 266, §§ 87 y 89.

gun diversas leyes (*) estaba prohibido aquel modo de comerciar; sin embargo, S. M. se dignaba permitirles hacerlo (**). Este abuso cesó con los Reales decretos de 23 de Setiembre y 30 de Octubre de 1844.

Los Alcaldes eran gobernadores y jueces, capitanes á guerra de las tropas, y al mismo tiempo comerciantes en su provincia (†). Compraban en Manila los artículos que tenian salida en su provincia, y generalmente lo hacian con dinero de las Obras pías (véase la nota 17), pues solian llegar á Filipinas sin un cuarto. Los indios tenian que vender al Alcalde sus productos y comprar los géneros que expendia á los precios fijados por él mismo (††).

En tales circunstancias, los frailes eran los únicos protectores del indígena contra estas sanguijuelas, si no hacian causa comun con ellos, como á veces sucedia.

El Gobierno manda actualmente jurisconsultos á las plazas de alcalde con mayores sueldos, pero sin permiso para comerciar. Hay en las regiones oficiales la tendencia á disminuir el influjo de las órdenes religiosas y aumentar el de los empleados civiles, lo cual, sin embargo, sólo tiene un mediano éxito que no puede ser mejor si no se aumenta el tiempo de su estancia; hoy se les pone en condiciones de no hacer cosa alguna por la provincia (57).

En la obra de Huc (***) hay el siguiente pasaje, instructivo por demas, acerca de los males consiguientes á la movilidad de los empleados.

«Como la magistratura se confia á personas no amigas de la justicia, se ve decaer de dia en dia este país, en otro tiempo tan floreciente, y amenazarle una disolucion terrible y quizá próxima.

»Si investigamos las causas de esta descomposicion general, de esta corrupcion, que disuelve evidentemente todas las clases de la sociedad china, hallamos una variacion esencial del antiguo régimen gubernativo in-

---

(*) A saber, por el núm. 26, tít. VI, 54 tít. XVI, libro II y 5 tít. II, *Recop.*
(**) R. C. de 17 de Julio de 1754.
(† SAINT CROIX, II, 124.
(††) SAINT CROIX, II, 336.
(57) Las alcaldías son de tres categorías: entrada, ascenso y término (R. O. de 31 de Marzo de 1837, tít. I, 1.º). En cada una sirve el Alcalde tres años (tít. II, artículos 11, 12 y 13). Nadie, bajo ningun pretexto, permanece más de diez años en la magistratura de las posesiones españolas de Asia.
(***) CHINE, I, 360.

troducido por la dinastía Mantschu. Se ha decretado que ningun mandarin pueda conservar su empleo en la misma provincia por más de tres años, y que nadie puede servir en la localidad de su naturaleza. Se descubre fácilmente la idea que presidió á esta ley. Tan pronto como los tártaros de Mantschu vieron que ellos eran los señores del país, se asustaron de su pequeño número, como perdidos en la inmensa muchedumbre china...... La consideracion que gozaban los altos empleados en las provincias podia suministrarles medios para conquistar gran influjo entre el pueblo.....

»Los magistrados, que sólo podian permanecer algunos años en los mismos puestos, vivian como extranjeros, sin cuidarse de las necesidades del pueblo gobernado por ellos, con el cual ningun vínculo les unia; su única preocupacion era embolsar todo el dinero posible para emprender despues el mismo negocio en otra comarca, hasta que al fin, de regreso á su patria, gozáran de la fortuna reunida á fuerza de exprimir una y otra provincia... Son sólo transeuntes, ¿qué les importa? Mañana van al extremo opuesto del imperio sin oir los clamores de las gentes que expoliaron..... Por esto los mandarines se muestran interesados por su propio lucro é indiferentes al bien comun. El principio fundamental de la monarquía se ha destruido, pues el magistrado no es ya un padre de familia que vive entre sus hijos, sino un merodeador procedente no se sabe de dónde, y que va á sitio desconocido. Así está todo paralizado..... no se atiende, como ántes, á grandes empresas.... Hoy no sólo no se hace nada parecido, se deja caer en ruinas la obra de dinastías anteriores..... El pasajero mandarin se dice: ¿Por qué debo emprender lo que no puedo terminar? ¿Por qué sembraré si otro recoge la cosecha?..... Los mandarines no llegan nunca á enterarse de las necesidades del país. Lo más frecuente es que se vean trasladados de repente en medio de una poblacion cuyo idioma no comprenden. Al llegar los mandarines á su gobierno, encuentran intérpretes, empleados subalternos, familiarizados con la localidad, que saben hacerse necesarios y realmente se convierten en los verdaderos administradores.»

En Filipinas este último inconveniente es inevitable, pues nunca el Alcalde entiende el idioma del país; para dicha de España interviene el escribiente indígena, y en todo asunto de alguna importancia el cura, que en muchas ocasiones es el funcionario efectivo. Conoce el carácter de las gentes y sus relaciones, para lo cual le sirve mucho la intimidad que con las mujeres tiene. En 1867 me dijo en Madrid un alto empleado que habia pendiente una propuesta dirigida al Ministro, para abolir la disposicion fijando en tres años el plazo del gobierno en las provincias (58). El temor, que motivó esta ley, de que los empleados se hicieran demasiado poderosos, sobre todo en provincias lejanas, pudiendo este influjo ser perjudicial á los intereses de la metrópoli, no está justificado en las actuales circunstancias. La apertura de caminos ha hecho desaparecer el antiguo aislamiento de las provincias. Las nuevas leyes de aduanas, los pedidos siempre en aumento de artículos coloniales, la progresiva radicacion de extranjeros, deben forzosamente motivar el incremento de la agricultura, del comercio y de la inmigracion de europeos y de chinos. En vez de aquellos recelos domina hoy la necesidad de revestir de prestigio y aumentar el influjo de los empleados, por la disminucion de su número, cuidadosa eleccion de las personas, ascensos por sus méritos y servicios, sueldos correspondientes y mayor estabilidad en los puestos. Es probable que las relaciones con California y Australia tomen gran incremento. De esos libres países se importarán ideas libres tambien. El bienestar de los mestizos aumentará considerablemente y éstos sufrirán ménos el real ó imaginario atraso del Gobierno y el orgullo de los españoles mal educados. Entónces la madre patria tendrá que pesar maduramente la prudencia de explotar las colonias con el monopolio y acaparamiento de metálico, y entregarlas á la avidéz de una plaga de famélicos é inútiles empleados (59). Los funcionarios de las posesiones inglesas y holandesas, se educan é instruyen especialmente para su difícil cometido, obtienen su destino, prévio riguroso exámen, y ascienden en la colonia paso á paso hasta llegar á los más altos puestos si poseen aptitud para desempeñar-

---

(58) Esta ley procede de los primeros tiempos de la colonizacion de América : habia ademas en aquella época una porcion de preocupaciones para impedir que los altos empleados tuvieran íntimo roce con los colonos. Ni ellos ni sus hijos podian casarse en la colonia, adquirir propiedades, etc. (Véase KOTTENKAMP, I, 509.)

(59) Un cura secular de Filipinas me referia sin parcialidad las causas que habian motivado su entrada en el sacerdocio. Siendo sargento jugaba en una ocasion á los naipes en una fresca galería. «Mirad, dijo uno de sus camaradas, cómo sudan aquellos asnos para que nosotros podamos holgazanear», y señalaba á los campesinos que con la fuerza de un sol canicular labraban los campos. La oportuna idea de hacer trabajar á los *asnos* para su propio bienestar se arraigó tanto en él, que decidió en seguida tomar las órdenes, para lo cual le sirvió haber estudiado ya el latin. Sin duda la misma inspiracion ha guiado á más de un caballero pobre al pretender un empleo. La poca consideracion de que gozan las faenas mecánicas en España y Portugal y la esperanza de las gangas que se prometen del desempeño de cargos públicos, sobre todo en las colonias, contribuyen no poco á esto.

los. ¡Cuán distinto es lo que sucede con los empleados de Filipinas! No es fácil predecir si España tendrá algun dia en el Archipiélago funcionarios de buenas condiciones; no se olvide que en la misma Península los destinos no se dan al mérito, ni significan recompensa de servicios contraidos, sino que se ganan y se pierden en el azaroso juego de la política (60).

(60) Explotacion del país por los partidos, explotacion de los partidos por los indivíduos.... el verdadero secreto de todas las revoluciones debe buscarse en un repugnante é inmoderado afan de coger destinos..... No se quiere trabajar, y sin embargo se desea vivir brillantemente. Esto sólo puede lograrse á expensas del Estado, que se saquea sin conciencia..... Hubo caso (despues del destronamiento de doña Isabel II) que un destino de alcalde se dió en un mismo dia á tres personas distintas..... (*Proust, Jahrbuch Januar*, 1869. *Anuario prusiano*, Enero, 1869.)

Tribunal.　　　　*Aldea Batu.*　　　　Bambúes.

CAPITULO XIII.

Viajes por Camarines Sur (continuacion).—Lago Batu.—Clero indígena.—Reduccion de monteses.—Fiestas de la Bula de la Santa Cruzada.—Lago Buhi.—Volcan Iriga.—Fibra de la piña.—Flechas envenenadas.—Sanguijuelas.—Solfataras de Igabo.—Manantiales silíceos de Tibi.

A la hora y media de dejar Polangui llegamos al pueblo de Batu, en el extremo N. O. del lago de su mismo nombre. Sus habitautes, y en particular las mujeres, me llamaron la atencion por su fealdad y falta de aseo. Á pesar de vivir junto al lago y sacar de él diariamente el agua para beber, parece que se bañan muy rara vez. Las calles son sucias y están abandonadas, lo cual quizá depende de ser indígena el cura.

El lago Batu ocupa en Noviembre, al fin de la monzon lluviosa, un espacio mucho mayor que en la estacion de secas, y se extiende, especialmente en el extremo S. O., por sus bajas márgenes. Gran número de plantas acuáticas vegetan en los sitios poco profundos, mereciendo particular mencion una elegante alga (*) del espesor de una cerda, pero muy

(*) Segun Grunow, que la ha clasificado, es la *Cladophora anisogona*, *Kützing* = *Conferva anisogona*, *Montagne*.

ramificada y entrelazada hasta el infinito; se propaga tanto, que llega á formar una cubierta bastante espesa para sostener aves encima de ella, por su superficie se pasean á centenares comiendo los pececillos y cangrejos que pululan entre las mallas de esa red natural ofreciéndoles fácil presa. Los indios los cogen tambien en gran cantidad con redes colocadas al extremo de mangos, y los comen frescos ó despues de podridos, como queso viejo, pues adquieren un sabor picante; los mezclan con arroz ó morisqueta. Estos pequeños cangrejos no se hallan sólo en el lago Batu; en el agua dulce y salobre de los lagos y marismas de los archipiélagos filipino ó índico, así como en los de la India transgangética, se pescan en gran abundancia: y salados, ahumados ó secos al sol, adobados con plantas aromáticas y tambien prensados en panes, constituyen un importante artículo alimenticio. No faltan en ningun mercado, y son objeto de una exportacion á China bastante considerable (*). No pude tirar á las aves acuáticas, por impedir acercarme la enmarañada red de algas que entorpecia el movimiento de nuestra canoa.

Cuando en el mes de Febrero volví á visitar este lago, hallé el nivel del agua tan decrecido, que alrededor quedaba una faja en seco de más de 100′. La cubierta de algas se habia convertido, al retirarse las aguas, en un tapiz tupido de una pulgada de espesor, amarillento por la accion del sol, se extendia como un gran lienzo al borde del lago, enredado en los arbustos ántes sumergidos. Jamas habia visto ni leido cosa parecida. Se adecuaba perfectamente para hacer tacos de escopeta, para rellenar las aves al disecarlas y para empaquetar objetos delicados, y por esto hice gran provision de ellas. Esta vez fué tambien abundante la caza de aves acuáticas.

El cura indígena de Batu se lamentaba amargamente de sus feligreses, que nada le hacian ganar. «Ni una misa, señor, este lugar es tan miserable, que casi no hay una sola defuncion. En D., de donde fuí coadjutor, teníamos diariamente dos entierros de á 3 pesos, y misas de uno, más de las que podíamos celebrar; ademas bautizos y bodas, que tambien valen dinero; pero aquí, nada, nada se cobra.» Como consecuencia, se habia en-

____

(*) Véase la *Revista de Ciencias Naturales* publicada por Giebel y Siewert, 1870, t. I, 377 (*Zeitschrift für d. Gesammten Naturwischenschaften*), que contiene un interesante estudio de Roberto Pott sobre los extractos javaneses de carnes, pescados y cangrejos.

tregado en cuerpo y alma al comercio. Los sacerdotes indios, por regla general, hacen poco honor á su alto ministerio. Increiblemente ignorantes, muy libertinos, instruidos sólo en las prácticas del culto externo, pasan gran parte del tiempo jugando, bebiendo y ocupados en cosas áun peores. Ni siquiera procuran guardar el decoro de las formas, exceptuando en la misa, que celebran con cómica gravedad, sin entender una sola palabra del latin que leen. Con frecuencia hay mujeres y niños en el convento, comiendo todos en una sola fuente y con los dedos. El cura de Batu me presentó, sin pedírselo, dos lindas jóvenes con el carácter de hermanas suyas, mantenidas por él, á pesar de su pobreza; sus hijas eran, sin embargo, llamadas sin reparo por los criados «las hijas del cura.»

La base de la política colonial española, sujetar una casta por otra y limitar la accion de todas de modo que ninguna domine, parece ser la causa de que un gran número de parroquias estén servidas por curas indios (en principio, la mitad, segun se consigna en una ley que no he podido encontrar). La prudencia de esta medida me parece dudosa. El cura peninsular ejerce un influjo grande en su parroquia, y constituye quizá el único vínculo fuerte entre la colonia y la metrópoli; el indio no sirve ni para lo uno ni para lo otro, pues hasta sus mismos paisanos suelen considerarle poco; tiene escaso ó ningun amor á España, y siente sólo envidia á los sacerdotes europeos, que le dejan los peores curatos y le desprecian.

Desde Batu, siguiendo un buen camino, N. á E., se llega en una media hora, á paso de caballo, á Nabua. El país es llano, le cubren arrozales: el arroz que entónces se plantaba en Batu estaba ya casi maduro en Nabua, circunstancia que no pude explicarme por diferencias climatológicas entre lugares tan próximos, no separados por cordillera alguna que las determinase. Los hombres son feos y súcios y se distinguen bien de los tagalos. Nabua (10.875 habitantes) está cruzada por varios arroyos que vienen de las montañas del Este y se reunen formando un pequeño lago, cuyo desagüe, junto á Bao, se aumenta con el caudal de varios riachuelos y se extiende despues en otro segundo lago, reuniéndose más abajo al rio Bicol. Inmediatamente ántes de pasar el segundo puente de Nabua se dirige el camino al Este y conduce en línea recta á Iriga, pueblo situado al S. O. del vólcan del mismo nombre.

En la ladera de este último visité una pequeña ranchería de indios infieles. Los habitantes del valle les llaman tambien *igorrotes, cimarrones, remontados ó monteses*, sólo los dos últimos nombres les convienen, el primero es propio de tribus del Norte de Luzon, cuyos individuos parecen ser mestizos de chino é indio (*) ; *cimarron*, equivalente á la voz francesa *marron* y tomada de las colonias esclavistas de América, significa allí un esclavo que con la fuga ha encontrado la libertad, en la que vive, y aquí son indígenas que han trocado las comodidades del pueblo, por no satisfacer el tributo, con las privaciones y la independencia de la vida en el monte. La palabra *remontado* se explica por sí misma y equivale á *cimarron*. Como la diferencia entre ambos estados, á causa de la benignidad del clima y pocas necesidades de los indígenas, no es tan grande cual en nuestro país sería, los que prefieren la vida salvaje son en mayor número de lo que pudiera creerse, les suele llevar á ella un delito cometido ó alguna deuda que no pueden pagar, y á veces tambien se remontan sólo por huir del tributo y de la prestacion personal. El indio muestra una marcada tendencia á dejar el pueblo por la soledad, á vivir libre en el campo, que sólo contiene el interes de la Principalía y de los curas, quienes prescindiendo de otras causas, tienen el de regularse sus estipendios por el número de sus feligreses ; sin esto, los pueblos se convertirian en visitas y éstas se disolverian en rancherías. La vista de otras tribus de la misma montaña corroboró mi primera impresion de ser mestizos de indio y de negrito. El color de la piel es pardo oscuro, pero no más intenso que en los indios que andan mucho al sol. Algunos, no todos, tienen el pelo crespo. Miéntras los negritos, lo mismo los que viven reunidos que los aislados de Angat y Mariveles, no cultivan los campos y carecen de casas donde cobijarse (61), los semi-salvajes de Iriga habitan chozas cómodas y cultivan raíces alimenticias y algo de caña de azúcar. Segun mis noticias, no se encuentran en Camarines negritos de raza pura. Una comarca muy poblada, en su mayor parte, en la cual las montañas altas se reducen á mamelones aislados, apénas se presta á la nómada vida del cazador, y sus habitantes no pueden prescindir de la agricultura.

Las pocas rancherías del Iriga son fácilmente accesibles, están en bue-

---

(*) V. SEMPER, 52.

(61) El Dr. Semper que las describe por propia observacion (*Estudio*, pág. 57) parece no admitir esta mezcla en los igorrotes.

nas relaciones con los indios, pues si no fuera así, tiempo há hubieran desaparecido. A pesar de esto, han conservado muchas costumbres de su primitivo estado. Los hombres van desnudos, excepcion hecha de un tapa-rabos (bejaque en tagalo), lo mismo que las mujeres, quienes sólo usan un delantal que les cubre desde las caderas á las rodillas (62). En la ran-chería mayor iban éstas vestidas con mucha decencia, á estilo de las in-dias. Su ajuar consiste en muebles de bambú, cáscaras de coco, una olla de barro, arcos y flechas bien trabajadas, con el hástil de caña y la punta de bambú ó de palma, de tres dientes ó de uno sólo; estas últimas tienen una ranura en espiral alrededor de la punta; para la caza de jabalíes las hay tambien con la punta de hierro envenenada. Si bien los igorrotes no son cristianos, adornan sus casas con cruces, que veneran como talismanes: «de algo deben servir, me dijo un anciano, cuando los castilas las llevan á todas partes» (63). La más importante de las rancherías que visité es-taba mandada por un capitan, cuya autoridad era muy escasa. A una in-dicacion mia llamó á algunos muchachos desnudos, que estaban subidos á los árboles. Sólo le obedecieron despues de largas réplicas. Les atraje fá-cilmente con pequeños regalos: pendientes de laton, peines para las mu-jeres y cigarros para los hombres.

Despues de una inútil tentativa para subir al Iriga, me fuí al pueblo de Buhí, situado en la extremidad Sur del lago del mismo nombre. A los diez minutos de mi salida del Iriga llegué á un sitio donde el suelo resuena á las pisadas del caballo. Innumerables colinas, altas de 50′, se levantan sobre la llanura. Al Norte se ve el gran cráter del Iriga, cuya vertiente al lago es abrupta. Desde el pueblo aparece el volcan en forma de cono per-fecto. El lago tiene milla y media de circuito ó bojeo. Las colinas están formadas de basalto, y junto á Buhi de rapilí, dispuesto en capas grose-ras, cuyo buzamiento es hácia el Iriga que está al N. O. Visto desde una de las mayores eminencias de basalto, se presentan estas pequeñas des-igualdades como restos de un gran cráter, antiguo quizá, destruido por los

<hr>

(62) Pigafetta halló á las mujeres de la orquesta del Rey de Cebú completamente desnu-das, ó sólo con un delantal de corteza (pág. 82). Las damas de la córte llevaban, ademas del sombrero y un velo corto, sólo una estrecha faja en la cintura (pág. 85).

(63) Quizá la misma razon hizo que los chinos adoptáran la cruz en sus primeras relacio-nes con los portugueses, dejándola más tarde. Pigafetta observa (187) que los chinos son blancos, usan vestidos, comen en mesas cual nosotros y tienen cruces sin saber qué sig-nifican.

terremotos y convertido en ondulaciones por la erosion de las aguas.

El amable cura de Buhi hizo anunciar á tambor batiente que el recien llegado extranjero deseaba adquirir toda clase de animales, animales de la tierra, del aire y del agua, de las montañas, de los bosques y de los campos, pagándolos todos al contado. Los curiosos me presentaron, sin embargo, tan sólo animales domésticos, como correderas, cien-piés y otros bichos, dándolos como cosas raras.

Al siguiente dia vi una abigarrada procesion con banderas españolas, tambores, 28 jinetes con chaquetillas y la camisa por fuera, una docena de músicos, y finalmente, como protagonista, un indio llevando un estandarte de seda colorada, honor que halaga en gran manera al favorecido y le obliga á dar un banquete en que no se escasea la tuba. Iba á caballo, emperejilado como un mono, con un tricornio en la cabeza, en el que los galones dorados estaban sustituidos por papel pegado; encima del frac llevaba una esclavina de papel, vestia ademas unos pantalones ajustados amarillos, medias altas blancas y zapatos. La casaca y los calzones estaban tambien engalanados con papeles. De análoga manera iba enjaezado el caballo conducido por dos Cabezas. Despues de recorrer el cortejo las principales calles del pueblo, entró en la iglesia.

Esta fiesta se celebra todos los años para conmemorar la concesion hecha al Rey de España por el Papa de percibir el dinero de la bula. En su consecuencia, goza la Corona el privilegio de perdonar, en nombre de la Santa Sede, diferentes culpas, algunas graves. Ha adquirido este derecho, podriamos decir, al por mayor, y da á los vasallos la absolucion al por menor; ántes por conducto de los párrocos, y desde 1851, expendiendo la gracia en los estancos, donde se venden billetes de lotería, papel sellado, cigarros, rapé, aguardiente, etc., pero siempre con la cooperacion del cura, sin la cual disminuiria mucho esta renta (64). Los ingresos por tal concepto han oscilado dentro de muy apartados límites: en 1819 importaron 15.930 pesos, en 1839, 36.390 pesos, y en 1860 hasta 58.954, lle-

---

(64) «Se rogará y encargará á los prelados eclesiásticos que impongan precepto formal á sus súbditos para que prediquen y persuadan frecuentemente á los indios la obligacion de justicia y de conciencia que tienen de pagar el tributo, y el cúmulo de indulgencias que ganan tomando la Bula de la Santa Cruzada, por los muchos inconvenientes que resultan de la poca instruccion y enseñanza de los dichos indios en estos dos puntos, tan importantes á su salvacion como conformes á la mente del monarca, etc.» (Leg. ultr., I, 267, § 90.)

gando en los dos años de 1844-45 á 292.115 pesos, por exigirse las cédulas á los cabezas de familia ó de barangay «bajo la inspeccion de los párrocos y empleados subalternos», que recibian un 8 por 100 y un 5 por 100 de premio repartiéndolas á domicilio: sin duda, una de las más imprudentes aplicaciones del sistema de repartimiento (65).

El lago Buhi (92 metros sobre el nivel del mar) es muy pintoresco: está rodeado en casi todas direcciones por montañas de más de 1.000 piés de altura, y forma su borde occidental una parte áun existente del cráter del Iriga. Segun me dijeron los curas de los pueblos vecinos, el volcan figuraba hasta principios del siglo XVII un embudo cerrado; en una gran erupcion cayó la mitad, originándose el actual lago. Conforme con esto, dice el *Estado geográfico*, pág. 247 (probablemente es el orígen de dichas noticias), que el 4 de Enero de 1641, dia memorable, se derrumbó en Camarines una elevada montaña habitada por infieles, apareciendo un hermoso lago, á cuyas orillas se establecieron los del pueblo de Buhi, llamándose por esto con el mismo nombre.

A. Perrey, en la página 48, habla de una erupcion habida en Camarines el año 1628, que igualmente puede referirse á aquel acontecimiento.

«En 1628 se movió la tierra, segun fidedignos testigos, catorce veces en un mismo dia; muchos edificios cayeron y reventó una gran montaña, saliendo de sus entrañas mucha agua, que inundó los campos y arrancó de cuajo los árboles, quedando cubierta la tierra de agua hasta el mar, dis-

----

(65) El orígen de estas bulas se halla en gracias concedidas por los Papas en los siglos XII y XIII á aquellas personas que por sí mismas contribuian á sostener las cruzadas. Julio II cedió las rentas de la bula á los reyes de España por tres años; los Papas siguientes las reclamaron: en 1750, Fernando VI obtuvo para él y para sus sucesores el derecho de percibirlas é invertirlas. La bula de la Cruzada es una bula de vivos, cuyos poseedores pueden obtener la absolucion de los confesores por sus pecados; hay ademas la bula de difuntos para redimir las penas del purgatorio, y una bula para poder comer leche, huevos y carne en los dias de ayunos y vigilias (de lacticinios). La bula de composicion permite á los detentores de ¡legítimas herencias, á los estafadores y ladrones, retener los bienes ajenos siempre que les sea desconocido el dueño, y absuelve á las adúlteras por interes pecuniario, á los seductores, á los jueces prevaricadores, á los testigos falsos, etc., y deja poseer los bienes robados con tranquila conciencia. Sin embargo, estos delitos no deben haberse cometido con idea de salvarse de culpa comprando la bula, pues en este caso, la suma sustraida debe ingresar íntegra en las cajas de la bula de la Santa Cruzada. Segun el texto primitivo español detallado del comisario papal, bastaba una cédula de dos reales para cantidades menores de 2.000 maravedís; desde ésta á la de 100.000 debia hacerse especial pacto con el comisario (*R. P. And. Mondo Bullæ Sanctæ Crucis Elucidatio*). Desde 1810, la tarifa es mucho más alta en las islas Filipinas.

tante una hora (la verdadera distancia á la costa es de 2 ¹/₂ leguas) (66).
Es singulár que el texto de una nota dada como original no concuerde con
el pasaje de la traduccion de A. Perrey. Aquel nada dice de haber brotado

Volcan Iriga desde el E. S. E.

agua de la montaña, y al contrario, expresa que la horrorosa fuerza de los
árboles descuajados hizo retirar el mar una hora léjos, quedando en seco
toda la comarca (67).

Los datos del *Estado geográfico* no pueden, pues, inspirar confianza,
porque en el informe oficial acerca del gran terremoto de 1641 se describen detalladamente las simultáneas erupciones de tres volcanes : dos en el
Sur del Archipiélago y uno en el Norte de Luzon, haciendo caso omiso de
la provincia de Camarines. La desconfianza aumenta aún al considerar
que el mismo autor (*Nierembergius*), del cual se ha tomado la reseña de
la erupcion de 1628 en Camarines, da en otra obra un detallado relato del
suceso de 1641, sin citar para nada esta provincia (*). Con la gran indiferencia que suelen tener los frailes para los fenómenos de la naturaleza
(los mismos curas de la falda del Albay no estaban acordes en la fecha de
su última erupcion), no es inverosímil que la erupcion de 1641, en la que

---

(66) En 1628, d'après des rapports dignes de foi, la terre trembla 14 fois le même jour
dans les Camarines ; beaucoup d'édifices furent renversés, une grande montagne se fendit
et il en sortit une telle quantité d'eau, que dans les campagnes inondées les arbres furent
arrachés et qu'à une lieue de la mer la plaine était toute couverte d'eau.

(67) « Apud Camarines quoque terram eodem die quator decies contremuisse, fide dig-
»nis testimoniis renunciatum est; multa interim ædificia diruta. Ingentem montem me-
»dium crepuisse immani hiatu, ex immensa vi excussisse arbores per oras pelagi, ita ut
» leucam occuparent æquoris, nec humor per illud intervallum appareret. Accidit hoc anno
»1638. S. EUSEBIUS NIEREMBERGIUS, *Historia Naturæ*, libro XVI, 383.» *Antwerpiæ*, 1635,
fólio. (1638 dice Perrey, pero en el original es errata, por 1628).

(*) Véase en el apéndice *Suceso raro.*

se derrumbó una montaña en el Norte de Luzon apareciendo un lago, se haya referido, andando el tiempo, al Iriga.

Tampoco pude subir á la cumbre desde Tambong, pequeña visita dependiente de Buhi, situada á la orilla del lago. Por la noche llegamos á la recortada cresta Sur del borde del cráter (1.041 metros segun mis observaciones barómetricas), donde un profundo barranco nos cortó el paso, impidiéndonos seguir la ascension. Los igorrotes me dejaron y los indios se negaron á acampar para proseguir la subida al dia siguiente, y no tuve más remedio que volverme. Por la noche, tarde ya, llegamos atravesando

Volcan Iriga desde el S. O.

un cocal al pié de la montaña, hallando abrigo contra la tempestad en casa de un buen anciano, á quien mis criados mintieron tanto, que á pesar del mal éxito de nuestra empresa, cuando hubo cesado algo la lluvia, nos hizo acompañar con hachas á Tambong, encendiendo hogueras en el cocal, de magnífico efecto, en honor de «los conquistadores del Iriga.» Hice noche en Tambong porque mi gente tenía miedo ó pereza y se negó á pasar el agitado lago.

Allí vi tejer los filamentos de piña (*Bromelia Ananassa*). A las plantas destinadas á proporcionarlos se les suele cortar el brote terminal, de modo que no dan fruto, adquiriendo así las hojas mayor longitud y anchura. Una mujer pone una tabla en el suelo y encima una hoja de piña, con la parte hueca hácia arriba; se agacha á un extremo de la tabla, tiene sujeta la hoja con los dedos del pié y la raspa con un cacharro de plato, no con el agudo canto de la rotura, sino con el borde, quitando así la capa superior, que se separa en tiras, y deja al descubierto otra interior de groseras fibras longitudinales: la obrera pasa la uña de arriba abajo, las levanta, las reune en hacecillos y las vuelve á raspar hasta que separa una capa más tenue; luégo da vuelta á la hoja, raspa como el ancho de la mano desde el extremo inferior del envés hasta llegar á la capa fibrosa, coge á ésta y la separa en toda su longitud. Despues de lavar las fibras para limpiarlas del parenquimo, que áun queda adherido á ellas, se secan al sol. Se peinan en seguida con un batidor comun como si fueran una cabellera, se clasifican en cuatro calidades segun su finura, se atan y se trabajan como hebras de Lupi (*). De este modo tan primitivo se obtienen los hilos para los célebres tejidos de *nipis*, que los inteligentes conceptúan los más finos del mundo. En el Museo Etnográfico de Berlin hay dos camisas de esta tela (con los números 291 y 292), y en el de Artes y Oficios las hay áun más finas. La calidad en ninguna parte se aprecia mejor que en Filipinas, y se han llegado á pagar 20.000 reales por un vestido de piña bordado (68).

En Buhi, que no está bastante protegido del N. E., llueve casi tanto como en Daraga. Habia convenido con los igorrotes que hicieran con cañas una senda hasta la cumbre, lo cual no pudo realizarse por la incesante lluvia, y determiné subir por el Malinao, á lo largo de la costa, hasta volver á mi cuartel general, y despues de aprovisionarme, ir á Naga por el rio Bicol.

Ántes de mi partida prepararon los igorrotes veneno de flechas para regalármelo, extrayéndolo de dos cortezas cuyos ejemplares están en las colecciones botánicas de la universidad de Berlin con los números B. 103 y B. 104. No pude ver hojas ni flores de la planta correspondiente á ellas. La capa del liber de B. 103 se golpea, se prensa, se humedece y se vuelve á prensar segunda vez. Estas operaciones se hacen con la mano, cuidando de no tener en la piel herida alguna. La savia, que se parece al puré de guisantes, la evaporan en un cacharro al calor del fuego, cuajándose en los bordes. La parte coagulada vuelve á disolverse en el líquido agitándole. Al obtener una consistencia de jarabe se raspa una pequeña parte, como $^{1}/_{10}$ de la empleada de B. 103, de la superficie interior de la capa del liber de B. 104 y se exprime sobre el recipiente: el jugo es pardo-oscuro.

(*) Véase más adelante el capítulo sobre el Abacá.

(68) Pruebas hechas en Fort William, Calcuta, han demostrado la gran consistencia de las fibras de la piña. Una cuerda de ocho centímetros de circunferencia no se rompió hasta ponerla un peso de 2.350 kilógramos (*Rappt. Exp. Lond.* II, 62).

124

Cuando la mezcla adquiere la consistencia de un ungüento espeso, se rasca
el cacharro y se guarda aquélla en una hoja cubierta de ceniza. Para envenenar una flecha se saca una porcion de la pasta del tamaño de una ave-
llana, y con el auxilio del calor se reblandece y extiende por igual en el
dardo de hierro. Una flecha envenenada sirve várias veces.

Á fines de Noviembre dejé el hermoso lago de Buhi y remonté desde su
extremo oriental un corto trecho del pequeño rio Sapa (*) cuyos acarreos
forman un notable promontorio en el contorno del lago. A través de una
fresca pradera se llega á las vertientes del Malinao ó Buhi; la pegajosa
arcilla pasa á arenas volcánicas en la montaña. El bosque es excesivamente húmedo, y pululaban en él las pequeñas sanguijuelas; nunca las habia
visto en tal abundancia. Los animalitos, del grueso de un hilo, son muy
vivos, se agarran á todas partes del cuerpo, hasta penetran en las narices, orejas, ojos, y chupan la sangre con tanta avidéz, que si no se les
nota se hinchan, pareciendo pequeñas cerezas. Miéntras chupan no se
siente ningun dolor; pero las picaduras escuecen despues dias enteros (69).
En un sitio del monte dominaban casi exclusivamente los baletes (especies
del género *Ficus*) con racimos de frutos de 6′ de longitud, pendientes del
tronco y de las ramas más gruesas. Los frutos mismos tenian el tamaño
de una cereza y pendian aislados de delgados pedúnculos leñosos. Entre
los árboles se oprimian helechos trepadores, aroideas y orchideas. Á las
seis horas casi, alcanzamos el puerto (841.ᵐ), á las doce y media, y empezamos á bajar por la vertiente oriental. En ella es el monte de una magnificencia mayor aún que en la opuesta. Un calvero nos permitió ver el mar
y dominar las islas Catanduanes y la llanura de Tabaco. A la puesta del
sol llegamos á Tibi, donde me alojé en la cárcel, que es muy limpia y está
rodeada de bambúes: ocupa el sitio del antiguo Tribunal, destruido dos
años ántes por una tempestad, y forma un espacioso tinglado. Desde Tibi
pude dibujar el Malinao (llamado tambien Buhi y Takit) que aparece co-

(*) *Sapa* significa plano.

(69) Hooker (*Himalayan Journal*, I, 167) cree que depende de la extraordinaria abundancia de estos anélidos en Sikkin la muerte de muchos animales y tambien parte de las
atribuidas á la epidemia del ganado vacuno, sobre todo en años muy húmedos en que salen
en increible cantidad..... Es un hecho sabido que estos gusanos permanecen dias enteros en
las fosas nasales, en la garganta y en el estómago del hombre, causando terribles dolores
y hasta la muerte.

mo un gran volcan, con su cráter bien marcado, al paso que desde el lago Buhi no se reconoce como tal con completa seguridad.

El pico a, visto desde Tibi está al S. 49°7 ; d á 64'2 ; e á 67°0; la hondonada e cae al S. 59°50.

No léjos de Tibi, exactamente al E. de Malinao, hay una débil solfatara, llamada Igabó : en medio de una pradera rodeada de árboles se abre un claro de forma oval, próximamente de 100 piés de largo por 70 de ancho. Todo el espacio está cubierto de piedras del tamaño de la cabeza, y mayores, arredondeadas por la erosion; rompiéndolas, se ve su estructura concoidea, pues se separan delgados mantos concéntricos, el núcleo es gris y lo forma la traquita. En algunos puntos brota del suelo agua termal, que, reuniéndose, da orígen á un arroyo ; algunas mujeres se ocupaban en cocer su comida tomando agua del manantial con una red de trozos de caladium; el agua está próxima al punto de ebullicion. En la cara inferior de ciertas piedras se veia una tenue capa de azufre sublimado, los indicios de alumbre apénas se notaban ; en una hondonada se habia reunido caolin que se emplea para enlucidos.

Manantiales silíceos cerca de Tibi.

De allí pasé á los manantiales incrustantes de Naglegbeng (*) que están próximos. Creí hallar fuentes de aguas calizas, y me encontré con

____

(*) Gemelli Carreri ya la cita.

bellísimas formaciones silíceas, sumamente caprichosas en todos los estadios de desarrollo: conos truncados con apéndices cilíndricos, pirámides cortadas, concavidades redondas con bordes estriados, estanques hirviendo. Un sitio raso, de dos á trescientos pasos de ancho por vez y media de largo, exceptuando algunos claros encespedados, está recubierto por una costra de sílice, que á veces forma unas grandes superficies contínuas; pero generalmente se presentan fraccionados por fisuras verticales en delgadas placas. En innumerables puntos penetra en ebullicion el agua cargada de sílice; saliendo de la tierra, se extiende sobre la superficie y deposita por enfriamiento y evaporacion en seguida una capa, cuyo espesor disminuye del centro á la periferia con gran regularidad: así se forma en el trascurso del tiempo un cono muy plano con una cavidad de agua hirviente en el centro. Aumentando los sedimentos disminuye el canal de desagüe, corre poca agua, que se evapora en la inmediata proximidad del borde, y cada gota deposita un pequeño grano de sílice; así se forma la parte superior del cono, más abrupta que su base, y tambien á la vez resulta un apéndice cilíndrico, cuya superficie exterior, como el agua, no corre completamente por igual, queda acanalada con estalactitas. Si se obstruye el canal hasta el punto de ser la salida menor que la evaporacion, no fluye el líquido por el borde, el depósito continúa por el enfriamiento gradual del agua, regularmente en el borde interior de la cavidad; pero á medida que desciende el nivel del agua, cesa la sedimentacion en su parte alta, disminuyendo así el grueso de la capa en la pared interior, y cuando el canal se obstruye por completo, toda el agua se evapora y queda una hoquedad

El cono blanco.

lisa como torneada á mano, en forma de campana invertida. En el dibujo que representa el cono blanco se ven tres indias de pié al borde de uno de éstos, distinguiéndose alrededor del cono rojo un borde de cavidad aún más perfecto. El agua busca entónces nueva salida y rompe por el sitio en que encuentra menor resistencia, sin destruir el hermoso cono que ántes formó. Muchos ejemplos parecidos se encuentran en la localidad. Sin em-

El cono rojo.

bargo, en los grandes conos originados en un pequeño estanque, los vapores alcanzan, cuando está obstruido el desagüe, una fuerza expansiva tal, que hacen saltar la costra superficial dividiéndola en fragmentos radialconcéntricos. El agua brota en abundancia, sólo del centro, y se dirige ála altura casi verticalmente, dejando las arenas sobrenadar debajo de los fragmentos de la costra; así se forma una especie de gradería concéntrica, cuyo piso horizontal se va llenando de un modo gradual por nuevos depósitos de las aguas que lo recubren. En los dos dibujos que figuran el cono blanco y el cono rojo, puede verse la gradería perfecta en unos puntos, y en sus anteriores estadios de desarrollo en otros. Á veces rompe el agua, estando cerrado el desagüe y despues de formada la gradería, por la vertiente del mismo cono y entónces se origina otro al pié del primero; el dibujo anterior presenta esta particularidad en su orígen, y el siguiente en un estado perfecto. En las inmediaciones de los manantiales silíceos hay depósitos de arcillas blancas, amarillas, rojas y gris azuladas, alternando en capas poco potentes como las margas irisadas; probablemente son producto de la descomposicion de rocas volcánicas acarreadas allí por las aguas y coloreadas por los óxidos de hierro. Quizá proceden estos depósitos de las mismas rocas, de cuya descomposicion proviene la sílice siendo los últimos restos sólidos de las mismas. Su cantidad es, sin embargo, escasa, no se hallan en su primitiva posicion y representan sólo una pequeña parte de la masa primitiva. Los mismos fenómenos se observan en Islandia y en Nueva Zelandia; pero mucho más variados, más bellos y más puros son los productos de los manantiales de Tibi que los de los Geysers de Islandia. Hay depósitos de plantas incrustadas con un baño tan tenue de sílice, que se trasparentan á través de él los nervios de las hojas bien reconocibles : la galvanoplastia no podria hacer un trabajo más delicado. En otros sitios alternan capas delgadas opacas, blancas ó muy débilmente rojizas de sílice, con fajas trasparentes de ópalo amarillo y de hialita. A veces, cuando la sílice queda largo tiempo en estado gelatinoso, han formado los gases, penetrando en la masa consistente, séries de celdillas de delgadas paredes, tan compactas y regulares como si fueran de orígen vegetal; las celdillas están vacías ó llenas de hialita, que suele penetrar en radios contínuos por la masa silícea (*). En otros sitios se ha depositado este mineral en capas concéntricas, delgadas, alrededor de núcleos sólidos, formando amigdalas. De una belleza sorprendente, verdaderamente monumental, es la rara forma del *cono rojo*, quizá sin rival en todo el mundo.

(*) De extraordinaria belleza y extension grande hallé esta forma de agregados en los depósitos silíceos de Steamboat Springs, en Nevada Territory.

Pavavá.

La caja y las varas son de bambú, los atados y riendas del carabao de bejuco, la cubierta
del carro es de hojas de pándano.

CAPÍTULO XIV.

Usos y costumbres de los indios bicoles.

En mi segundo viaje á Camarines, emprendido en Febrero, fuí por agua desde Polangui á Naga, pasando por Batu. El rio Guinali, que vierte sus aguas al S. E. en el lago Batu, sale de él en su extremo Norte con el nombre de rio Bicol, y corre en direccion N. O. hasta desaguar en la bahía de San Miguel. Facilita un comercio de bastante consideracion entre Albay y Camarines; es principalmente importante el de arroz, pues la produccion de este cereal, en la primera de las dos provincias no basta á cubrir las necesidades de la poblacion, que ha ido en aumento en proporcion con el desarrollo de la industria abacalera, miéntras que Camarines lo cosecha con exceso. El arroz se trasporta en grandes lanchas, remontando el rio Guinali, y de allí, por tierra, en carros de carabaos; los barcos vuelven en lastre. El ancho del tortuoso Bicol es á la salida del lago, y en la estacion de secas de unos 60 piés, aumentando gradualmente. La vegetacion de las márgenes ofrece bastante variedad, animando el cuadro la multitud de monos y de aves acuáticas, que se ven en ellas. Entre las últimas, es frecuente el *Plotus melanogaster;* pero difícil de matar: inmóvil en los árboles de la orilla, saca sólo la cabeza y el largo cuello que entre el follaje parece una culebra, al aproximarse el bote el ave se echa al rio, y despues de bucear algunos minutos asoma la cabeza léjos del sitio donde se sumergió. El Plotus es tan hábil en su vuelo, como nadando y buceando.

Á mitad de camino, entre Batu y Bula, hay un horno de cal; la piedra, que se quema procede de una série de colinas bajas distantes dos horas á paso de carabao (O. S. O.), siendo, al parecer, un arrecife de coral levantado; pues la caliza, de color amarillento, está llena de madréporas (*Seriatopora?*) y de restos de moluscos bivalvos, que no es posible reconocer. Rio abajo el país se hace ménos ondulado, y los grandes volcanes descuellan sobre un llano cubierto todo de arrozales.

En Naga, la cabecera de Camarines Sur, fuí al Tribunal; pero el administrador me llevó á su casa colmándome de amables atenciones; es célebre en toda la comarca por su carácter hospitalario y afable. Este caballero, que goza de general aprecio, lo puso todo á contribucion para aumentar mis colecciones, é hizo lo posible á fin de amenizar mi estancia en el pueblo, procurando al propio tiempo auxiliarme en mi empresa.

Naga, además de ser capital de provincia, es la residéncia de un obispo. En los documentos oficiales se llama Nueva-Cáceres, por haber nacido en Cáceres el Capitan General D. Fr. de Sande, que en 1578 fundó una ciudad española junto al pueblo indio Naga. Á principios del siglo xvii contaba unos 100 habitantes españoles (Morga, f. 151), ahora hay apénas una docena. Murillo Velarde observó ya (xiii, 272) que, al contrario de lo sucedido en América, las ciudades fundadas en Filipinas, excepcion hecha de Manila, han decaido tanto que conservan sólo el esqueleto, sin la sustancia. La causa es, como ya repetidas veces se ha indicado, la falta de plantaciones, y por consiguiente de colonos propiamente tales. Ántes Naga era la capital de toda la parte de Luzon al E. de Tayabas; pero el aumento de poblacion hizo que se dividiera en las tres provincias de Camarines Norte, Camarines Sur y Albay. Los límites de estos distritos administrativos, en especial los de Albay y Camarines Sur, son bastante confusos, al paso que los naturales están bien marcados. En conjunto se llama á toda esta comarca Camarines, y como nombre general podria adoptarse el de Bicol, que es el de la raza que la puebla, y distinta por muchas particularidades y por su idioma de los tagalos del Oeste y de los visayas, habitantes de las islas del S. y del E.

Los bicoles se encuentran sólo en el país de que hablamos y en algunas pequeñas islas inmediatas. Ninguna aclaracion de su orígen hallamos en las voluminosas é insulsas crónicas de los frailes. Morga les conceptúa aborígenes en la isla, suponiendo que los naturales de Manila y sus alrededores proceden de malayos y habitantes de otras provincias lejanas y de distintas islas (70); como su idioma, intermedio entre el tagalo y el visaya, parecen sus costumbres indicar un tránsito entre ambos pueblos: física é intelectualmente, son inferiores á los tagalos y superiores á las gentes del E. de las Visayas. El bicol se habla únicamente en los dos Camarines, Albay, Masbate, Ticao, Burias, Catanduanes y algunas otras pequeñas islas adyacentes. El más puro es el de los habitantes del volcan Isarog y de sus inmediatos alrededores. Hácia el Oeste va tagalizándose, y al Oeste se mezcla con el visaya, pasando por tránsitos graduales á estos dos idiomas ántes de llegar á sus límites etnográficos. No será superfluo hacer aquí algunas indicaciones acerca de los principales rasgos típicos de la vida del pueblo bicol, bastante parecida á la del talago y visaya.

En la pág. 104 sé ha ensayado ya una descripcion de la parte geográfica y climatológica de la comarca.

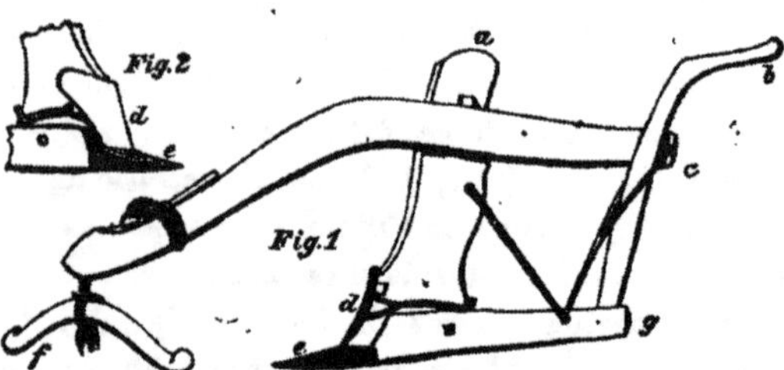

El arado filipino

se diferencia poco del que áun hoy se usa generalmente en España. Exceptuando *d* y *e* todas sus partes son de madera, hasta los clavos.—*a, toked* 0^m,71; *b, timon* 0^m,21; *c, caballo* 1^m,67; *d, lipia*: longitud 0^m,21, ancho de la parte superior 0^m,16, de la inferior 0^m,11; *e, sodsod* 0^m,21 long. 0^m,16 ancho; *pakanap* 0^m,17; *d* está atado con bejuco á *a, g* vá unido del mismo modo á *a* y *c*.

La siembra del arroz en los planteles empieza, en Camarines Sur, por

(70) Arenas (*Memorias*, 5-9) cree que los antiguos anuarios chinos pueden arrojar alguna luz sobre el orígen de este pueblo, pues sus relaciones con el Archipiélago datan de época remota. «Y si no es así, no debemos investigarlo más, pues será prueba que Dios quiere ocultar el orígen de estos indios y debemos respetar sus designios.»

Junio ó Julio, ántes ó despues, segun la entrada de la época de lluvias; se cultiva en semilleros cuidadosamente dispuestos, á causa del alto precio que alcanza la simiente. Si bien los arrozales pueden dar dos cosechas al año, sólo se siembra una vez. En Agosto se trasplanta, dejando intervalos de poco ménos de un pié entre las líneas y entre las plantas de una misma fila; cuatro meses despues madura el grano. Los campos no se abo-

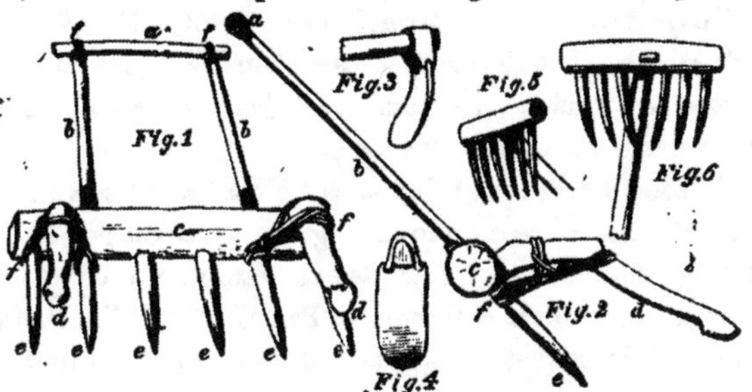

Aperos de labranza de los indios bicoles.

Fig. 1 y 2. *Soród :* a, *tampong* de bambú 0ᵐ,52; b, *badas* de Caryota 0ᵐ,68; c, *papam* dᵉ madera muy dura (camagon, una especie del género Diospyros), longitud 0ᵐ,73, grueso 0ᵐ,12; d, *tagiak* de ramas nudosas, para uncir los carabaos; e, *nipon* (diente) de Caryota 0ᵐ,31; f, tiras de bejuco.
Fig. 3 y 4. Azadon.
Fig. 5 y 6. Kag-Kag (todo de bambú). Longitud de los dientes 0ᵐ,16.

nan nunca y se aran pocas veces, generalmente la única labor consiste en meter algunas docenas de carabaos para quitar las malas hierbas y remover el suelo reblandecido por las lluvias; luégo se pasa un pinchudo rollo ó se le da una reja con el *sorod.* Además de los aperos citados, hay el aza-

don y una reja de bambúes llamada *kag-kag.* La cosecha se hace de un modo particular. El arroz más temprano se corta por un 10 por 100; es decir, que el segador recibe una gavilla por cada diez que hace. En esta época el arroz es flojo, suele haber carestía y el jornal es bajo; á medida que van madurando las plantas sube de precio hasta el 20, 30, 40 y en algunas ocasiones el 50 por 100, y hasta casos ha habido de obligar á las gentes, amena-

Cuchillo para segar el arroz.

N. B. El tallo del arroz se ha representado demasiado grueso, no excede al del trigo.

zándoles con penas corporales y encierro, á segar para no perder parte de la cosecha. Á pesar de todo, siempre se malogra una parte de la cosecha por no levantarla á tiempo. Va cortándose èl arroz, tallo por tallo (como hacen en Java), con un cuchillo de forma particular, ó en su defecto con el agudo borde de la concha de un molusco que vive en los fosos de los arrozales (*), y tan abundante que sólo hay necesidad de bajarse para cogerlo.

Un quiñon del mejor arrozal cuesta de 60 á 100 pesos (8 á 13 thalers) cada *morgen*. Las tierras más caras son las de las alturas, que no están expuestas á inundaciones como las bajas, y cuya cosecha se obtiene cuando los precios son más elevados.

En cada 4 topones (1 Topon = 1 Loan) se planta una ganta y se cogen 100 manojos, cada uno da ⁴/₅ ganta, ó sea 50 por 1. La antigua ganta de Naga equivale á 1 y ⁴/₅ gantas de Manila; el producto se calcula en 75 cavanes por quiñon, casi como en Prusia (71) (9 ³/₄ Scheffel por Morgen). En los libros se suele consignar 250 cavanes por término medio como produccion; pero es un dato exagerado. El rendimiento de los campos es variable; pero si se considera que las tierras en Filipinas nunca se abonan, sino que sólo tienen la mejora natural del limo depositado en ellas por las avenidas, las anteriores cifras pueden dar idea de su fertilidad. En muchas provincias de Java se cogen tan sólo 50 cavanes por quiñon; en algunas, es verdad, llega al triple (**); en China, cultivadas con esmero y abundantemente abonadas, dan 180 cavanes (***). Además del arroz es cultiva *camote* ó *batata (Convolvulus Batatas)*, que se propaga tanto, que á veces se pone en los cafetales, cacaos y abacales, para extirpar las malas hierbas. Se extiende formando una tupida alfombra, y como las raíces cunden y dan brotes y tubérculos, forman un contínuo depósito para el propietario que durante todo el año puede ir desenterrando batatas para comer. Tambien son objeto de cultivo el *gabi (Caladium)*, el *ubi (Dioscorea)*, el maíz y dos especies de *Arum*.

Despues de segar el arroz, se dejan entrar en los campos carabaos, caballos y bueyes. Cuando vegeta la planta se les tiene en los *cogonales*, prados de gramíneas, que se forman especialmente en los sitios aclarados

(71) El término medio de cosechas regulares en las doce provincias de Prusia es 9.211 Scheffel de grano por Morgen (*Nassau y Hohenzollern*, sólo 7,98 y 7,19).

(*) Probablemente la *Anodonta purpurea*, Val, segun de Martens.

(**) 650 libras cada manojo.—De *Ryst. Maatsch tot nut*, pág. 13.

(***) Véase *Scherzer Fachmänpische Berichte A.*, 91.

134

ó quemados para el cultivo del arroz de monte ó de secano. *Cogon* es el nombre vulgar de una caña que tiene de 7 á 8' de altura *(Saccharum sp.)*. Casi no se trasportan por estar intransitables los caminos en tiempo de lluvias y porque el ganado careceria de pastos. El indio no da piensos á sus bestias, que se mueren de hambre cuando por sí mismas no encuentran que comer. No es raro ver, sobre todo en tiempo de aguas, caerse extenuado de hambre el carabao que tira de una carreta. Un carabao cuesta de 7 á 10 pesos, un caballo de 10 á 20, una vaca de 6 á 8. Caballos muy hermosos se encuentran por 30-50 pesos; es una excepcion que lleguen á pagarse á 80 : los de estas provincias no se estiman en Manila por ser muchos los que mueren á causa de la mala agua y del peor pienso que les dan y de no resistir el calor; si no fuera esto, tendria ventajas embarcar en época oportuna caballos para la capital, en donde se pagan doble. Segun Morga (f. 130), en las islas no habia caballos ni asnos, hasta que los españoles les llevaron de China y Nueva España (72). Los primeros eran de poca alzada y malos, tambien del Japon se introdujeron : « No son veloces pero sí fuertes, tienen la cabeza grande, las crines espesas y se parecen á los frisones» (73). Se multiplicaron mucho, y los nacidos en el país, generalmente de razas cruzadas, dieron buenos resultados.

El ganado vacuno es propiedad de unos pocos. Hay en Camarines individuo que posee de 1.000 á 3.000 cabezas; en la provincia misma apénas tiene salida, pero se llevan á Manila con ventaja desde hace algunos años. Las reses son pequeñas y de sabrosa carne, no sirven para el trabajo; las vacas no se ordeñan. Los indios prefieren la carne de carabao á la de buey; pero sólo la comen en los dias festivos, en los restantes forman su alimentacion pescados, cangrejos, moluscos y hierbas silvestres para acompañar el arroz cocido ó morisqueta.

La antigua raza ovina, introducida por los españoles hace siglos, se da bien y multiplica con facilidad; las reses importadas de Shanghai y Aus-

---

(72) Más de cien años despues decia el P. Taillandier : «Los españoles han hecho venir de América vacas, caballos y ovejas, pero estos animales no pueden vivir aquí por la excesiva humedad y frecuentes inundaciones.» Lo último debe referirse sólo á las ovejas *(Taillandier au Père Willard. Lettres édifiantes)*.

(73) En la actualidad los caballos chinos son pesados, de cabeza grande, pelo estropajoso y rudo; los japoneses, al contrario, elegantes, resistentes, parecidos á los árabes. Los buenos caballos de Manila corresponden al último tipo y son muy estimados por los europeos residentes los puertos de China.

tralia tienen la fama de ser ménos sufridas, dicen que son estériles y comunmente mueren pronto. En Manila se vende todos los dias carnero ; pero en las provincias del interior, por lo méuos en las orientales, casi nunca, á pesar de que la cria no presenta dificultad alguna, y en muchas localidades ,podria dar buenos rendimientos; la causa principal es, quizá, el abandono de los indígenas, que les imposibilita guardar los ganados y les hace quejarse de que los perros los destrozan dejándolos libres. Segun parece, la aclimatacion de las ovejas fué difícil. Morga (f. 130) dice que las importadas diferentes veces de Nueva España no se multiplicaban, y que en su tiempo habia pocas. La carne de cerdo sólo se come por los europeos cuando el animal se ha criado en el corral desde jóven. Para evitar que vaya merodeando, se le mete en una especie de jaula de bambú, matándole cuando no puede ya estar en ella. La carne del cerdo del indio es repugnante, pues le tiene debajo de los comunes, que en muchas casas constan únicamente de un piso de cañas, y se alimentan de las inmundicias que engullen con avidéz : á menudo se les ve recorrer el pueblo con la cabeza llena de los restos de su comida.

Crawfurd (338) observa que los nombres de todos los animales domésticos filipinos son de lengua extranjera. Perro, cerdo, cabra, búfalo, gato, hasta pollo y gamo son malayos ó javaneses; caballo, buey y oveja, españoles. Si aquellos animales se introdujeron por los malayos, los naturales se hallaban en mayor atraso que los americanos ántes del descubrimiento de su país por los europeos, pues éstos tenian el alpaca, la llama y la vicuña. Los nombres de la mayor parte de plantas cultivadas son malayos, como los del arroz, del yami, de la caña dulce, del coco y del índigo, así como los de la plata, del cobre y del estaño. De las palabras técnicas de oficios, una tercera parte es asimismo malaya, y de las voces de comercio la inmensa mayoría; tambien tienen este orígen las denominaciones de pesas, medidas, divisiones del tiempo, numerales, voces de escritura, de lectura, de la lengua, de relato. Hay, al contrario, en los términos guerreros, pocos de procedencia malaya.

Son interesantes las deducciones de Crawfurd sobre la civilizacion de los filipinos sacadas de las palabras genuinamentè indígenas, conocidas ántes de tener roce con los malayos; segun éste autor, no cultivaban cereal alguno, su alimentacion vegetal se reducia á batatas (?) y plátanos. No tenian animales domésticos, entre los metales sólo conocian el oro y el hierro, se vestian con telas de algodon y de abacá·tejidas por ellos. Habian inventado un alfabeto fonético. Su religion consistia en la croencia de buenos y malos genios, y brujas, en circuncisiones y algo de astrología. Así deben colocarse en mayor grado de progreso que los habitantes de los Archipiélagos del Sur, por su conocimiento del oro, de

136

hierro y de los tejidos; pero en cambio no tenian, como aquéllos, domesticados el perro, el cerdo y la gallina.

Si damos como buena una opinion, fundada sólo en un conocimiento filológico imperfecto de los idiomas del Archipiélago, respecto de la civilizácion anterior á la introduccion del cristianismo, y comparamos aquel estado con el actual, hallarémos un notable adelanto que los filipinos deben á los españoles. Como este punto se relaciona inmediatamente con la vida social, lo tratamos repetidas veces. Los españoles han introducido el caballo, el buey, la oveja, el maíz, el café, el azúcar de caña, el cacao, el sésamo, el tabaco, el índigo, muchas frutas y probablemente tambien la batata, que conocierón en Méjico con el nombre de Camotli (*), de la cual parece derivarse la voz *camote*, generalmente usada en todo Filipinas y que Crawfurd con evidente error conceptúa indígena. (Segun una noticia que me ha dado el Dr. Witmack, va ganando terreno la opinion de que la batata es no sólo indígena en América, sino tambien en las Indias orientales, pues en sanscrito tiene dos nombres: Sharkarakanda y Ruktaloo.)

En la industria, exceptuando los bordados y los tejidos de telas y de petates, se han hecho pocos progresos. Los oficios están desempeñados principalmente por chinos.

La exportacion consiste en arroz y abacá; del primero sale casi doble del que se cohsume, el punto adonde más va es Albay, cuyo suelo, poco á propósito para arroz, produce casi sólo abacá. Una parte se vende en Camarines Norte, país de terreno quebrado y poco fértil. Apénas puede embarcarse arroz para Manila por falta de un camino que vaya de la cabecera de la provincia á su límite meridional, sin el que saldria muy caro el trasporte por la costa Norte de Luzon, rodeando toda la oriental. La importacion se reduce á los pocos artículos traidos por buhoneros chinos. Los negociantes son casi todos chinos, sólo ellos poseen tiendas, en las que principalmente venden telas, en parte indígenas y en parte de fabricacion europea, chinelas bordadas para mujer y adornos de quincallería. El capital que representan estos almacenes no llega de seguro á 200.000 pesos. En los pueblos restantes de Camarines no hay comerciantes chinos, los habitantes deben, por consiguiente, proveerse en la capital.

La tierra es propiedad del Estado, pero se concede libremente á todo indio cultivarla, pasando el usufructo á sus sucesores, pero perdiendo el derecho cuando la deja inculta durante dos años; la autoridad local la traspasa entónces á otro agricultor más activo.

(*) Vergl. Hernandes, *Opera omnia*; Torquemada, *Monarchia Indica*.

Toda familia posee su casa propia. Generalmente la construye el jóven casado con la ayuda de sus amigos. En muchos sitios no cuesta más de 4 á 5 pesos; en caso necesario se puede hacer sin desembolso alguno, sin más instrumento que un bolo y sin otro material que cañas, bejucos y palmas. Estas casas, colocadas siempre sobre pilotes á causa de la humedad, no suelen tener más que una habitacion bajo cubierta, en la que todo está dispuesto á fomentar la gran desmoralizacion y costumbres inmundas; la familia entera duerme allí en comun y no hay forastero que no sea bien venido. Una buena casa de tabla y nipa de un Cabeza de barangay vendrá á costar 100 pesos. La fortuna de una familia semejante en inmuebles, muebles, adornos. etc., (tienen que presentar un inventario anual) es de 100 á 1.000 pesos, la de algunas llega, sin embargo, hasta 10.000 pesos; el más rico de la provincia posee 40.000.

En general puede decirse que los pueblos de aquel país producen lo preciso para atender á sus necesidades y poco más. Para el indolente indio, sobre todo el de las provincias orientales, el pueblo de su nacimiento es todo su mundo. Sólo lo deja en caso de necesidad extrema. Por lo demás, bastan las formalidades exigidas para obtener el pasaporte, por temor que huyan del pago de la capitacion, para hacerles pasar las ganas de moverse si las tuvieran. ·

El indio hace tres comidas diarias : á las siete de la mañana, á mediodia y á las siete ó á las ocho de la noche; los trabajadores más robustos consumen en cada una una chupa de arroz, los individuos ordinarios sólo media en el almuerzo, una en la comida, media en la cena, ó sea dos chupas por dia. Cada familia cosecha en su campo arroz para el consumo, y lo guarda en graneros, ó bien lo compra descascarillado ya en los mercados, á la vez comunmente sólo el neçesario para un dia ó una comida. El precio medio á la menuda es de tres cuartos cada dos chupas (14 chupas del Rey 1 rl. pl.). El arroz de cada comida se pila por las mujeres en un mortero de madera para quitarle la cáscara, por antigua costumbre y tambien para evitar que se gaste demasiado. Segun parece, así se hace en todos los países donde constituye la base de la alimentacion; hasta en España ó Italia se observa algo de ello. Como condimento se usa la sal y mucha pimienta (*Capsicum*) que naturalizada en el Archipiélago y procedente de América, vegeta alrededor de las casas. Los naturales prefieren la llamada sal gemma á la comun de cocina, que se obtiene por evaporacion del agua del mar, filtrada ántes con ceniza. Una chinanta (13,7 libras) cuesta de 1¼ á 2 rs. pl. El consumo de sal es muy escaso.

Los pasatiempos del indio consisten en mascar buyo (74) y en fumar: un cigarro cuesta 1 cuarto, un buyo 0,1 de cuarto. Los cigarros, sin embargo, se fuman poco; por lo general, partidos, los mascan como el buyo. Tambien usan las mujeres tabaco y buyo, pero suele ser con mucha moderacion; no se pintan los dientes de negro como los malayos, las jóvenes bonitas se los limpian cuidadosamente con la cáscara de la nuez de bonga (*Areca Catechu*) que forma un buen cepillo por tener las fibras en su corte trasversal muy unidas, ser resistentes y estar colocadas paralelas, se bañan várias veces al dia y aventajan en aseo á la mayor parte de las europeas. Casi todo indio posee un gallo de pelea, hasta el que no tiene que comer encuentra dinero para su diversion favorita.

Ajuar de casa: la comida se cuece en una olla de barro (*carajay*) capáz de 3-10 cuartillos, que se ata con hojas de plátano cuando cuece el arroz, de modo que basta una pequeña cantidad de agua para hacerlo hervir. Los pobres no tienen otro útil de cocina, los más ricos poseen tambien algunas sartenes de hierro colado, várias ollas de barro y platos. El hogar está formado, en las casas de pocos recursos, por un hornillo de barro portátil ó una caja plana, ó á veces por un cajon de cigarros lleno de arena y sostenido por tres piedras, que sirven de trípode; en las casas acomodadas tiene la forma de una especie de tablado de cama, en la que hay en vez de colchones arena ó ceniza. El agua para las necesidades de una familia corta, se conserva en bambúes. El instrumento de más uso para el indio es el *bolo* (una especie de cuchillo de monte de hoja ancha), lo lleva pendiente del cinto metido en una vaina toscamente hecha de madera y atada con un cordon tejido de fibras corticales. El bolo y el *luzon* ó mortero para pilar el arroz (un tarugo de madera con una cavidad) con algunos majaderos ó manos y cestas, constituyen todo el ajuar de una familia pobre; á veces tambien forma parte de él un gran caracol que, con una torcida de junco, sirve de lámpara. Duermen sobre una esterilla de pándano ó burí

---

(74) Buyo llaman en Filipinas al betel preparado para mascarlo. Una hoja de pimienta betel (*Chavica Betel*) de la forma y tamaño de una hoja de judía, se frota con un pedacito de cal apagada del tamaño de un guisante, se arrolla de los bordes á la línea media, y luégo se mete una punta dentro de la otra formando un anillo, al que se adapta un pedazo plano de nuez de areca ó bonga de un tamaño adecuado.

(Corypha) llamada *petate*, y si no lo tienen, sobre el piso, que es de bambúes partidos. Los pobres casi no gastan aceite para la luz, y se sirven de antorchas de resina que duran uno ó dos dias y se venden á ochavo en el mercado.

El *traje* de una mujer consiste: en una camisa de guinara (fibras de abacá) un patadion (falda que llega desde las caderas al tobillo), un pañuelo y una peineta. De un trozo de guinara de 1 rl. pl. salen dos camisas, el patadion más ordinario cuesta 3 rs. pl., un pañuelo á lo más 1 rl. pl., la peineta 2 cuartos, ó sea todo el traje 4 rs. pl. 12 cuartos $=$11 rs. y $^1/_4$. Las mujeres más acomodadas usan camisas de 1-2 rs. pl., patadion de 6 reales pl., pañuelo de 2-3 rs. pl. y peineta de 2 cuartos.

El *traje* de los *hombres* consta de una camisa, 1 rl. pl., un pantalon, 3 rs. pl., un sombrero (Tararura) de caña, 10 cuartos, ó un salacot (semiesférico y muchas veces con ricos adornos) por lo ménos 2 rs. pl.; los hay de lujo, con plata, que cuestan hasta 50 pesos. Anualmente gastan tres ó cuatro trajes, es general costumbre que las mujeres tejan toda la ropa para la familia.

Jornales.—El trabajador ordinario percibe un real pl. sin comida, siendo las horas de trabajo de 6-12 y de 2-6. Las mujeres no suelen ocuparse en las labores del campo; sin embargo, plantan el arroz y ayudan á segarle: en ambos casos se las paga lo mismo que á los hombres. Los hacheros y canteros ganan 1,5 reales pl., y los calafateadores 1,75.

Una *contrata* bastante general entre los agricultores es la del tercio: el propietario cede la tierra dispuesta para el cultivo por la tercera parte de la cosecha. Algunos mestizos poseen grandes extensiones de terreno; pero rara vez contiguas, pues provienen de embargos por deudas no satisfechas en dinero.

Ganancia de una familia poco numerosa.—El hombre gana al dia un real pl., la mujer, cuando teje telas ordinarias, $^1/_4$ de rl. pl. y comida (un trozo de guinara cuesta $^1/_2$ real pl. de tejer, para lo cual se emplean dos dias). La tejedora hábil de telas finas recibe por pieza 12 rs. pl., pero trabaja en ella todo el mes, que á causa de las muchas fiestas apénas se puede calcular de veinticuatro dias laborables, viniendo á ganar $^1/_2$ rl. pl. de jornal y la comida. El enlace de los hilos de piña para los tejidos de nipis (ó sugot) se paga sólo $^1/_6$ de rl. pl. de jornal con la comida.

En todos los pueblos hay escuelas. El maestro tiene sueldo del Gobierno , cobrando comunmente 2 pesos mensuales sin casa ni comida. En poblaciones de mayor importancia percibe 3 ½, pesos, pero tiene que costear un pasante. Las escuelas están bajo la inspeccion de los párrocos. Se enseña á leer y escribir en castellano, ó por lo ménos está mandado así; pero el mismo maestro suele no saberlo, y por otra parte, los empleados no comprenden el idioma del país: los curas, además, no tienen tendencia á que se propague el castellano para conservar incólume su influencia. Casi sólo saben español los indios que·han estado al servicio de europeos. El primer ejercicio de lectura es un libro devoto cualquiera, despúes la doctrina cristiana; el libro de lectura se llama *Casayayan*. Por término medio van á la escuela la mitad de los niños de siete á diez años; aprenden á leer medianamente y algunos un poco de escritura; pero lo olvidan pronto, escribiendo de corrido sólo los que entran de copiantes en algun comercio ú oficina: entre éstos los hay que tienen excelente letra. Algunos párrocos no toleran que los niños de ambos sexos se reunan en un mismo local, pagando á una maestra, que suele ganar un peso al mes. Los indios aprenden cuentas con mucha dificultad; tienen que ayudarse con piedras ó conchas, que ponen en montones y luégo cuentan.

Las mujeres se casan rara vez ántes de los catorce años; doce es el límite inferior legal. En los libros del registro eclesiástico de Polangui hallé unas nupcias (Enero de 1837) de un indio y de una india, que tenía el nombre singular de Hilaria Concepcion, y que al efectuarse el matrimonio contaba sólo, como se expresaba al márgen, nueve años y diez meses. Sucede que parejas no unidas en casamiento viven juntas por no poder pagar los gastos de la ceremonia nupcial. Muchachas que tienen hijos de relaciones ilegítimas con europeos lo consideran casi como un honor, y áun más cuando los hijos proceden del cura, el cual les acoge siempre, pero con nombres supuestos. En los casos de adulterio, que no dejan de ser frecuentes, la mujer culpable suele ser azotada, el seductor no sufre pena alguna y el asunto casi nunca pasa al juzgado. La generalidad de los hombres son libertinos. Una mujer obligó con astucia á la querida de su esposo á confesar sus relaciones, y en seguida le cortó la cabellera con unas tijeras que tenía ya dispuestas; éste es el único ejemplo de venganza que en los últimos años se habia presentado. Las europeas, y hasta las mestizas, no se entregan, segun aseveracion de sus maridos, nunca á indios. Las mujeres gozan, en general, de un buen trato; trabajan poco, cosen, tejen, bordan, cuidan de la casa; toda faena pesada, exceptuando pilar arroz, la hacen los hombres. Muchachas públicas alternan con las honradas, y algunas se casan; los padres ofrecen á veces sus hijas á los europeos pidiéndoles un préstamo, y las llevan á la casa como costureras.

Casos de gran longevidad son frecuentes, especialmente en Camarines. *El Diario de Manila* del 13 de Marzo de 1866 habla de un viejo de Daraga (Albay), á quien conocí personalmente: Juan Jacobo, nacido en 1744, casado en 1764, viudo en 1845, habiendo desempeñado diferentes cargos públicos hasta 1840, tenía trece hijos, de los cuales vivian cinco, y ciento setenta descendientes directos; á los ciento veintidos años estaba áun robusto, con buena vista y dentadura; ¡siete veces habia recibido la Extremauncion!

Los primeros excrementos de un recien nacido se guardan cuidadosamente, y con el nombre de *triaca* (*Theriacum*) se propinan como remedio universal y especialmente contra las mordeduras de víboras y de perros rabiosos; se pone un emplasto en la herida, quitándolo en seguida.

Gran número de niños muere en las dos primeras semanas siguientes á su nacimiento. Acerca de este particular faltan datos estadísticos; pero segun la opinion de uno de los mejores médicos de Manila, fallece, por lo ménos, una cuarta parte. La causa única parece ser la falta de aseo y la poca ventilacion, pues las puertas y ventanas de las habitaciones de los enfermos se tienen tan herméticamente cerradas, que el mal olor y el calor hacen enfermar á las personas sanas, no pudiendo restablecerse los pacientes. Ántes solia el hombre cerrar todas las aberturas de la casa cuando nacia un niño para impedir la entrada á *Patianac*, un mal genio que procura perder á las recien paridas y trabaja para dificultar los partos. La costumbre ha continuado en vigor, y muchos tienen áun la antigua supersticion sin atreverse á confesarlo; en donde ha desaparecido, cierran puertas y ventanas bajo el pretexto de evitar las perjudiciales corrientes de aire.

La sarna es una enfermedad muy frecuente, pero, segun la opinion del ya mencionado facultativo, no tan general como suponen los no médicos, que llaman así á erupciones cutáneas que nada de comun tienen con ella; los recien nacidos padecen muchas enfermedades de la piel por falta de cuidado y de aseo, y los indios más que los tagalos (75). Por circunstan-

---

(75) En el país se cree que la carne de los cerdos, que se alimentan como hemos dicho en

cias especiales que no me han acertado á explicar los médicos á quienes he
consultado, los niños no resisten el hambre ni la sed, como he presenciado
várias veces. Cuando no pueden satisfacer su necesidad de tomar alimento
ó bebida enferman gravemente, y á menudo mueren de resultas de ello.

El fenómeno patológico de la *imitacion*, llamado en Java *Sakit-latar*, es
tambien propio de Filipinas, donde se conoce con el nombre de *Mali-mali*.
Muchos creen en Java que la enfermedad es sólo una ficcion, porque los
atacados de ella suelen ganar enseñándose á los europeos nuevos en el país.
Observé, siu embargo, un caso en el que no podia suponerse engaño alguno; mis acompañantes aprovecharon la dolencia de una pobre vieja para
hacerle groseras bromas en medio de la calle. La infeliz imitaba todos
los movimientos como impelida por una fuerza irresistible, manifestan-
do al propio tiempo su viva contrariedad de que las gentes abusasen de
su estado.

En los viajes de D. R. Maak por el Amur (Путешествие на Амурѣ, pág. 88)
se dice: « No es muy raro que los Maniagros padezcan una enfermedad nerviosa
en extremo singular, la cual se conoce ya bien por las descripciones de muchos
viajeros (*). Esta dolencia se observa en la mayor parte de los pueblos salvajes
de Siberia, así como en los rusos establecidos allí. En el país de los Jakutas, en
donde este padecimiento es frecuente, las personas atacadas se llaman *emiuras*,
sean indígenas ó rusas; pero aquí (esto es, en la comarca habitada por los Maniagros) se les designa con el nombre de *Olon*, y por los cosacos arguricos se les
conoce con el de *Olgandshi*. Los ataques consisten en lo siguiente: el enfermo,
cuando siente terror ó sorpresa, imita repetidas veces todo lo que ve sin la menor señal de pudor. Si se hostiga á un hombre en tal momento se pone furioso,
prorumpe en gritos, y si tiene á mano un cuchillo ó un arma cualquiera se arroja sobre el que provoca su ira. Entre los Maniagros suelen ser las mujeres las
más perjudicadas de estos accesos, particularmente las que tienen mucha edad;
por lo demás, he conocido tambien hombres que la padecian. Es notable que esta
enfermedad no afecte las funciones regulares del organismo; los casos observados por mí conservaban todo su vigor normal, pudiéndose considerar buena su
salud.»

Quizá sea sólo un hecho casual que en los países malayos se presente el

---

la pág. 135, suele producir esta enfermedad; un fisiólogo amigo mio opina que la causa
puede ser más bien la alimentacion frecuente de carne muy grasa de cerdo; sin embargo,
los indios comen poca, y además el ganado de cerda filipino no suele estar muy gordo.

(*) Véase A. ERMAN, *Viajes alrededor del globo por el Norte de-Asia*, parte I, tomo III,
página 191. (*Reissum diê Erde durch Nordasien.*)

Sakit-latar y el *Amok*, si bien no en un mismo individuo, en los mismos pueblos á la vez. Los ejemplos de amok se encuentran tambien en Filipinas (*). En el *Diario de Manila* del dia 21 de Febrero de 1866 leo la noticia siguiente: «En Cavite penetró el 18 de Febrero un soldado del regimiento núm. 8 en la casa de un maestro de escuela, se disputó con él y le hirió; arrojándose á la calle atravesó con el arma á dos muchachas de diez á doce años, hirió á una mujer en el costado, á un niño de nueve años en el brazo, á un cochero mortalmente en el bajo vientre y además á una mujer, á un marinero y á tres soldados. Llegado á su cuartel le detuvo el centinela, al cual clavó su puñal en el pecho..... Desgraciadamente este caso se repite......, etc. »

Se considera como uno de los mayores insultos pisar á un indio dormido ó despertarle bruscamente. Cuando se tienen que llamar lo hacen con mucha precaucion y pausadamente (76).

El sentido del olfato está tan desarrollado en los indios, que oliendo un pañuelo conocen á quien pertenece. (*Estudios de viaje*, pág. 39, REISE-SKIZZE). Los enamorados cambian al despedirse pedazos de ropa usada que huelen durante la ausencia como recuerdo de la persona amada: al besarse huelen tambien (77).

(*) Segun SEMPER (página 69), en Zamboanga y Basilan. He presenciado uno terrible en Cottabato. (N. del Tr.)

(76) El temor de despertar al que duerme debe reconocer por causa la creencia que durante el sueño el alma abandona al cuerpo (muchos ejemplos de esto se encuentran en la obra de Bastian: *Viajes por Birmania*). Entre los Tinguianes (Norte de Luzon) la mayor maldicion es «¡ojalá mueras durmiendo!» (*Informe*, I, 14.)

(77) Lewin (*Chittagong Hill tracts*, 1869, pág. 46) refiere de los habitantes de aquellas montañas que su manera de besar es rara: en vez de juntar los labios, apoyan la boca y la nariz en la mejilla é inspiran con fuerza. En su idioma no se usa la expresion «dame un beso» sino la de «huéleme».

CAPÍTULO XV.

DESDE Naga fuí á visitar al cura de Libmanan (Ligmanan) dotado de talento poético y que tenía fama de naturalista. Coleccionaba y bautizaba hermosos coleópteros y moluscos, dedicando á los más bonitos lindos sonetos. Me refirió lo siguiente: «En 1851, al abrir un camino algo más abajo de Libmanan, en un sitio llamado *Poro*, distante del rio 100', se descubrió un depósito de moluscos enterrado bajo 4' de tierra vegetal. Le formaban *Cyrenas* (*C. suborbicularis Busch*) que es un género de bivalvos perteneciente á la familia de las *Cycladeas*, propia exclusivamente de los países cálidos y que en las marismas de Filipinas es en extremo frecuente. Allí mismo, y á una profundidad de 1 $^1/_2$ - 3 $^1/_2$', se encontraron numerosos restos de antiguos habitantes, como cráneos, esqueletos, huesos de hombres y de animales, un fémur de niño metido en una espiral de alambre de laton, varias defensas de venado, platos y vasijas bien hechos, en parte pintados, brazaletes rayados de una piedra roja, blanda, parecida al yeso, brillantes como si tuviesen barniz (*), pequeños cuchillos de cobre, pero ningun utensilio de hierro, várias piedras planas, anchas, agujereadas en el centro (78) y una cuña de madera hincada en un tronco hendido y pe-

____

(*) Quizá tierra de alfareros, que en China sirve para hacer adornos de poco precio, la frase *parecida al yeso* debe referirse sólo á su grado de dureza.

(78) En la coleccion Christy de Lóndres ví una de estas piedras, usada ingeniosamente en un objeto procedente de las Islas de los Navegantes, que servia para preservar las provisiones del ataque de ratas y ratones: se pasa un hilo por la piedra, se le ata al techo de la habitacion y en el otro extremo se cuélga lo que se quiere proteger. Un nudo en medio del cordon impide que se escurra, al tocarle se queda siempre en equilibrio y no es posible que las ratas trepen por él. Una disposicion parecida se usa en las islas de Viti; pero el utensilio es de madera, puede verse un dibujo que lo representa en el *Atlas de los viajes al Polo Sur* por Dumont d'Urville, I, pág. 95. (*Voyages au Pole sud.*)

trificada por la sílice. El sitio, que se reconoce por la excavacion hecha, promete aún otros descubrimientos, que se harán si se dirigen bien los trabajos. Los objetos ménos notables se destruyeron allí mismo, y los demás se proveyeron de etiquetas. Á pesar de mis desvelos, sólo pude obtener en Naga, gracias á la bondad del Sr. Fociños, una pequeña vasija. En la desembocadura del Bigajo, no léjos de Libmanan, parece que se han encontrado en análogos depósitos de conchas, restos semejantes de una antigua poblacion, así como tambien se halló en 1840 y junto á las bocas del Perlos, al O. del sitio de Poro, un ataud conteniendo un esqueleto humano. Al tiempo de escribir estas noticias, suministradas por el párroco, no nos eran conocidos los descubrimientos hechos hacía ya algunos años en las villas lacustres de Europa; si no, las hubiéramos completado más y quizá tambien hubieran salido ménos ingenuas.

Vasija de arcilla, ¹/₃ del tamaño natural.

Toda la vasija, ménos el pié, está recubierta de un barniz verde.

Mr. W. A. Franks, que ha tenido la bondad de examinar la vasija, se inclina á creer que es china, y la atribuye gran antigüedad, sin poder determinar su época (lo mismo opinó un sabio chino de la embajada Burlingame). Sólo se conoce otro ejemplar análogo traido del Japon por Kæmpfer y existente en el Museo Británico, de masa más compacta; pero cuyo color, vitriado y estrías (craquelés) corresponden exactamente á los del mio. Segun Kæmpfer, los japoneses hallaban estas vasijas en el mar y las tenian en mucho aprecio para guardar el té.

Morga (f. 135) dice: «En la isla de Luzon, especialmente en las provincias de Manila, Pampanga, Pangasinan é Ilocos, tienen los naturales unos cántaros de arcilla de color oscuro y aspecto bastante feo, algunos de mediano tamaño y otros ménores con dibujos y sellos. No saben su prócedencia ni su época, pues ahora no se llevan allí ni se fabrican en la isla; los japoneses los buscan y los estiman, pues han hallado que la raíz de una planta que llaman *Tscha* (té), y que bebida caliente es deleitosa y saludable—usándola los reyes y magnates de aquel país—sólo se conserva y guarda bien en estas tinajas, tan apreciadas en el Japon, que forman el principal adorno de las habitaciones. Tienen gran valor y las doran exteriormente con mucho arte y las meten en una funda de brocado; las hay que se pagan 2.000 taels de 11 rs..... Los indios las venden á los japoneses tan caras como pueden, y se dan pena para hallarlas por la ganancia que les proporcionan; ahora se encuentran pocas por el ahinco con que hace tiempo vienen buscándose.»

146

Cuando Carletti en 1597 pasó de Filipinas al Japon, fueron registradas todas las personas de bordo cuidadosamente por el gobernador, amenazándolas con pena de la vida si ocultaban ciertas vasijas que de Filipinas y otras islas de aquellos mares se solian introducir, pues el rey queria comprarlas todas..... «Estas vasijas valen 5, 6 y hasta 7.000 escudos una, siendo así que no se puede dar por ellas un giulio (cerca ¹/₂ paolo).» En 1615 encontró Carletti á un franciscano que iba del Japon á Roma en calidad de embajador, quien le aseguró haber visto él mismo al emperador pagar 130.000 escudos por una; sus compañeros respondieron de la veracidad del hecho. Carletti explica tambien así la razon de lo elevado del precio: «Que la hoja del *ciá* ó té que mejora de calidad con el tiempo, se conserva mejor en aquellas jarras que en todos los demás recipientes.» Los japoneses las reconocen en seguida por ciertos lemas y sellos grabados en ellas. Son muy antiguas y raras, y vienen sólo de Cambodia, Siam, Cochinchina Filipinas y otras islas próximas. Por su aspecto se tasarian en 3 ó 4 cuatrinis (un par de cuartos)... es completamente cierto que el rey y los príncipes del imperio poseen gran número de ellas, las estiman su más precioso tesoro, más que todas las alhajas, y se envanecen de tenerlas afanándose por sobrepujarse con vanidad en el número de semejantes tinajas (*).

Muchos viajeros, que han recorrido los países de los dayaks y de los malayos en Borneo, hablan tambien de vasijas que por causas supersticiosas se pagan enormemente dándose á veces miles de pesos por una.

Saint John (**) refiere que el Datu de Tamparuli (Borneo) dió arroz por valor de casi 700 £ en cambio de una tinaja, y que poseia otra de casi dos piés de altura, y de color aceitunado oscuro, de un valor fabuloso. El Datu llenaba las dos de agua, metia hierbas y flores y daba la infusion á todos los enfermos de su ranchería. La jarra más célebre en Borneo es la del Sultan de Brunei, que no sólo posee todas las virtudes de las demás, sino que hasta tiene la de hablar. Saint John no la vió, pues está siempre guardada en el Serrallo; el Sultan, persona digna de crédito, le contó formalmente que en la noche de la muerte de su primera mujer habia gemido lastimeramente y que repetia los lamentos en cuanto ocurria alguna nueva desgracia. Saint John se inclina á atribuir este fenómeno á una disposicion particular de la abertura que motiva á la entrada del aire sonidos como los de la famosa arpa de Eolo. Comunmente se la tiene envuelta en brocado de oro y sólo se descubre cuando se quiere consultarla, de esto proviene tal vez que únicamente hable en ocasiones solemnes. El mismo viajero añade que antiguamente hasta los visayas llevaban presentes al Sultan, y en cambio recibian un poco de agua de la jarra sagrada, con la que rociaban sus campos para asegurar una buena cosecha. Cuando se preguntaba al Sultan si daria su vasija por 20.000 £, respondia que todo el oro del mundo no le haria desprenderse de ella.

La descripcion de Morga no conviene á la jarra de Libmanan ni á la del Mu-

---

(*) *Carletti Viaggi*, II, 21.
(**) *Life in the Forests of the Far East*, I, 300.

seo británico; más bien se aviene á ella la que se conserva en el Museo Ethnográfico de Berlin, recibida hace poco tiempo del Japon, y que es de arcilla parda, de forma agradable, compuesta de muchos fragmentos, con las junturas doradas, formando una especie de red sobre el fondo oscuro. La alta estima que tienen aún hoy en el Japon, hasta las hechas allí mismo, lo indica la etiqueta escrita por un intérprete del Consulado, y que dice: «Esta vasija de arcilla se halló en el pueblo manufacturero de porcelana llamado Tschisuka, en la comarca Odori, en el Idsumi meridional, y es uno de los objetos de las cien sepulturas..... Lo hizo el célebre sacerdote de Budha Giogiboosat y despues de alabar al cielo lo enterró. Segun las tradiciones populares, se puso una piedra conmemorativa en esta colina de los sepulcros hace mil y tantos años..... Mis estudios me obligaron á pasar algunos años en el templo Sookuk de aquel pueblo, y hallé la vasija. La llevé al gran sacerdote Shakudjo, que se alegró mucho, y la guardó siempre como una joya. Al morir me la dejó, pero no pude encontrarla. Hace poco, al ser elevado Honkai á la dignidad de gran sacerdote, la volví á ver y me pareció que tenía delante la sombra del mismo Shokudjo. Grande fué mi admiracion, dí palmadas de alegría y siempre que le contemplo pienso que es una prueba de que el espíritu de Shokudjo anima á Honkai. Por esto he escrito la historia de esta joya y la he guardado cuidadosamente.—Fudj Kuz Dodjin.»

El baron Alejandro de Siebold me dió además las siguientes noticias: «El valor que los japoneses atribuyen á estas vasijas procede del papel que desempeñan en las misteriosas sociedades de té «Cha-no-yu». Acerca del orígen de estas corporaciones casi áun no conocidas por los europeos, hay diversas leyendas; el tiempo de su mayor prosperidad fué durante el reinado del emperador Taikosama, que en el año 1588 dió nuevos estatutos á la sociedad del «Cha-no-yu» en Kitano, cerca de Myako. Su objeto era moral y político. A consecuencia de las guerras religiosas y discordias civiles, el pueblo se habia hecho rudo y salvaje, perdiendo el amor á las ciencias y artes, apreciando sólo la fuerza bruta: el derecho del más fuerte dominaba sobre la justicia. El pensador Taikosama comprendió que debia suavizar las gentes y hacerlas adquirir hábitos de paz y de trabajo útil, para que su país prosperase, asegurando así su dominacion y la de sus sucesores. Por esto prestó nueva vida á la sociedad «Cha-no-yu» reuniendo en ella á los sabios y á las personas conocedoras de las tradiciones pátrias.

El fin del «Cha-no-yu» consiste en apartar á los hombres del influjo de los intereses mundanos y llamar á su interior la tranquilidad completa incitándoles á la vida contemplativa. Todas las prácticas de la sociedad van encaminadas al mismo objeto.

Vestidos con trajes holgados y limpios, sin armas, se reunen los miembros del «Cha-no-yu» junto á su señor, que despues de dejarles descansar un rato en la antesala, les conduce á un estrado dispuesto expresamente para estas sesiones. En él se ven las maderas más preciosas, pero carece de todo adorno que pudiera distraer la imaginacion; no hay colores ni barnices, las ventanas son pequeñas y están cubiertas de verdura, dejando apénas penetrar la luz, el techo es tan bajo que en la estancia no se puede permanecer de pié. Los huéspedes atraviesan el umbral con pasos solemnes y pausados, el señor les recibe con las fórmulas del ceremonial y se sientan luégo. á sus dos lados en semicírculo. Toda diferencia de categoría desaparece. Se sacan de sus fundas las preciosas vasijas con solemnes ceremonias, se las saluda. y admira con igual respeto, y segun fórmulas prescritas se calienta el agua en un hogar dispuesto al efecto, se saca el té de las jarras y se prepara en las tazas. El té consiste en las hojas verdes, reducidas á polvo, de un arbusto del mismo nombre, que tienen propiedades excitantes. Con el más profundo silencio se va saboreando la bebida, miéntras se quema incienso en la elevada ara de honor «toko». Despues de recoger el espíritu empieza la conversacion, que sólo puede versar sobre asuntos abstractos (la política no está, sin embargo, proscrita en absoluto de las conferencias). El precio de las vasijas usadas en estas reuniones es muy elevado y.no inferior al de nuestros mejores cuadros. Taikosama solia recompensar á sus generales dándoles éstos objetos en vez de concederles tierras como ántes se hacía. Despues de la última revolucion fueron premiados los principales Daimios (príncipes) por el Mikado, á quien ayudaron á recuperar el trono de sus antepasados, con estas vasijas del «Cha-noyu». Las mejores que he visto no tenian nada de bellas: eran antiguas jarras, estropeadas, negras ó pardo-oscuras, con cuello bastante ancho y grandes tazas de porcelana craquelé ó de loza, para beber la infusion; el recipiente del agua es profundo y ancho, y la vasija para cocerla es una especie de caldera de hierro con anillos, vieja y enmohecida; el aspecto de todo ello no puede ser más sencillo, pero la caja que lo contiene es de laca, con dorados, y va envuelta en riquísimas telas de preciosa seda. En los tesoros del Mikado y del Taikun y tambien en algunos templos, se conservan dichas vasijas entre las más altas preciosidades, con documentos explicando su procedencia.

**

Desde Libmanan visité la montaña Yamtik (Amtik Hantu) (78), de roca caliza y que tiene muchas cuevas. Rio arriba, seis horas al O. y una hora al S. S. O. á pié, está á la pequeña visita Bical, rodeada de montañas calizas de 1.000′, desde donde, siguiendo el cauce de un arroyo y por una escalera natural de roca, se sube á una pequeña cueva habitada por bandadas de murciélagos y grandes arañas de largas patas, entre ellas representantes del género *Phrynus*, con fama de venenosas (79).

------

(78) Segun el P. CAMEL (*Philos. transact. London*, vol. XXVI, pág. 246), *hantu* es la hormiga negra del tamaño de una avispa, *amtig* la pequeña negra y *hantic* la roja.

(79) Segun el DR. GERSTÆCKER, probablemente *Phrynus Grayi, Walck. Gerv.*, especie vivipara. Véase *Actas de la sociedad de naturalistas de Berlin* de 18 Marzo de 1862 (*Sitzungs-*

Un grueso tronco atravesado en medio del camino estaba carcomido, quedando sólo intervalos celulares; una pequeña hormiga habia hecho aquella obra de destruccion. Muchos indígenas no se atreven á ir á la cueva, y los más animosos penetran en ella temblando despues de procurar tener propicio á Calapnitan (80). Una de las principales precauciones que me aconsejaron fué dentro de la cueva no nombrar objeto alguno sin añadir «del señor Calapnitan», y así, no debia decir: «fusil, antorcha», sino «fusil del señor Calapnitan, antorcha del señor Calapnitan», etc.

A mil pasos hay otra cueva, la de San Vicente, que contiene los mismos insectos, pero una especie distinta de murciélagos. Las dos cuevas tienen poca extension; en Libmanan se me habló, sin embargo, de una muy grande con estalactitas, cuya descripcion, á pesar de todas las exageraciones poéticas, debia tener fundamento en la observacion de la misma. Los guías no supieron dar con ella. Despues de rodear durante dos dias y sostener muchas polémicas, se decidieron á ir, viendo que yo persistia en el propósito, y con gran asombro mio volvieron á llevarme á la cueva de Calapnitan, en la que hay una grieta que conduce á una de las cuevas estalactíticas más hermosas del mundo; la entrada se oculta tras una roca saliente. Su piso es en todas partes firme y cómodo, en general seco. Tiene muchas ramificaciones, cuya longitud total es probablemente de más de una milla, y justificaba la descripcion que se me hiciera de series de salones regios y catedrales con columnas, pórticos y altares. No se hallaron huesos ni restos de especie alguna. Mi proyecto de ir con trabajadores y emprender excavaciones no llegó á realizarse.

No logré subir á la cumbre de la montaña, en la que decian habia un lago, ó si no, añadian, ¿de dónde viene el agua? Dos dias intentamos por distintos lados penetrar en el espeso monte que se nos oponia al paso: el guía, que en Libmanan aseguró al cura conocer el camino, al llegar al sitio dijo lo contrario. Como castigo le hice cargar con parte de mi equipaje,

---

berichte dec Gesellschaft Naturfreunde) (*), y la lámina y descripcion en *G. H. Bronn Ord. Class.*, tomo v, pág. 184.

(80) *Calapnit*, en tagalo y vicol significa murciélago; *calapnitan* quiere decir, por consiguiente, «el señor de los murciélagos.»

(*) Rectifico aquí una errata de mi *Memoria sobre los montes de Filipinas*, motivada por la precipitacion con que la obra se imprimió. En el apéndice bibliográfico, pág. 273, al citarse este trabajo del Dr. Gerstaecker se dice que trata de los murciélagos ó paniques de Filipinas en vez de decir las arañas del género *Phrynus*, objeto de la monografía. (N. del Tr.)

pero á la primera revuelta del camino lo tiró y se escapó, de modo que tuvimos que volvernos. Los venados y jabalíes son muy frecuentes en estos montes. Su carne constituia la parte principal de nuestras comidas, en ellas', al principio de la expedicion tomaban parte más de treinta personas, las cualés pretendian hacerme creer que en sus intervalos se dedicaban con ardor y brillante éxito á recoger caracoles é insectos.

Al salir de Daraga me llevé á un chico listo que se sentia con *vocacion para naturalista*. En Libmanan desapareció, y al mismo tiempo tambien un manojo de llaves. Todas las investigaciones fueron inútiles. Se habia ido directamente á Naga y presentándose allí con las llaves como mayordomo mio, tomó un sombrero blanco y desapareció con él. Ya una vez le habia visto contonearse delante del espejo con el sombrero puesto. La tentacion fué superior á su virtud.

A principios de Marzo tuve el gusto de acompañar á Camarines Norte al administrador de la provincia y á un coronel, que por Daet y Mauban iban á la capital. Á las cinco de la tarde salimos de Butungan, junto al rio Bicol, dos leguas más abajo de Naga, en una falúa de doce remos, armada con dos piezas de seis libras y dos de á cuatro, acompañados de gente con fusiles; poco despues de las seis llegamos á Cabusao, en la desembocadura del Bicol, cuyo punto dejamos á las nueve, embarcándonos en el lago. La falúa era del resguardo y estaba destinada con otra igual á perseguir el contrabando y la piratería en la costa Norte de la provincia, que en aquella época del año eran frecuentes en la oculta rinconada de la bahía de San Miguel. Dos cañoneras semejantes hacian el servicio en la costa Sur.

Las márgenes del rio Bicol son bajas y llanas, extendiéndose en vastos arrozales; al Este se ven los hermosos volcanes Mayon, Iriga, Malinao é Isarog.

Sierra Bacacay vista desde la barra de Daet.

Al amanecer llegamos á la barra de Daet, y despues de una marcha de dos horas á la poblacion del mismo nombre, cabecera de Camarines Norte, donde hallamos excelente acogida en casa del Alcalde, que era un navarro muy instruido. Sólo el mono domesticado, en vez de mostrarse amable con los huéspedes, nos volvió irreverentemente las espaldas, y hubiera salido de la habitacion si el mayordomo no hubiese puesto en el umbral de la puerta un frasco lleno de alcohol conteniendo una pequeña é inofensiva culebra, á cuya vista el animal saltó con rapidez temblando y fué á ocultarse detras de su amo.

Por la noche hubo baile, pero faltaban danzantes; algunas indias muy emperifolladas estaban sentadas, y unas pocas, diciendo que les daba vergüenza, bailaban ellas con ellas en un extremo de la sala sin ser miradas por los españoles que se hallaban en el opuesto.

Despues de retardar nuestra marcha dos dias por las fiestas y los chubascos, llegamos en una hora de trote de los buenos caballos del Alcalde á Talisay, siguiendo en camino llano al N. O., y en otra hora á Indang, donde tenian dispuestos baño y almuerzo. Hasta entónces no habia visto cuarto del baño en casa de español alguno, comodidad que no falta jamas en la de un norte-europeo. Los españoles parece que consideran el baño como un remedio, que sólo con precauciones debe tomarse; quizá áun lo tienen por poco cristiano: es sabido que en los tiempos de la Inquisicion, bañarse con frecuencia era signo distintivo de moriscos, y por consiguiente la limpieza no estaba exenta de peligro. Sólo los habitantes de Manila son una excepcion, pues es costumbre en las familias que tienen casa junto al Pasig ó á alguno de los numerosos esteros, bañarse junto con sus amigos en casetas dispuestas al efecto.

En Indang termina el camino. Seguimos en dos barcas rio abajo hasta la barra, y haciendo los honores á una buena mesa espléndidamente preparada por el amable Alcalde, aguardamos los caballos que nuestros criados debian

India bailando la Bulaqueña.

traernos. En la triste barra se levanta un castillo contra los moros, que domina dos ó tres chozas de pescadores rodeadas de algunas casuarinas.

Por fortuna de la fortaleza, que consiste sólo en una choza, abierta y techada con hojas de palmera formando una especie de paraguas sobre postes de 15′ de altura y del grueso del brazo, los piratas llegan rara vez tan al Oeste. Los cañones que le servian de defensa se enterraron por precaucion temiendo que el enemigo se los llevára. Seguimos la orilla del rio, que es de arena caliza y que estaba cubierta con una alfombra de rastreras plantas de la costa llenas de flores. En el límite del monte, á la izquierda, se veian muchos arbustos floridos y pándanos con sus frutos rojo-escarlata. Una hora despues atravesamos el rio Longos y llegamos al poco rato á la estribacion de una cordillera de rocas cristalinas, que nos cerró el camino, y que se mete en el mar formando la punta Longos. Los caballos trepaban por ella con dificultad; al otro lado hallamos la marea tan alta que tuvimos que pasarla á caballo con agua hasta la rodilla. Despues de puesta de sol nos atrevimos uno á uno á salvar un mal paso sobre la ancha desembocadura del Pulundaga, perdiendo mucho tiempo en la operacion; de allí, y por agradable camino de monte, llegamos en 15′ al

desagüe del Paracali, salvando ótra estribacion oblicua llamada Malanguit. El largo puente se halla en tan mal estado que tuvimos que llevar los caballos con precaucion, á causa de sus anchas grietas; al otro lado se encuentra el pueblo de Paracali, desde donde mis compañeros continuaron su viaje á Manila por Mauban.

Paracali y Mambulao son dos pueblos conocidos de todos los mineralogistas por los plomos rojos que en ellos se encuentran. Á la mañana siguiente regresé á Longos. Este pueblo cuenta sólo algunas misèrables chozas, habitadas por lavadores de oro, que andan casi en cueros, tal vez por tener que trabajar en el agua la mayor parte del dia, ademas son muy pobres.

El suelo está formado por cascajo, fragmentos descompuestos de rocas cristalinas abundantes en pedazos de cuarzo. Los trabajores abren agujeros en la tierra de 2 $\frac{1}{2}$' de largo, 2 $\frac{1}{2}$ de ancho y hasta de 30 de profundidad. 3' debajo de la superficie suele empezar la roca á contener oro, la proporcion aumenta hasta los 18' y despues disminuye; estas cifras son, por lo demas, muy variables, y de aquí muchas tentativas infructuosas. El mineral se sube desde los agujeros dentro de cestos, por escalas de bambú, y el agua en pequeños çubos; cuando llueve no es posible tener los agujeros secos, pues como se hallan en la ladera, se llenan ántes de que puedan desaguarse; la falta de aparatos para su agotamiento es la causa de que en estos trabajos no se profundice más.

Las piedras auríferas se machacan entre otras dos mayores, de las cuales una sirve de yunque y la otra de martillo. Aquélla, plana y algo cóncava en el centro, se apoya en el suelo; ésta, de $4 \times 8 \times 6$ pulgadas, y que pesa unás 25 libras, está atada con bejuco al extremo de un mango de madera, que se apoya oblicuamente en una horquilla y que en la extremidad opuesta está fijo en el suelo. El trabajador golpea el mineral con el martillo de piedra y aprovecha la elasticidad de la madera para hacer subir el útil.

Tan primitiva como este sistema es la manera de pulverizar la piedra triturada. En medio de una base circular de cantos fraccionados, groseramente encerrada en un círculo de los mismos, se levanta una percha gruesa provista en su parte superior de una punta de hierro, á la cual se sujeta un palo encorvado en sus extremos, horizontal en el centro, que puede girar y mueven dos carabaos, moliendo las piedras trituradas, á las que se echa agua. Al efecto van unidas en círculo, con bejucos, algunos cantos pesados. (Los mineros de los placeres mejicanos usan el mismo aparato que llaman *rastra*.) El lavado se hace por mujeres, que se arrodillan junto á una canal de madera estrecha y llena de agua hasta los bordes; frente de cada una de las trabajadoras hay una tabla colocada oblicuamente con una inclinacion hácia abajo, que entra en una entalladura abierta

154

en la canal; de modo que un delgado hilo de agua pueda correr sin interrupcion por toda su anchura. Sobre esta tabla, provista en su borde inferior de un liston trasversal , la obrera reparte con la mano el limo aurífero; la arena más ligera es arrastrada por el agua, y resta sólo una capa oscura formada principalmente por piritas y polvo de oro, que se separa de tiempo en tiempo con una especie de pala, y al fin del trabajo se coloca en una batea de madera y despues se lava en media cáscara de coco, mostrándose entónces, cuando un buen éxito corona la operacion, un polvo tenue amarillo en los bordes del receptáculo (81). En el último lavado se añade el pegajoso jugo del *gogo*, pues así la arena fina y pesada queda mayor tiempo en emulsion, separándose más fácilmente del oro en polvo (82).

Debemos citar aún que el material procedente de las excavaciones se lava en la parte superior del canal, para que la arena retenida por las piedras , destinadas á la obtencion del metal, pueda depositar el polvo de oro en la canal ó en la tabla para el lavado. Á fin de reunir en una masa el polvo de oro lavado y fundirlo para venderlo despues al comercio, se pone en la concha de un pequeño molusco (*Cardium*) y se rodea de un puñado de carbones colocándolo en un cacharro. Una mujer sopla por una delgada caña de bambú los carbones encendidos; en un minuto termina la operacion (83). Segun diversas noticias, la ganancia de cada trabajador no excede de 1 ¹/₂ rl. pl. al dia. Marchando al S. E. en direccion de la montaña Malaguit, se ven los restos de una empresa española por acciones, que fracasó : consisten en un córte en el terreno, un pozo de 50', una gran casa en ruinas y una galería de 4' ancha por 6' alta. La roca es un gneis muy

---

(81) De várias muestras examinadas en la Academia de Minas de Freiberg (Sajonia), se sacó sólo un 0,014 de oro; en una prueba de la arena pesada que queda en la tabla del lavado, no se halló cantidad alguna del precioso metal.

(82) El *gogo* es una especie de la familia de las mimosas (*Entada purseta*) trepadoras, muy comun en Filipinas; tiene grandes legumbres, el tronco machacado se usa lo mismo que la corteza de jabon chilena (*Quillaja saponaria*) para el lavado ; se prefiere para ciertos objetos al jabon, por ejemplo, para limpiarse el cuerpo en el baño y para lavar el pelo.

(83) Una bolita de oro, obtenida de este modo, dió los resultados siguientes en el análisis que de ella se hizo en la Academia de Minas de Berlin :

Oro.	77,4
Plata.	19,0
Hierro.	0,5
Sílice.	3,0
Pérdidas.	0,1
	100,0

Era, por lo tanto, de 18 quilates.

avanzado en su descomposicion, con filones de cuarzo. En las galerías casi todo son arcillas y arenas con vetas cuarzosas.

En las paredes habia algunos nidos comestibles de salanganes; pero no de la misma especie que se encuentra en las cuevas de la costa Sur de Java (*). El valor de los de Camarines es mucho menor que el de aquéllos, y sólo los recogen los mercaderes chinos que pagan 5 cénts. por cada uno. Pudimos coger algunas aves (*Collocalia troglodytes*, *Gray*) de las que construyen estos nidos (84). Alrededor hay tan gran número de hoyos abiertos por los indios, más ó ménos recubiertos por la vegetacion, y debe andarse con cien ojos para no caer en uno de ellos. Algunas minas están aún en explotacion, asemejándose á las de Longos; pero con una pequeña mejora respecto de aquéllas. El tamaño es doble, el mineral se sube por medio de un torno, formado de bambúes y madera, que mueve con los piés un muchacho sentado en un alto banco.

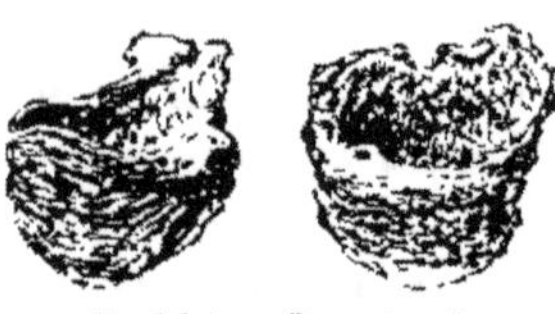

¹/₂ del tamaño natural.

Nidos de Collocalia troglodytes.

Diez minutos al N. del pueblo de Malaguit se halla una montaña, de la cual en épocas anteriores se ha extraido plomo brillante y rojo. La roca es gneis micáceo muy descompuesto. Hay una galería de unos 100'; segun parece era pobre en mineral.

En la cima de esta misma colina, N. 30° O del pueblo, se encontraron los célebres plomos rojos. La mina estaba ya derruida y llena de agua pluvial, y su único indicio era una excavacion en el terreno; despues de largo buscar entre los matorrales, descubrí algunos pequeños fragmentos en que se reconocia la presencia de mineral de plomo cromatado. El Capi-

---

(*) Véase Reiseskizzen, pág. 198.

(84) En la obra de Gray *Genera of birds* (Géneros de aves) hay dibujos de la especie y de sus nidos; éstos, sin embargo, no convienen con los hallados en aquel sitio, que son semiesféricos y formados en gran parte por fibras de la corteza de los cocos, probablemente preparadas por la mano del hombre; todo el interior lo recubre una sustancia comestible, que forma una red de hilos glutinosos, así como tambien el borde superior que es más abultado en los lados que en el centro y dilatado en dos apéndices á manera de alas, que se llegan á unir, y por medio de las cuales se sujeta á la pared. El dibujo es de un ¹/₂ del tamaño natural, el ejemplar se halla expuesto en el Museo Zoológico de Berlin con el número B 3.333. El Dr. de Martens opina que el nombre de Salangane proviene de la palabra *langayan*, golondrina, y la partícula malaya *sa* é indica la procedencia del nido. (*Revista de ornitologia*, Enero, 1866, pág. 19. — *Journal für Ornithologie.*)

tan Sabino, antiguo gobernadorcillo de Paracali, indio instruido, que me acompañó por indicacion del Alcalde, habia hecho excavaciones algunos años ántes para procurar muestras á un especulador que pensaba fundar en la Península una sociedad por acciones para explotarla. Las muestras presentadas no tuvieron acogida por la desconfianza existente en la plaza de Madrid respecto de las empresas mineras de Filipinas. Sensiblemente quedaba sólo para vender, ademas de algunas pequeñas drusas, una arena abigarrada fina; tamizándola se separaba el mineral útil.

En esta colina vegeta una hermosa palmera de hojas digitadas. Su tronco tiene una altura de 20 á 30′, es cilíndrico, de color pardo oscuro, con anillos blancos, anchos de ¼″, distantes entre sí 4″, y á intervalos igualmente separados, con fajas circulares de espinas negras de 2″; hácia la copa se colora de un espléndido pardo de siena calcinada.

Desde Paracali conduce un camino de herradura muy malo, pero pintoresco, por la costa y á través de un hermoso monte en tres horas y media á Mambulao, recorriendo la direccion de O. á N. Me apeé en el Tribunal y me acomodé en el sitio destinado á guardar las municiones, por ser el único que podia cerrarse. Para mayor seguridad, mandé colocar la pólvora en un rincon, tapándola con una piel de carabao, así se hizo; pero mi criado tenía encendida en la mano una vela de sebo y su ayudante una tea. Al visitar al cura indio me saludó afablemente una muchachilla, quise corresponder á su cortesía dándole la mano, pero me dijo: «tengo sarna». Esta enfermedad, muy extendida en Filipinas, parece que tiene aquí su centro; casi no ví una sola india sin ella (véase pág. 141).

Un cuarto de legua al NN. E. se encuentran los restos de otra empresa minera «El ancla de oro». Los pozos y las galerías están destruidos y cubiertos de vegetacion; de los edificios sólo quedan ruinas próximas á desplomarse. Algunos indios se ocupaban en separar á su manera algunos granos de oro. La roca se presenta tan descompuesta, que apénas se reconoce como gneis; algunos miles de pasos más allá es marcadamente cristalina.

Media legua N. á E. de Mambulao, hay la mina de plomo «Diniánan». Todas las obras están tambien arruinadas, enterradas bajo limo y cubiertas por el matorral. Despues de largo buscar hallé fragmentos con indicios de plomo rojo. La roca es hornblenda, y en un sitio hermosa pizarra hornbléndica cristalina grosera.

Legua y media al S. de Mambulao indica una cavidad plana del terreno en un espeso bosque, el sitio de la antigua mina de cobre, que debió tener 84' de profundidad. En muchos sitios de Luzon se encuentra minerales de cobre. Muestras de cobre obtuve procedentes de la ensenada de Luyang al Norte de la de Patag, en Caramúan.

Depósitos notables de mineral de cobre se presentan junto á Mancayan,
distrito de Lepanto, en la sierra central de Luzon, que separa Cagayan de Ilocos; empezaron á beneficiarse hácia mediados del año 50 por
una sociedad anónima de Manila. La empresa no parece hasta ahora haber
obtenido grandes resultados. En 1867 invirtió un crecido capital para montar hornos de fundicion y máquinas hidráulicas; las principales dificultades de la localidad consisten en la falta de comunicaciones para llevar el
cobre á los mercados (*).

En Lóndres, 1869, oí decir que la explotacion se habia abandonado;
pero segun noticias posteriores continúa, si bien aún los accionistas no
han percibido dividendos en la acepcion que esta palabra tiene en el centro de Europa. El balance de 1872 arroja pérdidas, ó como se dice en mejor sonantes palabras, da un *dividendo pasivo*.

Lo que hasta ahora no han logrado los europeos lo han conseguido los
salvajes igorrotes, habitantes de aquellas apartadas montañas, pues hace
ya siglos que benefician el mineral en una proporcion relativamente considerable, y esto es tanto más notable por hallarse casi sólo en estado de
pirita, cuyo beneficio supone en Europa procedimientos complicados.

En 300 picos anuales se calcula el
cobre en bruto ó labrado, puesto á la
venta por los igorrotes desde 1840
hasta 1855. La extension de los trabajos subterráneos y la gran cantidad de
escoria, indican que estos criaderos se
vienen explotando mucho tiempo há.

El adjunto grabado representa una
caldera de cobre hecha por aquellas
tribus salvajes, existente en el Museo
etnográfico de Berlin. Meyen, que la

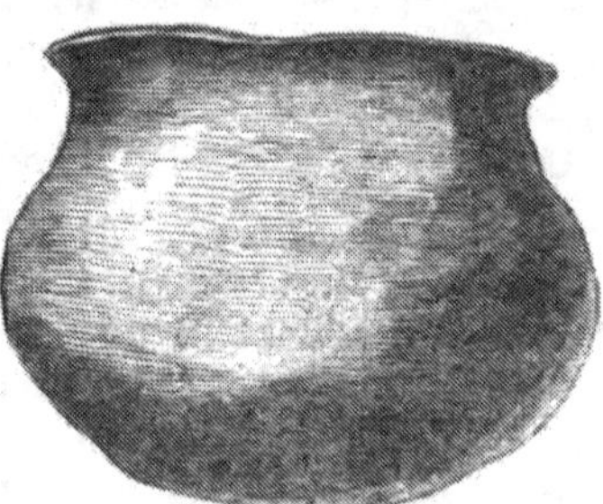

Marmita de cobre.
Altura 0^m,17, diámetro superior 0^m,19,
circunferencia mayor 0^m,71.

(*) Catálogo de los productos españoles de la Exposicion de Paris, 1862.

trajo, dice que está trabajada por los negritos del interior de la isla con martillos de pórfido, pues les falta el hierro. En la coleccion del Capitan General de Filipinas habia una gran caldera plana de 3 ¼' de diámetro, adquirida por el ínfimo precio de 3 pesos, lo cual indica que el cobre se encuentra abundante en el interior de Luzon, quizá puro; pues ¿cómo puede suponerse que aquellas tribus salvajes de negritos conozcan el arte de fundirlo? El sitio de las ricas minas era desconocido al gobernador de la provincia en 1833, cuando hacía dos siglos que el cobre llegaba á Manila. Ahora se sabe que los que trabajan el cobre no son negritos, sino igorrotes, y no se duda que poseen el arte de preparar el cobre y el más difícil de obtenerlo de piritas, desde mucho tiempo ántes de la llegada de los españoles al Archipiélago; probablemente deben su conocimiento á los chinos ó japoneses. El ingeniero jefe Sr. Santos (*), siguiendo la opinion de otros muchos, cree que aquellas tribus descienden de chinos ó japoneses, de los cuales no sólo proviene su fisonomía (diversos viajeros hablan de la oblicuidad de ojos en los igorrotes), sus ídolos y algunos usos, sino tambien su industria minera.

El hecho de haber llegado á tal altura un pueblo metido en el riñon de una sierra, aislado de los demas, ofrece tanto interes, que creo pertinente trascribir la relacion de sus procedimientos tomada del ingeniero Santos. (En lo esencial es sólo una repeticion de la reseña publicada anteriormente por Hernandez en la *Revista Minera*, I, 112.)

Los terrenos cobríferos adquiridos por la Sociedad minero-metalúrgica cántabro-filipina de Mancayan, estaban ántes divididos en parcelas de extension vária y distribuidas entre las rancherías de igorrotes, segun el número de habitantes; los límites se guardaban cuidadosamente. La pertenencia de cada ranchería se subdividia entre determinadas familias, y por esto presentan estos pueblos mineros el aspecto de activas colmenas. Para el beneficio del mineral se sirven del fuego, encendiéndolo en ciertos puntos, á fin de fraccionar aquél valiéndose de la fuerza expansiva que origina al vaporizarse el agua contenida en sus intersticios y ademas empleando instrumentos de hierro. La primera separacion de la mena se hacía en las mismas galerías, se dejaba la ganga en el suelo y lo levantaba tanto que las llamas del fuego encendido despues llegaban hasta la bóveda. A causa de la naturaleza de la roca y por lo imperfecto del procedimiento habia frecuentes hundimientos. La mena se clasificaba en rica y en cuarzosa: la primera se fundia sin

---

(*) Informe sobre las minas de cobre, Manila, 1862.

más operacion prévia, y la segunda se sometia á una tostion muy fuerte y duradera que motivaba la evaporacion de una parte del azufre, antimonio y arsénico, y despues se practicaba una especie de destilacion de las piritas de cobre y de hierro, que quedaban adheridas á la superficie del cuarzo y podian separarse en su mayor parte (85).

Los hornos de fundicion consistian en una cavidad en el suelo arcilloso de $0^m,30$ de diámetro por $0^m,15$ de profundidad. Una abertura cónica inclinada 30° respecto del hoyo y abierta en piedra refractaria á la accion del fuego, llevaba dos tubos de caña, á cuyas extremidades inferiores se adaptaban dos troncos de pino huecos; á lo largo de su cañon corrian dos discos cubiertos con hierbas secas ó con plumas para conducir el aire necesario á la fundicion.

Cuando los igorrotes beneficiaban cobre negro ó cobre nativo, evitaban las pérdidas por oxidacion introduciéndolo en un crisol de buena arcilla refractaria en forma de casco, que les facilitaba asimismo fundir el metal en los moldes hechos con la misma arcilla. Despues de disponer el horno lo cargaban con 18 á 20 kilógramos de mineral rico ó ya tostado, que segun los ensayos hechos por Hernandez contiene un 20 por 100 de cobre; tal procedimiento está conforme con las prescripciones científicas, pues el mineral queda así siempre junto á la boca de los tubos, ó sea bajo la directa accion del aire atmosférico; pero los carbones se pegaban á lo largo de las paredes del horno, formadas por piedras sin enlace, amontonadas unas sobre otras y del tamaño de $0^m,50$. Despues de encendido el fuego y cuando las corrientes de aire empezaban á actuar, se desprendian densas columnas de humos amarillos, blancos y anaranjados, procedentes de la evaporacion parcial experimentada por el azufre, el arsénico y el antimonio, que no cesaban hasta pasada una hora; cuando se formaba sólo ácido sulfuroso trasparente, el calor alcanzaba su grado máximo y entónces se retiraba el producto suspendiendo la fundicion. Este consistia en una escoria, ó mejor en los mismos fragmentos de mineral introducidos en el crisol, que á causa de la sílice contenida en la ganga se convertian por la descomposicion del sulfuro metálico en una masa porosa (no podian trasformarse en combinaciones escoriosas y en silicatos por falta de las bases y del grado de calor necesarios), y ademas tambien en una

---

(85) Segun los datos del Cátalogo, hay los minerales siguientes : cobre gris abigarrado, cobre gris arsenical, cobre vítreo, pirita de cobre, mata cobriza y cobre negro. Los más frecuentes tienen la composicion siguiente : A resultados de ejemplares analizados en la Escuela de Minas de Madrid. B id. de los análisis hechos por Santos de ejemplares tomados de distintas localidades:

	A.	B.
Acido silícico. . .	25,800	47,06
Azufre.	31,715	44,44
Cobre..	24,640	16,64
Antimonio. . . .	8,206	5,12
Arsénico.. . . .	7,539	4,65
Hierro.	1,837	1,84
Cal..	Indicios.	
Pérdidas.. . . .	0,263	0,25
	100,000	100,000

«piedra» impura de 4 á 5 kilóg. de peso con un 50 ó un 60 por 100 de cobre.

Se reunian algunas de estas «piedras» y se fundian á una alta temperatura, separando así de nuevo gran parte de los tres cuerpos volatilizables ya citados. En los mismos hornos colocábanse verticalmente las «piedras» ya sometidas ántes al calor, y se hacía de manera que estuviesen en contacto con el aire, y los carbones se disponian junto á las paredes del horno, resultando, despues de una ó sólo media hora de fundicion, como escoria un silicato de hierro con antimonio y algo de arsénico, ó sea una «piedra» con 70-75 por 100 de cobre, que partian en discos muy delgados («piedras de concentracion») utilizando las caras de enfriamiento. En el piso de la cavidad quedaba, despues de desazufrar más ó ménos la masa, una cantidad mayor ó menor de cobre negro (siempre impuro).

Las «piedras de concentracion» obtenidas por este segundo procedimiento, volvian á someterse á la accion del calor, separándolas con capas de madera á fin de que no se aglomeráran los productos de la fundicion ántes de ser purificados por el fuego.

El cobre negro resultante de la segunda carga y las «piedras» fundidas en esta operacion, se sometian juntos en el mismo horno á una tercera (colocando fragmentos para disminuir los intersticios y añadiendo un fundente). De ella resultaban una escoria de hierro silicatado y un cobre negro que se echaba en moldes de arcilla, vendiéndose despues en el comercio. Este cobre negro contenia de 92 á 94 por 100 de cobre, y lo impurificaba un carbonato del mismo metal reconocible por su color amarillo. El óxido, formado siempre en la superficie á causa del enfriamiento lento, lo que no podia evitarse á pesar de todas las precauciones adoptadas al efecto, por ejemplo la de sacudir (con ramas verdes) la superficie expuesta á la oxidacion. Cuando el cobre tenía que emplearse para fabricar calderos, pipas y distintos objetos de uso doméstico ó de adorno, que hacian los igorrotes con grande habilidad y admirable paciencia, se sometia á un procedimiento consistente en disminuir la cantidad de carbon y aumentar la corriente de aire á medida que la fundicion tocaba á su término, lo cual motivaba la desaparicion de los carbonatos por oxidacion. El ingeniero Sr. Santos halló en repetidos ensayos, que hasta del mineral de 20 por 100, contenido medio, sólo se obtenia de 8 á 10 por 100 de cobre negro al fin de la tercera operacion; de modo que en las escorias ó cuarzos porosos de la primera quedaba de un 8 á un 12 por 100 (*).

.*.

Era difícil proporcionarse los medios de trasporte necesarios para la conduccion de mi equipaje y hacer el viaje de vuelta á Paracali, pues los caminosse hallaban en tan mal estado á causa de las lluvias, que nadie que ria alquilar ganado. En Mambulao se nota ya el influjo de las provincias

---

(*) No habiendo podido ver la Memoria original á que se refiere el autor, me he tenido que limitar á traducir este pasaje sin cotejarlo con ella. (*N. del T.*)

del Oeste : las gentes comprenden casi mejor el tagalo que el bicol, y en las caras ménos feas de las mujeres se conoce la sangre tagala mezclada por los indios, que vienen á comerciar desde Lucban y Mauban. Compran oro y venden telas y otros artículos. El oro generalmente es- de 15-16 quilates; por la raya se distingue su calidad. Los compradores suelen pagar la onza á 11 pesos, pero cuando la cantidad ofrecida á la venta no llega á una onza, sólo á 10 (86); lo pesan con pequeñas romanas y no tienen fama de ser muy íntegros en las transacciones.

La poblacion de Camarines Norte es escasa; en los distritos mineros ha disminuido desde la caida de las muchas empresas llamadas por la farsa á una vida artificial. Los lavadores de oro son, por lo comun, de malas costumbres y están plagados de deudas; nunca desconfian de hacer algun buen hallazgo, siempre muy raro, y cuyo producto se disipa tan luégo como se obtiene; por esto se hallan botellas de Champagne y otros artículos de lujo en las tiendas de pueblos miserables.

Malaguit y Matango están unidos por un camino que se dice ser bastante bueno en tiempo de secas; pero cuando lo pasé era un charco contínuo, en el que se hundian las caballerías hasta las cinchas.

En Labo, pueblecito en la orilla derecha del rio del mismo nombre, que baja de la montaña llamada tambien así, se repiten las manifestaciones ya descritas : restos próximos á desaparecer de las arruinadas empresas

Montañas Bacanay desde el Tribunal de Labo.

mineras, y entre ellos pozos abiertos por los indios. Aquí no se ha encontrado plomo rojo, pero sí oro, y especialmente *platino*, que al ver unas muestras conocí ser solo plomo brillante. La montaña de Labo parece

---

(86) Segun los precios corrientes en Alemania, el valor sería de unos 12 pesos, el representado por el ejemplar analisado (nota 83) es de 14 1/4 pesos onza.

componerse, á juzgar por su forma acampanada y por los cantos del cáuce del rio, de traquita hornbléndica. Media legua al O. S. O., pasando por un barrizal de un pié de profundidad, llegamos á la montaña Dallas, de la cual ántes sacó una sociedad minera plomo brillante y oro, y hoy los pocos indios que viven en ella obtienen oro por el método ya descrito.

Ni en esta comarca ni en Manila pude averiguar detalles acerca de la historia de las empresas mineras fallidas. Lo que parece positivo es que las crearon especuladores y nunca se beneficiaron con buenos elementos facultativos, cayendo tan luégo como hubieron colocado las acciones sus fundadores.

Exceptuando la escasa cantidad de oro obtenida por los indios de un modo tan poco productivo, no se extrae hoy ningun metal de Camarines Norte. Al principio, el Fisco Real percibia $^1/_5$ del oro, despues se rebajó á un $^1/_{10}$, y finalmente, quedó abolido este derecho.

En la época de Morga, el $^1/_{10}$ ascendia próximamente á 10.000 pesos (pues habia muchas ocultaciones); lo obtenido importaba, pues, más de 100.000 pesos. Gemelli Carreri (página 443) averiguó del gobernador de Manila que el valor del oro recogido sin auxilio del fuego ni del mercurio alcanzaba al año la cantidad de 200.000 pesos, y que Paracali era especialmente rico en este metal.

Me faltan los datos necesarios para apreciar la importancia de lo que hoy se beneficia. Las respuestas dadas á mis preguntas no merecen citarse. Ciertamente son muy pequeños los productos, tanto por lo imperfecto del sistema como por la inconstancia del operario indio, que sólo trabaja obligado por la necesidad.

En una canoa regresé, bajando el rio, á Indang, un pueblo relativamente rico, de pocos habitantes, pero más comercial que Daet: la exportacion consiste allí principalmente en abacá, y la importacion en arroz.

Segun las noticias suministradas por un pescador que llevaba muchos años en esta costa, reinan los mismos vientos desde Daet al Cabo Engaño, que es la punta N. E. de Luzon. Desde Octubre á Marzo sopla el N. E., que es aquí la monzon lluviosa, empezando con nortes de poca duracion: en Enero y Febrero vienen los vientos del Este y terminan la monzon; las lluvias más fuertes caen de Octubre á Enero, y á veces hay algun baguío en Octubre. Empiezan con N. ó N. E., siguen con N. O., que es su máximo de fuerza, despues rolan á N. y E., á veces hasta al S. E. y áun llegan á soplar del S. Por Marzo, Abril y algunos años hasta á principios de Mayo, vienen vientos variables, precursores de la monzon del S. O., que es el tiempo de secas interrumpido por chubascos. De Junio á Noviembre hay tempestades, siendo Agosto el mes en que se presentan con mayor frecuencia. En la monzon S. O. la mar es bella; en medio de la opuesta cesa toda navegacion en la contracosta. El arroz se siembra en la comarca de Baler durante el mes de Octubre, y se siega en Marzo ó Abril. No se cultiva el de secano ó de monte.

CAPÍTULO XVI.

DESDE Daet mandé mi equipaje en un schoner á Cabusao y emprendí el
camino á pié por la costa de la bahía de San Miguel. Pasamos en una
lancha la desembocadura, los caballos siguieron á nado; pero pronto nos
vimos precisados á dejarlos atras por inútiles. En las próximas bocas del
rio Sacavin el agua estaba á un nivel tan alto que los mozos de carga tuvieron que desñudarse y llevar los bultos sobre la cabeza; usando sólo una
chaquetilla y unos pantalones de algodon me pareció superfluo este cuidado, pues, segun mis experiencias, se soporta mejor una temperatura
elevada é igual con ropa húmeda, y se ahorran rodeos por temor de mojar-
se. Despues de pasar ócho pequeños rios tuvimos que apartarnos de la
orilla y seguir una resbaladiza senda en medio del monte que conduce á
Colasi, situado en el centro de la costa occidental de la bahía. La orilla es muy hermosa; en vez de un monótono manglar, siempre pestilente
en marea baja, como suele haber en todas aquellas costas, llegan allí las
olas hasta los troncos seculares de los árboles del monte. Lo más notable
de aquel sitio es una faja de barringtonias con orquídeas y otras plantas
epifitas, magníficas cuando están en flor, y que cuelgan de las ramas
como borlas: las flores de las barringtonias tienen grupos de estambres
rojos con anteras amarillas de cinco pulgadas de largo; sus frutos, grandes como el puño, son de doble utilidad á los pescadores, que por su ligereza los emplean como flotadores de las redes y por sus propiedades venenosas para coger los peces. Los primeros árboles estaban inclinados hácia el mar, y debe hacer tiempo los habrá arrastrado, como otros muchos
cuyos troncos se ven áun sobresalir en el agua. La destruccion de esta
costa parece muy considerable. Entre las palmas trepadoras abundaba una

especie extraña cuyos troncos, del grueso del brazo, están desprovistos de hojas, extendiéndose por el suelo ó cruzando colgantes de rama en rama; el tronco sólo tiene un penacho de hojas en su extremidad. Otra especie, del porte del Calamus comun, es de hojas parecidas á las de la Caryota. Los jabalíes abundan en éste, un cazador nos ofreció dos á real cada uno.

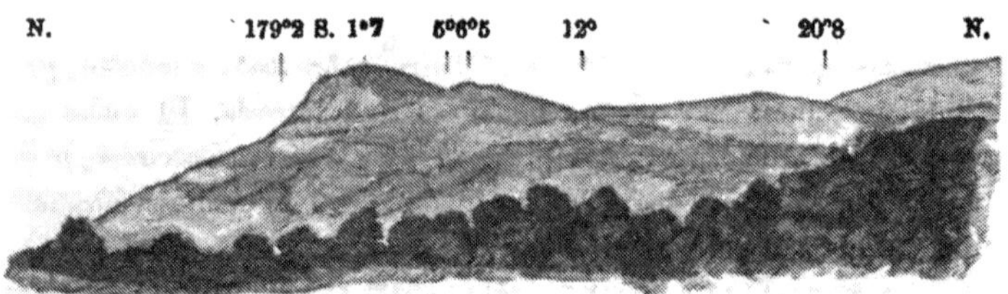

El pico Colasi visto desde la Visita Colasi.

La direccion de la costa llana, que desde la punta de Daet es de N. N. O. á S. S. O., se dobla aquí hácia el E. por el pequeño pico de Colasi, que aumenta de altura con tanta rapidez que todos los ancianos dicen haberlo visto más bajo. En la visita Colasi, situada en la ladera septentrional de la montaña, es tan bravo el mar que ningun bote puede resistir su oleaje. Los habitantes se dedican á la pesca, pero resguardan sus barcos bajo las laderas Sur de la montaña, en la abrigada bahía de Lalanigan, á la cual llegamos despues de tres horas de marcha pasando el puerto.

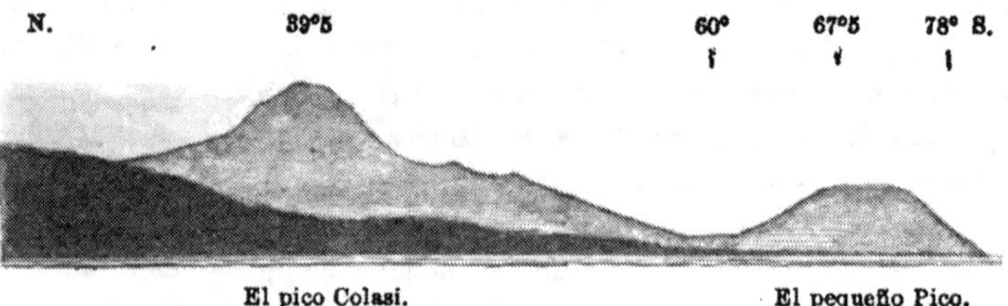

El pico Colasi.　　　　　　El pequeño Pico.
Desde la Visita Lalanigan.

El patron de un baroto de cuatro remos que alquilamos, pretendia conducirnos, por ser favorable el tiempo, en dos horas á Cabusao, el puerto de Naga; pero el viento roló, empezó la tempestad, y mojados nos refugiamos en Barceloneta, que es una visita situada á la tercera parte del camino. El Teniente de Colasi, que hallamos allí, hombre de buen criterio, confirmó el rápido aumento en altura del pequeño pico.

Se me presentaron grandes dificultades para realizar el proyecto de una ascension á la montaña; apuradamente podia llevarla á cabo en la semana próxima, porque todos estaban ocupados en los preparativos de las fiestas de Pascua. Como esta razon, que me alegaban los indios, no me convenciera, á la mañana siguiente surgió un obstáculo más grave. Los zapatos del país pueden usarse para ir por el barro, sobre todo á caballo, pero subiendo una montaña á pié no aguantan una jornada. El único par restante de calzado europeo fuerte, reservado para casos especiales, lo tenía mi criado, poco aficionado á subir montañas, y lo ocultaba alegando que temia fuese muy pesado para mí.

La costa entre Barceloneta y Colasi muestra el mismo carácter que la de Daet á Colasi. Su direccion es de N. á S. El suelo es arcilloso-silíceo y está cubierto de una capa gruesa de fragmentos de conchas. El camino se hacía muy fatigoso, pues la marea creciente nos obligaba á trepar por el matorral y por las ramas bajas de los árboles. Encontramos á una familia emprendedora que en la travesía de Daet á Naga, para llevar cocos habia naufragado (87). Sólo les quedaba una de las cinco tinajas de aceite que llevaban; en cambio pudieron salvar todos los cocos. Vivian en una choza, construida de improviso, y comian cocos, arroz, pescado y mariscos, en la perspectiva de tiempo favorable para la vuelta. Hay gran variedad de aves costaneras, pero mi escopeta no disparaba, á pesar de que mi criado aseguró haberla limpiado con esmero para que pudiese cazar; habiéndose perdido la baqueta al limpiarla no logré quitar la carga hasta Cabusao, y entónces vi que los dos cañones estaban llenos de arena en la parte inferior hasta más allá del oido.

La costa se hizo aún más hermosa que el dia anterior, principalmente en un sitio donde las olas rompian contra un bosque de palmeras de hojas digitadas (*Corypha sp.*). Los árboles próximos al mar habian perdido sus copas, estaban dispuestos en filas ó en grupos, y muchos yacian derribados como las columnas de un suntuoso templo en ruinas (algunos troncos

---

(87) En Daet se pagaban entónces un cuarto seis cocos; en Naga, distante sólo 15 leguas esperaban aquellas gentes venderlos dos por nueve cuartos, ó sea veintisiete veces su valor de compra; un coco costaba cuando estuve en Naga dos cuartos, doce veces más que en Daet.

tenian tres piés de diámetro). Esta vista recordaba Pompeya. No lograba explicarme la causa de la desnudez de estas palmeras, hasta que llegué á descubrir una choza en la cual dos hombres se afanaban por ayudar la destructora obra de las olas, ocupándose en obtener azúcar (*tunguleh*) para cuyo objeto quitan las hojas y cortan la parte superior del tronco con la yema floral; el córte se da con la inclinacion de unos 5° al horizonte y en su borde inferior se profundiza una ranura muy plana. La sávia fluye por toda la seccion, exceptuando los peciolos cortados de las hojas exteriores,

Cocal devastado.

se reune en la ranura plana y se recoge en un trozo de hoja de plátano de dos pulgadas de ancho por cuatro de largo, de la que pasa á una caña colgada en el tronco. Para resguardar la sávia contra la lluvia, se cubre cada árbol con una especie de caperuza hecha con una palma arrollada en cucurucho. La sávia tiene un sabor débilmente aromático y agradable que recuerda el del caramelo. Un árbol da al dia, por término medio, cuatro cañas llenas de tuba, cuyas dimensiones suelen ser: 3 ½ pulgadas de diámetro interior y 18 de largo, ó sea un producto medio de más de 10 cuartillos. El de cada árbol es muy desigual, va disminuyendo gradualmente y cesa á los dos, á ló más á los tres meses, por completo y para siempre (88); pero la proporcion entre los recien cortados y los viejos permanece constante, y por ló tanto tambien la produccion media total. La sávia de 37 palmeras da en cada recoleccion, despues de evaporada en una sarten de hierro, una ganta de azúcar, ó sean cuatro diarias, que suman $28 = 2\,^1/_2$ tinajas por semana. En el sitio mismo se paga la tinaja á $2\,^1/_2$ pesos. Estos datos, facilitados por los beneficiadores, quizá resulten algo desfavorables comparados con los verdaderamente obtenidos; pero segun la opinion de un mestizo inteligente no puede ser grande la diferencia. Dando fe á las cifras consignadas, cada uno de aquellos soberbios árboles viene á rendir $1\,^3/_4$ pesos, y descontando el jornal del trabajador (1 rl. pl. diario) 1 peso 2 rs., lo cual verdaderamente no es mucho; pero puede servir de consuelo la certeza de que sin la intervencion del hombre, el mar los hubiera tambien tragado pronto; ademas, sin destruirlos causa anormal alguna, se secan una vez maduro el fruto.

Cabusao está en el ángulo Sur de la bahía de San Miguel, que casi rodeada de altas montañas ofrece á las embarcaciones seguro abrigo. Desde aquí marché por Naga á la costa meridional. Á cuatro leguas de Naga, en el seno de Ragay, costa Sur de Luzon, se encuentra el pequeño, pero profundo, puerto de Pasacao. En una travesía de dos horas se llega á la visita Pamplona, desde donde se sigue el camino por tierra. Los restos de la antigua carretera se hallan en un pésimo estado, siendo casi intransitables áun en la época de secas; los puentes sobre los innumerables barrancos se habian hundido; en muchos sitios veíanse grandes piedras y troncos de árboles atravesados, acarreados allí años ántes para componer los puentes.

Un francés tenía su hacienda en Quitang, entre Pamplona y Pasacao, en la union de dos riachuelos. Estaba contento y lleno de esperanzas, alabando la aplicacion y buena voluntad de su gente. En general parece que los extranjeros se entienden mejor con los indios que los españoles, sin duda por ser ménos exigentes. Entre éstos los hay de la clase ínfima de la

---

(88) Las palmeras de inflorescencia lateral pueden sangrarse una larga serie de años dejándoles algunos frutos.

sociedad, muy inclinados á abusar, y que se quejan si les faltan brazos para su empresa, cuando pagan los jornales á precios que no corresponden al alza de los de todos los artículos. Si se les atendiera, se debería obligar gubernativamente al indígena á trabajar para ellos (89).

Es cierto que la independencia del indio filipino es mayor que la del obrero europeo, porque tiene ménos necesidades; ademas, pudiendo ser fácilmente propietario, no se ve obligado á ganar su subsistencia trabajando para otro; sin embargo, es cuestionable si respecto á precio de jornales hay colonia alguna más ventajosa para el hacendero que Filipinas. En la India holandesa, donde el monopolio del Gobierno casi ahoga la iniciativa particular, se paga al trabajador libre un jornal $\frac{1}{3}$ de florin, algo más de 1 rl. pl., que es el acostumbrado en las provincias más ricas de Filipinas (en las pobres no pasa de la mitad) y los javaneses no igualan á los filipinos en fuerza, ni en inteligencia y habilidad. Lo elevado de los jornales en los países esclavistas es circunstancia bien sabida. En Mauricio y Ceylan, para los cultivos del azúcar y del café, se necesita llevar trabajadores de otros países con grandes gastos y se les tiene que pagar mucho, y sin embargo de esto la produccion es grande.

Desde Quitang á Pasacao el camino empeora aún, no obstante de ser la via de comunicacion más importante de la provincia. Ántes de llegar á Pasacao se ven en los calveros de las laderas calizas evidentes señales de que el mar hubo un tiempo que las azotó. Pasacao disfruta de una situacion pintoresca en el extremo del valle del Itulán, que se extiende desde Pamplona hasta el mar entre montañas calizas emboscadas. Las mareas son muy irregulares. Desde mediodia á la noche no las hay, y cuando la baja se hace sensible empieza ya la creciente. Inmediatamente al Sur del pueblo se levanta un muro, lamido por el mar, de 2.000' de altura por 1.000' de ancho, que dos años antes se desplomó. La roca consiste en una brecha caliza, dura, llena de restos de moluscos y de corales; sin zapatos no pude permanecer mucho tiempo en las puntiagudas breñas y tuve que renunciar á una investigacion detenida de estos terrenos.

---

(89) N. Loney asegura en uno de sus excelentes informes, que pagando proporcionalmente bien nunca faltan braceros. Como ejemplo cita la descarga de los buques en el puerto de Ilo-ilo, en la cual un precio de 1 — 1 $\frac{1}{4}$ rl. pl. atraia más gente de la que se necesitaba. El cónsul belga informa tambien que en las provincias productoras de abacá todos los hombres se dedican á este cultivo desde que se elevó algo el jornal.

Por la misma razon desistí de subir al Yamṭik, como habia hecho ya en Libmanan. En lugar de esta excursion fuí en una barca con el amable hacendero frances, á lo largo de la costa N. O. Nuestra embarcacion flotaba sobre jardines de corales, llenos de peces preciosamente coloreados. Despues de dos horas llegamos á una gruta caliza llamada «Suminabang» tan baja, que sólo á gatas puede estarse en ella. Habia en su interior algunas golondrinas y murciélagos. Junto al rio Calebayan, al otro lado de la punta Tanáun, y en una barraca aislada fijamos nuestro cuartel de noche. Las calizas de la costa se ven interrumpidas á la izquierda del riachuelo por un peñasco de roca cristalina hornbléndica, rodeada por aquellas excepto en la parte que da al mar.

En las montañas cercanas deben abundar extraordinariamente los jabalíes; debajo de la techumbre de paja de nuestra choza, refugio de los cazadores, habia más de 150 mandíbulas inferiores como trofeo de caza. El sitio en que nos hallábamos parecia muy á propósito para la cria de ganados: ondulaciones suaves cubiertas de pastos, salpicadas de grupos de árboles, que atravesadas por arroyos van elevándose desde la orilla del mar circuidas por un anfiteatro de montañas. Las reses tendrian allí hierba, agua, sombra y el resguardo de un escarpado muro que limita semicircularmente la comarca. Navegando á lo largo de la costa habíamos observado una série de localidades semejantes, que no se aprovechan absolutamente por falta de espíritu emprendedor y por recelos á las correrías de los piratas. En cuanto hubimos preparado la cena, apagamos el fuego para que los espumadores del mar no fuesen atraidos por su resplandor.

Á la mañana siguiente nos propusimos ir á una cueva nunca visitada; pero con gran admiracion, en vez de una propiamente tal hallamos únicamente una entrada de pocos piés de profundidad, que de léjos debia atraer la atencion de los cazadores, quienes, segun nos dijo nuestro guía, no se atrevian á llegar allí, por un supersticioso temor.

Como se ha dicho repetidas veces, la costa septentrional de Camarines apénas es navegable durante la monzon N. E., al paso que la meridional lo es en todo tiempo, por el abrigo que le prestan las islas situadas enfrente de ella. La comarca más fértil de las provincias orientales no puede comunicarse en invierno durante meses enteros con la capital, por la falta de un camino á traves del pequeño istmo que las separa de la costa Sur. Cuanto ha hecho la naturaleza para facilitar las comunicaciones y cuán poco la mano del hombre se ve claramente al considerar el estado, que acabamos de describir, del camino de Pasacao, teniendo en cuenta las circunstancias de la parte oriental; una inspeccion de la carta lo pondrá más en evidencia.

Dos rios, procedente uno del N. O. y el otro del S. E., ambos navegables, ántes de llegar al límite de la provincia corren atravesándola en la misma direccion que las costas, abstraccion hecha de sus sinuosidades, y desaguan, despues de unirse, por el estuario de Cabusao, en la bahía de San Miguel. Toda la provincia queda así cortada en su línea media por dos rios navegables, que para el tráfico equivalen á uno sólo. Su confluencia, en el sitio más estrecho de la provincia, dista únicamente tres leguas de la costa Sur.

El puerto de Cabusao, en el fondo de la bahía de San Miguel, no es accesible en la monzon del N. E. y tiene el notable inconveniente de obligar para el tráfico con Manila al gran rodeo de toda la costa oriental de Luzon. En la costa Sur está, al contrario, el de Pasacao, en el cual.desagua un rio que es navegable más de una milla; de modo que la distancia entre esta via fluvial y el punto más próximo del rio Bicol, poco excede de una milla. El camino de enlace entre ambos mares, construido en 1847 por un activo Alcalde y conservado hasta 1852, se hallaba en tan mal estado cuando lo pasé, que los portes de un pico de abacá en la época de secas ascendian á 2 rs. pl., y en la de lluvias ni por doble cantidad se ofrecia nadie á trasportarlo (90).

Podrian citarse varios ejemplos análogos : en 1861 informó el vice-cónsul inglés, que en Iloilo al pico de azúcar se carga un sobreprecio de 2 rs. pl. (tanto como el flete de aquel punto á Manila) por el mal estado del camino entre dos pueblos que distan sólo una legua.

Si el Archipiélago no tuviera innumerables rios navegables, muchos en su region baja, la mayor parte de sus productos no podrian extraerse. Los indios no desean caminos, que tienen que abrir por el trabajo obligatorio gratuito, y que una vez terminados se ven precisados á sostener con la prestacion personal; tampoco los piden las autoridades locales, pues cuanto ménos comunicaciones hay más fácil es emplear el dinero de las

____

(90) Un canal no terminado aún debe poner en comunicacion los rios Bicol y Pasacao; segun se cree, está enterrado desde época anterior á la llegada de los chinos, cuyos buques lo frecuentaban. (*Arenas*, pág. 140.)

fallas para objetos particulares. Los curas son igualmente poco amigos de ellos, recelando que á medida que penetren en las provincias el comercio, el bienestar y la ilustracion, vaya disminuyendo su poder. Hasta el mismo Gobierno favoreció, hasta poco hace, tales tendencias, constituyendo los malos caminos casi un principio de la antigua política colonial española siempre atenta á aislar las provincias de sus vastas posesiones ultramarinas para impedir un desarrollo del espíritu local y dominarlas mejor desde la apartada metrópoli.

En la Península no está tampoco mucho mejor; hay tanta falta de caminos, que, por ejemplo, las mercancías para ir de Santander á Barcelona costean todo el litoral y no siguen el camino directo que en parte recorre ya la locomotora (*). En Extremadura se da trigo al ganado de cerda (que en vida se puede trasportar aunque falten caminos) al mismo tiempo que se importan granos en los puertos. La causa de estos hechos depende ménos del deplorable estado de la arruinada Hacienda pública, que de la máxima gubernativa de tener aisladas las provincias.

(*) *La situation économique de l'Espagne.* Delmarre, pág. 7.

Volcan Isarog desde el OSO.,
visto de Goa.

CAPÍTULO XVII.

El Isarog y sus habitantes.

En el centro de Camarines se levanta el Isarog (se pronuncia Isaró) entre las bahías de San Miguel y de Lagonoy. Miéntras que su ladera oriental llega casi hasta el mar, está separado de la bahía de San Miguel al Oeste por una ancha faja de terrenos de aluvion. Su circuito es por lo ménos de 12 leguas, y su altura sobre el nivel del mar de 1.966ᵐ (91). Muy llano en su base aumenta hasta los 16.° paulatinamente hasta llegar más arriba á una pendiente de 21°, terminando, visto del Oeste, en un mamelon aplanado y cupuliforme. Desde el lado opuesto aparece como una sierra anular cortada por un gran barranco. En el mapa de Coello se figura erróneamente la direccion de este barranco de N. á S., cuando la verdadera es de O. á E. Enfrente mismo de su abertura y á media legua al S. de Goa, está el insignificante pueblecito Rungus, cuyo nombre toma aquél. Un monte impenetrable cubre las vertientes y los restos del gran cráter, sin que quede vestigio alguno de sus antiguas erupciones.

En la parte alta de las laderas vive una raza poco numerosa, que, aislada completamente de los habitantes del llano, ha conservado la independencia y costumbres de tiempos anteriores. Quizá se les han unido algunos cimarrones ó remontados (V. cap. XIII), pero no se recuerda ningun caso concreto de ello. Los habitantes del Isarog reciben impropiamente el nombre de igorrotes, que se conserva aquí por no poderlo sustituir con otro más determinativo de su nacionalidad áun no bien fijada. Ellos mis-

---

(91) Segun mis mediciones barométricas:

Goa en la vertiente septentrional del Isarog. .	82ᵐ
Uacloy, ranchería de igorrotes.	161ᵐ
Barranco Basira.	1.134ᵐ
Cumbre del Isarog.	1.966ᵐ

mos tienen la conviccion de que sus antepasados vivieron siempre allí. Segun opinion de los curas de Camarines, ningun otro pueblo habla el bicol con mayor pureza (V. cap. xiv). Sus usos y costumbres son en gran parte las mismas que hallaron en los naturales los españoles al descubrir el Archipiélago, y en muchos puntos recuerdan los existentes hoy en Borneo entre los dayaks (92). Estas circunstancias inducen á creer que representan los últimos restos de una raza que ha conservado su independencia contra el dominio, de los españoles, y probablemente tambien librándose del despotismo de los tiranuelos que, ántes de la llegada de los europeos, pesaba sobre los pobladores de la llanura. Al emprender Juan de Salcedo su gloriosa marcha al Norte de Luzon (V. más adelante), halló en todas las desembocaduras de los rios pueblos dedicados á la pesca y sometidos á caciques que cedieron á la superioridad de la inteligencia y de las armas de los españoles ó se entregaron voluntariamente á su merced; no logró, sin embargo, subyugar las indómitas tribus del interior, que áun actualmente viven librés en casi todas las grandes islas de Filipinas.

Casi lo mismo se observa en muchas localidades del Archipiélago índico: los malayos, comerciantes y piratas, dominan en el litoral, donde se habla principalmente su idioma; los naturales les están sujetos ó se han refugiado en los montes, cuya impenetrable espesura les proporciona una vida miserable pero independiente (93).

Para vencer la oposicion de las tribus infieles prohibió el Gobierno español á sus súbditos, bajo la pena de cien palos y dos años de servicio en la ribera de Cavite, «tener comercio ni tratos con los infieles de los montes que no paguen tributo á S. M., pues cambiando oro, cera, etc., por otras cosas, que les son precisas para la vida humana, se imposibilita su pacificacion y reduccion á nuestra Santa Fe Católica y obediencia de Su

---

(92) Un cráneo de un igorrote, muerto en la pelea, tiene cierta semejanza con los de los malayos de las vecinas islas de la Sonda, especialmente de los dayaks, segun el exámen del Pr. Virchow.

(93) Pigafetta halló Amboina habitada por moros (mahometanos) é idólatras «pero los primeros están en las costas y los segundos en el interior.» En el puerto de Brune (Borneo) vió dos ciudades, una de moros y otra, mayor que aquélla y metida en el agua salada, de idólatras. Como observa el que publica la obra Sonnerat posteriormente vió (*Voyage aux Indes*) que los paganos habian sido obligados á dejar las orillas del mar, refugiándose en la fragosidad de las montañas.

Majestad» (*). Quizá ha contribuido esta medida á que los salvajes, á pesar de su corto número, se hayan librado durante siglos de un exterminio completo, porque la libre comunicacion entre un pueblo agricultor y otro cazador lleva frecuentemente la desaparicion de éste.

El número de los igorrotes del Isarog ha decrecido mucho por las guerras entre rancherías vecinas y por las quemas de sus plantaciones de tabaco llevadas á cabo en los últimos tiempos todos los años por los empleados del fisco. Algunos han sido pacificados (reducidos al catolicismo y al pago de tributo) obligándoles á vivir en pequeños pueblos de chozas para hacer posible el servicio parroquial. Á fin de facilitar el tránsito, se les somete durante los primeros años á una contribucion inferior á la que generalmente paga el indio.

Habia aplazado la ascension al Isarog para la entrada de la sequía; pero en Naga me informé de que á la ejecucion de mi plan se oponia la circunstancia de ser aquella época la elegida para las citadas expediciones contra los monteses. Como los salvajes no pueden comprender la prohibicion de cultivar en sus tierras una planta que necesitan, no ven en los cuadrilleros los empleados de una nacion civilizada, y sí bandidos, contra cuyas depredaciones deben oponerse con todas sus fuerzas; su mismo comportamiento contribuye á afirmarles en tal opinion, pues no se limitan á destruir las plantaciones de tabaco, sino que incendian las chozas, cortan los árboles frutales y asolan los campos. Estas correrías no se verifican jamas sin derramamiento de sangre, y se convierten á menudo en una pequeña guerra, que por parte de los igorrotes se sigue despues contra europeos é indios, por más que nada tengan que ver con los dependientes del Gobierno. Á principios de Abril debia tener lugar la expedicion de aquel año, por lo cual los igorrotes estaban muy exaltados, habiendo asesinado á un jóven español indefenso en las cercanías de Mabotobóto, á la falda de la montaña, derribándole con una flecha envenenada é infiriéndole despues veintiuna heridas con los bolos.

Felizmente llegó contraórden de Manila, al parecer fundada en lo perjudicial de semejantes medidas. A no dudar debia cundir rápidamente la noticia, y por consejo del comandante, que veia con sentimiento frustrado su plan de campaña, aproveché una ocasion tan propicia para mi objeto.

____

(*) Leg. ult., ɪ, 256, § 75.

En los últimos años el Gobierno ha adoptado la acertada disposicion de comprar, segun tarifa establecida, á los igorrotes el. tabaco que voluntariamente cultivan, é incitarles por todos los medios posibles á que aumenten la produccion en vez de devastar sus campos como ántes se hacía.

El dia siguiente por la tarde salí de Naga á caballo. Los pueblos Mogaráo, Canáman, Quipáyo y Calabánga, están tan próximos, que forman casi una no interrumpida línea de casas rodeadas de jardines en medio de fértiles campos. Calabánga dista media legua del mar, está entre las desembocaduras de dos rios, de los cuales el meridional tiene 60' de ancho y es bastante profundo para que naveguen por él grandes bancas cargadas.

Al pié del Isarog el camino fórma un recodo al N. E. y despues se dirige al E. Pronto cesan de verse los floridos setos, y sigue una gran llanura desnuda, sobre la cual se le-

Campanario de Calabanga.

(Uno semejante mejicano está representado en la
Hist. gen. y nat. de las Indias, por Oviedo y Valdés.)

vantan colinas arredondeadas. Los terrenos se aprovechaban ántes para criar ganado; desde Agosto á Enero están actualmente plantados de arroz. Sólo aquí y allí se ven algunos campos de batatas. A las cuatro horas de marcha llegamos al pueblecito Maguiring (Manguirin), cuya iglesia, consistente en un barracon amenazando ruina, está en una altura; su abandono indica bien que el cura es indígena.

El terreno de todas las colinas que investigué está formado por acarreos procedentes del Isarog, cantos de traquita, rica en hornblenda, más ó ménos descompuesta, y cuyos intersticios rellena una arena roja. El número de rios que del Isarog corren á la bahía de San Miguel y á la de Lagonoy es extraordinariamente grande. Más allá de Maguiring conté en un trecho de tres cuartos de legua 5 estuarios de un ancho mayor de 20' y hasta Goa 26, ó sea en total 31; pero aún hay más, pues no me fijé en los pequeños; la distancia entre Maguiring y Goa, en línea recta, no excede de 3 millas. De ahí se puede deducir la enorme cantidad de agua que éste gran condensador fija. No conozco montaña alguna que ofrezca este fenómeno con tal intensidad. Una circunstancia muy notable es la rapidez con que los caudalosos arroyos pasan á formar estuarios, por los cuales pueden transitar bancas y hasta embarcaciones mayores en una edad, si se permite la expresion, en que sus semejantes de la zona templada, alimentados con más parsimonia, apénas logran mover la rueda de un molino. Estas líneas de reunion aparecen por su anchura como riachuelos, pero en realidad son torrentes hasta el pié de la montaña y bocas de rios en la llanura, careciendo su curso de region media.

El paisaje se asemeja á la curiosa comarca ondulada del Gelungung, descrita por Junghuhn (*) de un modo notable, pero el orígen de estas colinas es, en cierto modo, distinto del de las javanesas, pues aquellas lo deben á la erupcion de 1822, que motivó la ruptura del cráter del Gelungung en la parte dirigida á ellas, indicando claramente de dónde provinieron los materiales que las constituyen; el gran cráter del Isarog, empero, se abre al E. y no puede relacionarse con las alturas innumerables que se levantan en su parte N. O. Detras de Maguiring las colinas están más contiguas, sus cumbres son más planas y sus laderas más escuetas, pasando gradualmente á una pendiente suave; ó las cortan numerosos barrancos, en cuyo fondo corren otros tantos arroyos redondeando los contornos de estas isletas. El tercer rio, que se encuentra pasado Maguiring, es más caudaloso que los anteriores; en las orillas del sexto hay la visita Borobod, y en el décimo está la de Ragay. Los arrozales cesan cuando acaban las colinas; en las laderas surcadas por profundos barrancos vegetan sólo cañas silvestres y grupos aislados de árboles. Pasando por muchas rancherías, cuyas chozas están tan separadas y ocultas que apénas se ven, llegamos cerca de las cinco á Tagúnton, de donde parte un camino carretero para carabaos hácia Goa, sirviendo de via de trasporte para el abacá que se recoge en la comarca. En este último pueblo, en donde entramos ya de noche, alquilé una casita por sentirme atacado de disentería, y allí estuve

---

(*) Java, seine Gestalt.... II, 125.

cuatro semanas enfermo sin poder echar mano de otras medicinas que la dieta y el reposo.

En este tiempo trabé conocimiento con algunos igorrotes recientemente reducidos y me capté su confianza, sin la cual me hubiera sido despues difícil llegar á realizar mi proyectada ascension y visitar impunemente á sus paisanos en las propias rancherías (94). Cuando pude salir de Goa me acompañaron mis amigos hasta su antigua residencia, donde hallé con facilidad el número de guías necesario por haberles avisado con anticipacion mi ida, aquéllos me esperaban con objeto de darme los animales y plantas que para mí habian recogido.

A la mañana siguiente empezó la subida. Ántes de llegar á la primera ranchería pude convencerme de la buena fama que entre ellos me habian dado los de Goa; el amo de ella nos salió al encuentro y me condujo, siguiendo una estrecha senda, á su choza, despues de apartar la lanza que inclinada salia del suelo; pero hábilmente colocada y medio oculta entre ramas y hojarasca (*). Una mujer que estaba tejiendo prosiguió, á mi ruego, su trabajo.

Tejedora de Isarog.

El telar es lo más sencillo que puede imaginarse. El extremo superior

(*) El ástil de la lanza era de bambú.
(94) Tambien me visitó con frecuencia durante mi enfermedad un inteligente mestizo.

consiste en un trozo de bambú fijo en dos arbolitos ó estacas; la obrera se sienta en el suelo y apoya en las extremidades dentadas de una tabla estrecha un rollo de madera curvo; en cuya vuelta se adapta la convexidad de aquélla. Apoyando los piés en un travesaño y haciendo fuerza, atiranta la tela por medio de la tension del rollo. En vez de lanzadera emplea una aguja más larga que el ancho de la pieza, que se corre, teniendo siempre que vencer un notable rozamiento y muchas veces rompiendo hilos de la trama. Una tabla de canto agudo y de madera dura (*caryota*) reemplaza al batiente y se coloca á cada golpe sobre su canto, que es alto. Despues se corre el peine, se coge un hilo, se fija, y así sucesivamente. El tejido era de fibras de abacá, que no se pueden hilar si no se atan unas con otras.

Las chozas que visité no merecen particular mencion: construidas con bambúes y hojas de pálmera, no presentan diferencia notable respecto de las habitadas por indios pobres. Á su alrededor hay pequeños campos de batatas, maíz, gabi y caña de azúcar, rodeados por magníficos helechos arbóreos; uno de los más altos que mandé cortar para medirlo tenía 9^m,30 de altura, 2^m,10 de copa, ó sea desde el cuello de la raíz á su extrémo 11,^m42.

Un muchachillo tocaba un instrumento llamado *Baringbau*, formado por el tallo seco de una escitaminea; no tiene cuerdas y está tendido y encorvado por una enredadera corta. En medio de la curva se ata una cáscara de coco y se toca con una especie de arco, dando tonos agradables (la forma más sencilla de una lira ó de un plectro). Algunos acompañaban con flautas de bambú, exactamente como el *Mintras* de la península de Malaca. Otro tañia una guitarra, hecha á la vista de una europea. El único ajuar de las chozas consistia en arcos, flechas y ollas (*carajais*). El que posee ropa la lleva toda puesta. Las mujeres visten con tanta decencia como las indias cristianas; usan siempre bolo. Como prueba de completa confianza me condujeron á los campos de tabaco, que me parecieron estar cuidados con esmero; les rodean con cercas de lanzas.

Segun sus noticias, junto á Caramúan, ademas del cobre citado (página 145), se encuentra carbon en tres sitios, y tambien, segun parece, oro y hierro. El mismo me dió los cráneos de Caramúan, de que habla en el apéndice el Pr. Virchow, y que me dijo se hallaron en una cueva cerca de Umang, á una legua de Caramúan. Tambien aseguran haber cráneos semejantes en el extremo de la península, cerca de la visita Paniniman y en una pequeña isla inmediata á la visita Guiálo.

Las siguientes noticias resumen lo que pude averiguar de la vida de estas gentes. Habitan la parte alta de las laderas de la montaña, nunca en una region inferior á 1.500′, y cada familia vive aislada. Cuántas hay aún es de difícil cálculo, pues entre ellas median pocas relaciones. En la parte correspondiente á Goa se cuentan unos 50 hombres y 20 mujeres, comprendiendo los niños. Veinte años ántes eran en mayor número. Su alimentacion consiste principalmente en batatas y en algo de gabi (*caladium*). Tambien cultivan un poco de maíz¡, ubi (*dioscorea*) y caña de azúcar, que mascan.

Para establecer un cultivo de batatas se aclara un trozo de monte, se remueve la tierra con bolos de filo obtuso y se entierran los tubérculos ó se plantan estolones. A los tres ó cuatro meses empieza ya la cosecha y dura contínuamente, pues la planta rastrera va echando raíces y produciendo tubérculos. A los dos años disminuye tanto la produccion, que se arrancan las plantas viejas para poner nuevos retoños ó estolones. No practican rotacion de cultivos ni abonan los campos. Un pedazo de terreno, largo de cincuenta brazas y ancho de treinta, basta para el sostenimiento de una familia. Sólo en tiempo de lluvias se agota este recurso, y entónces apelan al gabi, que parece vegetar lo mismo en tierra seca que en húmeda, pero que no rinde tanto como la batata. Los retoños del gabi se plantan á la distancia de una vara y no se cogen, cuando se quiere obtener buen producto, hasta al año de plantados. Cada familia suele matar uno ó dos jabalíes por semana. Los venados se cazan más rara vez; me dieron, sin embargo, unas hermosas defensas; la piel no se utiliza. Las armas de caza son arcos, flechas y lanzas (véase el siguiente grabado), en parte envenenadas y en parte sin veneno. Toda ranchería tiene sus perros, que viven principalmente de batatas, y tambien gatos para exterminar los ratones de los campos. Hay algunas aves de corral; pero no vi ninguno de los gallos de pelea que nunca faltan en las casas de los indios. Las riñas de gallos fueron introducidas en el Archipiélago por los españoles, los igorrotes del Isarog están libres de este vicio.

Sus escasas necesidades en productos de una civilizacion más adelantada los satisfacen con la venta de los de sus montes, consistentes principalmente en cera y resinas de pili (*), apnik, dagiangan (una especie de

---

(*) Los frutos del pili silvestre no son comestibles. (V. la nota 48.)

copal) y algo de abacá. La cera, muy buscada por el consumo que de ella se hace en las funciones religiosas, se paga á $^1/_2$ peso el cate; las resinas

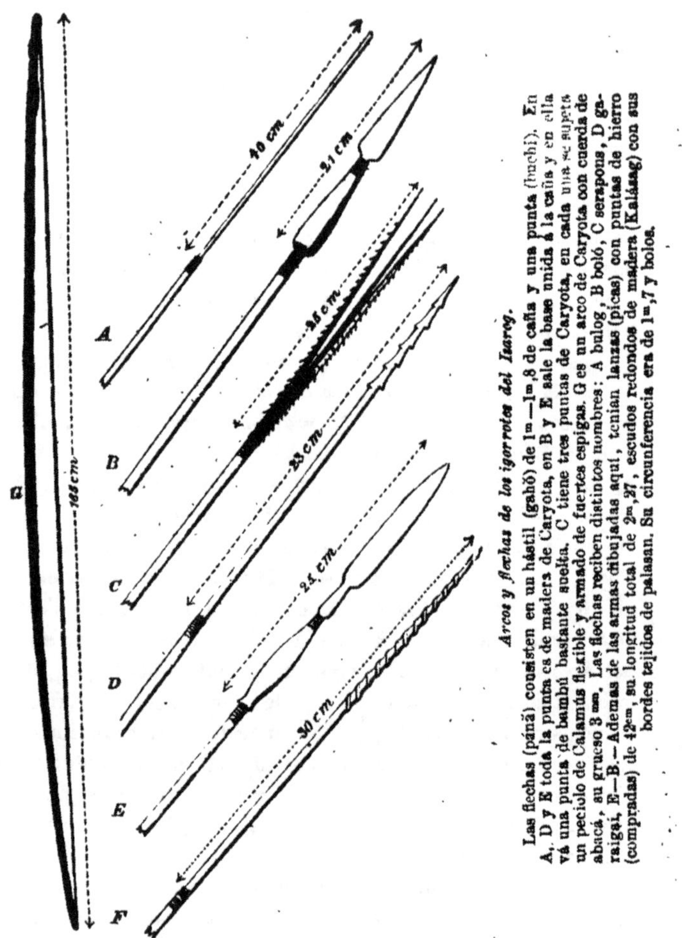

Arcos y flechas de los igorrotes del Isarog.

Las flechas (páná) consisten en un hástil (gahö) de 1ᵐ—1ᵐ,8 de caña y una punta (buchi). En A, D y E toda la punta es de madera de Caryota, en B y E sale la base unida á la caña y en ella vá una punta de bambú bastante suelta. C tiene tres puntas de Caryota, en cada una se sujeta un peciolo de Calamús flexible y armado de fuertes espigas. G es un arco de Caryota con cuerda de abacá, su grueso 3 ᵐᵐ. Las flechas reciben distintos nombres: A bulog, B boló, C serapons, D garaigai, E—B.—Ademas de las armas dibujadas aquí, tenian lanzas (picas) con puntas de hierro (compradas) de 42ᶜᵐ, su longitud total de 2ᵐ,27, escudos redondos de madera (Kalásag) con sus bordes tejidos de palasan. Su circunferencia era de 1ᵐ,7 y bolos.

valen por término medio $^1/_2$ rl. pl. la chinanta. Las transacciones se efectúan haciendo el negociante un contrato con los igorrotes, que recogen los

productos y los llevan al sitio designado, donde los toman los indios despues de dejar el precio estipulado.

Médicos, curanderos ó gentes en cuyo poder sobrenatural crean los demas, son desconocidos, cada uno se ayuda á sí mismo. Para llegar á un
conocimiento algo exacto de sus creencias religiosas, sería preciso una residencia más larga de lo que la mia fué: creen en un Sér Supremo, ó por
lo ménos lo dicen cuando son preguntados por cristianos; han tomado
algunos actos externos del catolicismo, que usan como fórmulas mágicas.

La caza y los trabajos duros competen al hombre, como en general sucede en todo el Archipiélago. La costumbre comun á la mayoría de los
pueblos salvajes, y en vigor áun en algunos de Europa (por ejemplo los
vascongados, valacos, portugueses, etc.,) de utilizar á la mujer como ani-

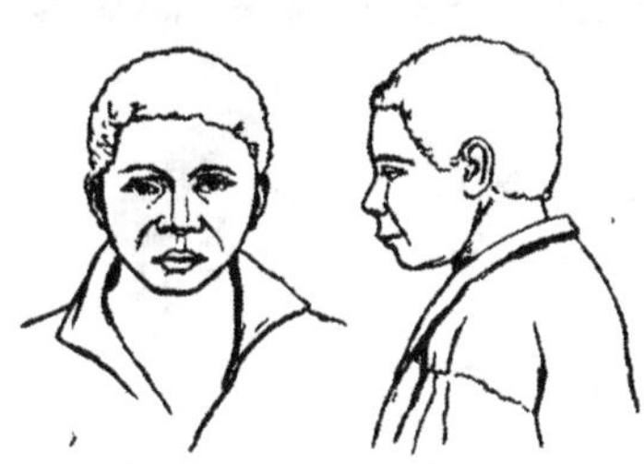

Igorrotes del Isarog.
(El pelo es algo crespo.)

mal de carga, parece que habia desaparecido de las Filipinas ántes del
su descubrimiento por los españoles.
Las mujeres de las tribus infieles
del Isarog hacen sólo un trabajo
moderado y son bien tratadas. Cada
familia sostiene á sus ancianos é
imposibilitados para el trabajo. Como enfermedades dominantes se me
indicaron los dolores de cabeza y las
calenturas, y como remedios comer

arroz tostado revuelto en agua hasta formar una pasta. En las violentas jaquecas, el paciente se hace incisiones en la frente. Si la enfermedad
proviene de haber bebido demasiada agua estando acalorado, toma para
curarse grandes cantidades de agua caliente; si procede de haber abusa-
do del agua de coco, se combate con la misma bebida caliente. Su fuerza
muscular es escasa; no pueden llevar en un trecho algo largo un peso
superior á 50 libras.

Ademas de la caza y agricultura se limita su industria á fabricar armas
bastante groseras, para las cuales compran el hierro á los indios, caso de
necesitarlo, y telas y otros tejidos toscamente hechos por las mujeres. Cada
padre de familia es jefe de su casa y no renoce poder alguno superior al
suyo. En caso de guerra con tribus vecinas ó en las correrías hechas por
los empleados del fisco, se pone al frente el de más valor personal, los de-

mas le siguen hasta donde pueden ; no se verifica eleccion de caudillos.

En general aman la paz y son honrados en sus tratos, pero los perezosos no dejan de robar los frutos cultivados por los más trabajadores. Si se coge al ladron, el robado le castiga con azotes de bejuco, sin temor de que tome venganza. Cuando alguno muere salen sus parientes más próximos para que la muerte de otro les desagravie. Por cada hombre perdido se debe matar un hombre, una mujer por cada mujer y niño por niño; suelen sacrificar la primera víctima que encuentran, exceptuando sólo á los amigos. En los últimos tiempos va desapareciendo esta bárbara costumbre, porque los hombres de influjo entre ellos admiten y propagan la idea de ser la muerte cosa natural é inevitable del destino, por lo cual no hay afrenta que deban lavar los parientes del difunto. Esto vale sobre todo cuando el muerto era una persona indiferente, pero si muere una mujer

Muchacha igorrote
del Isarog.

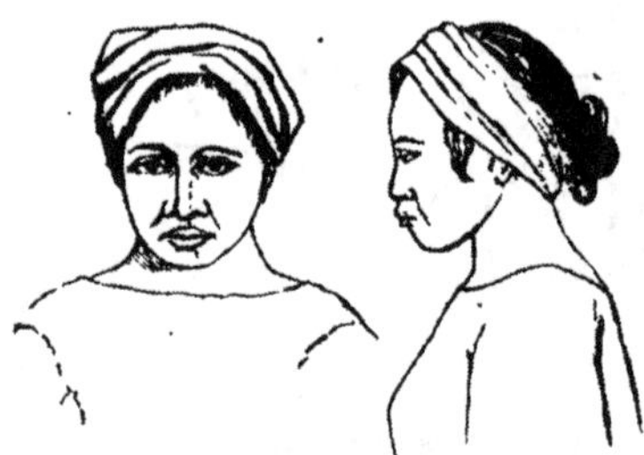

Muchachas igorrotes
del Isarog.

amada ó un niño querido, áun hoy se acostumbra á tomar venganza. Cuando un hombre mata á una mujer de otra casa, procura el pariente más próximo matar á una de la casa del matador, pero á éste nada le hace. El cadáver de la víctima no sufre mutilaciones ni se le decapita. La familia del que sucumbió busca venganza en el asesino, y si éste es demasiado fuerte, se mata á algun otro más débil; esto es lo que el honor les prescribe y quizá lo motive el número de mujeres relativamente escaso.

La poligamia es permitida, pero hasta los más fuertes y hábiles suelen tener una sola mujer. Un jóven que se quiere casar, encarga á su padre tratar con el de la muchacha sobre el precio ó dote: en los últimos tiempos éste ha subido (por término medio 10 bolos de 4 á 6 rs. pl. y 10 á 12 pesos en dinero). Para reunir la cantidad necesaria vendiendo cera, resinas y abacá, el novio necesita muchas veces dos años. El precio pertenece al padre y á los parientes más cercanos, cada uno de los cuales recibe una parte igual. Cuando son muchos, casi no queda nada al padre, quien tiene que dar una gran comilona regada con abundante tuba.

Un hombre que viola á una muchacha es matado por los parientes de ésta. Si ella se ha entregado voluntariamente y el padre lo sabe, pide a[1] amante que fije el dia para entregarle el dinero, y si se niega, le cogen los parientes, le atan á un árbol y le azotan con bejucos. El divorcio es casi desconocido, y si se efectúa, la mujer tiene que devolver el dinero de la boda ó lo tiene que pagar el seductor, quedándose con ella. El marido no tiene la facultad de retenerla al aceptar el reintegro de la suma entregada al casarse; pero sí cuando la rehusa, caso que parece no ocurrir nunca, pues el hombre con la misma cantidad puede adquirir otra mujer.

Por la tarde habiamos subido 973^m desde Uacloy, es decir, que nos hallábamos á 1.134^m sobre el nivel del mar, junto á un gran barranco «Basira» abierto entre peñas elevadas, escuetas y cubiertas de árboles. La direccion del barranco es de S. E. á N. O., su línea de aguada tiene una pendiente de 33°; la forma una capa de roca desnuda, que en tiempo de lluvias se convierte en una cascada. En este sitio fijamos nuestro campamento, los igorrotes hicieron en breve tiempo una choza y siempre les vi contentos y animados. Al amanecer marcaba el termómetro 13°,9.

El camino hasta la cumbre es muy fatigoso por ser un pico de arcilla resbaladiza y tener un laberinto de plantas; el último trecho, de 500', es más cómodo de lo que pudiera esperarse; pues su pendiente, muy abrupta, está cubierta de matorral con poco follaje formado por thibaudias, rhodendrones y otras matas semejantes llenas de musgos; sus numerosas y tortuosas ramas á poca altura del suelo y paralelas á él, forman un estrecho y firme entrelazado, por el cual se puede subir como por una escalera de suave pendiente. El pico que alcanzamos está representado en el dibujo siguiente, como la cresta más alta de la muralla en forma de herradura, límite N. del gran barranco de Rungus. La cumbre tiene apénas 50 pasos de diámetro, está emboscada con una espesura como no he visto igual, casi no podiamos permanecer de pié. Mis bravos acompañantes empezaron á abrir una senda, á pesar del ímprobo trabajo que les costaba; cortaban las ramas, y convertido el tronco en mirador, podia subir á contemplar el panorama y hubiera echado visuales en todas direcciones si la densa niebla no lo hubiese impedido. Sólo á intervalos se distinguian los volcanes más próximos, la bahía de San Miguel y algunos lagos. Poco despues de la puesta de sol señalaba el termómetro 1.º,5 Reaumur.

La mañana siguiente se presentó tambien nebulosa, y como se encapotára más y más el cielo, emprendimos la vuelta á las diez. Queria pasar la noche en una ranchería para visitar al otro dia la solfatara que decian estar á una jornada de marcha; mis acompañantes se hallaban, empero, tan rendidos por la fatiga, que pedian por lo ménos algunos dias de descanso.

Las únicas palmeras que ví pertenecian al género Calamus, los helechos arbóreos son frecuentes y hay gran abundancia de orquídeas. En un sitio todos los árboles estaban llenos, á una altura cómoda, de *Aëridas* colgantes; sin trabajo se hubieran arrancado á miles; la planta más hermosa era una *Medinella* de un tejido tan blando que no se podia conservar.

A un cuarto de hora N. E. de Uacloy brota un manantial de agua muy cargada de ácido carbónico (28° R.) que deposita mucho carbonato calizo. Las antorchas encendidas se apagaban en seguida, y un pollo metido en un cajon de cigarros, tapado, murió en pocos minutos; ambos fenómenos admiraron grandemente á los igorrotes, que nunca los habian observado.

Mis pobres compañeros se sentian tan fatigados, áun despues del segundo dia de descanso, que no podian emprender otra caminata. Con la cabeza y vientre desnudos, se tendian al sol para devolver á su cuerpo el calor perdido durante la estancia en la cumbre; no querian, sin embargo, beber vino. Cuando al siguiente dia les dejé, se habian hecho ya tan amigos mios, que se empeñaban en regalarme un jabalí domesticado. Una multitud de hombres y mujeres me acompañaron hasta llegar á la vista de los techados de Maguiring, volviéndose á sus bosques despues de hacerme las más cariñosas demostraciones de despedida.

Los indios de Goa se mostraron en la excursion tan perezosos y mal humorados, que casi todo el trabajo de abrir una senda entre la espesura del monte lo dejaron á los igorrotes; hasta la provision de agua habian tirado por flojedad, teniendo los igorrotes que ir á buscarla para nuestro campamento á una distancia bastante considerable. En todas las marchas pesadas me han servido mejor los monteses que los indios reducidos. Aquellos se me han presentado serviciales, confiados, activos, conocedores de la localidad, al paso que éstos tienen comunmente los defectos opuestos á estas cualidades. Sería, sin embargo, aventurado sacar de tales hechos deducciones generales sobre la esencia de ambos pueblos, pues los infieles en el monte se hallan en su propia casa, y lo que hacen lo hacen de buena gana y tratan al extranjero, cuando se ha captado su confianza, como á su huésped. Los indios, al contrario, son acompañantes obligados: *polistas*, que áun cuando se les dé un buen salario, examinada la cosa bajo su punto de vista, hacen bien en trabajar lo ménos posible. Para ellos no es ninguna diversion dejar su pueblo y hacer en escabrosas comarcas largas marchas como mozos de carga ó ir abriendo camino con el bolo y en medio de privaciones acampar al aire libre. El reposo es para ellos, áun más que para el campesino europeo, el mayor de los goces. Cuando ménos comodidades tiene el hombre en su casa más apego muestra en no dejarla. En Europa misma se puede hacer esta observacion.

A fin de no perjudicar las rentas de la Hacienda en su monopolio, está prohibido á los igorrotes preparar vino, vinagre y aguardiente de palma; me entregaron una solicitud pidiéndome le diese curso para obtener que se levantára esta prohibicion. El documento estaba redactado por un escribiente indio con tan ridícula confusion, que lo trascribo como muestra de estilo cancilleresco indio (95). Tuvo el mejor éxito, pues se logró doble de lo pedido en la instancia.

Cuadrillero,
acompañante armado con todos los adminículos (sombrero, camisa, calzoncillos y armas).

---

(95) Señor Inspector por S. M.:

«Nosotros dos Capitanes actuales de Rancerías de Lalud y Uacloy comprension del pue-

La monzon S. O. dura en esta comarca de Goa desde Abril hasta Octubre. Abril pasa casi sin vientos (navegacion de damas); los más constantes son los del S. O. de Junio á Agosto, los meses de mayor sequía Marzo, Abril y Mayo. La monzon N. E. reina de Octubre á fines de Febrero. En Marzo y principios de Abril soplan vientos variables. De Octubre á Diciembre es la época de tempestades; « San Francisco (4 de Octubre) lleva mal tiempo.» El arroz se planta en Setiembre y se siega en Febrero.

blo de Goa, provincia de Camarines Sur. Ante los piés de Vmd. postramos y decimos. Que portan de plorable estado en que nos hallabamos de la infedelidad recienpoblados esta visitas de Rancerias ya nos Contentamos bastantemente en su felis llegada y suvida de este eminente monte de Isarog loque havia con quiztado industriamente de V. bajo mis consuelos y alibios para poder con seguir a doce ponos de cocales de mananguiteria para Nuestro uso y alogacion a los demas Igorotes·o montesinos que no quieren vendirnos; eta utilidad publica y reconocer a Dios y a la soberana Reyna y Sora Doña Isabel 2.ª (que Dios Gue) Y por intento.

A V. pedimos y suplicamos con humildad secirva proveer y mandar, si es gracia segun lo q. imploramos, etc.— Domingo Tales † Jose Laurenciano † »

Paso de un pantano.

CAPÍTULO XVIII.

Ascension del Iriga y del Mazaraga.— Bandidos y piratas.— Plantas acuáticas
de Berlin en Filipinas.— Mi criado Pepe.

Desde el Isarog volví á Naga y Nabua para subir al Iriga, como al fin logré realizar.

El caudillo de los monteses habia recibido veintidos raciones diarias para otros tantos hombres, con los cuales debia ocuparse en abrir camino hasta la cumbre. Pero cuando él mismo llegó al Iriga en la tarde del tercer dia para recoger nuevas provisiones por exigir el trabajo algun tiempo más, le dije que queria empezar la subida el dia siguiente y le exigí me sirviera de guía. Consintió, pero por la noche desapareció con sus acompañantes, pues los indios del Tribunal se habian divertido á su costa amenazándole con penas severas si el trabajo ejecutado no correspondia á los dias invertidos en él. Despues de inútiles pesquisas en busca de otro guía, dejamos por la tarde Buhi y pernoctamos en la ranchería, donde hallamos ántes tan buena acogida. Las hogueras estaban aún encendidas; pero los habitantes habian huido al aproximarnos. El dia siguiente, á las seis de la mañana, empezó la ascension.

Despues de aprovechar la senda abierta en el monte por nosotros en ocasion anterior, empezamos á atravesar un cogonal de yerba alta, primero de 3-4' con cortantes hojas, y luégo de cañas de 7-8' del porte de nuestro Arundo Phragmites (faltaban flores para clasificarlo), que ocupa toda la parte superior de la montaña hasta la cumbre; sólo en los barrancos llegaban los árboles hásta muy arriba; en las laderas inferiores estaban cubiertos de aroideas y helechos y en las altas de líquenes y musgos. Allí encontré una hermosa orquídea, no descrita aún, de forma particular (*). Los monteses habian cortado algunas cañas, y más allá del sitio desembrozado tuvimos que abrir camino con los bolos; á las diez estábamos ya en la punta. La niebla era densa. Esperando que el tiempo aclarase hice construir una choza, para la que las cañas eran material á propósito. Los indios tenian demasiada pereza para arreglarse un abrigo, coger leña y disponer una hoguera. Á fin de entrar en calor se empujaban en grupo compacto, comian arroz frio y se quedaban sedientos, pues no querian ir á buscar agua. De los dos encargados de subir provision de ella, uno la habia vertido por el camino «sin querer» y el otro vació las vasijas al salir, pues creia «que no íbamos á necesitarla arriba.»

Hallé para el pico más alto del Iriga una elevacion de 1.212 metros sobre el nivel del mar, y de 1.120 metros sobre el del lago Buhi. De Buhi pasé á Bátu.

El lago Bátu (111 metros sobre el nivel del mar) bajó de nivel desde mi última visita; la faja de algas habia aumentado considerablemente, su borde superior colgaba á pedazos en muchos sitios y el inferior pasaba gradualmente á confundirse con una capa de plantas acuáticas en putrefaccion, de los géneros: Chara, diferentes de algas, Pontedería, Vallesnería, Pistia, etc., que rodeaba toda la superficie del agua y sólo por algunos intersticios permitia llegar á la márgen.

Trasversalmente, delante de la desembocadura del Quinali en el lago, hay una barra formada de turba negra; algunos hilos de agua que la cruzan indican los sitios donde su consistencia es menor. Como no podíamos pasarla en un bote grande, apelamos á dos barcas pequeñas atadas con tiras de bambú y provistas de una toldilla. Gracias á esta disposicion, y arrastrándolo todo tres fuertes carabaos ayudados por los indios, que con alegre gritería y algazara, y metidos en el cieno hasta las rodillas, empujaban á medias, alcanzamos como en un trineo el rio, que en mi primera visita cubria en muchos sitios los campos, sobresaliendo en sus aguas las chozas cual si fueran buques; no llegaba ahora á llenar el

---

(*) *Dendrobium ceraula, n. sp. Reichenbach fil.*

cauce, por esto tuvimos que seguir nuestro paseo en trineo hasta casi Quinali mismo.

En Linao me apeé en casa de un español amigo. Desde mi última visita se habia incendiado gran parte del pueblo, incluso el Tribunal y el Convento. Despues de hacer los preparativos necesarios me fuí por la noche á Barayong, pequeña ranchería de monteses al pié del Mazaraga, cón cuyos naturales emprendí la ascension á la mañana del dia siguiente. Las mujeres nos acompañaron tambien un buen trecho, sosteniendo el buen humor de la gente. Por el camino dí un bambú con agua á un indio para que lo llevase, pero lo tiró, huyendo en seguida; un viejo le reemplazó y arrastró el bambú alegremente hasta la cumbre. Esta montaña es más húmeda que todas las subidas por mí, exceptuando quizá el Semeru en Java. Á mitad de camino vi algunas Rafflesias (*) en descomposicion. Dos perros de cimarrones de miserable aspecto levantaron un venado jóven que mató uno de la comitiva con el bolo. Á cosa de un tercio de la altura cesa la sen-

Mazaraga desde el N. N. O.   Falda del Malinao.

da, pero no es difícil atravesar el monte; en cambio nos costó mucho trabajo salvar la parte alta, cubierta de espesas cañas. Á las doce llegamos á la meseta de la cumbre, que no ha sido abierta por ningun cráter y tiene una forma abovedada-plana; es casi horizontal y la pueblan espesas cañas. Hallé que tenía una altura de 1.354 metros. En poco tiempo los infatigables igorrotes hicieron una hermosa choza de caña con un cuarto para mí y el equipaje, una gran antecámara para mi gente y otra chocita separada para cocina. Sensiblemente nos faltaba combustible, pues con el exceso de humedad no ardian las cañas; para proveernos de él mandé cortar ramas gruesas del monte y aprovechar su parte interior relativamente seca.

____

(*) *Rafflesia Cumingii, R. Brown,* segun el Dr. Kuhn.

Sur
Norte
Angulo S.O de la Bahia de S. Miguel 129°
V. Polantuna 130° (Luba)
132°2
Cumbre S 118° del Janneik N
138°8
134°
133°3
137°
Pico Polalie 140°
Pico Colasi dentro de Pennela
141°5
134°5
133°5
137°
140°3
143°4
143°8
133°5
137°2
160
161°3
162°3
161°9 Seno de Lagonoy
V. Ysorop
Volcan Yriga
Caramuan
Norte
Sur
Cumbre del Malinao 0°35
Volcan Malinao
Peninsula de Caramuan.
Seno de Lagonoy.
38°3
34°5
39°5
Panorama desde el Mazaraga.
N 170°9 S.
Cúspide del Mayon

Los fósforos estaban tan húmedos que al frotarlos se caian las cabezas; recogidas en papel de estraza y pegadas á los extremos de los palitos se secaban, y frotándolas se encendian. No pude examinar fragmento alguno de roca. Todo, desde que dejamos la senda, estaba cubierto de carrizo, y una espesa capa de húmedo mantillo imposibilitaba ver el suelo mineral. El siguiente dia amaneció despejado y me permitió divisar todo el panorama que se desarrollaba ante mis ojos; pero ántes de terminar su bosquejo el cielo volvió á nublarse, y como, despues de esperar durante muchas horas que despejase, se amontonáran nubes amenazadoras emprendimos la vuelta.

En la cumbre revoloteaban muchas mariposas. Sólo pocas logramos cazar, por ser molesto en sumo grado recorrer con los piés desnudos el terreno cubierto de carrizal; los dos pares de calzado nuevo comprados en Manila habian perdido las suelas ántes de llegar al término de nuestra expedicion, de modo que anduve descalzo el camino hasta Ligao.

El dia siguiente fué mi amigo español dos veces al Tribunal para proporcionarme una carreta con carabaos, necesaria á la conduccion de mis colecciones. Sus amables ofrecimientos quedaron sin resultado, pues el gobernadorcillo obedeció á la indicacion contraria del cura. Las autoridades locales suelen tener pocos miramientos con los españoles que viajan sin carácter oficial, y no es raro que les traten con gran despego. Una recomendacion oficial del Alcalde suele ser eficáz; pero no en todas las provincias, pues hay Alcaldes que perjudican el prestigio de su dignidad por necesitar la cooperacion ó la reserva de los subalternos de los pueblos para el éxito de sus negocios particulares.

Maté algunos *paniques*, grandes murciélagos, cuya abertura de alas llega á tener 5' de longitud y que estaban colgados de las ramas en su descanso diurno (Véanse *Estudios de viaje*, pág. 216, Reiseskizze); entre ellos habia dos hembras con los pequeñuelos agarrados á su pecho. Conmovia ver á la madre en su agonía apretarlos más y más, y parecian desconsolados al contemplarla ya muerta; la aparente ternura, empero, era sólo egoismo, y el verdadero motivo de su desesperacion conocer que se agotaba la leche que mamaban; cuando ésta se acabó, trataban como á un pellejo vacío á la que ántes acariciaban. En cuanto separamos los jóvenes, comieron plátanos y vivieron algunos dias hasta que tuve que meterles en frascos llenos de alcohol.

192

Por la mañana temprano salí montado en un rocin del cura, en direccion á Legaspi, y por la noche seguí por un profundo lodazal hácia la casa
del Alcalde de Albay. Nos hallamos (Junio) en plena estacion de secas, y
sin embargo llovia casi diariamente. El camino entre Legaspi y Albay se
hallaba en pésimo estado, peor que en tiempo alguno. Durante mi visita se
recibió aviso del jefe de las falúas, de que al perseguir á dos embarcaciones piratas aparecieron otras seis, maniobrando con intencion de cortarle la
retirada, por lo cual se apresuró á regresar. Es cierto que las falúas teniau
una tripulacion numerosa é iban armadas con cañones; pero los marineros, sacados de los pueblos de aquella costa, no saben manejarlas, y los
moros les infunden un pánico tal que cuando ven posibilidad de atracar
lo hacen y se echan á correr. La costa, cuya gente no tiene más armamen-
to que picas de madera, estaba completamente á merced de los piratas
que se habian radicado en las Catanduanes, Biti y otras pequeñas islas,
saqueaban impunemente embarcaciones menores y hacian cautivos en las
costas. Los prisioneros sirven como remeros y se venden. Al repartir la
presa corresponden dos tercios al Dato que ha armado la expedicion, y
uno á los tripulantes (96). Aunque los buques costaneros suelen ir provistos de cañones, los llevan desmontados en la cala, pues nadie entiende
su manejo. Si los cañones se tienen montados en cubierta, falta pólvora ó
balas y se oye siempre la promesa del capitan de proveerse de municiones
en el próximo viaje (*). El Alcalde informa en cada correo al gobierno de
Manila sobre las fechorías de los piratas, demuestra los grandes perjuicios irrogados al comercio y recalca el deber del Gobierno de proteger á sus
súbditos, tanto más cuanto no les permite tener armas de fuego para su
propia defensa (97). Las Visayas, sin cesar, piden el mismo auxilio. El -

------

(96) Segun E. BERNALDEZ (*Guerras al Sur*) el número de españoles é indios cautivos y
asesinados, ascendió en treinta años á 20.000.

(*) La nao, encerrando un rico cargamento, hacía tambien lo propio.

(97) Extracto de una carta del Alcalde dirigida al Capitan general en 20 de Junio de 1860:
«Hace diez dias que hay diez embarcaciones piratas en la isla de San Miguel sin ser persegui-
das, á dos leguas de Tabaco, interrumpiendo las comunicaciones entre las islas Catanduanes y la costa oriental de Albay..... han cometido muchos robos y hecho seis cautivos..... No
se les puede perseguir, pues los pueblos carecen de armas de fuego; las dos únicas falúas
disponibles para el servicio están detenidas por el mal tiempo en el estrecho de San Bernardino.»

Carta del 25 de Junio: «Ademas de las citadas embarcaciones piratas hay cuatro grandes
pancos y cuatro pequeñas vintas en el estrecho de San Bernardino..... su tripulacion total asciende á unos 450—500 hombres..... han matado á 16 personas, cautivado á 10 y se han apo-
derado de un buque.

gobierno era, sin embargo, impotente para poner coto á estas demasías. Si las quejas redoblaban, enviaba á aquellas aguas un cañonero, que nunca veia á los piratas, á pesar de capearle de proa á popa cometiendo sus habituales tropelías.

En la capital de Samar hallé despues un vapor del Estado, que hacía quince dias cruzaba contra los piratas inútilmente, pues éstos suelen estar sobre aviso por sus espías y divisan el humo con tiempo bastante para escabullirse ocultándose en sus canoas planas. Los oficiales sabian bien que su campaña no iba á tener más resultados que indicar á los pueblos que sus quejas no quedaban desatendidas (98).

Entónces estaban próximos á terminarse 20 cañoneros construidos en los arsenales ingleses, de mayor marcha que los existentes; debian trasportarse desarmados en piezas, por la vía del Cabo; los dos primeros llegaron al poco tiempo á Manila, los siguientes no podian tardar y era de esperar librasen á las costas del Sur de la plaga de los piratas (99), por lo ménos de los verdaderos moros, que todos los años iban á las Visayas procedentes de los mares de Joló, principalmente de la isla de Tavi-Tavi, en el mes de Mayo, y seguian sus correrías por el Archipiélago hasta el cambio de monzon (Octubre ó Noviembre), que les obligaba á regresar (100). En Filipinas se aumenta su número con los vagamundos, los

---

(98) En la época de Chamisso era aún peor : «Las expediciones que se mandan desde Manila para perseguir á los piratas hacen sus cruceros..... se dedican sólo al contrabando, y tanto los cristianos como los moros procuran evitar su encuentro (véase CHAMISSO: *Observaciones y juicios*, pág. 73. *Bemerkungen und Ansichten*). Mas (I, IV, 43) dice lo mismo con noticias suministradas por la Secretaría del Gobierno superior civil, y añade que los cruceros llegaban á vender las armas y municiones, de las cuales muchas iban á manos de los moros. Los Alcaldes debian tener la inspeccion y mando de estas embarcaciones, y los capitanes de éstas vigilar á los Alcaldes; por lo general hacian causa comun. Lapérouse refiere (II, pág. 357) que los Alcaldes compraban gran número de cautivos á los moros, de modo que éstos no tenian que llevarlos á Batavia, en donde se pagaban ménos.

(99) Segun el *Diario de Manila* del 14 de Marzo de 1866, la piratería ha disminuido mucho, pero no se ha extinguido. Aun sufren perjuicios, causados por ella, la Paragua, las Calamianes, Mindoro, Mindanao y las Visayas. Tambien apresan buques y cautivan gente de algunos barcos de cabotaje cuando se les presenta ocasion propicia, y estos piratas accidentales son los más difíciles de exterminar. Segun las últimas noticias que tengo, la piratería vuelve á ir en aumento.

(100) Los españoles intentaron conquistar el archipiélago de Joló en los años 1628, 1629, 1637, 1731 y 1746. Despues se han hecho diferentes expediciones para tomar represalias; en Octubre de 1871 se organizó una poderosa con objeto de contener la creciente piratería (uno ó dos años ántes los piratas se habian atrevido á llegar hasta la bahía de Manila). En Abril de 1872 volvió la escuadra sin haber terminado su empresa; constaba casi de todas las fuerzas navales de aquellos mares, á saber : catorce buques, en su mayor parte cañoneros,

desertores, los presidiarios cumplidos, jugadores, arruinados, etc. Los mismos elementos alimentan tambien las partidas de malhechores de caminos (tulisanes), que frecuentemente llegan á ser numerosas y ejecutan golpes de mano con una osadía sin límites. Poco tiempo ántes de mi llegada habian asaltado un arrabal de Manila, sosteniendo en las calles una lucha formal con los soldados. Una parte de la fuerza armada se destina siempre á la persecucion de los tulisanes. Los bandidos no suelen maltratar á los que roban cuando no se les opone resistencia (101).

En Legaspi encontré varias cajas con canutos de hoja dé lata que habian tardado 17 meses por el correo, en vez de emplear en el camino siete semanas; la guerra de Italia habia entorpecido las comunicaciones, venian de Berlin por Trieste. El contenido, destinado á mis exploraciones, me era ya inútil en su mayor parte. Una de las cajas contenia dos frascos con tapon de cristal, lleno uno de polvos de carbon y otro de arcilla húmeda; ambos encerraban semillas de *Victoria regia* y cebollas de Nymphæas rojas y azules. Las del primer frasco se pudrieron, como era de presumir; pero las conservadas en arcilla no: dos cebollas habian echado brotes de media pulgada y tenian el mejor aspecto. Las planté en seguida y á los pocos dias se desarrollaron hojas. Una de estas hermosas plantas, primitivamente destinadas al jardin de Buitenzorg, en Java, se quedó en Legaspi; la otra la remití á Manila, donde despues la contemplé llena de flores. En el carbon pulverizado habian echado dos semillas de Victoria raíces de más de una pulgada, pero estaban podridas, quizá fuera la causa el registro hecho en la aduana con poco cuidado, pues el cuello del frasco estaba roto y el carbon muy removido. Escribí al inspector del Jardin Botánico de Berlin el brillante éxito del envío, por su sistema de

---

bombardearon la capital sin hacer grandes daños, los moros se refugiaron en el interior y esperaron el desembarque de los españoles, que no se efectuó á pésar de tener á bordo más de 5.000 hombres. Despues de algunos meses de inaccion incendiaron un pueblo de la costa. Los puertos del archipiélago de Joló están ahora oficialmente cerrados al comercio; pero no sabemos hasta qué punto es obedecida la órden. No hace mucho que aquel Sultan ofreció á Prusia el protectorado soberano de sus dominios, que no fué aceptado.

(101) El *Diario de Manila* del 9 de Junio de 1866 dice: «Ayer cesó de funcionar el Consejo de guerra, con arreglo á la órden de 3 de Agosto de 1865, y volvieron á administrar justicia los tribunales ordinarios. Las numerosas cuadrillas de 30, 40 y más individuos, que, armados hasta los dientes, sembraban el terror en la comarca hasta las puertas de Manila, pasándolo todo á sangre y fuego, se han exterminado ya..... Más de 50 reos han pagado en el patíbulo sus crímenes, 140 los purgan en presidio ó sufriendo otras condenas.

empaque, remitió un segundo directamente á Java, que llegó en el mejor estado; de modo que no sólo la *Victoria*, sino tambien las nympheas rojas, hijas de padre africano y madre asiática, adornan ahora los estanques de Java (las últimas quizá tambien los de Filipinas).

A causa de la contínua lluvia utilicé dos estufas para secar las plantas recogidas ántes de empaquetarlas; pero mi criado dejó quemar la mayor parte, de modo que las restantes hallaron sitio suficiente en un gran cajon que compré por un peso. Lo malo era que no tenía tapa; para proporcionarme una hubo que sacar de la cárcel á un carpintero preso por deudas, anticiparle el dinero para comprar la tabla y desempeñar sus herramientas; el trabajo, tardíamente empezado, se interrumpia á cada momento, porque tenía que trabajar para dar dinero á antiguos acreedores cansados de esperar. Cinco dias tardó la obra de la tapa, me costó 3 pesos, en cambio duró poco; al llegar á Manila tuve ya que poner otra nueva.

En Legaspi pude aprovechar un pequeño casco hasta la isla de Samar, situada al S. E. de la de Luzon, al otro lado del estrecho de San Bernardino, que mide tres leguas. Al momento de la partida se despidió mi criado «para descansar algun tiempo de las fatigas.» Lo sentí, pues Pepe era un buen muchacho, muy servicial, dispuesto y siempre alegre. Nacido en Cavite, habia frecuentado mucho el trato de soldados y marineros, y en los pueblos le llamaban en tono de broma «español de Cavite». Ir de pueblo en pueblo era vida que le gustaba mucho, trababa pronto conocimientos, sabía agradar á las muchachas, gracias á sus muchas pequeñas habilidades, tocaba algo la guitarra y era listo para ordeñar caraballas. En cuanto llegábamos á un caserío, donde hubiese una mestiza, ó aunque fuera una española del país, le pedia, cuando pegaba, en seguida una caraballa que se pudiese ordeñar; si se la daban sacaba la leche, ofrecia parte á la *señora* y sostenia animada conversacion, metiéndose en mis actos é intenciones con la libertad inherente á su oficio de intérprete; era galante en extremo, alababa la belleza y gracia de las damas, y les relataba tan brillantes aventuras, que caballero y escudero quedábamos como héroes. El obsequio tenía siempre buena acogida (y nos valia con frecuencia alguna cestita de naranjas), pues la leche de caraballa es muy apreciada para el chocolate, á pesar de lo cual parece ser raro que á álguien ocurra ordeñarlas. Sensiblemente Pepe no podia subir montañas, y siempre que tenía que acompañarme á alguna ascension se quejaba del vientre ó daba mi calzado fuerte, ó dejaba que se lo robasen, guardando solo los zapatos del país, que sabía no podian servirme más que para ir á caballo, y esto último sí le gustaba. Conmigo trabajaba aprisa y de buena gana, pero solo se aburria; en todas partes hallaba amigos que le entretenian, y distraido dejaba al limpiar la piel de las aves toda la carne de las patas, de suerte que se pudrian y tenía que tirarlas. Aun más le disgustaba empaquetar; hacíalo todo lo aprisa posible, pero nunca con el necesario cuidado; una vez ató en un mismo pañuelo zapatos, ungüento arsenical, dibujos y chocolate. A pesar de estos pequeños defectos, me era de mucha utilidad y su compañía agradable. No iba de buena gana á una isla incivilizada como Samar, y como recibiera á la vez el sueldo de ocho meses, y de repente se viese convertido en pequeño capitalista, no pudo resistir la tentacion de descansar un poco de las fatigas pasadas.

Mestiza tagala.

CAPÍTULO XIX.

Viajes por Samar.—Tiempo.—Eleccion de empleados.—Costa septentrional.—Catbalogan.— Lemúridos ó Kaguanges.— Domesticadores de serpientes.—Fósiles terciarios.—Cascadas del Loquilocum.—Magos ó animales espectros.

La isla de Samar, que tiene próximamente la forma de un rombo, con
los lados poco recortados, se extiende de N. O. á S. E. desde los 12° 37′,
hasta los 10° 54′ lat. N.; por término medio tiene 22 millas de largo y la
mitad de ancho; su superficie mide unas 220 millas cuadradas. El estrecho de San Juanico la separa por el Sur de la isla de Leyte, á la cual estaba ántes política y administrativamente unida, formando ambas una
sola provincia; ahora tiene cada una su gobernador.

Los antiguos autores la llaman isla Tendaya, Ibabao, tambien Acham
y Philippinas; despues conservó el nombre de Ibabao la parte oriental y
tomó el de Samar la occidental, que ahora ha quedado como denominacion oficial de toda la isla; la costa E. se distingue con el nombre de
contracosta (102).

La monzon N. E. es en esta localidad la dominante como en la costa
oriental de Luzon; sobrepuja en fuerza y duracion á la S. O., cuya intensidad disminuye por el abrigo de las islas situadas en la misma direccion,
miéntras que los vientos del N. E. llegan con toda su violencia, llevando
la masa de agua absorbida á su paso por el grande Océano. En Octubre
soplan vientos variables entre el N. O. y N. E., y dominan los nortes;
desde mediados de Noviembre se hace constante el N. E., que dura hasta

(102) Segun Arenas (*Memorias*, 21), Albay se llamaba ántes Ibalon; Tayabas, Calilaya;
Batangas, Comintan; Negros, Buglas; Bebú, Sogbu; Mindoro, Mait; Samar', Ybabao;
Basilan, Taguima. B. de la Torre denomina á Mindanao Cesarea; y R. Dudleo á Samar, en
su *Arcano del mare* (Florencia, 1761), Camlaia. Hondio, en su mapa de las islas de la India (*Max. of the India Ilands*, Purchas 605), designa á Luzon con el nombre de Luconia,
á Samar con el de Achan, á Leyte con el de Sabura y á Camarines con el de Nebui. Albo
en su *Diario*, llama á Cebú Suba y á Leyte Seilani. Pigafetta habla de una ciudad Cinga-
pola en Zubu, y dá á la parte Norte de Leyte, en su mapa, el nombre de Baybay, y á la
Sur el de Ceylon.

entrado Abril, con raras interrupciones de los nortes. Esta es tambien la época de las lluvias, siendo los meses de más aguas Diciembre y Enero, en los que á veces llueve sin dejarlo en quince dias. En la costa septentrional, en Lauang, por ejemplo, duran las lluvias desde Octubre hasta fines de Diciembre. De Enero á Abril hay sequía; Mayo, Junio y Julio son meses lluviosos; Agosto y Setiembre secos. Hay, pues, allí dos estaciones de secas y dos de aguas. De Octubre á Noviembre suelen ocurrir violentas tempestades (baguíos ó tifones); empiezan generalmente con viento N., que pasa á N. O. acompañado de alguna lluvia, retrocede al N., rola con creciente fuerza al N. E. y E., con cuyo rumbo alcanzan aquéllas su máximo de fuerza, y despues se convierte en S. flojo; á veces, sin embargo, pasa rápidamente de Este en Sur, soplando con gran violencia.

Desde fines de Marzo hasta mediados de Junio dominan constantemente N. E., E. y S. E., con mar brava en las costas orientales. En Mayo y Junio hay frecuentes tempestades, introductoras de la monzon S. O., que se entabla en los meses de Julio, Agosto y Setiembre; pero nunca con la constancia de la N. E. Estos tres meses forman la época de sequía, que, no obstante, es interrumpida por frecuentes chubascos. Casi no pasa una semana sin lluvia. Hay años en que todas las tardés son tormentosas. En esta estacion la costa oriental es accesible, pero la navegacion tiene que cesar durante la monzon N. E. Tales generalidades sufren frecuentes excepciones, principalmente en las costas S. O., donde la regularidad de las corrientes de aire queda influenciada por las islas montañosas, que las desvian. Segun el *Estado geográfico* de 1855, pág. 345, se presenta todos los años con el cambio de monzon, en Setiembre ú Octubre, una extraordinaria crecida de la marea (en algunos casos alcanza una altura de 60-70 piés), que se llama *dolo*, y muestra impetuosa furia en las costas E. y S., causando grandes daños, pero afortunadamente su duracion es corta. El clima de Samar y de Leyte goza fama de muy sano en las costas, y es, sin duda, uno de los mejor soportables del Archipiélago. Disentería, diarrea y calenturas son enfermedades más raras que en Luzon, y los europeos las padecen tambien ménos.

Samar está habitada por indios civilizados casi únicamente en sus costas, y por indios visayas, que se diferencian en idioma y costumbres de los bicoles, tanto como éstos de los tagalos. En el interior faltan caminos y casi no hay pueblos; el país está cubierto de espesos montes, residiendo allí tribus independientes, que son algo agrícolas (cultivan plantas de tubérculos alimenticios y arroz de secano), y recogen los productos forestales, como resinas, miel y cera, que abundan en la isla.

El 3 de Julio salimos de Legaspi; costeamos hasta la Punta de Montufar desde Albay, luégo pasamos enfrente de la pequeña isla Viri y llegamos á Lauang á las cinco de la tarde. La sierra de Bacon (Poedol la llama Coello), que en los anteriores viajes me habian ocultado la noche y la niebla, aparecia claramente en forma de un gran cono; junto á ella habia una ladera abrupta profundamente asurcada, asemejándose al resto de una montaña anular. Despues de habernos llevado á un puerto equivocado el piloto, que era, sin embargo, un indio de la localidad, viejo ya, y que habia hecho várias veces el mismo viaje, metió el barco en la barra, encallándole no obstante de haber bastante fondo para entrar comódamente en el puerto.

Lauang.

El pueblo de Lauang (Lahuan), de más de 4.500 habitantes, está situado en el borde Sur, á una altura mayor de 40′ sobre la pequeña isla del mismo nombre, separada de Samar por un brazo del Catubig. Segun una tradicion general, ántes se hallaba la poblacion en la misma isla de Samar, entre sus arrozales, que hoy existen aún; pero las frecuentes correrías de los piratas motivaron que los habitantes trasladasen sus viviendas á la acantilada costa meridional de la pequeña isla (*). Ésta consiste en

___

(*) En el *Estado geográfico de los Franciscanos,* Manila, 1855, no se dice nada esto.

bancos casi horizontales de tobas compactas potentes de ocho á doce pulgadas. Las capas están en su límite atacadas por la accion erosiva de las olas, apareciendo sus cabezas cuarteadas como las del muro de una fortaleza. La iglesia y el convento están bonitameute cimentados á distintas alturas, aprovechando el escaso espacio disponible.

La situacion del pueblo es pintoresca, las casas no tienen jardines, hay gran escasez de agua y se percibe muy mal olor. Dos ó tres manantiales de escaso caudal casi al nivel del mar suministran agua turbia y salobre, con la cual se contenta aquella gente perezosa. Las personas acomodadas mandan por agua á Samar, á lo que se ven tambien obligados los pobres cuando se agotan las fuentes. El agua dulce no es suficiente para bañarse y los naturales son poco aficionados á hacerlo en el mar; por esto hay en ellos mucha suciedad. Su traje es igual al usado en Luzon, pero las mujeres no llevan tapis, visten solamente una camisa corta, que apénas les cubre los pechos, y una saya de grosera guinara formando pliegues muy feos, y que cuando no está ennegrecida por el uso es en extremo trasparente. La suciedad y el natural pudor guardan, sin embargo, siempre más que espesas telas. Los habitantes de Lauang tienen, y con justicia, fama de ser muy perezosos. Su actividad se limita á cultivar unas pocas tierras; descuidan la pesca por la escasez de pescado. La navegacion, propiamente tal, es casi nula, á pesar de no haber ninguna vía terrestre. El comercio se suele hacer por gente de Catbalogan, que cambia los sobrantes de las cosechas por otros artículos.

Desde el convento se extiende la vista por una parte de la isla de Samar, cuyas formas montañosas indican la continuacion de las capas planas. En medio del paisaje, y en último término, descuella una meseta célebre en la historia de la comarca. Allí se refugiaron los naturales del vecino pueblo de Palapat despues de asesinar al cura, un jesuita segun parece bastante libertino, y sostuvieron durante algunos años guerra de guerrillas contra los españoles, hasta que se les dominó valiéndose de traidores ardides.

Es dificil viajar en el interior de la isla por la falta de caminos; las costas están muy castigadas por incursiones de piratas. En la última quincena habian asaltado varios pontines y cuatro cascos cargados de abacá; asesinaron bárbaramente á parte de la tripulacion, mutilando sus cadáveres; una excepcion de la costumbre general, pues los cautivos suelen emplearse para remar durante la expedicion y despues se venden como esclavos. Tuvimos la suerte de no tropezar con los piratas , pues si bien llevábamos cuatro cañones á bordo, la tripulacion desconocia su manejo (103).

No llegó el gobernador, que se esperaba para las elecciones de los empleados locales ; impedido de asistir por enfermedad, mandó un sustituto. Como las elecciones se hacen cada año del mismo modo en todo el país, puede servir de ejemplo lo que vi practicar en ésta. Se verifican en las Casas consistoriales ; el gobernador ó su representante preside, teniendo á su derecha al párroco y á su izquierda al escribiente , que sirve tambien de intérprete. Todos los Cabezas de barangay , el gobernadorcillo y los que han desempeñado este cargo toman asiento en los bancos. Primero se sortean seis entre los Cabezas y seis ex-gobernadorcillos para ser electores; el gobernadorcillo actual es el décimotercero elector, los restantes salen del salon. Despues de leer el presidente en alta voz los estatutos y hacer presente á los electores el deber en que están de obrar con arreglo á su conciencia y de atender sólo al bien del pueblo, llegan éstos á la

---

(103) Las pequeñas embarcaciones, desprovistas de piezas de artillería, llevan tinajas de agua con frutos de la *Arenga Sacharifera* y jeringas para hostilizar á los piratas con la infusion, que es urente. Dumont d'Urville refiere que los habitantes de Joló envenenaron los pozos con estos frutos. Sus huesos en almíbar dan una agradable compota.

mesa y escriben tres nombres en una papeleta. La persona que obtiene mayoría de sufragios queda nombrada ‘gobernadorcillo para el próximo año si no hay protesta del cura ó de los electores, pero siempre mediante aprobacion de la superioridad de Manila, que nunca deja de darse, pues el influjo del cura basta para evitar una eleccion poco conveniente.

Del mismo modo se hace el nombramiento de los demas empleados, despues de citar al gobernadorcillo electo para que pueda exponer cuanto se le ofrezca contra los nombramientos de sus subordinados. Todo el acto se verificó con mucho órden y dignidad (104).

Á la mañana siguiente salí en una gran banca para Samar, en compañía del amable cura, á quien seguian todos los muchachos del pueblo. De los once robustos mozos de carga escogidos por el sustituto del gobernador, cuatro cogieron algunas fruslerías de poco peso, echando á correr, tres se ocultaron en el matorral y los cuatro restantes se escaparon desde Lauang. El equipaje se distribuyó entre los cuatro cargadores que pudimos procurarnos y los muchachos que nos seguian por gusto. Siguiendo la costa occidental llegamos ya tarde á la visita próxima, donde el cura, no sin algun trabajo, me proporcionó los cargadores necesarios. Al Oeste de la desembocadura del Pambujan avanza en el mar una punta, madriguera de piratas, en cuyo monte viven ocultos vigilando la costa, que se extiende en arco y es el único camino entre Lauang y Catarman. En este sitio han hecho numerosos cautivos, y á duras penas, algunas semanas ántes, logró escapar del peligro el fraile mismo que me acompañaba.

La última parte del viaje se pasó alegremente. Una banca que nos precedia hizo acudir gente á las desembocaduras de los rios. Como no conocen más europeos que los frailes, en la oscuridad me tomaron por un religioso en traje de camino; los hombres me alumbraban con antorchas y las mujeres se empujaban por besarme la mano. Pernocté en el camino y al dia siguiente llegué á Catarman (Caladman dice el mapa de

---

(104) Ademas del gobernadorcillo se procedió á elegir un teniente mayor (que sustituye á aquél en ausencias y enfermedades), un juez de sementeras, cargo que recae siempre en un capitan pasado, dos jueces de policía, uno de paz que entiende en las cuestiones de ganados, un teniente segundo y otro tercero, un alguacil primero y uno segundo; finalmente, para cada visita un teniente, un juez y un alguacil. L s tres jueces pueden ser capitanes pasados, pero ningun capitan pasado podrá ser nombrado teniente. El primer teniente se saca de la principalía, los restantes indiferentemente de ésta ó de los demas vecinos; los alguaciles no son nunca de la principalía.

Coello), un pueblo grande y limpio, de 6.358 habitantes, situado en las bocas del rio de igual nombre. En su puerto estaban fondeados seis pontines de Catbalogan dispuestos para cargar arroz con destino á Albay. Los indios de la costa septentrional son poco marinos para navegar en busca de aquellos productos ; dejan este tráfico á los de Catbalogan, que, como no tienen arrozales, se ven obligados á dirigir su actividad á otro objeto.

Ántes el rio Catarman desaguaba más al E. y arrastraba gran cantidad de légamo. En el año 1851 se abrió un cauce más directo hasta el actual puerto por un terreno de incoherente arena cuarzosa y restos de moluscos, y hoy, inmediatamente desde tierra, pueden cargar buques de 200 toneladas ; la avenida destruyó al mismo tiempo la mayor parte del pueblo, derribando la iglesia de sillería y la casa parroquial. En el nuevo convento hay dos salas, una de $16,2 \times 8,8$ y la otra de $9 \times 7,6$ pasos ; el piso está entarimado con tablones de guijo (*Dipterocarpus Guiso*, Bl.) de una sola pieza. (El paso $=30$ pulgadas.) El grueso de los tablones es de una pulgada ; corresponde, pues, á una pieza de madera de la altura de una mesa $(2\,^1/_2{}')$, del mismo ancho y 18′ de longitud, ó sean 110 piés cúbicos (105). Las casas están rodeadas de jardines, consistentes muchos de ellos sólo en un soto que encierra inculto matorral. Al construirse de nuevo el pueblo despues de la inundacion, se mandó establecer jardines, pero suele faltar la asiduidad necesaria á su cuidado. Al Sur del pueblo se extienden praderas de yerba corta y tupida ; con excepcion, empero, de los ganados del curá, no los aprovecha ninguna res.

Sin criado aún, metí mi equipaje en dos pequeñas bancas destinadas á remontar el rio, por cuyas márgenes se extienden arrozales y cocales, que, ocultos tras una faja de nipas y de altas cañas, sólo aparecen en distintos claros. Las márgenes, primero bajas, van elevándose y haciéndose cada vez más acantiladas en bancos de arena y tambien de roca firme arcillosa silícea con raros vestigios de fósiles, tan borrados que no son reconocibles. Un pequeño molusco (106) ha abierto numerosos agujeros en el límite del

---

(105) G. Squier (*States of Central Amerika*, 192) cita un trozo de caoba de 17 piés de longitud, y escuadría en el extremo inferior de 5′ 6″, es decir, que cubicaba 550 piés.

(106) Segun el Dr. de Martens, *Modiola striatula*, *Hanley :* la misma bivalve se encuentra en las marismas de Singapore de un tamaño mucho mayor. Reeve representa la especie recogida por Cumming en las islas Filipinas, sin indicar la localidad, de un tamaño mayor (38 ᵐᵐ); la concha de Catarman tiene sólo 17ᵐᵐ.

agua, asemejándose las rocas á panales de miel. Á las doce cocimos nuestro arroz en una choza aislada donde vivian gentes de afable trato. Las mujeres, á quienes sorprendimos cubiertas de andrajos sucios de tosca guinara, se retiraron avergonzadas, y aparecieron poco despues con abigarradas sayas limpias y adornadas con pendientes dorados y peinetas de concha. Como dibujase á una chiquilla desnuda, su madre la cubrió con una camisa. Á las dos volvimos á meternos en la banca, remamos durante toda la noche y á las nueve de la mañana llegamos á la pequeña visita de Cobocobo. Descontando dos horas de siesta, habia trabajado la gente veinticuatro horas sin descansar, y seguia de buen humor, aunque algo fatigada.

Niñas visayas.

Sobre las dos y media emprendimos el camino por la *Salta Sangley* (salto del chino) á Tragbucan, que en línea recta dista cerca de una milla; el rio Calbayot, que desagua en la Punta Hibaton, es navegable para pequeños botes. En medio de estos dos rios, y del corto, pero penoso camino, hay una union entre los notables pueblos Catarman en la costa Norte, y Calbayot en la Oeste. El camino, siempre estrecho, libre de los rayos del sol por la espesura del monte, desaparece á trechos bajo lodazales. La divisoria entre el Catarman y Calbayot está formada por la Salta Sangley, que así se llama una loma plana de bancos arcillosos y areniscos, con escaleras naturales á ambos lados, por las cuales, formando pequeñas cascadas, cae el agua reunida en la parte alta. En los sitios más difíciles se han puesto toscas escalas de caña. Conté quince arroyos en la parte N. E. que alimentan el Catarman, y otros tantos tributarios del Calbayot en la S. O. Á las cinco y cuarenta minutos llegamos al punto más elevado de la Salta Sangley (á unos 90′ sobre el nivel del mar). Á las seis y treinta minutos por el cauce de la region superior del Calbayot, cuya profundidad nos obligó á torcer nuestro camino, en la oscuridad, penosamente por el matorral ; á las ocho nos hallábamos enfrente de la visita Tragbucan.

La profundidad del rio alcanzaba ya seis piés y nos faltaba un barquichuelo para atravesarlo. Despues de llamar largo rato, de suplicar y amenazar, se decidieron, asustados por un tiro de rewolver, á hacer una balsa de bambúes para pasarnos á la otra orilla con los equipajes. El pueblecito, formado sólo por algunas chozas miserables, tiene una linda situacion, rodéanle emboscadas colinas en una pequeña meseta de 50 piés sobre el rio, bordeado de juncos.

Gracias á la actividad del teniente de Catarman, se me proporcionó temprano una banca, de modo que pude continuar el viaje á las siete. Las márgenes siguen teniendo de 20 á 40 piés de altura. El grito de algunos calaos, que revoloteaban en las ramas más elevadas, era el único sonido, a única señal de vida que percibiamos. A las once y media llegamos á

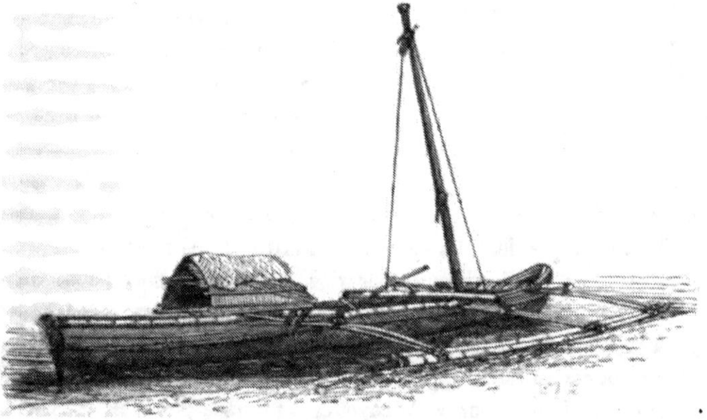

Casco con batangas de b am bú.
La toldilla consiste en hojas de palmera tejidas y unidas con tiras de bambú.

una pequeña visita, Taibago ; á la una y treinta y cinco minutos entramos en otra parecida, Magubay, y despues de dos horas de siesta, á las cinco, á una cascada, por la que nos deslizamos sin dificultad, pues casi no tenía agua. El rio gana allí doble anchura ; ántes de este sitio no tiene más que 30 piés, le obstruyen muchos troncos de árboles derribados, que estorban

206

su navegacion. Las once de la noche serian cuando salimos al mar, y remamos en completa calma, una legua por la costa hácia Calbayot, cuyo convento goza de una soberbia vista.

Una tempestad nos obligó á retardar hasta la tarde el viaje á la cabecera Catbalogan (ó Catbalonga). Navegamos en una banca hecha de una sola pieza y provista de batangas, hácia la costa, en la cual se veia una série de colinas bajas y emboscadas animadas por gran número de caseríos; al caer el sol doblamos la punta Napalisan, peñasco de conglomerado traquítico, con una série de pícos en forma de torreones, que sobresalen á 60 piés de altura, semejantes á las ruinas de un castillo feudal. Por la noche llegamos á Catbalogan, capital de la isla y poblacion de 6.000 habitantes, situada en el centro de la costa occidental, en una bahía pintorescamente rodeada de islas y cabos de difícil acceso y poco abrigo. Ni una sola embarcacion estaba fondeada en el puerto.

Las casas, muchas de tabla, son más elegantes que las de Camarines; las gentes, aunque perezosas, son más humildes, de mejor índole y costumbres más puras que los del Sur de Luzon. Gracias á la galante intervencion del Gobernador, hallé pronta una espaciosa habitacion y á mi disposicion un criado, que hablaba el español. Allí conocí á un indio muy hábil, que habia aprendido oficios muy distintos. Con la herramienta más sencilla compuso varios instrumentos y aparatos, cuyo uso comprendia con maravillosa rapidez, dando pruebas del gran desarrollo de sus facultades intelectuales.

En Samar no son raros los lemures, llamados en Visayas *kaguang* (*Galeopithecus*). Este animal tiene el tamaño de un gato doméstico, pertenece al órden de los cuadrúpedos; como las ardillas voladoras tiene un apéndice de la piel, que saliendo del cuello, le llega hasta la cola; extendido por las cuatro extremidades, y le permite saltar de árbol en árbol con una caida en ángulo muy obtuso (107). El cuerpo todo y este apéndice están cubiertos de pelo corto y suave, apénas inferior en finura y delicadeza al de la chinchilla, por lo cual goza grande estima. Durante mi estancia dieron al cura, como regalo, seis kaguanges vivos (tres de color gris cla-

---

(107) Wallace vió en Sumatra, durante el crepúsculo vespertino, un lemur correr por el tronco de un árbol y despues saltar á otro próximo que alcanzó á poca distancia del suelo; la separacion entre los dos era de 210 piés, y la diferencia de alturas sólo de 35-45, ó sea ménos de 1 : 5. (Véase WALLACE, *Malay Archipelago*, I, 211.)

ro, uno pardo oscuro, dos pardos agrisados, todos con manchas pequeñas, blancas, irregularmente diseminadas), de ellos me cedió una hembra con su cría.

Mi kaguang parecia un animal torpe é inofensivo. Al desatarle se quedó tendido en el suelo, con las cuatro patas extendidas y arrastrando la barriga daba cortos y pesados saltos, sin levantarse, en direccion al tabique próximo formado de tabla cepillada. Al llegar á él lo tocó largo tiempo con las garras de sus manos, encorvadas hácia dentro y muy agudas, hasta que se convenció de la imposibilidad de trepar por la madera lisa. Cuando lograba subir por una esquina ó á lo largo de alguna rendija, se caia, porque dejaba de apoyar las patas traseras ántes de asegurarse con las delanteras; pero sin lastimarse, pues contenia la velocidad de la caida extendiendo el apéndice en forma de alas. Estos ensayos, continuados con gran tenacidad, indicaban una notable falta de instinto, el animal se creia capaz de hacer mucho más de lo que realmente podia, y por esto no tenian éxito sus tentativas. Si el kaguang no estuviera acostumbrado á que su paracaidas le evitase hacerse daño, aprenderia mejor á conocer hasta dónde llegan sus fuerzas. Repitió tantas veces sus pruebas, que dejé de prestarle atencion, y cuando volví la vista habia desaparecido. Lo hallé en un rincon oscuro debajo del techo, donde sin duda queria esperar la noche para escapar. Evidentemente habria logrado, llegado hasta aquel sitio, alcanzar el borde superior de las tablas, y entre éstas y la techumbre de caña y nipa deslizar su cuerpo. El pobre animal, que prematuramente habia yo juzgado tonto y torpe, tenía en circunstancias propicias una habilidad extraordinaria unida á mucha prudencia y tenacidad.

El cura de Calbigan, que estaba accidentalmente en Catbalogan, me contó tantas maravillas de su comarca, donde debia hallar los animales más raros y tambien indios cimarrones salvajes, que me decidí á acompañarle al dia siguiente. Una hora despues de nuestra partida llegamos á la pequeña isla de Majava, formada por las capas levantadas de una toba compacta, fino-granuda, volcánica, con pequeños y brillantes cristales de hornblenda. A la isla Buat (segun el mapa de Coello) le llamaba nuestra tripulacion Tubigan. En tres horas alcanzamos Umánas, barrio de Calbigan, situado á 50' sobre el mar, al borde de una bahía, delante de la cual, como es frecuente en esta costa, se extiende una línea de pequeñas y pintorescas islas situadas 4 leguas al S. de Catbalogan. Calbigan, donde entramos al anochecer, está rodeado de arrozales y dista 2 leguas N. N. E. de Umá. nas, á una elevacion de 40 piés sobre el lecho del rio de su mismo nombre, á legua y media casi de su desembocadura. En la márgen del Calbigan es comun un árbol de hermosas flores color violeta, dispuestas en espigas, que produce la más preciosa de las maderas del Archipiélago, tan estimada como la teca, á cuya misma familia pertenece (verbenáceas), vulgarmente se llama *molave* (*Vitex geniculata*, Bl.) (*).

Segun aseguran personas dignas de crédito, hay en esta comarca encantadores ó domesticadores de serpientes. Silbando hacen salir á esos reptiles de sus escondrijos y les obligan á moverse segun su voluntad, sin peligro alguno. Me dijeron que al más famoso de ellos lo acababan de cautivar los piratas, otro se habia escapado con los monteses, y otro, que me acompañó en mis excursiones, probó ser injusto el renom. bre que tenía. Hallamos dos víboras y las sujetó agarrándolas por el cuello; pero para hacerlas permanecer quietas, tuvo que apoyar el pié sobre sus cuerpos (**). Cazando me herí en el pié con una rama y me fué preciso regresar á Catbalogan. Los habitantes de Calbigan pasan por ser más activos y previsores que los de los restantes pueblos de la costa occidental, y tienen tambien fama por su honradez. Les hallé muy complacientes, la recoleccion y preparacion de plantas y·de animales parecia agradarles en extremo, de buena gana hubiera elegido un criado entre ellos, pero se separan tan dificilmente de su pueblo, que fueron infructuosas las tentativas del cura para lograr que uno me acompañára.

A corta distancia, NO. de Catbalogan, se ve en marea baja, á 2 cables de profundidad, el jardin de corales más bello que puede imaginarse. Sobre una abigarrada alfombra de pólipos coralíferos y esponjas, se levantan colonias ramificadas semejantes á finísimos arbustos (*Sarcophyton pulmo*, Esp.); los animalitos extienden sus sonrosados tentáculos, que á la luz reflejan todos los colores del íris, tomando el aspecto de mágicas flores. Grandes serpulas salen de canutos calcáreos, mostrando sus delgados cuerpos adornados de coronas de tentáculos azules y amarillos, entre los cuales hay en abundancia *Plumarias;* pululan ademas en aquellos

---

(*) Los ejemplares remitidos al Herbario de Berlin parece que se han extraviado.
(**) Segun W. Peters. *Tropidolaenus philippinensis*, Gray.

fantásticos jardines pequeños peces de colores admirablemente espléndidos.

Despues de las tempestades y de la fuga de mi criado, que habia perdido en la gallera el dinero que le confiára, subí costeando la bahía, que se extiende desde el S. de Catbalogan hasta el N. E. en Paranas. Su costa septentrional está formada de capas de igual potencia, encorvadas con rumbo N. á S., regulares, que del O. se elevan suavemente y buzan al E. bruscamente cortadas en la orilla; hay en ella nueve pueblecitos entre Catbalogan y Paranas; se les ve en grupos aislados de chozas, cubiertas de cocoteros y bongas sobre colinas coronadas por pequeños castillos, ineficaz resguardo contra la piratería, pero sirviendo para aumentar los pintorescos atractivos de la comarca. En frente de la orilla S. de la bahía y hácia el S. O., se ven muchas isletas y peñascos llenos de vegetacion, y en lontananza veladas por cambiantes tintas las montañas de Leyte.

Como la tripulacion, vencida por el bochorno, casi tanto durmiera como remára, no llegamos hasta pasado mediodia á Paranas, pequeño pueblo, muy limpio y agradable, edificado en una ladera y á una altura de 20 á 150 piés sobre el nivel del mar. La roca, cortada casi verticalmente, consiste en capas de arcilla gris inclinadas hácia tierra y recubiertas por un depósito de restos de moluscos, cuyos intersticios están rellenos tambien de aquella sustancia; sobre éstos hay una brecha con cemento calizo formada por fragmentos de igual naturaleza. En los bancos arcillosos se encuentran fósiles en buen estado de conservacion, quizá tambien terciarios, pero no fué posible identificar las especies de los géneros existentes—*Cerithium, Pecten* y *Vénus*—con especies vivas (108).

A la mañana siguiente seguí hácia el Norte por un estrecho canal abierto en un manglar, y despues por tierra hasta la pequeña aldea de Loquilocum, en medio del monte. A mitad de camino pasamos un rio, ancho de 20′, que corre de E. á O., cuyas márgenes están casi cortadas á pico y tienen escalones abiertos en la roca.

Como áun cojease (las heridas de los piés tardan mucho en curarse

---

(108) De Martens distinguió entre los moluscos terciarios de estas capas las especies siguientes que viven aún hoy en el Océano índico: *Venus* (*Hemitapes*) *hiantina*, *Lam. V. squamosa, L. Arca cecillei, Phil. A. in æquivalvis, Brug. A. chalcanthum, Rv.*, y los géneros *Yoldia, Pleurotoma, Cuvieria, Dentalium*, sin poder asegurar su identidad con las actuales especies de los mismos.

en los países cálidos) me hice llevar en una hamaca parte del camino. Consiste ésta en una especie de litera de bambú, cubierta con una estera que resguarda de los rayos del sol: el signo III da una idea de su disposicion, la raya central figura la hamaca y las otras dos representan su cerco, cuyos extremos colocan robustos polistas sobre sus espaldas. Los hamaqueros se relevan cada diez minutos.

Los caminos se hallaban en un estado deplorable, exceptuando los de algunas localidades de la costa, todos los de Samar son igualmente malos. Despues de tres horas llegamos al rio de Loquilocum, que, viniendo del Norte, alcanza aquí el punto más meridional, formando en seguida una revuelta al N. E. y vertiendo sus aguas en el Océano. Gracias á la

Visita Loquilocum.

atencion del gobernador, hallé dispuestas dos bancas, tripulada cada una por dos hombres colocados en sus extremidades con medio cuerpo fuera, se deslizaron entre los troncos y rocas por el cauce del rio, cuya corriente es rápida. Con grande algazara bajamos una catarata de 1 ¼ de altura sin embarcar una sola gota de agua.

La aldea de Loquilocum está distribuida en tres grupos de casas sobre tres colinas distintas. Los habitantes se mostraron tan amables, serviciales, modestos y hábiles para recoger objetos, que pronto se empleó toda la provision de alcohol. Mis guías de Catbalogan sólo podian llevar algunos frascos y mi depósito habia sido remitido por un amigo con direccion equivocada, de modo que tardé meses en recibirlo; la tuba que compré en Samar era demasiado débil para conservar los objetos. Diariamente salian una ó dos bancas á pescar por mi cuenta; péro se cogian pocos individuos útiles para ser coleccionados, sin duda la mala costumbre de envenenar las aguas (se emplea con este objeto el fruto de una *Barringtonia*) ha exterminado la pesca en este rio.

Pasados unos dias dejamos el pueblo á las nueve y media de la mañana, metidos en dos pequeñas bancas, y era la una de la tarde cuando llegamos á Dini, que así se llama una choza en medio del monte, despues de pasar más de 40 cataratas de 1 á 1 $^1/_2$, por lo ménos, de altura. Los nombres de las más importantes están bien indicados en el mapa de Coello. Las siguientes noticias pueden dar idea de sus distancias. A las diez atravesamos una garganta entre peñascos, al fin de la cual el agua se precipita en un gran remanso de muchos piés de profundidad. Las bancas, conducidas hasta allí con habilidad grande, tuvieron que descargarse, quedando en cada una sólo un par de hombres, que con mucha algazara se despeñaron, llenándose las embarcaciones de agua hasta la borda.

En frente de la cascada flota un banco de acarreos en el que se habian reunido fragmentos de la roca de las márgenes, cantos muy gastados de pórfido y jaspes, algunos trozos de carbon y piritas; nuestra gente no me supo decir de dónde podian proceder. De las once y cincuenta y seis minutos hasta las doce: una serie no interrumpida de saltos que se salvaron diestramente sin embarcar agua; pero en un córte más profundo, á las doce y tres minutos, se llenaron las bancas de tal modo que fué preciso achicar el agua para poder seguir. A las doce y quince minutos continuamos el viaje, la anchura del rio era, por término medio, de 60 piés. En los límites del monte se veia con frecuencia una palmera que apénas tenía 10' de altura, muy esbelta, y numerosas *Phalænopsis*, notables por la rara esplendidez de sus flores. No distinguimos monos, aves, ni serpientes, de las cuales dicen las hay tan gruesas como el muslo. (Género *Python*.)

A las doce y treinta y seis minutos llegamos al peor sitio, en donde el rio forma una serie de saltos con muchas rocas á flor de agua, entre las cuales pasaban como saetas las bancas, impulsadas por la veloz corriente. Las tripulaciones de ambas bancas se excedieron en destreza, apelando á todas sus fuerzas. A la una y diez y siete minutos, llegada á Dini, la cascada más notable de todo el trecho recorrido, tuvimos que sacar del rio las bancas y pasarlas por encima de las rocas, sirviéndonos como cuerdas las lianas colgantes de los árboles. Continuamos el viaje á las dos y veintiun minutos. A las dos y veintiocho minutos tuvimos que bajar una desigual y larga escalera y embarcamos mucha agua. Hasta allí el Loquilocum corre entre peñascos, generalmente abruptos, y en algunos puntos completamente cubiertos por el follaje de las ramas, que, cruzándose, forman una bóveda, de la cual cuelgan muchas enredaderas y largos helechos. Desde este punto se despeja el rio, viéndose colinas bajas con matorral, y al N. O. altas montañas emboscadas.

Azotados ya hacia dos horas por una fuerte lluvia, llegamos á las cinco y media á una casa aislada habitada por buena gente; en ella hicimos noche.

Al dia siguiente continuamos bajando el rio. Despues de diez minutos nos deslizamos por la última catarata, entre rocas calizas, blancas y de aspecto marmóreo, llenas de vegetacion. Sobresalian del rio ramas enteras cargadas de *Phalaenopsis* (*Ph. Afrodite, Reichb. fil.*), sus flores, mecidas por el aire, parecian mariposas prontas á posarse sobre el agua. Do horas más allá adquiere el rio 200′ de anchura; despues de saltar una gradería natural de más de 50^m en Loquilocum, va serpenteando por el terreno llano y de aluvion, próximo al mar, y forma un ancho estuario, en cuya orilla derecha y distante media legua de la costa, está el pueblo Jubasan ó Paric (2.300 habitantes) que da nombre á la region baja del rio. Aquí dejé á la gente de Loquilocum, que tan bien se habia portado, y emprendí el penoso viaje de vuelta.

Detenido por la tempestad hasta al dia siguiente, no pude embarcarme con rumbo á Tubig (2.858 habitantes) al Sur de Paric. Impedido aún de emprender marchas largas, fuí en barca, á remo, siguiendo la costa hasta Borongan (7.685 habitantes), donde me quedé algunos dias en casa del cura, persona muy inteligente y de agrable trato. Seguí despues hácia Guiuan (tambien llamado Guiuang ó Guiguan), que es el pueblo mayor de Samar (10.781 habitantes); está situado en una lengua de tierra que se avanza dentro del mar en la punta S. E. de la isla.

Junto á la misma orilla brota un abundante manantial de agua débilmente sulfurosa, que sale por cinco ó seis agujeros; la marea alta lo cubre, pero sus aguas casi no toman sabor salado. Para investigarlas hice abrir un pozo y saqué una muestra, despues de dejar correr el agua durante media hora : sensiblemente se me perdió ántes de hacer su análisis. La temperatura del agua era, á las ocho de la mañana, de 27°,7, acusando la del aire 28°,7 y la del mar 31°,2 C. El manantial sirve á las mujeres para teñir sus *saronges*. Esta tela, tejida de abacá, recibe primero un baño de lechada de cal, despues uno de la infusion hecha con una corteza rica en tanino y se seca al sol; en marea baja se pone en el manantial, y en la alta se quita y se seca otra vez; introdúcenla luégo en la infusion de la corteza y se empapa de agua del manantial, repitiendo estas operaciones durante tres dias. Como resultado de ellas se obtiene un tinte negro permanente; pero muy feo. (*Galato de óxido de hierro.*)

En Loquilocum y Borongan tuve ocasion de comprar dos *magos* ó animales-espectros vivos (*). Son de forma elegante y rara, y pertenecen á un grupo afine al de los monos; en Luzon y Leyte me aseguraron que sólo se encuentran en Samar, y que viven exclusivamente de carbon de madera. Mi primer mago debió de padecer hambre al principio, pues no queria alimentos vegetales y era delicado en la eleccion de los insectos que comia; langostas grandes las tomaba con avidez (109). Su aspecto era originalísimo; despues de darle comida de dia, se ponia sobre las patas traseras, muy endebles, apoyándose ademas en su pelado rabo y moviendo en todas direcciones la cabeza, en que brillaban dos ojos centelleantes, amarillos, parecidos á los de un buho. Sólo despues de algun tiempo fijaba la mirada en un objeto determinado, y al distinguirlo extendia los dos bracitos á un lado, echándolos algo hácia atrás como un niño que se alegra; lo coge con las garras y la boca á un tiempo y come con fruicion la presa. Pasaba el dia atontado, medio dormido, incomodándose si se le molestaba; al ocultarse el sol se dilataban sus pupilas. Por la noche se movia con viveza y saltaba veloz, casi siempre lateralmente. Se domesticó pronto, pero murió á las pocas semanas. Tampoco pude conservar mucho tiempo vivo al segundo.

(*) *Tarsius spectrum*, *Tem.*, vulgarmente *mago*.

(109) El P. Camel dice ya que este animalito se supone que vive sólo de carbon; pero que es un error, pues come *Ficus indica* (y tambien plátanos) y otros frutos. (CAMEL, *De cuadruped. Philos.*, *trans.* 1706/7, Lóndres.) Sobre el Kaguang (véase pág. 194) añade Camel unas noticias interesantes conformes con los conocimientos actuales (2, pág. 2197).

CAPÍTULO XX.

En Guiuan recibí la visita de algunos habitantes de la Micronesia, que se ocupaban en la pesca de perlas, cerca de Sulangan, pueblo situado una lengua de tierra al S. E. de Guiuan. Con este objeto habian hecho el peligroso viaje hasta allí (110).

Salieron de Uleai (Uliai 7° 20′ N., 143° 57′ E.) en cinco bancas, cada una tripulada por nueve hombres, llevando por víveres cocos y plátanos, y ademas cuarenta calabazas llenas de agua. A cada hombre se daban diariamente un coco y dos batatas asadas en la ceniza de cáscaras de coco. Por el camino pescaron algo y recogieron agua de lluvia. Durante el dia se orientaban por el sol, y las estrellas les servian de guía en la noche. Una tempestád dispersó las bancas. Dos zozobraron con toda la gente á la vista de los demas; sólo uno de los náufragos, probablemente el único que escapó con vida, fué á parar á Tandag, punto de la costa oriental de Mindanao, dos semanas despues de la partida. En Tandag se quedaron quince dias, trabajaron la tierra á jornal y despues navegaron á lo largo de la costa Norte, pasando por Cantilang, 8° 25′ N.; Banóuan (en el mapa de Coello se dice erróneamente Bancuan), 9° 1′ N.; Taganáan, 9° 25′ N., y

____

(110) Las siguientes noticias se publicaron en las actas de las sesiones de la sociedad antropológica de Berlin, y allí llamé á mis visitantes «isleños de las Palaos». Pero como el Dr. Semper, que ha pasado largo tiempo en las Palaos, propiamente tales (islas Pelew), dice con razon en las *Hojas de la Corresp.* (*Bl. für Anthropológie*), 1871, *núm.* 2, que Ulilai forma parte del grupo de las Carolinas, he sustituido la antigua denominacion por la expresion más general de *micronesicos,* si bien todos les llamaban *Palaos;* sin duda procedian de Uliai. Segun me ha dicho el Dr. Græffe, que ha permanecido muchos años en la Micronesia, Palaos es una denominacion general, como Kanaka y otras muchas, y no indica exclusivamente los habitantes del grupo de Pelew.

de allí se marcharon á Surigao, en la punta septentrional de Mindanao, y despues, aprovechando el viento del Este, llegaron en dos dias á Guinan. En la traduccion alemana de la Historia de las islas orientales del capitan Salmon..... Altona, 1733, se lee lo siguiente (pág. 63):

« En los últimos tiempos se han descubierto aún algunas otras islas al Oriente de las Filipinas, llamándolas « Nuevas Filipinas » por estar próximas á ellas. El P. Clan (Clain) da las siguientes noticias acerca de las mismas en una carta fechada en Manila, que se ha incluido en las *Philosophical Transactions*. Sucedió que hallándose en el pueblo de Guivam, isla Samar, halló 29 palaos (eran 30, pero uno falleció en Guiuan) ó habitantes de ciertas islas recientemente descubiertas, que habian sido arrojados á aquella costa por los vientos del E. reinantes allí desde Diciembre á Mayo. Segun me aseguraron, habian navegado setenta dias arrastrados por el viento sin descubrir tierra alguna, hasta que al fin pudieron desembarcar en Guivam. Al salir de su patria iban en dos canoas atestadas de gente llevando mujeres y niños, total 35 personas, de las cuales cinco murieron durante la travesía. Al ver que un indio de Guivam queria subir á una de sus canoas, les entró tal terror, que todos los tripulantes saltaron por la borda. Poco á poco fueron desvaneciéndose sus temores, y desembarcaron el 28 de Diciembre de 1696. Comian cocos y raíces, que por compasion se les daban; pero no quisieron probar el arroz cocido, que es la comida general de los pueblos asiáticos. Dos mujeres, que en época anterior habian estado allí llevadas por las tempestades, les servian de intérpretes.....

..... Las gentes de aquellas tierras van medio desnudas, y los hombres se pintan el cuerpo con manchas y diversas figuras..... Durante la travesía se alimentaron de peces, que pescaban valiéndose de cestas con la boca ancha y terminadas en punta estrecha, las cuales llevaban colgadas de la popa de sus embarcaciones. Bebian el agua de lluvia, que recogian, segun dice la carta, en cáscaras de coco. Al ir á presentarlos al cura, á quien tomaron por el gobernador en vista del respeto que inspiraba, se pintaron todo el cuerpo de amarillo, lo cual era de etiqueta entre ellos. Son muy hábiles para bucear y sacan del fondo conchas con perlas, que luégo tiran por creerlas sin valor».

Uno de los párrafos más interesantes de la carta del P. Clain lo omitió el capitan Salmon en su obra y es el que dice: « El más anciano de estos extranjeros habia estado ya otra vez en las costas de la provincia Caragan, de una de nuestras islas (Mindanao) como náufrago; pero como encontrára sólo á los infieles, que habitan las montañas y parte de la costa, se volvió á su patria.»

En una epístola dirigida al P. d'Aubenton, en Agdana (ó sea Agaña, Marianas) por el P. Cantova, á 20 de Marzo de 1722, en la que se describen las islas Carolinas y Palaos, se lee: «La cuarta comarca está al Oeste.

Yap (9° 45′ N. 138° 1′ long. E.) (111), que es la principal isla, tiene más de 40 leguas de circuito ó bojeo..... Ademas de las diversas raíces que comen los naturales en vez de pan, hay batatas que ellos llaman *camotes* y que se han importado de las Filipinas, como me dijo uno de nuestros indios carolinos nacido en aquella isla. El mismo cuenta que su padre, Coorr..... tres de sus hermanos y él fueron llevados por la tempestad á una de las provincias de Filipinas, que tiene por nombre Visayas, y benévolamente acogidos allí por un misionero de nuestra Compañía (de Jesus)..... que al regresar á su isla llevaron semillas de diferentes plantas, entre otras de batata, que se propagaron tanto, que les sobraban para su consumo y podian darlas á los habitantes de otras islas vecinas.»

Murillo Velarde (f. 378) cita que en 1708 llegaron á Palapag (costa N. de Samar) algunos palaos llevados por el mal tiempo. Despues, en Manila, tuve ocasion de fotografiar á un grupo de indios palaos y carolinos, que un año ántes habian sido arrojados por el temporal á las costas de Samar. Estos son seis de los ejemplos conocidos de micronésicos llegados á Filipinas, prescindiendo de los que hayan podido hacer voluntariamente el viaje. No sería quizá difícil hallar más casos análogos; con frecuencia, ántes y despues del descubrimiento por Magallanes y Legaspi, deben haber sido muchos los que hayan pisado aquellas playas, conducidos por los tempestuosos vientos del N. E., sin que quede noticia de ello (112). Como el largo comercio de las costas occidentales del Archipiélago con la China, el Japon, la India transgangética y posteriormente con Europa parece haber ejercido su influencia en las razas que las pueblan, lo mismo puede suceder en las orientales por las relaciones con los pueblos de la Polinesia. La circunstancia de saber los habitantes de las islas de los Ladrones (*) y los de Visayas (**) teñir sus dientes de negro, parece indicar relaciones antiguas entre los Visayas y los isleños de Polinesia (113).

(111) Dumont d'Urville, *Voyage au pole sud*, pág. 206, observa que los indígenas llaman á aquella isla *Gouap* ó *Ouap*, pero nunca *Yap;* la agricultura, añade, está allí más adelantada que en todas las demas islas del mar del Sur visitadas por él.

(112) Los viajes de los habitantes de Polinesia tenian tambien por causa la tiranía de las tribus vencedoras sobre las vencidas en sus guerras intestinas, que las obligaba á emigrar (Ausland, 29 Enero 70).

(*) Pigafetta, pág. 51.

(**) Morga, f. 127.

(113) Los visayas recubren sus dientes con un barniz negro brillante ó de color de fuego, tomando una tinta negra ó roja como cinabrio; en las de la mandíbula superior hacen una

De Guiuan salí embarcado en una incómoda banca abierta y provista sólo de una tolda de tres piés en cuadro, en direccion á Tacloban, capital de la isla de Leyte. Una ráfaga de viento nos puso en peligro, el resto del viaje tuvimos calma y hubo que remar todo el tiempo. La travesía se hizo muy pesada por la falta de toldo (calor al sol 35°; temperatura del agua 25° R.), duró treinta y una horas con algunos descansos para las comidas; la tripulacion se daba prisa para llegar á Tacloban, que está en activa comunicacion con Manila y ofrece á los habitantes de las pocas frecuentadas costas orientales los atractivos de una gran capital. Es dudoso que haya sitio alguno en donde el mar se presente con una belleza igual á la que ofrece en el estrecho paso que separa Samar de Leyte. Al Oeste le limitan elevados y escuetos bancos de toba, con algunos pantanos cubiertos de manglar en sus márgenes. El alto monte vírgen, interrumpido sólo por algunas fajas de cocoteros, aparece allí con toda su majestad bañado por las olas, y sobre su oscuro fondo resaltan las aisladas chozas de los moradores. Las colinas cercanas al mar, de pendientes más abruptas, y los muchos islotes peñascosos están coronados de rocas coralíferas, que tienen el aspecto de antiguos castillos. En la entrada oriental del estrecho forma la costa Sur de Samar una caliza blanca de aspecto marmóreo, si bien es moderna, que en muchos puntos constituye escollos cortados á pico (114). Junto á Nipa-Nipa, pequeño caserío á dos leguas E. de Basey, se desarrollan en larga serie hasta el mar pintorescas peñas altas de más de 100 piés, arredondeadas en su cúspide, muy emboscadas, carcomidas en su base por la accion del mar, sobresaliendo como gigantescos hongos sobre las olas. Hay en todo este sitio como un ambiente fantástico particular, cuyo poder debe ser fuerte en los pescadores indígenas cuando escapan felizmente del oleaje furioso, que fuera de él levanta el N. E. entrando de repente en este tranquilo remanso. No es de extrañar que la devota imaginacion de aquellas gentes sencillas poblára semejantes sitios de espíritus sobrenaturales.

pequeña abertura que rellenan de oro, que resalta sobre el fondo negro ó rojo (*Thévenot, Religiosæ*, 54). Un rey de Mindanao, que visitó á Magallanes en Massana «in ogni dente havera tre machie d'oro che parevano fosseni legati con oro», cuya frase Ramusco convirtió en la siguiente: «In ciascun dito avea tre anelli d'oro» (*Pigafetta*, pág. 66). Compárese con lo dicho por Carletti en sus viajes (CARLETTI, *Viaggi*, I, 153).

(114) En uno de estos escollos, 60 piés sobre el nivel del mar, hay bancos de moluscos: *Ostrea, Pinna, Chama*..... Segun el Dr. de Martens: *O. denticulata, Bron., O. cornu-copiæ, Chemn., O. resacea, Desch., Chama sulfurea Reeve., Pinna nigrina. Lam* (!).

En las cavernas de estas rocas enterraban los antiguos Pintados los cadáveres de los héroes y de los ancianos, colocándolos en ataudes con todos los objetos que les fueron más caros en vida. Tambien al enterrarles se hacian sacrificios de esclavos para que en el reino de las sombras no les faltára servidumbre (115). Los numerosos ataudes, utensilios, armas y adornos contenidos en estas cuevas se conservaron durante siglos por

Rocas en el mar cerca de Nipa-Nipa.

el supersticioso respeto que vedaba tocarlos. Ninguna banca se atrevia á pasar por delante de aquel sitio sin que observase el ceremonial heredado de los tiempos del paganismo para conjurar y aplacar á los espíritus de las cavernas, que tenian fama de castigar la inobservancia con tempestades y naufragios.

Hace unos treinta años un jóven sacerdote muy celoso, á quien horrorizaban aquellas antiguas prácticas del gentilismo, intentó extirparlas de raíz. Con gran séquito de bancas, provistas de cruces, pendones, imágenes de santos y todo un devoto arsenal para exorcizar á los malos espíritus, emprendió su piadosa peregrinacion trepando por las breñas con música, cantos religiosos y fuegos de artificio. Despues de echar un cántaro de agua bendita á fin de expulsar á los espíritus de la cueva, el atrevido sacerdote

<hr>

(115) El capitan Ullmann describe una ceremonia fúnebre (*Tiwa*) de los Dayaks en el número de la revista inglesa *The Athenæum*, correspondiente al 7 de Enero de 1871; en muchos puntos idéntica á la practicada por los visayas. Los parientes masculinos más próximos del difunto hacen un ataud del tronco de un árbol, tan estrecho, que el cadáver va en él como prensado, por evitar que se muera otro miembro de la familia, á fin de llenar el hueco restante. Se amontonan objetos pertenecientes al difunto con objeto de mostrar su riqueza y conquistarle la debida consideracion en el mundo de los espíritus; debajo de la caja se colocan una vasija con arroz y otra con agua. Una de las principales ceremonias de la *tiwa* consistia ántes (y aún hoy en algunos pueblos) en sacrificios humanos. En donde el gobierno holandés domina de hecho no pueden efectuarse, y sólo se matan de un modo bárbaro bueyes ó cerdos, con cuya sangre la gran sacerdotisa tiñe la frente, el pecho y los brazos del jefe de la familia. En las islas Filipinas las sacerdotisas (catalonas) practicaban ántes semejantes holocaustos de esclavos ó cerdos con extrañas ceremonias. (*Informe*, I, 2, 16.)

penetró en ella con la cruz seguido de los fieles, electrizados con su ejemplo. Una brillante victoria coronó sus esfuerzos : se destrozaron los ataudes, arrojando al mar los esqueletos. Con igual éxito asaltáronse las cavernas restantes. No ha desaparecido, sin embargo, del todo la añeja supersticion, que áun cuando más débil se ha conservado hasta los actuales tiempos.

El cura de Basey me enteró más tarde que en una de las cuevas existian aún restos, y algunos dias despues me sorprendió agradablemente con varios cráneos y el ataud de un niño, que habian mandado extraer d^e aquel sitio. A pesar del gran influjo sobre sus feligreses, tuvo que recurrir á todos los recursos de su oratoria para animar á los más atrevidos á que se arriesgáran. Una banca tripuláda por 50 hombres se lanzó á la empresa; ménos gente no hubiera jamas querido ir. En el viaje de vuelta les sorprendió una tempestad, que consideraron ser el castigo de su profanacion, y sólo el temor de empeorar su situacion les impidió arrojar al agua ataud y cráneos. Por fortuna estaban cerca de la costa y remaron con gran vigor para alcanzarla pronto. Á su llegada tuve que recoger personalmente los objetos, pues ningun indio osaba tocarlos.

Á pesar de todo logré al siguiente dia hallar algunos hombres resueltos que me acompañáran á las cuevas. En las dos primeras, que investigué, no encontré nada; la tercera contenia varios ataudes rotos, algunos cráneos y cacharros de loza barnizada, toscamente pintados; no fué, sin embargo, posible reunir dos que pertenecieran á una misma pieza. Un agujero estrecho comunicaba la cueva grande con un espacio pequeño y oscuro, en el cual sólo se podia permanecer algunos segundos con la antorcha encendida. Á esta circunstancia hay, sin duda, que atribuir la conservacion, en un ataud comido de gusanos, de un esqueleto, ó más bien de una momia, pues en muchos sitios estaba aún adherido á los huesos el tejido muscular ya seco y la piel. Debajo habia una estera ó petate de hojas de pandano, reconocible, y la cabeza del cadáver se apoyaba en una almohada tejida de la misma materia y rellena de plantas. Se veian tambien algunos otros restos de telas tejidas. Los ataudes eran de tres clases distintas y sin adornos. Los de la primera forma, hechos de excelente madera de molave, no presentaban indicios de putrefaccion ni de haber sido atacado por los gusanos , al paso que los otros se hallaban completamente destruidos; los de la tercera clase eran los más frecuentes y se diferenciaban de los de la primera , sólo por ser sus formas ménos onduladas y peor el material.

Ninguna leyenda hubiera podido pintar para un fantástico panteon una entrada más romántica que era la que conducia á la última caverna; las rocas se levantan desde el mar en muros verticales de mármol, y sólo se veia una abertura, que apénas tiene dos piés de altura y conduce á una galería natural, recorriéndola la canoa llega de repente á una especie de patio espacioso, casi circular, con el cielo por bóveda, y cuyo piso, baña el mar, está adornado por un jardin de corales. De las escuetas paredes cuelgan con profusion lianas, orquídeas y helechos, por los que trepando se llega á una cueva situada 60' sobre el nivel del agua. Para hacernos la localidad áun más fantástica, hallamos junto á la entrada de la gruta, apoyada en un peñasco, saliente dos piés, una serpiente de mar que con gran tranquilidad se quedó mirándonos, y que matamos por ser venenosa como todas las verdaderamente marinas. Otras dos veces habia ya observado esta misma especie en grietas de rocas en seco, adonde esprobable la llevára la marea creciente; era, sin embargo, notable que estuviese á tanta altura. Hoy se conserva con el nombre de *Platurus fasciatus*, *Daud*, en el Museo zoológico de la Universidad de Berlin.

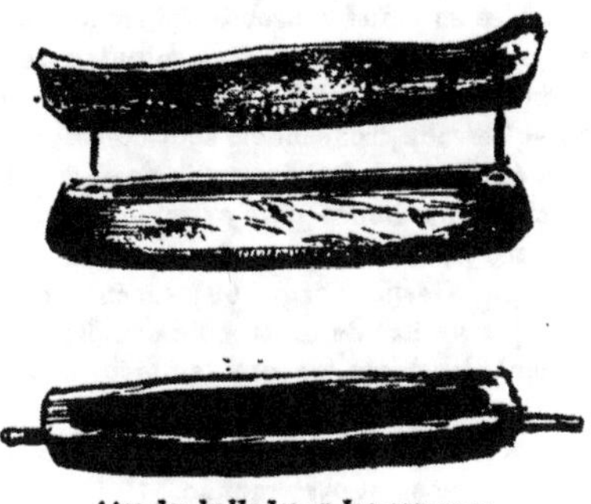

Ataudes hallados en las cavernas.

En Guiuan compré cuatro platos chinos ricamente pintados y dibujé un anillo procedente de cuevas semejantes; formaba este último objeto una delgada lámina de oro doblada primero en canuto del grueso de una pluma y despues arredondeado sin cerrar bien sus extremos; tenía el tamaño de un peso. Los platos me fueron robados en Manila.

Más cavernas como las descritas se hallan en otras muchas localidades de esta comarca: en la isla Andog, cerca de Borongan (hasta hace poco tiempo hubo cráneos) y tambien en Batinguitan, á tres horas de Borongan, en la orilla de un riachuelo, en la pequeña isla Monhon, cerca de Guiuan, de dificil acceso á causa de las tempestades. En Catubig se han encontrado adornos de oro, con los cuales se han hecho joyas modernas.

Una cueva cerca de Lanang es célebre en toda la comarca á causa de los cráneos gigantescos aplastados que contiene (*) (116). No estará desprovista de interes la comparacion de lo que vamos describiendo con las noticias suministradas por los autores antiguos, y por esto continuamos algunos extractos de ellas:

Mas (*Informe*, 1, 21) describe sin indicar autoridades los usos seguidos por los antiguos habitantes del Archipiélago en las ceremonias fúnebres: «Embalsamaban los cadáveres á veces con sustancias aromáticas..... colocando los más notables en ataudes hechos del tronco de árboles y provistos de tapas..... La caja se colocaba segun la última voluntad del difunto, en la parte alta de la casa, en donde se guardaban los objetos de valor, ó en un hoyo, debajo de la misma, que no se cerraba, rodeándole sólo de estacas, ó en un campo retirado ó en una colina ó peñascos situados orilla de algun rio, donde los devotos le veneraban. Colocaban guardianes para evitar que durante algun tiempo las canoas cruzáran por allí y el muerto arrastrase con él á los vivos.»

Segun Gaspar (pág. 169) se envolvia con telas á los cadáveres y se metian en cajas hechas de un trozo de madera, colocándoles joyas, anillos de oro y algunas planchitas, de oro tambien, sobre la boca y los ojos, y poniendo debajo montones de comestibles, platos y ollas. Igualmente solian enterrar con ellos á algunos esclavos, si eran personas de alta jerarquía, á fin de que tuvieran quien les sirviese en el otro mundo.

La adoracion de los muertos consiste principalmente en reverenciar como dioses á aquellos que en vida se distinguieron por su valor ó inteligencia..... Les llamaban *humalagar*, que significa lo mismo que en latin expresaba la palabra *manes*..... Los ancianos morian en esta creencia, por lo cual elegian un sitio visible para su tumba; en Leyte se hizo enterrar uno á la orilla del mar para que los navegantes le reconocieran como á un dios y le hiciesen oracion. (*Thevenot. Religieux*, pág. 2.)

No ponian los muertos en fosa entre la tierra, sino dentro de ataudes de madera muy dura é incorruptible..... Se les sacrificaban esclavos y esclavas para que no les faltáran criados más allá de la tumba. Cuando moria una persona notable se imponia silencio á todo el pueblo por un tiempo variable, segun el rango social del difunto, y que en ciertos casos se guardaba hasta que sus parientes lo hubiesen vengado con muertes encaminadas á aplacar la furia de su alma. (Obra citada, pág. 7.)

(*) En el apéndice figura un estudio del Pr. Virchow sobre los cráneos que traje de Filipinas.

(116) En el capítulo *de monstris et quasi monstris.....* del P. Camel (London, *Philos. Trans.*, pág. 2269) cita que en las montañas entre Guiuan y Borongan se hallaron huellas tres veces mayores que las pisadas de un hombre de regular estatura. Quizá los cráneos de Lanang (cráneos gigantescos) recubiertos de una gruesa costra caliza y aplastados, han dado origen á la conseja de las pisadas de gigante.

Con el mismo objeto (de ser adorados como dioses) escogian los ancianos sitios notables de la montaña para sus sepulturas, y especialmente los promontorios avanzados al mar, con objeto de ser venerados por los navegantes. (*Gemelli Careri*, pág. 449.)

Desde Tacloban, punto que elegí como cuartel general por las comodidades de su Tribunal y la abundancia de víveres, regresé al dia siguiente á Samar, dirigiéndome primero á Basey, situado delante de Tacloban. Las gentes de este pueblo tienen mala fama en toda la isla por su pereza y su poca aptitud para el trabajo; pero sus costumbres parece que son más puras que las de los habitantes de Tacloban. Basey está en el delta del rio del mismo nombre. Por un estrecho brazo salimos al principal del rio, que serpentea por la llanura con escasa pendiente, llegando el agua salada, segun indican los nipales, hasta algunas leguas tierra adentro. Más allá se extienden cocales, muy perjudicados por las avenidas como evidencian los muchos árboles destrozados, arrancados de cuajo y arrastrados al centro del rio. Despues de remar durante cinco horas, salimos de la llanura y entramos en un valle estrecho, encajonado entre muros de mármol, que se iban aproximando y aumentaban de altura á medida que avanzábamos. En muchos sitios están atacados por la accion de los agentes atmosféricos, presentándose agrietados y derruidos; sus peladas laderas forman un hermoso contraste con el azul del cielo, el verde claro del rio y los variados matices de las espléndidas lianas, que vegetan donde-hallan apoyo y cuelgan de las breñas á manera de largas guirnaldas.

El rio es allí de corriente tan rápida y tiene tan poca profundidad, que la gente salia de la canoa y andaba sobre las piedras de su lecho. De este modo llegamos á un tranquilo remanso de forma ovalada, despues de atravesar un arco ojival hecho por la naturaleza, con dos peñascos desprendidos y que habian quedado apoyándose mutuamente; rodéanle rocas calizas de 60 á 70 piés de altura, inclinadas hácia dentro, en su borde superior vegeta un anillo de árboles, cuyo espeso follaje permite penetrar sólo una media luz velada. En frente de esta especie de boca se levantan á manera de portal rocas adornadas con concreciones calizas de magnífico aspecto; su altura tiene unos 50 á 60 piés; á traves de la abertura distinguiamos parte del rio, dorado por los rayos del sol. En el muro de la izquierda del patio ovalado, 40 piés sobre el nivel del agua, se abre una cueva de fácil acceso, cuya longitud es próximamente de 100 piés; termina en una estrecha puerta, por la cual se llega á unas calizas que forman una meseta á manera de altar. Desde allí se divisa la campiña y la agrupacion de las peñas, reconociendo que son sólo los restos de una caverna estalactítica, cuya cubierta se ha desplomado. La belleza y originalidad de este sitio son apreciadas hasta por los indios, quienes le llaman *Sogoton*, que significa *bahía en el mar*. En unas calizas marmóreas muy duras vi indicios de bivalves y de erizos de mar (*echinidos*) en gran cantidad; pero no logré recoger ejemplar alguno clasificable. El rio puede remontarse aún un corto trecho. En su cauce hay cantos de rocas talcosas y cloríticas.

Con gran trabajo cogimos algunos peces pequeños, entre ellos ejemplares de una nueva especie (*); otra afine (*H. fluviatilis, Bleeker*) que encontré en una cueva caliza cercana á Nusa Kumbangan (Java), tenía tambien cría. La red que usamos era muy conveniente en aquel sitio, donde el rio tiene poco fondo y corre sobre cantos rodados; sus mallas, estrechas, formaban rombos alargados y estaban sujetas lateralmente por dos cañas largas terminadas en pico encorvado hácia adelante. Se agarran los extremos superiores de los palos, impeliendo hácia afuera la red colocada oblícuamente, que, gracias á los ganchos, resbala por las piedras al tiempo de agitar otro pescador el agua y dirigir los peces hácia la red.

En la orilla derecha, rio abajo de la cueva, hay depósitos que se elevan 20 piés sobre el agua, con restos fósiles de *Pentunculus, Tapes, Placuna;* la masa petrificante de algunos de ellos no se adhiere á la lengua, indicio de su escasa antigüedad. Pasé la noche en una choza improvisada, y al dia siguiente intenté en vano remontar el rio hasta el límite de la roca sedimentaria con la cristalina. Por la tarde emprendimos la vuelta á Basey, á cuyo punto llegamos de noche.

Basey está situado unos 50′ sobre el nivel del mar, en un banco de arcilla, que al Oeste pasa á formar una colina de escuetas laderas y de unos 100 piés de altura. Allí encontré, á 25-30′ sobre el nivel del mar, los mismos depósitos recientes que hay cerca de las cuevas estalactíticas de Sogoton. Segun afirmaban el cura y otras personas, se ha notado en esta localidad un rápido levantamiento de las costas; hace treinta años las

---

(*) *Hemiramphus viviparus,* W. PETERS (*Berl. Monatsb.,* 16 *März,* 1865. *Actas mensuales de Berlin,* 16 de Marzo de 1865).

embarcaciones podian llegar á tierra con tres cables de agua, y la actual profundidad no excede de uno. Pegados á Basey hay dos islotes: Genamok y Tapontonan, que ahora en las fuertes mareas bajas aparecen unidos por un banco de arena. Hace veinte años no se distinguia este istmo. Suponiendo verídicas estas noticias, deberia averiguarse en donde han influido las corrientes y en donde los levantamientos volcánicos que, segun indican las activas solfataras próximas de la isla Leyte, deben de haber sido considerables.

Segun aseguró el cura, hay en el rio de Basey cocodrilos de más de 30 piés de largo siendo frecuentes los que pasan de 20. El amable padre me prometió uno por lo ménos de 24 piés, cuyo esqueleto hubiera aceptado de buena gana, y lo encargó á algunos hombres prácticos en semejante caza; por su habilidad se les llama con este objeto desde comarcas lejanas. El aparato para la caza, que sin embargo no vi, consiste en una balsa de cañas con un palo, del que cuelga un perro ó un gato. Al lado del cebo hay un fuerte anzuelo de hierro, fijo en el flotante bambú, por medio de cuerdas de abacá. Cuando el cocodrilo lo ha tragado, procura en vano soltarse, pues la elasticidad de la balsa le impide romperla. Las cañas sirven al propio tiempo de boya, que indica el sitio donde está cogido. Segun noticias de los cazadores, los caimanes grandes establecen sus guaridas léjos de las habitaciones, preferentemente en sitios de mucha vegetacion, en pantanos sobre cuyo cieno su vientre deja huellas por las que sigue su pista la gente acostumbrada á esta caza. Pasada una semana, el cura me avisó que habian cogido tres; pero que el mayor de ellos medía sólo 18 piés, por lo cual, no los habia guardado esperando poder darme uno de 30. Sensiblemente sus esperanzas quedaron frustadas.

Eu los alrededores de Basey vegeta con gran abundancia *la judia de San Ignacio*, que es frecuente en algunas otras islas del grupo de las Visayas. En Luzon no la hay espontánea; quizá yo la he introducido allí despues involuntariamente. Su área de dispersion es muy limitada. Mis afanes para aclimatarla en el Jardin Botánico de Buitenzorg no tuvieron buen éxito: algunos ejemplares destinados á este objeto y que llegaron á Daraga durante mi ausencia, pasaron á enriquecer el parque de mi patron. Los recogidos por mí y mandados á Manila se extraviaron. Todos los ensayos para extender esta planta, usada como medicamento en toda el Asia oriental, no tuvieron resultado favorable, quizá dependiera de que, para evitar la putrefaccion de la semilla (y tal vez para asegurar el monopolio), hay que hervirlas ántes de la remesa.

Segun Flückinger (*) la *Ignatia amara, L. Strychnos Ignatii, Berg., Ignatiana philippinica, Lour.*—tiene por fruto una baya parecida á un pepino; su porte es el de un arbusto trepador: las semillas, de forma aovada irregular, se conocen con el nombre de *judías de San Ignacio* y llegan á tener 24″; su sabor recuerda el de la *nuez vómica*, pero no son venenosas. Pelletier y Caventon hallaron en ellas (1818) la estrichnina, extraida despues tambien de la *nuez vómica*. Aquéllas contienen doble cantidad que éstas, ó sea 1 ¹/₂ por 100, y como es su precio cuádruple, se obtiene sólo de la última.

Esta peligrosa droga se encuentra en muchas casas de Filipinas, y se usa como precioso remedio casero con el nombre de *pepita de Catbalonga*. Gemelli Carreri (pág. 420) la cita y enumera trece casos de su uso. El Dr. Rosenthal (*Synopsis plantarum diaphor.*, pág. 363) dice: «En India se emplea contra el cólera con el nombre de *Papecta*.» *Papecta* debe ser una errata: en la obra sobre las drogas indígenas de la India por K. Lall Dey, se llama *Papeeta*, que con la pronunciacion inglesa suena *Pepita*. Tambien goza mucha fama como remedio contra la mordedura de las víboras. El P. Blanco dice (*Flora de Filipinas*, 61) que ha probado en sí mismo más de una vez la eficacia de este específico, y advierte al propio tiempo que debe usarse con gran cautela como medicamento de uso interno, pues son bastantes las defunciones ocurridas por sus efectos. No es prudente introducirla en la boca, porque si se traga la saliva sigue inevitablemente la muerte, á ménos que sobrevengan vómitos. El cura de Tabaco llevaba, sin embargo, casi siempre una pepita en la boca. Empezó á usarla en 1842 para preservarse del cólera, y se fué habituando á ella. Cuando le traté en 1860 gozaba buena salud, atribuyéndolo á aquella costumbre. Segun me dijo, habia empleado con buen éxito su infusion, añadida al té en los casos de cólera, pero principalmente mezclada con aguardiente para frotar los miembros atacados por calambres.

Huc hace tambien elogios de una infusion del Kono-Kono, *Ignatia amara*, (*Thibet*, i, 252) para uso externo é interno, y observa que en la medicina china desempeña un papel importante, no faltando en ninguna botica. Antiguamente se consideraba como un remedio sobrenatural, lo que tal vez áun suceda en ciertas localidades, como dice el P. Camel (**), los indios la llevaban colgada del cuello llamándola *Igasur* ó *Mananaog* (la vencedora) para que les protegiera contra los venenos, picaduras, hechizos y bebidas ponzoñosas, no pudiendo nada el mismo diablo contra los que la poseian. Protege particularmente contra la accion de un veneno que se infiltra soplando y produce sus mortales efectos contra el que quiere envenenar con él. Camel enumera una serie de hechos milagrosos que atribuye á la supersticion de la judía de San Ignacio.

***

(*) Lehrbuch der Pharmakognosie des Pflanzenreichs, pág. 608.
(**) *Philos trans.* 1699, núm. 249, págs. 44-87.

En la mitad meridional de la costa Este, desde Borongan por Lanang hasta Guiuan, hay extensos cocales, cuyo principal aprovechamiento consiste en la obtencion de aceite por un sistema muy perfecto. De Borongan y sus visitas anejas se llevan anualmente 12.000 tinajas de aceite á Manila; los cocos consumidos por hombres y cerdos darian por lo ménos 8.000 tinajas más. De 1.000 cocos salen tres tinajas y media, y segun este cálculo resulta importar la produccion anual de la comarca de Borongan 6 millones de cocos, cuyo número supone 120.000 palmeras, calculando que cada una lleva 50 frutos. El aserto de haber allí millones de cocoteros es evidentemente exagerado.

La fabricacion de aceite está muy atrasada; se deja pudrir la nuez desprovista de su filamentosa corteza; como recipientes se usan bancas ya inútiles, colocadas sobre pilotes, por cuyas rendijas fluye el aceite en las tinajas colocadas debajo : los restos se prensan. Este procedimiento exige mucho tiempo, varios meses, y da un producto rancio, espeso, pardo oscuro, que en Manila se paga sólo á 2 $\frac{1}{4}$ pesos tinaja, al paso que el mejor preparado se evalúa en 6 pesos (117).

Hacía algun tiempo que un jóven español habia puesto en Borongan una fábrica para preparar aceite con mejores procedimientos. Un árbol ó eje, movido por dos carabaos, impele por medio de un juego de ruedas dentadas cierto número de rodillos de forma ovoidea, y con sus bordes compuestos de cinco láminas de hierro con dientes, puestas al extremo de un eje del mismo metal en el sentido de los radios; su punta exterior es obtusa, la otra extremidad del eje pasa por el centro de un disco, al cual comunica un movimiento giratorio, sobresaliendo en él. El obrero coge con ambas manos un coco partido, dirige la convexidad á la lima rotatoria, que oprime con fuerza al mismo tiempo que lleva la extremidad del eje hácia á su pecho protegido por una tabla almohadillada. Las virutas finas del coco se quedan doce horas en los recipientes planos, para que su tejido celular se descomponga. Se las coloca en ligeras prensas de mano, se recibe en cubos el líquido que contiene un $\frac{1}{3}$ de aceite y $\frac{2}{3}$ de agua, se le deja reposar durante seis horas, se recoge el aceite que sobrenada, y se le calienta en

______

(117) En Borongan cuesta la tinaja de 12 gantas 6 rs. pl., la vasija 2 rs. pl., el flete á Manila 3 rs, pl., ó cuando el productor va de marinero 2 $\frac{1}{2}$ rl. pl. El precio en el mercado de Manila se refiere á la tinaja de 16 gantas.

sartenes de cabida de centenares de litros; la evaporacion del agua exige
de dos á tres horas. Para enfriar rápidamente el aceite, á fin de que no tome
color pardo se echan dos cántaras de aceite frio sin agua y se apaga en seguida el fuego producido. Las virutas prensadas se exponen al aire durante otras seis horas, y despues se someten á una fuerte presion. Cuando se
han repetido ambas operaciones dos veces, se cuelgan los residuos en sacos dispuestos entre dos tablas verticales, y se les prensa todo lo posible
con dos tornillos de presion, despues de removerlos várias veces. Estos
restos se aprovechan para comida de los cerdos. El aceite que fluye de los
sacos no contiene agua, y por esto es muy límpido y sirve para enfriar el
que se va elaborando (118). La fábrica producia 1.500 tinajas de aceite,
trabajando sólo nueve meses del año. Desde Diciembre hasta Febrero no
pueden recibirse cocos á causa del estado del mar y de la falta de comunicaciones por tierra. El fabricante no lograba proporcionarse en los alrededores los cocos suficientes para trabajar sin interrupcion ó almacenar en
los meses de abundancia una reserva con que hacer frente á la época de
escasez, no obstante de pagarlos al precio, relativamente alto, de 9 pesos
millar.

Haciendo los indígenas el aceite del modo indicado, obtenian por cada
millar de cocos tres tinajas y media, que á 6 rs. pl. dan 21 rs. pl., ó sea
poco más del precio ofrecido por los cocos. Quizá haya alguna exageracion
en estos datos suministrados por el fabricante mismo; pero en lo esencial
pueden tomarse como seguro punto de partida. El viajero, en Filipinas,
tiene ocasion frecuente de observar anomalías semejantes. En Daet, Camarines Norte, compré seis cocos por un cuarto, á cuyo tipo resultan 960
por un peso (*), siendo este allí su precio ordinario (119). Al preguntar
por qué no se establecia ninguna fábrica de aceite, se me contestó que los

(118) El aceite de coco recien preparado sirve para la cocina; pero se rancia con mucha
facilidad. Es de uso muy general para el alumbrado. En Europa, adonde rara vez llega en
estado líquido, pues no fluye hasta una temperatura de 16° R., sirve para la fabricacion de
bujías, y particularmente de jabones, que son excelentes, muy duros, de un blanco bri-
lante, más ligeros que todos los demas y solubles en agua salada. En los últimos tiempos
se importa en Inglaterra con el nombre de *Copperah*, la almendra aceitosa, principalmente
del Brasil, y se prensa caliente.

(*) En Filipinas la peseta vale sólo 32 cuartos. (*N. el T.*)

(119) En Legaspi, que es el puerto más frecuentado, de fácil acceso en verano, se pagaban en Julio de 8 á 10 cénts. por un coco, ó sea 50 ó 60 veces más caro que en Daet ó Buhi,
puntos cercanos y á los cuales se va sin dificultad alguna.

cocos se obtenian más baratos comprados al menudeo que al por mayor. En el primer caso, el indio los vende cuando necesita dinero; pero si supone que el fabricante los debe adquirir forzosamente para no paralizar sus trabajos, trata de imponerle la ley sin cuidarse de que su mercancía tenga una salida constante.

En la provincia de la Laguna, en la que se hace azúcar terciada de la caña, las mujeres la llevan á vender leguas léjos ó establecen puestos á lo largo de los caminos; en ellos la tienen en panes pequeños (*panochas*) al lado del buyo. El transeunte se pára á charlar con la vendedora, pesa el pan con la mano, lo cata y muchas veces sigue su camino sin comprar nada. Al anochecer vuelve la vendedora á casa con su mercancía para hacer lo mismo al dia siguiente.

Vendedora de buyo, tomado del dibujo de un tagalo.

Los datos recogidos acerca de este particular se me han extraviado, pero recuerdo bien por lo ménos dos casos, en que el azúcar comprado así resultaba más barato que tomandolo por picos. El Gobierno daba por lo demas el ejemplo de esta anomalía, vendiendo los cigarros á ménos precio al pormenor que en grandes cantidades.

En Europa se pueden calcular, generalmente con bastante certeza, los gastos de produccion de un artículo determinado, lo cual no es fácil en Filipinas. Prescindiendo de la inseguridad del trabajo, la adquisicion de las primeras materias está tambien influenciada, no sólo por la pereza, la inexactitud y el capricho, sino hasta por envidias y desconfianzas. Los indios no suelen ver con buenos ojos la radicacion de un europeo en su pueblo, para sacar provecho de los recursos locales que ellos no pueden ó no saben utilizar. Lo mismo hacen los mestizos respecto de los extranjeros, que les son muy superiores en capitales, en práctica de los negocios y en actividad. Ademas de la envidia, es causa importante la desconfianza que al indio inspiran por igual el mestizo y el castila. No faltan casos que vienen á darle hasta cierto punto la razon. En épocas pasadas, cuando los sujetos de peores antecedentes podian comprar gobiernos para saquear las provincias sin reparo ni pudor, sucedian tales cosas que se fué formando la desconfianza en el indio y ha quedado como uno de sus rasgos característicos.

Puerto de Tacloban.

CAPÍTULO XXI.

La isla de Leyte. — Langosta. — Solfatara. — Aprovechamiento del azufre. — Lago Bito. — Cocodrilos.

LA isla de Leyte, situada entre los 9° 49′ y los 11° 34′ lat. N. y los 124° 7′ y 125° 9′ long. E., tiene más de 25 millas de largo por 12 de ancho, y su superficie es de unas 170 millas cuadradas. Como se ha dicho ya várias veces, la separa de Samar el estrecho de San Juanico. Su capital, Taclóban ó Taclóbang, está en la entrada de este paso, tiene un puerto muy bueno y su tráfico con Manila no se ve interrumpido en todo el año, siendo la escala forzada para los buques que se dirigen de aquel punto á Leyte, Biliran, Sur y Este de Samar (120).

Al gobernador de la isla debo repetidas atenciones. Casi sin excepcion conservo los mejores recuerdos de todos los funcionarios españoles que en mis viajes por el Archipiélago he tenido ocasion de tratar. Esto no me impide juzgar con imparcialidad completa su administracion poco satisfactoria.

El dia de mi llegada á Taclóban se percibió por la tarde cierto ruido como de un torrente, el cielo se oscureció, era una gran nube de langosta

---

(120) En el mapa de Pigafetta se representa esta isla dividida en dos partes, llamando á la septentrional Baibay y á la meridional Ceylon. Al preguntar Magallanes en Massana (Limasana) acerca de los puntos comerciales más importantes, le citaron Ceylon (ó sea Leyte), Calagan (Caraga) y Zubu (Cebú), Pigafetta, 70.

que pasaba (121). No describiré lo que tan conocido es en casi todos los países, y observaré únicamente que el manchon, cuyo ancho tenía más de 500 pasos por 50 piés de profundidad, yéndose á perder en el monte, no se consideraba allí como muy notable. Excitó alegría en vez de tristeza; jóvenes y viejos se afanaban en coger con redes y palos aquellos animalitos que tanto les gustan; los frien en una sarten, como cuenta Dampier, hasta que se les caen las patas y las alas, y sus cuerpos toman el color de cangrejos cocidos, en cuyo estado á él mismo le parecieron sabrosos. En la córte de Birmania constituyen aún un plato delicado (122).

La langosta, que es una de las grandes plagas de Filipinas, destruye á veces las cosechas en provincias enteras. La legislacion ultramarina contiene instrucciones especiales (IV, 604) para la destruccion de este ortóptero asolador. En cuanto aparece la plaga, toda la poblacion debe acudir á extinguirla bajo las órdenes del gobernadorcillo. Los medios más acreditados para este objeto están recopilados en una prescripcion oficial y la plaga se considera de tanta importancia como la piratería y los incendios De todos los medios adoptados, que se suelen mostrar tan ineficaces en Filipinas como en los demas países cuando el insecto se presenta en gran abundancia, citarémos sólo el siguiente. En 27 de Abril de 1824 resolvió la Sociedad Económica introducir el pájaro *Martin (Gracula, sp.)* «que por instinto conoce la langosta.» En otoño llegó la primesa remesa de China, en 1829 una segunda y en 1852 figura aún un gasto de 1.311 pesos para importarle.

Al dia siguiente salí en coche con el padre de Dagami (en Leyte ya hay caminos) de Tacloban, dirigiéndome al Sur hácia Palos y Tanauan, dos pueblos ricos de la costa oriental. A una media legua del último se levanta en la playa llana y arenosa un peñasco de roca cristalina, pizarra clorítica cuarzosa verde-agrisada, del que el emprendedor cura habia procurado obtener cal sin buen éxito. Despues de un abundante almuerzo

---

(121) Segun el Dr. Gerstaecker: *Oedipoda subfasciata*, de Haan, *Acridium manilense*, Meyen. El nombre de Meyen, que han descuidado los sistemáticos, tiene la prioridad sobre el de Haan; pero deberia cambiarse en *Oedipoda manilensis*, pues la especie no corresponde al género *Acridium* en sus límites actuales. La hay tambien en Luzon y en Timor, y es afine á la langosta de Europa *Oedipoda migratoria*.

(122) Despues de retirarse el rey...... « sirvieron profusamente golosinas de azúcar y tortas ademas tambien langostas asadas como manjares muy exquisitos. » (Cor. Fytche Mission to Mandalay Parlament, Papers June 1869.)

en el convento, nos fuimos por la tarde á Dagami, y al dia siguiente emprendimos la marcha para Burauen (*).

La comarca sigue llana ; cocales y arrozales interrumpen el bosque, que es muy espeso ; el pais está poco poblado, los habitantes parecen más listos y son mejor formados y de rostro más agradable que los de Samar. Al Sur de Burauen se levanta la sierra Manacagan, en cuya vertiente opuesta hay una gran solfatara, de la cual se extrae azufre para la fábrica de pólvora establecida en Manila. Me acompañó un marinero español , fuimos montados en carabaos atravesando pantanos ; el paso de los carabaos

Vista desde el Tribunal de Burauen.
a, Kaparasanan N. 175°5 S; b, N. 179°2, S.; c, Manacagan S. 2 7 N.;
paso á la solfatara S. 12°N ; e, S. 15°2 N.

no es desagradable, pero la anchura del lomo hace muy fatigosa la posicion. Un cuarto de hora pasado Burauen vadeamos el rio Daguitan, que corre de S. O. á N. E. y tiene 100' de ancho; su lecho está lleno de grandes cantos volcánicos, poco despues hallamos otro más estrecho, pero de gran cauce y á algunos centenares de pasos otro de 150' ; los dos últimos son brazos del Burauen, corren de O. á E. y desaguan cerca de Dulag. El segundo brazo se formó á consecuencia de la avenida del año anterior.

Pernoctamos en una choza en la vertiente septentrional del Manacagan, abandonada por sus moradores, que la desocuparon en cuanto nos vieron. Asi lo exigen las costumbres del país cuando el sitio es demasiado reducido para alojar á los huéspedes ; quedándose ellos la ceden sin pedir in-

---

(*) Los nombres de estos dos pueblos están trocados en el mapa de Coello. Burauen está al Mediodía de Dagami.

demnizacion alguna y reciben rara vez una pequeña propina por este servicio.

A las seis de la mañana del dia siguiente emprendimos la ascension del Manacagan, á las siete atravesamos dos riachuelos que corren al N. O., y llegan á la costa despues de describir una curva. Desde el puerto se ve al Sur una gran ladera blanca de la montaña Dánan, sombreada por árboles. A las nueve alcanzamos el cráter del Kasiboi, donde hay mucha espesura, y avanzando al Sur vimos algunas barracas en las que se sublima el azufre.

Los materiales tal como salen de la solfatara se pagan con arreglo á tres clases : 1.ª azufre formando costra ; 2.ª, el sublimado que contiene mucha agua condensada en sus intersticios ; y 3.ª, el mezclado con arcilla (que es como generalmente se presenta). Se añade aceite de coco á la arcilla con

Choza en el cráter del Kasiboi.

azufre en la proporcion de 6 cuartos por cada 4 arrobas, se la pone en sartenes planas de hierro de cabida de 6 arrobas, y se le funde removiéndolo contínuamente. Se saca la arcilla sin azufre, que sobrenada, y se echa nueva cantidad de arcilla azufrosa, y así sucesivamente. De este modo se obtienen, en dos ó tres horas, de 24 arrobas de arcilla azufrosa, por término medio 6 arrobas de azufre, que se vierte en cajones de madera donde se solidifica en masas de 3 á 4 arrobas. La mitad del aceite invertido en la operacion vuelve á recogerse colocando la arcilla empapada en un cañizo formado de dos bambúes entrelazados íntimamente y que se cortan en ángulo agudo. El aceite cae á gotas en un cántaro por una canal de caña inclinada puesta debajo del cañizo. El precio del azufre en Manila oscila entre 1 $^{1}/_{2}$ y 4 $^{1}/_{2}$ pesos por pico. Vi el sitio lleno de arcilla, de la cual salia el aceite; pero no pude examinar el procedimiento, y no me explico la razon de adicionar aceite. Segun algunos ensayos en pequeño, ó sea en otras condiciones distintas, parece que éste acelera la separacion del azufre y dificulta el acceso del aire. En la prueba tomaba el azufre un color oscuro debido al aceite, siendo preciso sublimarlo para obtenerlo puro. De esta última operacion no me hablaron jamas los azufreros de Leyte, ni tenian aparatos destinados á ella, y sin embargo fabricaban un producto limpio de color amarillo.

Algunos centenares de pasos más al Sur corre un arroyo ancho de 12', cuya agua es caliente (30° R), que deposita sílice en los bordes.

Se sigue de N. á S. un barranco cuyos muros tienen una altura de 100 á 200', la vegetacion va cesando gradualmente, la roca es de una blancura que hiere la vista, ó de un color amarillo por el azufre sublimado adherido á ella. En muchos sitios penetra una densa humareda, que despide del suelo un olor muy pronunciado á azufre; algunos miles de pasos más allá el barranco tuerce á la izquierda (E.) y se ensancha junto á la bahía. Allí brotan numerosos manantiales silíceos de un terreno arcilloso mullido, impregnado de azufre. Esta solfatara debe de haber sido más activa de lo que ahora es; el barranco formado por la descomposicion de la roca, lleno de acarreos, mide unos 1.000' de ancho y cinco veces más de largo; en el extremo oriental hay una cantidad de pequeñas charcas humeantes y de su alrededor salen agua y vapores en los puntos que se agujerean con un baston. En algunos sitios profundos más al occidente yacen arcillas grises, blancas, rojas y amarillas en fajas estrechas depositadas una sobre otra, que tienen el aspecto de las margas irisadas del Keuper.

Precisamente enfrente del puerto al Sur, yendo hácia Burauen, se abre una caverna, en roca blanca descompuesta, una hoyada de 25' de ancho, de la cual brota mucha agua silícea incrustante. El techo de la cueva está tapizado de estalactitas recubiertas de azufre sublimado completa ó parcialmente.

En la parte alta de las laderas de la montaña Dánan, cerca de la cumbre se deposita tanto azufre de vapores sulfhídricos, que puede recogerse en cáscaras de coco. En algunas grietas protegidas contra la accion del aire frio se aglomera en gruesas costras pardas. La solfatara del Dánan está situada precisamente al Sur de la otra al extremo del barranco de Kasiboi. La arcilla que queda despues de lavada la sílice es impelida por la lluvia al valle, donde forma una llanura de la cual ocupa gran parte el lago Malaksan. (Malaksan significa *ácido*.) Su superficie, sujeta á frecuentes variaciones segun las del tiempo, está limitada por tierras bajas; hallé que estaba determinada por una longitud de 500 pasos y una anchura de 100. Desde la altura de la solfatara se divisa por una grieta al Sur un lago de agua dulce algo mayor, rodeado de montañas emboscadas; su nombre es Jaruanan. Pasamos la noche en una choza ruinosa en el rincon S. E. del lago Malaksan. A la mañana siguiente bajamos por el puerto al S., junto á la solfatara de Dánan, al lago Jaruanan en media hora.

Este lago, que como el Malaksan, inspira temores supersticiosos á los indios á causa de la cercanía de las solfataras ; no se habia explotado por ningun pescador, así es que en él abundaba mucho la pesca. Hice construir una balsa de cañas para proceder á la medicion de su profundidad. Cuando mis guías vieron que sin cuidado alguno nadaba en el lago, se echaron al agua todos sin excepcion con gran alegría, como si así quisiesen indemnizarse de la larga abstinencia del baño. La balsa quedó concluida á las tres. El sondaje dió los resultados siguientes : en la márgen Sur, algo más acantilada que la Norte, 13 brazas = 21,7 metros de profundidad; la mayor longitud del lago resultó ser de 800 varas = 668 metros, y el ancho próximamente su mitad. Al regresar á nuestro cuartel de noche junto al *lago ácido*, á la luz de las antorchas, pasando por la cresta de la montaña, llegamos á la modesta habitacion de un matrimonio: tres ramas que partian de un tronco, cortadas á una misma altura, sostenian una choza de caña y palma de 8' cuadrados. Un agujero en el piso formaba la entrada; la casa

Choza sobre un árbol.

236

estaba dividida en un cuarto y un recibidor ó antesala, el primero servia de galería y la segunda de tienda para la venta del buyo.

Al dia siguiente de regresar á Burauen un amable comerciante español me llevó en su carruaje á Dulag. Atravesamos arrozales, maizales y cañamelares, que se extendian por la llanura formada de arenas volcánicas: el pueblo se halla situado en la costa del mar Pacífico. La distancia que aparece de tres leguas en el mapa de Coello, es apénas de dos. La Punta Guiuan, que es el extremo más avanzado al Sur de Samar, aparece como una isleta separada de la isla principal, más al Mediodía (N. 102,4 hasta 103,65 S.) se ve Jomonjol en forma de estrecha faja. Esta fué la primera isla del Archipiélago que divisó Magallanes (16 de Abril 1521). En Dulag se nos reunió mi anterior acompañante á fin de seguir el viaje con nosotros al lago Bito. Mucho tiempo y no poca paciencia nos costó proporcionarnos provisiones y medios para la excursion, y más tiempo llevaron aún las discusiones con los indios. Finalmente nos hicimos á la mar en un casco, con rumbo al Sur de la costa, hácia la desembocadura del rio Mayo, que segun el mapa y las noticias que se nos daban procedia del lago Bito. Lo remontamos en una canoa; pero en la primera choza nos enteramos que sólo atravesando una gran distancia de monte pantanoso se podia llegar á él. La mayoría optó por la vuelta. Distintas aventuras ocasionadas por lo incompleto de los preparativos retardaron nuestra llegada á Abuyog hasta las once de la noche. Tuvimos que cruzar un pequeño brazo del Mayo ántes de llegar al lago. La distancia de este último desde Abuyog, exagerada en el mapa de Coello, es de 1.400 brazas, segun medicion del gobernadorcillo, que parece bastante exacta (*).

Aprovechamos el dia siguiente, en que cayó una fuerte lluvia, para hacer averiguaciones acerca del camino para el lago Bito. Las noticias que se nos dieron de la distancia diferian mucho; pero todas estaban conformes en pintar con negros colores el trecho que teniamos que salvar. Una penosa marcha de diez horas, por lo ménos, se nos presentaba como cosa probable.

Pasada la lluvia llegamos al rio Bito á la hora de recorrer un agradable camino y remontamos en una banca el rio que atraviesa el monte. Las márgenes son bajas, llanas, arenosas y están cubiertas de altas cañas y juncos.

(*) 950 brazas al Sur del castillo de Abuyog desagua un riachuelo.

Á los diez minutos de subirlo hallamos el paso obstruido por troncos caidos, obligándonos á dar un rodeo por tierra de una media hora, hasta volver al rio salvados los obstáculos. Construimos balsas de cañas en las cuales íbamos muy apretados por su pequeñez, á causa del poco material disponible; llegamos en diez minutos al lago. Sus aguas estaban cubiertas por una capa de verdes confervas, le bordeaba una doble faja de pistias ó quiapos y de ciperaceas de hojas anchas, cuya altura es de 6 á 7 piés; al N. y al S. se levantan colinas; visto del centro el lago parece de forma casi circular y está todo rodeado de monte. Coello lo representa demasiado grande (4 millas marinas en vez de una que tiene); dista de Abuyog poco más de una legua; con una cinta formada de lianas atadas por sus extremos hallamos ser su ancho de 585 brazas = 977 metros (el sitio de mayor anchura debe tener poco más de un kilómetro), la longitud es de unas 1.007 brazas = 1.680 metros, ó sea ménos de una milla. El sondaje acusó un fondo suavemente inclinado hácia el centro, donde la profundidad es de 8 brazas = 13 metros 3 decímetros. De buena gana hubiera determinado estas cifras con mayor precision; pero la falta de tiempo, lo inaccesible de las márgenes y las malas condiciones de nuestra balsa sólo me permitieron hacer algunas ligeras mediciones.

En las orillas no se distinguia vestigio alguno de poblacion; pero á un cuarto de legua al Norte hallamos una cómoda choza en medio de un lodazal y rodeada de pinchudos *calamos* ó bejucos; sus habitantes á pesar de ser cimarrones llevaban una vida más regalada que muchos aldeanos. Se nos dispensó buena acogida, habia pescado abundante, tomates y pimientos para condimentarlo, y platos de loza inglesa para comerlo.

La frecuencia de jabalíes habia motivado un curioso aparato para descubrir su proximidad durante la noche y poderles seguir el rastro. Se extiende en el suelo una cuerda hecha de tiras de plátano, que mide más de mil piés, y á su extremo se ata una cáscara de coco llena de agua que viene encima de la cabeza del cazador dormido. Cuando un jabalí toca la cuerda cae el agua en la cabeza de aquél, quien siguiendo la cuerda llega al lugar donde se halla éste. La pesca constituye la principal ocupacion de los moradores de la choza, y es tan abundante que bastan los aparatos más sencillos. No tenian una sola banca, y únicamente disponian de algunas balsas de caña en las cuales iban, como nosotros en la nuestra, con medio pié de agua, y esto entre los cocodrilos, que en ninguna otra parte he visto

238

tan grandes y numerosos como allí. Algunos nadaban á flor de agua, asomando á la superficie su dorso. Era cosa notable la completa indiferencia con que aquellas gentes, y hasta dos pequeñas muchachas, se bañaban á la vista de los monstruos. Felizmente parece que éstos se contentan con la abundante racion de pescado. En el lago hay cuatro especies de peces, entre ellas una anguila, de la cual sólo pudimos coger un ejemplar (*).

Á la mañana siguiente y ya á primera hora aparecieron borrachos nuestros guías indios. Esta circunstancia me llevó al descubrimiento de otra industria de los habitantes del lago, que ahora — habiendo cesado el monopolio del Gobierno — puedo ya descubrir. Furtivamente destilaban tuba ó vino de palma y hacian con él bastante comercio. Entónces comprendí por qué se trataba en el rio Mayo y en Abuyog de hacernos desistir de la visita al lago, suponiendo tan malo el camino (123). Seguimos en nuestra balsa hasta el sitio en donde la habiamos construido un trecho de cerca de 1.500'; fuimos en seguida en direccion de Este á Norte en busca de la banca atravesando un cogonal (*Saccharum sp.*) lleno de grandes penachos de flores plateadas, y navegamos en demanda de la barra; desde la cual en 1¹/₂ horas de marcha llegamos á Abuyog. Por mar fuimos á Dulag y por tierra á Burauen entrando en el pueblo ya cerrada la noche, ántes de lo que pensáran los criados que hallamos dormidos en nuestras camas.

Hasta hace poco tiempo se cultivaba en esta comarca mucho tabaco, y su venta se permitia con ciertas limitaciones. Recientemente se ha mandado que la venta se haga tan sólo al Gobierno y á precios fijados en una tarifa oficial muy baja: la consecuencia ha sido desaparecer casi por completo su cultivo. Pero como la Direccion de Estancadas habia dispuesto almacenes y mandado allí empleados, preveyeron los más avisados que se iba al cultivo forzoso, como ha sucedido en otras localidades. La costa oriental de Leyte debe experimentar un levantamiento al paso que en la occidental el mar gana terreno: cerca de Ormog dicen que en seis años ha avanzado unas 50 varas.

____

(*) *Gobius Giuris*, Buch. Ham.

(123) El lago tenía entónces un solo desagüe, en la época de lluvias quizá esté en comunicacion con el rio Mayo, pues su márgen N. E. es muy baja.

CAPÍTULO XXII.

Los visayas, por lo ménos los habitantes de las islas de Samar y de Leyte (únicos que he podido estudiar por mí mismo), pertenecen á una misma raza (124). Son tan semejantes, física é intelectualmente, en carácter, usos, costumbres y hasta en trajes, que todos los apuntes tomados en distintas localidades coinciden en un todo.

Ni en Samar ni en Leyte hay negritos; pero sí muchos cimarrones que no pagan tributo alguno, ni viven en aldeas sino independientes en los montes. No tuve ocasion de tratarles personalmente, y lo que de ellos me dijeron los indios cristianos de Samar no me merece bastante confianza para repetirlo aquí. Parece positivo, sin embargo, que todos estos cimarrones ó sus antecesores han tenido roce con españoles, tomando algunas prácticas religiosas del catolicismo. Así al plantar el arroz, de cuya semilla separan una parte al hacer la siembra, siguiendo una antigua costum-

India visaya.
Camisa de guinara, saya de algodon fabricada en Europa, sombrero para lluvia, de nito (*Lygodium*).

(124) *Pintados* ó *Bisayos*, de una palabra del pais; que significa lo mismo, llamaron los españoles á los habitantes de las islas situadas entre Luzon y Mindanao, por tener la cos-

bre, y la ponen como en holocausto en las cuatro extremidades del campo, suelen rezar algunas oraciones católicas desfiguradas, que tienen por más eficaces que sus antiguas plegarias paganas. Algunos llegan hasta á hacer bautizar á sus hijos, porque nada les cuesta; por lo demas hacen caso omiso del cumplimiento de todo deber religioso y civil. Son muy pacíficos, no guerrean entre sí, ni conocen las flechas emponzoñadas. Se cuentan muy pocos casos de cimarrones que se hayan convertido al cristianismo, sometiéndose á satisfacer el tributo y el trabajo personal. Tambien hay pocos ejemplos de indios que se vayan al monte á llevar la vida de remontados, más escasos que en Luzon, pues los naturales viven puramente de un modo vegetativo, sin pasiones, y no llegan al caso de tener que abandonar su pueblo que, áun más que en Luzon, representa para ellos un mundo entero.

Las estaciones determinan las fases del cultivo del arroz. En algunos sitios en donde hay campos más extensos, se usan el arado y el sodsod que alli se llama *surod;* pero lo general es reducirse la labor al pisoteo de la tierra por carabaos en la época de aguas. En la costa occidental se hace la siembra en Mayo y Junio, el trasplante en Julio y Agosto, cosechando el fruto desde Noviembre hasta Enero. Una *ganta* de simiente produce dos y á veces tres y cuatro cavanes, ó sea un 50,75 y hasta un 100 por 1. Cerca de la cabecera Catbalogan hay muy pocos arrozales (que se llaman Tubigan de *tubi* agua) sus productos no llegan á cubrir las necesidades del consumo, la diferencia se arregla con los importados de otros puntos de la costa; en cambio exporta Catbalogan abacá, aceite de coco, cera, balate (holothuridos comestibles), pescado seco y tejidos. En las costas N. y E. se hace la siembra de Noviembre á Enero, y la recoleccion medio año despues. En los seis meses restantes se utilizan los campos como pastos para

---

tumbre de pintarrajearse el cuerpo. Crawfurd (*Diccionario*, 339) opina que esta opinion no es muy exacta. Pigafetta no cita tal hecho; sin embargo, dice, pág. 80: «*Egli (il re da Zubu)* era... *dipinto in differente guisi col fuoco.*» Purchas (*Pilgrimage*, fól. I, 603) dice tambien: «*the King of Zubut had his skinne painted with a hot iron pensill*», y Morga, fól. 4: «traen todo el cuerpo labrado con fuego.» Segun esto, parece que debemos creer que, así como los Papuas, usaron el adorno de hacer dibujos en la piel quemándosela; Morga, sin embargo, en un lugar de su obra afirma que (fól. 138) se diferencian de los habitantes de Luzon por tener el pelo formando una coleta segun la antigua usanza española y pintarse el cuerpo; pero no el rostro, con variados dibujos. Esta costumbre que, segun parece, se ha extinguido desde la introduccion del cristianismo, pues el religioso tantas veces citado (Thévenot, pág. 4), lo menciona como cosa pasada, no puede darse como característica para la gente visaya: algunas tribus del Norte de Luzon la conservan áun hoy.

el ganado; sin. embargo, se encuentra en la misma estacion —de Julio ú Setiembre—el cultivo del arroz en algunos campos; pero distintos de los utilizados en el otro semestre. Una parte grande de este arroz suele perderse á causa del mal tiempo.

Las compras de terrenos son excepcionales; generalmente se adquieren desmontando los incultos, ó por herencia, y tambien como reintegro de cantidades prestadas. En la comarca de Catbalogan podia obtenerse por un peso la extension determinada por una ganta de simiente, y en la costa septentrional, cerca de Láuang, se pagaban 30 pesos por un campo que rendia 100 cavanes al año. Calculando, como puede hacerse en los alrededores de Naga, 4 loanes por cada ganta de simiente, y estimando el producto de un quiñon en 75 cavanes, resulta ser el coste en el primer caso, próximamente 21 rs. pl. la balita; y en el segundo 1,8. A parcería da el propietario el suelo recibiendo en pago la mitad de la cosecha (*). El cultivo del arroz se hace en Leyte como en Samar; pero ha disminuido mucho por el desarrollo del de abacá, motivada, en parte, por el interés de los jefes de provincia cuando tenian derecho á comerciar y obligaban á los indios á destinar parte de sus campos á este textil. El arroz para la exportacion suele venderse en pié ántes de la cosecha á un precio convencional por cavan. Lo general es que estas contrataciones se cumplan puntualmente, áun en los casos en que se ha anticipado el dinero. Cuando el agricultor queda atrasado, es costumbre en el país que al recoger la siguiente cosecha pague al comerciante el doble de la deuda.

El arroz de secano, que es casi el único cultivado en Catbalogan, no exige para su cultivo más aperos que un cuchillo de monte ó bolo, con el cual se abren agujeros distantes entre sí seis pulgadas; en cada uno se ponen cinco ó seis granos de arroz. La siembra se verifica de Mayo á Junio, se escarda dos veces, y á los seis meses se siega cortando tallo por tallo. El segador gana medio real de plata al dia con comida. El producto es de 2 á 3 cavanes por ganta, ó sea de 50 á 75 veces lo sembrado. El suelo no cuesta nada y los jornales ascienden á unos 5 rs. pl. por ganta de simiente. Si la cosecha ha sido buena, vale á 4 rs. pl. cavan. Poco ántes de la recoleccion sube el precio hasta un peso, y á menudo áun mucho más. El terreno se aprovecha una vez sólo para arroz de secano, despues

------

(*) *Mezzeria*, en italiano; *metayer*, en frances.

se pone de camote ó batata, de abacá y de gabi (*Caladium*). El arroz de monte se paga mejor que el de regadío, próximamente en la relacion de 9 á 8.

Despues del arroz vienen como principales plantas alimenticias: el camote (*Convolvulus Batatas*), el ubi (*Dioscorea*), el gabi (*Caladium*), el Palauan (un Arum de grandes dimensiones con las hojas digitadas y de peciolo manchado). El camote puede plantarse en todo tiempo y madura á los cuatro meses; pero se suele cultivar únicamente fuera de la estacion del arroz, pues cuando ésta casi todos los brazos se ocupan en los cuidados de dicho cereal. Si un campo se dedica de un modo permanente al cultivo del camote, se deja que se reproduzcan por retoños las plantas y se van sacando de la tierra los tubérculos. El producto es siempre mayor cuando se hace nueva plantacion despues de escardar. Por medio real fuerte se compran de 8 á 15 gantas de camote, ó sea próximamente una mitad de lo que cuestan las patatas en el Norte de Europa.

Si bien hay grandes plantaciones de abacá, cuando estuve allí apénas se recogia y limpiaba por ser excesivamente bajos los precios y no recompensar este trabajo, penoso siempre para el indio.

El tabaco no se cultiva; ántes podia venderse para el consumo del país, pero hoy tiene que pasar á la Hacienda.

En Samar y en Albay, probablemente tambien en otras provincias, se recoge una gomo-resina llamada *balao* ó *malapajo*, del árbol conocido con el nombre de *apiton* (especie del género *Dipterocarpus*), que es de los que adquieren dimensiones más colosales. Al efecto se practica un agujero ancho en el tronco, profundizando hasta medio pié; se ahueca en forma de olla cada vez más, á fin de que vuelva á fluir el jugo resinoso cuando se obstruye la canal, para lo que se suele encender fuego dentro. La cantidad recogida se saca diariamente y pasa al comercio sin más preparacion. Una de sus más interesantes aplicaciones es la de recubrir el hierro de los buques para que se conserve sin oxidarse. Aquellas gentes dicen que los clavos dados con balao están libres del orin por más de diez años. Para calafateo de barcos se usa mucho esta sustancia, así como para barnizar su obra interior, pues preserva la madera contra los termitas y otros insectos xilofagos. En Albay se vende el balao á 4 rs. pl. la tinaja de 10 gantas (un litro próximamente 0,6 de pta.), segun creo, hasta ahora sólo se han remitido á Europa algunas muestras. Para preservar la cubierta de las embarcaciones se usa tambien un cemento formado de cal apagada, de resina elemina y de aceite de coco, en proporciones tales que adquiera la consistencia de una coccion espesa de cola. La capa de esta especie de barniz dura medio año (125). Se hacen transacciones de cera con los monteses ó cimarrones. Toda la isla de Samar da 200-300 picos anualmente, cuyo valor es de 25 á 50 pesos por pico; en Manila suele ser el precio ordinario 5 ó 10 pesos más alto; sin embargo, oscila mucho por llegar este artículo de otras várias localidades con intervalos muy desiguales.

Apénas hay ganadería á pesar del extraordinario crecimiento de los pastos y de la falta de fieras; así son raros los caballos y los carabaos, y segun parece no se introdujeron allí hasta en el siglo actual. Como Samar carece de caminos, sirviendo únicamente de tales las costas y lechos poco profundos de rios (mejor está en vias de comunicacion el Norte de Leyte), sólo se usa el carabao para remover una vez al año la tierra de los arrozales, y el resto del tiempo lo pasa libremente en los prados, en los montes ó en alguna isleta cercana; en ocasiones extraordinarias se emplean tambien los búfalos para el arrastre de piezas de madera, viéndose varios de ellos tirar de un gran tronco, por esto es su número reducido en extremo. Carabaos amaestrados á pisar bien las tierras de arroz se pagan hasta 10 pesos uno. El precio medio ordinario es de 3 pesos por un carabao y de 5 á 6 por una caraballa. Las reses vacunas se matan alguna vez en ocasion de fiesta, hay muy pocas y repartidas entre muchos propietarios, viven medio salvajes en las montañas. El comercio es escasísino; sin embargo, se pueden fijar como precios habituales 3 pesos por ternera y de 5 á 6 por vaca. Casi cada familia posee un cerdo y las hay que tienen tres y hasta cuatro. Un cerdo bien cebado se paga á 6 ó 7 pesos, más que una vaca. La carne del ganado vacuno se come muy poco por los indios, así como la de cerdo no puede faltar en ninguno de sus banquetes. La grasa de la misma se paga tambien tan cara, que la de una res buena llega á dar de 3 á 4 pesos. Ovejas y cabras prosperan perfectamente, se propagan fácilmente; pero las hay en corto número y casi no se aprovechan ni por la lana ni por la carne. Los criollos y los mestizos son en general demasiado perezosos,

---

(125) En China se obtiene de las semillas de la *Vernicia montana* un aceite que forma un excelente barniz mezclándolo con alumbre y esteatita, á un calor moderado, y uniéndole resina se emplea para hacer impermeables las cubiertas de los buques. (P. Champion, *Industrie ancienne et moderne de l'Empire Chinois*, 114.)

hasta para guardar los rebaños, y prefieren á cuidarlas comer gallinas todos los dias del año. Unas ovejas de Shanghai, llevadas á Tacloban por un gobernador, tambien procrearon perfectamente. Una clueca, buena ponedora, cuesta $^1/_2$ rl. pl., y la misma cantidad un gallo; uno de pelea se paga 3 pesos y más. Se compran seis á ocho pollos ó treinta huevos por un real fuerte.

Una familia, compuesta de marido, mujer y cinco hijos, necesita al dia ménos de 24 chupas de palay (arroz con cascarilla), que limpio da próximamente 12 chupas y viene á costar $^1/_2$ rl. pl., al precio medio de 4 rs. pl. cavan (despues de la cosecha suele tambien bajar hasta 3 rs. pl. cavan, así como ántes de ella llega á 10 rs. pl., en Albay 20 ó 30), ademas 2 ó 3 cuartos para otros alimentos accesorios (pescados, cangrejos, verduras, etc.), que sin embargo, por lo comun no se compran, pues las recogen los muchachos; finalmente: aceite, 2 cuartos; buyo, un cuarto; tabaco, 3 cuartos (tres hojas un cuarto); éste se fuma, pero nunca se masca. Una mujer gasta la mitad de buyo y tabaco que un hombre. El habitante de Leyte consume ménos buyo y tabaco que el de Samar.

La ropa que un hombre gasta anualmente consiste en cuatro camisas groseras de guinara á 1-2 rs. pl. una, tres ó cuatro pantalones á 1-2 $^1/_2$ reales pl., dos pañuelos para la cabeza á 1 $^1/_2$ rl. pl. (en las costas S. y O. no se usan sombreros), y ademas, comunmente para asistir á las funciones religiosas : un par de zapatos, 7 rs. pl., una camisa fina, un peso por lo ménos, un pantalon fino, 4 rs. pl. La mujer necesita : cuatro ó seis camisas de guinara á real, dos ó tres sayas de lo mismo á 3-4 rs. pl., y una ó dos sayas de algodon de Europa á 5 rs. pl., dos pañuelos á 1 $^1/_2$-2 rs. pl. y un par de chinelas de 2 ó más reales para ir á misa.

Tambien suelen tener las mujeres casi siempre algunas camisas finas que por lo ménos cuestan 6 rs. pl. cada una, una mantilla del mismo precio para ir á la iglesia (su duracion puede fijarse en cuatro años), una peineta 2 cuartos. Algunas poseen tambien enaguas (*nabuas*) 2-4 rs. pl., pendientes y un rosario que les sirven toda la vida. En los pueblos más pobres, por ejemplo Láuang, se usan sólo las guinaras tejidas en casa mismo. En tales aldeas un hombre necesita : tres camisas y dos pantalones, que salen de tres pedazos de tela á 2 rs. uno, un salacot (sombrero) generalmente producto de la propia industria, cuyo valor es de $^1/_2$ rl. pl. Una mujer gasta al año: cuatro sayas, valor 6 rs. pl.; camisas, incluyendo una más fina para los dias festivos, 8 rs. pl.; las enaguas no se usan allí. El vestido de los niños puede calcularse de precio mitad que el de una persona mayor.

Ajuar de casa. Un puchero; los pucheros, de arcilla cocida sin glasear, se llevan desde Manila por mar, y su precio es igual al del contenido en arroz (126), algunas vasijas de caña; sieté platos á 2-5 cuartos uno; un carahai (especie de sarten de hierro), 3-4 rs. pl.; cocos partidos sirven de vasos; algunos pucheritos, que juntos no pasan de $^1/_2$ rl. pl.; un sundang (cuchillo), 4-6 rs. pl., ó bolo (cuchillo de monte de mayor tamaño), su peso; unas tijeras (para las mujeres) 2 rs. pl. El telar, que se arregla en cada casa con algunos bambúes, no exige desembolso en metálico.

El precio del jornal entre los indios es de $^1/_2$ rl. pl. sin comida. Los europeos les tienen que dar 1 rl. pl. y comida, á no ser que por influencia del gobernadorcillo obtengan polistas que les sirvan al bajo precio indicado, cuyo importe debe entrar reglamentariamente en las cajas municipales. Un carpintero gana 1-2 rs. pl., y los mejores, 3 al dia. Las horas de trabajo son desde las seis de la mañana hasta mediodia y por la tarde de dos á seis.

Casi todo pueblo tiene un herrero que hace los sundangs y bolos, el que los pide tiene que poner el hierro y el carbon necesarios. Otros trabajos de metal no se hacen en los villorrios. Ademas de la fabricacion de tejidos apénas hay más industria que la de construccion de buques para cabotaje; ya se ha dicho que el telar casi en ninguna casa falta. Se tejen guinaras ó sean telas de abacá, algo de piña y sedería estampada, la seda va de Manila y es de procedencia china. Todo esto se hace en casa, las fábricas propiamente tales son desconocidas en el país.

En las comarcas donde el arroz falta, la gente pobre se dedica á salar y secar la pesca, que cambian por arroz. En los pueblos grandes éste se suele pagar en dinero, pero en los del interior lo corriente es cambiarlo por tejidos y pesca salada; en ellos apénas se conoce la moneda. La sal se obtiene hirviendo el agua del mar en pequeños carahais, sin ponerla ántes al sol á evaporar. La navegacion entre Catbalogan y Manila se efectúa en los meses de Diciembre á Julio, quedando los buques bajo tinglados du-

---

(126) Petzholdt (*Kaukasus*, I, 208) cita que el precio de los pucheros de arcilla se fija en Bosslewi por el de los granos de maíz necesarios para llenarles.

rante el resto del año. Tambien van éstos á Guiuan (al Este), á Catarman (al Norte), pero rara vez llegan á Lauang. La tripulacion se compone en parte de gentes del país y en parte de forasteros; los habitantes son poco dados á la vida marinera y sólo impulsados por la necesidad dejan sus pueblos. Los medios de comunicacion en Samar se reducen casi á recorrer las costas y á seguir los rios; en el interior de la isla no hay caminos, teniendo la gente que llevar á cuestas los fardos de mercancías. Un buen cargador, que gana 1 1/2 rl. pl. sin la comida, transporta tres arrobas un trecho de seis leguas en un dia, pero al siguiente no puede hacer la misma faena, necesitando uno de descanso. Un hombre robusto carga arroba y media seis leguas diarias durante toda una semana.

En Leyte y en Samar no hay mercados; las compras se hacen en las casas, así como tambien las ventas.

El indio que quiere proporcionarse dinero á préstamo debe dar una prenda de mucho más valor y pagar de interes mensual 1 rl. pl. por duro ó sea un 12 1/2 por 100. No le es fácil hallar quien le preste más de 5 pesos, pues sólo hasta esta suma tiene responsabilidad legal. En el Oriente y Norte de Samar el comercio y el crédito están ménos desarrollados que en su parte occidental, que se halla en mayor contacto con el resto del Archipiélago. Cantidades en dinero no se prestan allí casi nunca y sí sólo géneros con un interes mensual de real por peso del valor asignado á éstos. Si el deudor no puede cumplir el compromiso á su vencimiento, se le suele quitar un hijo para que sirva, sin remuneracion y sólo por la comida, en casa del acreedor hasta la extincion de la deuda. Conocí á un jóven quien por 5 pesos que su padre, antíguo gobernadordillo de Paranas, debia á un mestizo de Catbalogan, habia servido á éste durante cinco años sin ser retribuido; y en la costa oriental vi una linda muchacha, la cual por una deuda de 3 pesos contraida por su padre servia hacía ya dos años á un indio de muy mala fama. En Borongan me enseñaron una plantacion de 300 cocoteros, que hacía unos veinte años habia sido dada en garantía de un préstamo de 10 pesos, y desde entónces la estaba beneficiando el acreedor cual si fuere de su legítima propiedad. Algunos años ántes habia fallecido el deudor y costó gran trabajo á sus hijos rescatarla pagando íntegra la cantidad prestada. Sucede que un indio pide á otro 2 1/2 pesos para librarse del trabajo personal los cuarenta dias al año que le corresponden, y luégo tiene que servir durante un año entero á quien se los facilitára, por no hallarse en circunstancias propicias á la devolucion de la suma prestada (127).

Los habitantes de Samar y de Leyte son más perezosos y ménos aseados que los de Luzon, y parecen tan inferiores á los bicoles como éstos lo son respecto de los tagalos. En Tacloban, que sostiene activo comercio con Manila, el contraste es ménos marcado; las mujeres son allí agradables y se bañan con frecuencia. Por lo demas, los habitantes de ambas islas son de trato amable, bondadosos, obedientes y conciliadores. Agravios de hecho y áun de palabra son raros; si álguien se ve insultado se queja ante el tribunal. En las costas N. y O. parece reinar gran pureza de costumbres, pero no en la oriental ni en Leyte. La devocion aparente es grande en todas partes, lo que han aprendido de los curas. Las familias están muy unidas, las mujeres tienen grande influencia, dirigen principalmente los asuntos domésticos y son por lo comun muy hábiles en tejer; en el campo sólo hacen trabajos ligeros. El respeto á los padres y al hermano mayor es muy grande; los hermanos menores no se atreven nunca á contradecirle. Las mujeres y los niños disfrutan excelente trato.

Los naturales de Leyte tienen tanto apego á su país como los de Samar; pero aunque poco dispuestos á embarcarse, dista su repugnancia á la vida del mar de ser tan marcada como la de éstos (128).

En ninguna de las dos islas hay establecimientos de beneficencia. Cada familia sostiene á sus pobres ó impedidos, y les trata bien. En Catbalogan, capital de la isla, poblacion que cuenta de 5 á 6.000 habitantes, hay sólo ocho mendigos (en Albay no faltan los pordioseros). Un español peninsular anunció en Lauang, con ocasion de una fiesta, que iba á repartir arroz entre los menesterosos, y no se presentó nadie. La honradez de la gente de Samar es muy ponderada: Las deudas se contraen casi siempre sin obligacion escrita, y nunca se niegan áun cuando los pagos no sean

____

(127) Como generalmente sucede con abusos semejantes, motivaron éstos una disposicion dada en 1848 (*Leg. ultr.*, I, 144), escrita, pero nunca cumplimentada, prohibiendo contratos onerosos con criados ó trabajadores, y amenazando con penas severas á los que bajo pretexto de haber prestado dinero, por cualquier concepto que fuere, tuvieran bajo su dependencia perpétuamente á indios ó familias enteras y acumulasen intereses, aumentando así la deuda sin dar jornal ni retribucion alguna á los que les están sirviendo.

(128) Segun parece ántes no era así: «Estos visayas son hombres poco inclinados á la agricultura, hábiles marinos, aficionados á guerras y correrias marítimas, á las que les incitan el pillaje y el robo, que llaman *mangubas*, ó sea expediciones para robar» (*Morga*, fólio 138).

puntuales. Allí no existen bandidos y los ladrones son muy raros. En los pueblos hay escuelas; pero dan peores resultados que las de Camarines.

La diversion preferente consiste en las riñas de gallos, sin que por ellas haya tan extremada pasion como en Luzon. En las solemnidades religiosas se acostumbra representar alguna comedia traducida del español, por lo comun versando sobre un asunto religioso; los gastos se cubren por suscricion voluntaria entre la Principalía. Los vicios más arraigados en aquellas gentes son el juego y la bebida; este último es extensivo tambien á las mujeres, hasta á las muchachas. En las bodas duran las fiestas, canto y baile, con frecuencia varios dias seguidos, interrumpiéndose apénas durante la noche, hasta tanto que se da fin á la comida y bebida. El novio debe servir en casa de los padres de la novia dos, tres y hasta cinco años, á veces ántes de que pueda llevarla á la suya. Este servicio no puede redimirse por dinero. Come en casa de sus futuros suegros, que dan el arroz, teniendo él que comprar los accesorios (129). Al llegar al término de su servidumbre construye, con la ayuda de sus parientes y amigos, una casa destinada á la familia que va á crear.

Las infidelidades conyugales son frecuentes, los celos raros y nunca llevan á cometer crímenes; el ofendido suele ir con el ofensor á casa del párroco, quien tiene palabras de reprobacion para éste y de consuelo para aquél, y con su elocuencia tranquiliza el ánimo exaltado del marido. Las mujeres casadas son más accesibles que las muchachas solteras; pero éstas casi no quedan perjudicadas para hallar colocacion por graves deslices en que hayan incurrido. Los padres, generalmente, tienen á sus hijas bastante sujetas y vigiladas, tal vez para alargar así lo posible el tiempo de servicio del novio. Los visayas dan mayor importancia á las apariencias y exterioridades que los bicoles y tagalos. Tambien allí domina la opinion errónea de ser mayor el número de mujeres que el de hombres (véase página 48). Hay mujer que á los doce años ya es madre, lo cual, sin embargo,

---

(129) Sigue el abuso á pesar de una ley severa que lo prohibe, y conmina á los Alcaldes que descuidan su observancia, con la multa de 100 pesos en cada caso de falta. En algunas pro. vincias el novio, ademas del dote, indemniza á la madre de su desposada por la leche que á ésta dió (*Bigay susu*). Segun el P. Colin (*Labor evangélica*, pág. 129), la quinta parte del dote la formaba el Penhimuyat, ó sea el regalo que se hacía á la madre por sus cuidados y desvelos en la educacion de la novia.

constituye una excepcion de la regla general de edad en los casamientos. Madre se ve en Visayas que tiene doce y trece hijos; no son pocas, sin embargo, las que mueren á consecuencia de malos partos, y familias con más de seis ú ocho hijos son extraordinariamente raras.

Sustentan muchas supersticiones. Ademas de las imágenes católicas de la Vírgen que todo indio lleva en escapulario, muchos no abandonan los amuletos paganos. Tuve ocasion de examinar uno, tomado á un pecador recalcitrante. Consistia en un frasquito de á onza, herméticamente tapado y lleno de raicillas al parecer cocidas con aceite; estaba preparado por los infieles y tenía la virtud de dar fuerzas y valor á quien lo llevára. La detencion del dueño fué muy difícil, pero tan luégo le quitaron su talisman cesó de oponer resistencia y se dejó atar sin resistencia. Casi en toda aldea grande hay una ó más familias de asuánes generalmente temidos y cuyo trato se evita; son considerados como réprobos, pudiéndose casar sólo entre ellos. Se pretende que comen carne humana. ¿Quizá procedan efectivamente de antropófagos? La creencia está muy extendida y firmemente arraigada. Indios viejos y serios, cuando se les habla de ello dicen que ciertamente hoy los asuánes no comen carne humana; pero que sin duda la comian sus antepasados (130).

Segun parece no existen antiguas leyendas, tradiciones ni cantos populares. Acompañan sus danzas cantando; pero sus canciones son improvisadas, obscenas las más y sin poesía todas. No se conserva monumento alguno de una civilizacion de remotos tiempos. « Los antiguos Pintados no tenian templos, haciendo cada cual sus anitos en su propia casa, sin fiestas particulares. » (Morga, f. 145, v.) Es verdad que Pigafetta (pág. 92) cita que al convertirse el rey de Cebú mandó destruir muchos templos edificados orillas del mar; no obstante, pudieron muy bien ser construcciones ligeras, sin carácter monumental. En ciertas ocasiones los visayas celebraban una gran fiesta llamada *Pandot*, en la que veneraban á sus

---

(130) Los escritores antiguos no citan antropófagos en Filipinas. Pigafetta (pág 127) dice haber oido que junto á un rio, cerca del cabo Benuian (Punta N. de Mindanao), habitaban gentes que á sus enemigos vencidos les comian sólo el corazon aderezado con jugo de limon. El Dr. Semper (*Philippinen*, pág. 62), vió practicar esto mismo en la costa oriental de Mindanao, pero sin que usasen el limon (†).

(†) Puede verse la traduccion que hice de este estudio del Dr. Semper y publicó *La Ilustracion Española y Americana*, Marzo, 1875. (*N. del T.*)

dioses en chozas de follaje dispuestas al efecto y adornadas con flores y lámparas. Las llamaban *Simba* ó *Simbahan* (como hoy á las iglesias), y esto es lo. único que tienen parecido á iglesia ó templo. (Informe I, I, 17.) Segun Gemelli Careri (pág. 449) rendian culto á unos ídolos, procedentes de sus mayores, llamados por los visayas *Davata* (Divata) y *Anitos* por los tagalos (131); habia un anito del mar y otro doméstico para custodiar á los niños. Colocaban á sus abuelos y bisabuelos en su rango, invocándoles en todo caso de necesidad (véase cap. xx); erigian tambien en memoria suya toscas estatuitas de piedra, madera, oro y márfil, á los cuales llamaban *Liche* ó *Laravan*. Igualmente entraban en el número de sus dioses todos los muertos en el combate ó á causa de un rayo, así como los comidos por caimanes, creyendo que sus almas iban al cielo sobre un arco al cual daban el nombre de *balangas*. Pigafetta (pág. 92), describe con tales palabras los ídolos que vió: «Son de madera, cóncavos ó huecos sin parte posterior, con brazos abiertos y tambien las piernas, los piés están vueltos hácia arriba. Tienen la cara muy grande con cuatro enormes dientes, parecidos á las defensas del jabalí, y con todo el cuerpo pintado (132).

Para terminar este punto trascribo una breve noticia del P. Gaspar sobre la religion de los antiguos visayas (Conq. 169): « Llamaban Divata al demonio ó genio del mal, al que dedicaban sacrificios ; parece que se lo figuraban como un sér opuesto á la divinidad, un rebelde contra el divino poder..... al infierno le designaban con el nombre de *solad* y al cielo (en su lenguaje más culto) *ologan*..... suponian que las almas de los difuntos iban á una montaña de la provincia Oton, que se llama *Medias* en don-

---

(131) El anito se halla en los pueblos del Archipiélago malayo con el nombre de *antu*, el de Filipinas es, sin embargo, exclusivamente un genio protector, al paso que el *antu* malayo tiene más bien carácter demoniaco. .

(132) No he visto ídolo alguno. Los representados en la *Revista ethnológyica de Bastian y Hartmann* (*Zeitschrift für Ethnologie*, t. 1, lám. VIII) como ídolos de Filipinas, y cuyos originales posee el Museo de Berlin, proceden, segun opinion de A. W. Franks, indudablemente de las islas Salomon. En el *Catálogo del Museo de Praga*, parte II-VIII, pág. 46 (*Katalog der Prager Museum*) se dice: «cuatro cabezas de madera de ídolos filipinos, traidos á Europa por el naturalista bohemio Thaddäus Hänke, quien viajó por las islas de los mares del Sur en comision del Rey de España (1817). Las fotografías que pude obtener, gracias á la amabilidad de la Direccion del Museo, no corresponden á esta descripcion y parecen representar de las costas occidentales de América, principal teatro de las investigaciones de Haenke. Los papeles que al morir dejó, publicados con el nombre de *Reliquiæ botanicæ*, no contienen indicacion alguna sobre la procedencia de aquellos ídolos.

de se les trata y sirve muy bien. *Creacion de la tierra:* un buitre revolotea entre agua y cielo, no halla donde posarse, el agua sube hácia el cielo. Este se encoleriza y crea islas. El buitre parte un bambú del cual salen hombre y mujer, quienes se reproducen, y el número de hijos, llegando á ser demasiado grande, les exterminan á palos. Algunos se esconden en las habitaciones, y de éstos se derivan los *datos;* otros en la cocina, y de ellos salen los esclavos, y los restantes salen por la escalera y son los que originan al pueblo.

CAPÍTULO XXIII.

En 1830 se abrieron siete nuevos puertos, por via de ensayo, á consecuencia de grandes defraudaciones cometidas en derechos arancelarios; pero no pasó mucho tiempo sin que volvieran á quedar cerrados. En 1831 se organizó una aduana en Zamboanga en la parte S. O. de Mindanao. En 1855 se abrió Sual en el golfo de Lingayen, uno de los mejores abrigos de la costa occidental de Luzon é Ilo-ilo, en la isla de Panay; en 1863 se hizo lo mismo con Cebú, habilitándole para el comercio extranjero.

Los españoles pusieron ya en 1635 un fuerte en Zamboanga, que, si bien no podia evitar la piratería completamente en aquellos mares, la limitaba, sin embargo, de un modo considerable (133). Hasta el año de 1848 los moros cautivaban, segun voz pública, de 800 á 1.500 personas al año (*). La creacion de esta aduana reconoció, no obstante, razones más de índole política que mercantil; se quiso abrir una plaza á los productos procedentes de las islas joloanas. El comercio es hoy en extremo insignificante, la exportacion consiste principalmente en algo de café (unos 6.000 picos en 1871), cuyo valor no asciende más que á 30 por 100 de lo que se paga en Manila, á causa del descuido en su elaboracion, y en productos de los montes y del mar (cera, nidos, carey, perlas, madreperla y holuturidos comestibles ó balate). Este comercio está allí; como en Joló, en manos

---

(133) Por ejemplo, cuando la tentativa de Oogseng (véase más adelante) obligó á concentrar todas las fuerzas disponibles en Manila hasta las que protegian Zamboanga, se presentaron los moros en las costas de Mindanao con 60 embarcaciones, siendo así que sus anteriores y habituales expediciones no solían pasar de seis á ocho buques. (*Torrubia*, pág. 363.)

(*) HAKL. *Morga. Append.* 360.

de los chinos, que son los únicos dotados de bastante paciencia, flexibilidad de carácter y habilidad suficiente para hacerlo.

Sual es punto importante para la exportacion de arroz. Su comercio depende, por consiguiente, de las cosechas de Saigon, Birmania y China. En 1868, que aquéllas fueron buenas, quedó reducido al cabotaje.

La poblacion de Cebú, capital de la isla del mísmo nombre, consta de 34.000 habitantes, es asiento del Gobierno y del arzobispado de. Visayas; la travesía de Manila dura 48 horas en buque de vapor; su situacion es tan ventajosa respecto á la parte oriental del grupo de las Visayas como la de Ilo-ilo en la occidental, y cada vez gana como depósito de sus producciones. Recibe de Bohol azúcar y tabaco; de Panay, arroz; de Leyte y Mindanao, abacá; de Misamis (Mindanao), café, cera, bejuco, madreperla, etc. Dista de Samar 26 M., de Leyte 7 ¹/₂, de Bohol 4 y de Negros 18.

La superficie de la isla de Cebú mide 75 M. ☐ : una elevada sierra la cruza de N. á S., separando la parte oriental de la occidental; el número de pobladores se estima en 340.000, ó sea 4.533 por M. ☐ Los habitantes son pacíficos y de buen trato, los robos ocurren muy rara vez y las cuadrillas de salteadores son desconocidas. Las ocupaciones predominantes de los cebuanos consisten en las faenas dél campo y de la pesca, y en la fabricacion de tejidos para el propio consumo. Cebú produce azúcar, tabaco, maíz, arroz, etc., y en las montañas se da bien la patata; pero la cosecha de arroz no basta para cubrir las necesidades de los naturales, por ser poco el terreno llano disponible para su cultivo; el que falta se recibe de Panay.

En la isla hay capas carboníferas de consideracion que es de esperar se pongan pronto en explotacion por haberse suprimido los derechos de exportacion en virtud del decreto de 5 de Mayo de 1869 (134). Miéntras que

(134) Segun la *Revista Minera*, Madrid, 1866, XVII, 244, los carbones de la montaña de Alpacó, comarca de Naga en Cebú, son secos, limpios, están casi libres de piritas, de fácil combustion, ardiendo con llama fuerte. Los ensayos practicados en el laboratorio de la Escue_. la de Minas dieron por resultado un 4 por 100 de ceniza y una potencia calorífica de 4.825 calorias, ó sea una unidad de peso en la combustion elevó 1° la temperatura de 4.825 de agua. La buena hulla produce 6.000 calorias. Las primeras minas que se abrieron en esta cuenca fueron las del valle de Massanga: en 1859 se suspendieron los trabajos despues de haber invertido sumas de consideracion. Posteriormente se descubrieron en el valle de Alpacó y en la montaña Oling, cerca de Naga, cuatro capas de mucha potencia..... « El carbon de Cebú es reconocidamente superior al de Australia y Labuan ; sin embargo, no posee bastante potencia calorífica para poderse usar sin mezcla en navegaciones largas. »
Segun el *Catálogo de los productos de Filipinas* (Manila, 1866), la potencia media de las

en Luzon y Panay la mayor parte de terrenos son propiedad de los cultivadores, pertenecen los más de Cebú á mestizos que los ceden á parceria muy fraccionados. Los propietarios saben retener al colono bajo su dominacion haciéndole préstamos onerosísimos; una consecuencia de tales abusos es que la agricultura esté allí más atrasada que en parte alguna del Archipiélago (*). El valor total de las mercancías exportadas ascendió en 1868 á 1.181.050 pesos, de los cuales 481.127 importó el azúcar, 378.256 el abacá para Inglaterra, 112.000 el abacá con destino á América y 188.260 el tabaco que se embarcó para la Península. La importacion se verifica por Manila; en su mayor parte hacen el comercio los chinos que compran los artículos á las casas extranjeras establecidas en la capital. El valor de estas importaciones se calculó (1868) en 182.522 pesos, de los cuales 150.000 corresponden á géneros de algodon ingleses. La total importacion en la isla fué por 1.243.582 pesos, y la exportacion local de 226.989 pesos. Entre lo importado figuran 20 cajas de imágenes, una prueba de lo extendida que está la devocion á la Vírgen María. Los comerciantes extranjeros solian valerse ántes de nuestros chinos para comprar los artículos de exportacion; ahora hacen los negocios directamente con los productores, quienes obtienen mejores precios desde la supresion de corretajes. Esto, debido á la actividad de los comerciantes extranjeros, es lo que más ha contribuido al incremento de la agricultura.

Ilo-ilo es el más importante de los puertos abiertos recientemente, punto céntrico de las Visayas y situado en una de las más pobladas y productivas provincias. N. Loney estima la exportacion de tejidos de piña procedentes de esta provincia y las inmediatas, en un millon de pesos al año. El puerto tiene excelentes condiciones, le abriga completamente una isla atravesada frente de su entrada. Las embarcaciones fondean en una profundidad de 2 cables (en marea baja), inmediatas á la orilla. Á causa de la barra los buques de mucho calado tienen que completar su cargamento fuera del puerto. Antes de la reciente apertura de puertos todas las pro-

---

capas de carbon que se extienden en varios puntos de N. á S. de la isla, es de 2ᵐ. La hulla es de mediana calidad, se quema en los vapores de guerra mezclada con Cardiff. El precio medio en Cebú importa 6 pesos tonelada (†).

(*) Informe del cónsul inglés, 217.

(†) El distinguido ingeniero D. José Centeno ha hecho importantes estudios científicos y económicos de la cuenca carbonífera de Cebú. (*N. del T.*)

vincias tenian que hacer afluir sus productos á Manila y cargar allí los artículos importados, lo cual, á causa del doble viaje, descargas, corretajes y almacenajes recargaba mucho los precios. De un informe manuscrito de N. Loney se desprende cuán beneficiosa ha sido esta medida para Ilo-ilo, y en general para las provincias de Panay y Negros, á pesar del corto tiempo trascurrido desde que se puso en vigor.

Los altos precios á que puede pagarse el azúcar para exportarla directamente, la facilidad y seguridades de los negocios, comparados con las circunstancias anteriores cuando Manila monopolizaba exportacion é importacion, han dado como resultado inmediato un aumento del cultivo de la caña. No sólo en Ilo-ilo, sino que tambien en Antique y Negros, se han establecido nuevas plantaciones, aumentándose las existentes cuanto ha sido posible. Igual progreso se nota en la fabricacion. El año de 1857 no habia en toda la isla un solo molino de hierro y con los usuales trapiches de madera queda en la caña, despues de pasarla tres veces, un 30 por 100 de jugo que no se aprovecha. Ahora van desapareciendo los trapiches é introduciéndose molinos de hierro movidos por el vapor ó por carabaos. Su adquisicion se facilita á los plantadores de corto capital, dándoles á crédito los depósitos de maquinaria inglesa. En vez de las antiguas calderas de hierro fundidas en China, se importan de Europa otras muy superiores. Se han creado várias grandes fábricas montadas segun los adelantos modernos y movidas por el vapor; en la agricultura se observa el mismo movimiento de progreso. De Europa se reciben mejores arados, carros y en general buenos aperos de labranza, viéndose cada vez con mayor frecuencia los más perfeccionados. Esta trasformacion evidencia cuán importante era crear centros comerciales distribuidos por un Archipiélago que se extiende más de 200 millas, y en los cuales pudiesen establecerse las casas extranjeras. Sin esta última circunstancia y las facilidades que en el crédito ha originado no se hubiera obtenido un progreso tan rápido en Iloilo como el que se ha alcanzado, pues las casas de comercio de la capital no pueden vender á plantadores desconocidos de provincias lejanas más que al contado. Un gran número de mestizos, quienes ántes comerciaban con los artículos manufacturados adquiridos en Manila, han abandonado el negocio desde que las firmas extranjeras los mandan directamente á los puntos de consumo, y como tampoco les es posible sostener competencia con los chinos en el menudeo, se ven obligados á dedicarse al cultivo de la caña, con gran ventaja para el país. Así se han creado en Negros extensas plantaciones, beneficiadas por naturales de Ilo-ilo, pues en aquella isla faltan brazos.

Los extranjeros pueden hoy legalmente poseer tierras recibiendo títulos de propiedad en regla, lo que hace pocos años no sucedia por lo indeterminado y confuso de la legislacion. El terreno se adquiere por compra ú particulares ó tambien, cuando no está ocupado, por denuncia. En este caso expresa el denunciante á la autoridad local el trozo de tierra que quiere poner en cultivo, y recibe, en caso de no oponerse reclamaciones de tercero, un volante que entrega al Alcalde para que se extienda el título de propiedad, sin tener otros gastos que los de papel sellado y derechos correspondientes.

Algunos mestizos é indios, que carecen del capital necesario para establecer en buenas condiciones una gran plantacion, venden el terreno desmontado á capitalistas europeos y constituyen así un tránsito entre la administracion y el cultivador. La marcha que hoy sigue el Gobierno de la Colonia va bien encaminada para fomentar la creacion de grandes plantaciones.

Hacen aún gran falta buenos caminos, que aumentan sin embargo desde el reciente desarrollo de la agricultura: además, la mayor parte de las fábricas de azúcar están en Negros junto á rios bastante profundos para permitir el tránsito de barcas de carga de poco calado. El valor de la tierra ha duplicado en los últimos diez años (135). Esto debe atribuirse á la libertad de exportacion que ha hecho lucrativa la industria azucarera.

Hasta 1854 se pagó el pico de azúcar de 1,25 pesos á 1,50 en Ilo-ilo y rara vez más de 2 en Manila; en 1866, 3,25 pesos; en 1868, 4,75 á 5 pesos pico en Ilo-ilo. Dándole allí á 1,75 se obtiene ya bastante lucro (136).

Á fines de 1866 se habian establecido sólo en Negros 20 plantadores de caña—prescindiendo de los muchos mestizos—varios de los cuales montaron máquinas de vapor y calderas de modernos sistemas. Los jornales

---

(135) En Jaro ha triplicado el precio de los arrendamientos desde hace seis años. La res que en 1860 se compraba por 10 pesos, costaba 25 en 1866. Terrenos junto á la ria de Ilo-ilo han subido de 100 pesos á 500 y hasta á 800, y esto en pocos años. (Véase *Diario de Manila*, Febrero 1867.)

(136) En 1855 exportó Ilo-ilo 11.700 picos, de los cuales 3.000 de Negros; en 1860 90.000 picos; en 1863, 176.000 p. (en 27 buques extranjeros); en 1866, 250.000 p., y en 1871, 312.379 picos de las dos islas.

importaban de 2,5 á 3 pesos mensuales. En algunas haciendas se hacen contratos llamados *acsa*, que significa participacion; el propietario proporciona al cultivador, terreno, ganado y aperos de labranza, con la obligacion de llevar la caña á su molino, donde le entrega una parte del producto (comunmente un tercio). En Negros se cultiva la cañavioleta; en Luzon la blanca (de Otaiti); el terreno no recibe abono alguno. En suelo vírgen, no esquilmado, llega á adquirir con frecuencia una altura de 15 piés. El aumento de riqueza se nota tambien en el vestido; las telas de piña y de seda se usan cada dia más y más. Un incremento en el lujo es en todas ocasiones síntoma de prosperidad: el desarrollo de necesidades obliga á mayor asiduidad en el trabajo.

Como ya se ha dicho muchas veces, los países que parecen llamados á á consumir los productos filipinos son, principalmente, California, Japon, China y Australia. Hoy es cierto que Inglaterra ocupa, entre ellos, el primer lugar; pero más de la mitad de lo que toma es azúcar, y esto como consecuencia de una legislacion arancelaria especial. Tan sólo una cuarta parte próximamente del azúcar cosechado se purifica algo para poder competir en California y Australia con las clases de Bengala, Java y Mauricio; los tres cuartos restantes tienen que hacer—y asombra que tal suceda —el largo viaje á Inglaterra, á pesar de ser altos los fletes y grandes las pérdidas de peso ó mermas, pues no bajan de 10, 12 por 100 (por la salida de la melaza). Precisamente su mala condicion recomienda esta mercancía filipina á los refinadores ingleses, quienes sólo satisfacen 8 sh. por quintal, al paso que tienen que pagar por el azúcar limpio de 10 á 12 sh (137).

Así recompensa la ley aduanera inglesa la mala fabricacion del azúcar. Lo mismo hizo hasta 1862 el Gobierno de la colonia, no permitiendo á los fabricantes destilar melazas para ron. (Véase pág. 62.) Dé este modo ninguna tendencia habia á sacar del azúcar, produciendo gastos, una sustancia que no se podia utilizar. En circunstancias normales la fabricacion de ron no sólo cubre los gastos de la purificacion, si no que hasta deja una ganancia importante.

---

(137) El azúcar destinado á los mercados ingleses cuesta en Manila (1868-1869) 15 á 16 libras esterl. tonelada y se pone en Lóndres por 20 lib. El más limpio que se exporta á Australia tendria en Lóndres, á causa de los altos derechos, solamente 8 lib. más valor y costaría 5 más, resultando así una prima de 2 lib. para el inferior. El azúcar exportado desde Manila procede principalmente de Pangasinan, Pampanga y Laguna (segun informes particulares).

CAPÍTULO XXIV.

Una de las producciones más interesantes de aquellas islas es el llamado cáñamo de Manila: los franceses, quienes casi ningun uso hacen de él, le dan el nombre de seda vegetal, debido al brillo sedoso de la fibra. Los naturales le llaman *bandála*, y en el comercio se conoce comunmente con la denominacion de abacá, lo mismo que la planta de la cual procede. Es ésta una especie de plátano indígena en el Archipiélago, donde se cria silvestre, y que Linneo llamó *Musa textilis.* En su porte es muy parecido al plátano comestible (*Musa paradisiaca*, L.) que es uno de los vegetales más útiles de los trópicos, y que todos conocemos por haberle visto en estufas de jardines. No está aún probado si son idénticas al abacá otras especies indígenas en el Archipiélago, por ejemplo, la *Musa trogloditarum*, la *Musa sylvestris* y las llamadas frecuentemente tambien *Musa textilis.*

Las *Musas* son plantas herbáceas; el tallo, tronco en apariencia, está formado por los peciolos de las hojas, que aparecen de forma semilunar en un córte trasversal, envolviéndose recíprocamente y recubriendo el eje central de la inflorescencia, que es muy delgado. Los hacecillos fibrosos del liber abundan, y por esto se usan para atados, sin constituir ningun artículo de comercio. Como materia textil, se emplean únicamente los obtenidos del abacá en la parte S. E. de las Filipinas.

Especiales condiciones para este cultivo tienen las provincias de Camarines Sur y de Albay, las islas de Samar y Leyte y las comarcas vecinas, tambien Cebú; una parte del llamado *Cáñamo de Cebú* procede, sin embargo, de Mindanao. El abacá se da bien en Negros, sólo en el Sur y no en el Norte, é Ilo-ilo, que produce la mayor parte de guinaras (tejidos de abacá), tiene que importar la primera materia de los distritos orientales, pues no se cultiva con éxito en Panay. En Cápiz se cosecha poco y de calidad muy inferior. Todos los ensayos para aclimatar este cultivo en las provincias del N. y del O., y algunos de ellos han sido llevados adelante de un modo muy serio, fracasaron siempre; las plantas llegaban apénas á 2 piés de altura y su produccion no cubria gastos. El mal éxito se atribuye á la larga duracion de las sequías, que es de muchos meses, miéntras que en las provincias orientales las lluvias son frecuentes y abundantes.

La gran utilidad que desde hace algunos años deja este textil á los productores, incita á nuevos ensayos para extender su cultivo, y los hechos probarán en breve si efectivamente está circunscrito por la naturaleza á una área muy limitada, ó, como sucede con las especies afines de plátanos comestibles, es factible su cultivo en la zona tropical de ambos hemisferios. En las montañas volcánicas del Occidente de Java crece con gran lozanía una Musa silvestre; el Gobierno holandés no ha hecho con ella, sin embargo, los ensayos necesarios para averiguar si ventajosamente podia ser objeto de un cultivo en grande escala, y la iniciativa particular está allí demasiado coartada con el llamado «sistema de cultivos» para que sea capaz de emprenderlos por sí sola. En diversos escritos se dice que en el Norte de las Célebes se cosecha abacá. Sin embargo, Bickmore asegura que las tentativas hechas con grandes sacrificios por el Residente holandés han demostrado que el cultivo del café rendia mayores productos (*). Guadalupe, segun parece, puede dar, prévia ventajosa demanda, abacá (¿fibra de la *Musa textilis?*) (**). Pondichery y Guadalupe deben de haber proporcionado tejidos de abacá y tambien la Guyana francesa telas de fibra de plátanos de fruto comestible (***) (138). Todo esto no pasa, sin embargo, de referirse á simples ensayos.

Segun Royle (†) las fibras del abacá exceden en resistencia, ligereza

---

(*) *The Islands of the East-Indian Archip.*, 1868, pág. 340.
(**) *Catalogue de l'Expos. perman. des Colonies françaises*, 1867, pág. 80.
(***) *Rapport du Jury. Exp.*, 1867, IV, 102.
(138) Parece que los indios de la América del Sur utilizan ya de antiguo las fibras del plátano para hacer telas de vestidos (*The Technologist*, Setiembre, 1865, pág. 89, sin indicarse el orígen de la noticia); en Lu-tschu, segun se dice, se aprovechan de los plátanos sólo las fibras (*Faits commerciaux*, núm. 1514, pág. 36).
(†) *Fibrous plants of India.*

fuerza de traccion y baratura al cáñamo de Rusia, y le son únicamente inferiores por la circunstancia de poseer los cables tejidos con él más rigidez en tiempo húmedo; lo cual, no obstante, puede depender de la manera de confeccionarlos, que mejorada quizá obviase este inconveniente (139). Y en efecto, es de esperar que las dificultades se venzan por los progresos en la elaboracion, gracias á las máquinas que van introduciéndose. El abacá no conserva hoy ya la ventaja sobre el cáñamo de ser más barato y la demanda aumenta en proporcion mayor que la misma produccion. Al paso que su valor en Lóndres era en 1859 de 22 á 25 £ tonelada, se pagó en 1868 á 45-50 £ y el cáñamo de Rusia á 31 £; es decir, que en nueve años duplicó su precio.

En Albay se cultivan unas nueve variedades de abacá, cuya eleccion determina la naturaleza del suelo. El cultivo es extremadamente sencillo é independiente de las estaciones. Las plantaciones que mejores resultados dan son las establecidas en las laderas de montañas volcánicas, que tanto abundan en Albay y Camarines, en rasos de monte sombreados ó resguardados por árboles distantes entre sí unos 60'. En llanura completamente sin abrigo prosperan ménos y se malogran en terrenos pantanosos.

Para establecer una nueva plantacion se suele echar mano de brotes jóvenes ó retoños, que abundan tanto que cada pié toma el aspecto de una mata. Si el suelo es de buena calidad se dejan intervalos de 10 piés de planta á planta, y si es peor sólo de 6 piés. Toda la labor se reduce á una ligera escarda y limpia de la broza durante el primer período, despues crecen ya las plantas con tal fuerza, que ni son precisos árboles protectores por prestar bastante abrigo á los retoños las grandes hojas de los piés de que brotan; tampoco es necesario quitar malas hierbas, pues no salen. Unicamente en casos excepcionales, al crear, por ejemplo, plantaciones en sitios distantes de las existentes, se hacen siembras. A este fin se cortan los frutos y se secan, no dejándolos madurar demasiado, porque de lo contrario pierden las semillas su virtud germinativa. Tienen éstas el tamaño de granos de pimienta (en los plátanos comestibles se atrofian hasta hacerse imperceptibles). Dos dias ántes de la siembra se quitan del

---

(139) El abacá no toma embreado alguno y por esto sólo puede emplearse para jarcia movible y no para la fija.

fruto, se ponen en agua una noche, y al dia siguiente se secan á la sombra; al teroer dia se siembran abriendo agujeros, profundos de una pulgada, en tierra de monte, bastante sombreada y recientemente removida; la distancia que se deja entre las plantas y las líneas de ellas es de 6 pulgadas. Al año se trasplantan las plantitas que tienen unos 2′ de altura y se tratan luégo absolutamente como los brotes de raíz. Al paso que muchos plátanos dan fruto al cabo de un año, y aún algunos á la edad de seis meses, son precisos al abacá tres años, por término medio, para llegar á la madurez de su fibra cuando procede de brotes de raíz, y cuatro si se obtiene de plantitas de un año; en los casos más favorables el tiempo necesario se reduce á dos años.

En la primera cosecha se corta de cada mata solamente un tallo; más tarde aumenta tan rápidamente el crecimiento, que cada dos meses pueden rozarse (140). Algunos años despues se pone tan espesa la plantacion, que apénas es posible pasar por ella. La mejor fibra se obtiene en la época en que la planta echa las flores; pero esta ocasion no se espera cuando hay mucha demanda y precios firmes.

Las plantas que ya han florecido no se aprovechan, segun parece, por resultar la fibra demasiado endeble. Extraño sería, sin embargo, que el productor de allende los mares atendiera hasta tal punto á los intereses del consumidor cuando se multiplican los pedidos y se ofrecen excelentes precios. Tampoco se ve razon fisiológica alguna que explique por qué pierden su consistencia las fibras despues de florecer la planta, toda vez que la fructificacion sólo está relacionada con los vasos, por la circunstancia de trasformarse su contenido en sustancias solubles y desaparecer luégo miéntras que las fibras ningun cambio experimentan. Estas adquieren, al contrario, mayor tenacidad con los años; pero tambien se adhieren mútuamente tanto, que no sería posible limpiarlas sin emplear un aumento de fuerza y sin evitar su ruptura. De aquí quizá la errónea opinion expuesta y generalmente sustentada. Por medio de la enriadura, como se hace con el cáñamo, podrian tal vez utilizarse las plantas viejas, pero nunca

---

(140) Un campo de abacá en buena explotacion produce al año unos 330 qq. de bandala por quiñon ó sean próximamente 117 por hectárea. Una hectárea de lino viene á dar por término medio la décima parte de fibra limpia y además de 7 á 80 qq. semilla; pero no puede cultivarse seguidamente por lo mucho que esquilma el suelo.

sin aumentar considerablemente los jornales, los que áun hoy constituyen ya la mayor parte de los gastos de produccion (141).

Para obtener las fibras del liber, se corta el tallo á flor de tierra y se despoja de las hojas y cubiertas exteriores, se separa luégo cada peciolo cortándolo en tiras, haciendo en la cara interior y cóncava un córte trasversal en la epidérmis, y se arranca junto con la parte carnosa (*parenchima*) adherida á ella de modo que quede la exterior tan limpia como sea posible, ó tambien se quita el liber del tallo entero, á cuyo fin el obrero practica en la epidérmis un córte atravesado ú oblícuo por la parte baja del tallo, pasa el cuchillo por debajo del cogollo, marca una tira en toda su longitud, que sea del mayor ancho posible, y repite la operacion miéntras el tallo lo permite. Este último procedimiento, más productivo, pero tambien más costoso que el anteriormente indicado, y por esto usado pocas veces, se llama *jagot* y aquel *lumi*. Las tiras de corteza se pasan luégo por el filo de una cuchilla de 3″ de altura por 6″ de longitud, sujeta en un extremo á un palo elástico, de modo que la hoja se mueva perpendicularmente á un trozo de madera pulimentada; en el otro extremo, correspondiente al mango, puede apretarse por medio de un pedal unido por una cuerda. El obrero tira la corteza, graduando la fuerza, entre la madera y la cuchilla, empezando por en medio de ella primero una mitad y despues la otra. Segun el P. Blanco, la cuchilla no debe tener mellas ó dientes de sierra (*).

Tres trabajadores á jornal limpian ordinariamente al dia 25 libras de abacá. Uno corta el tallo, separa las hojas y las lleva al sitio de la limpia; el segundo, que suele ser un muchacho, prepara las tiras, y el tercero las pasa por debajo de la cuchilla. Sucede que algunas plantas dan hasta dos libras de fibra, pero el término medio más favorable llega rara vez á una libra, y si el suelo es de calidad inferior apénas importa una sexta parte. El propietario beneficia por sí la plantacion, valiéndose de jornaleros ó, cuando son muy bajos los precios del mercado, dándoles la mitad de lo producido. En este último caso un trabajador hábil limpia un pico semanal.

---

(141) Segun me comunica el Dr. Wittmack, tambien del cáñamo se puede sólo obtener fibra ó sólo semilla, porque la planta en estado de madurez tiene la fibra demasiado gruesa y quebradiza. En la práctica es cierto que se suelen beneficiar á la vez ambos productos; pero resultando de mediana calidad.

(*) *Flora de Filipinas.*

Tomando como punto de partida los precios corrientes durante mi estancia allí, que eran excepcionalmente bajos, ó sea 16 rs. pl. 5 pico, resulta al obrero una ganancia en seis dias de 8 rs. pl. 25, ó sea 1 rl. pl. 375 diarios. El jornal era en aquella ocasion de 0,5 rl. pl. y la comida, equivalente á 0,25 total 0,75 rl. pl.

	Á jornal.	Á mitad.
El trabajador gana, por tanto, diariamente. .	0,75	1,375 rl. pl.
La mano de obra por pico importaba... . . .	12,6	8,250
La utilidad del plantador, satisfechos jornales.	3,9	8,250

Los bordes de los peciolos, que contienen fibras más finas que la parte media, se separan en tiras de una pulgada de ancho y se pasan repetidas veces por la cuchilla con mayor presion. Su producto se llama *lupis;* es de más precio, utilizándose en el país para tejidos finos, al paso que la *bandala* se emplea principalmente para jarcia (142). El lupis se clasifica en cuatro calidades, segun la finura de la hebra, ó sea : 1.º, binani; 2.º, totogna; 3.º, sogotan, y 4.º, cadaclan; se toma para ello un manojo en la mano izquierda, y con la derecha se ordenan las tres primeras clases entre los cuatro primeros dedos, y la cuarta entre el pulgar y el índice. Esta última no puede ya emplearse para tejidos finos, y por tal razon suele venderse con la bandala. Se golpean las fibras de las tres primeras en *huzones* (morteros para descascarillar el arroz) á fin de darles mayor flexibilidad, se anudan despues uno al extremo de otro, y se llevan al telar.

Generalmente se hace de la primera clase la trama y de la segunda la urdimbre, la tercera se usa como urdimbre, y la segunda como trama. Telas así tejidas son casi tan delicadas como las de piña (Nipis de piña), iguales en finura á la mejor batista, y más claras, rígidas y de un tono amarillento más caliente que ésta; en conjunto de mejor aspecto, no obstante de los nudillos procedentes del atado de los hilos que se distinguen con un atento exámen (143). Las tres cualidades enumeradas : trasparencia, rigidez y coloracion, hacen que estén respecto á la batista en rela-

---

(142) El lupis se pagaba en Lóndres (1868) á 100 £ tonelada; pero sólo llegaban pequeñas partidas, unas 5 toneladas anuales, para emplearlo en la confeccion de una especie de elásticas, cuya moda pasó pronto. Creo que el quitol, que es una clase inferior de lupis, se pagó á 75 £ tonelada.

(143) La rigidez es calidad comun á toda fibra de monocotiledóneas, por estar formada de celdillas, cuyas paredes tienen mayor espesor; la hebra del liber de las dicotiledóneas (por ejemplo del cáñamo) es en cambio más flexible.

cion semejante á la que entre sí guardan el papel de calcos y el de seda.

Tejer estas telas en imperfectos telares es cosa extraordinariamente penosa, por las frecuentes rupturas de los hilos atados. La ejecucion de los tejidos más finos supone grande habilidad, y tanto tiempo y paciencia que nunca podrian competir en precios con los productos de la industria europea. Su mismo hermoso tono amarillento les haría desmerecer á causa del gusto que por el viso azulado en la ropa blanca domina en Europa. Las mestizas ricas los pagan muy caros, teniéndolos en gran estima.

La fibra del interior de los peciolos, que es más blanda, pero no tan resistente como la exterior, se llama *tupus* y se vende con la *bandala*, utilizándose para tejidos del país, especialmente para *tapis*. La bandala sirve tambien para tejidos, y en parte del Archipiélago donde el cultivo del abacá es indígena, el traje de ambos sexos consiste en toscas guinaras. Se preparan algunos artículos para Europa, por ejemplo, crinolinas ó patrones para modistas.

Ya ántes de la llegada de los españoles usaban los naturales telas de abacá; pero constituye un importante artículo de exportacion sólo desde hace algunos decenios. Debe agradecerse este resultado en gran parte al espíritu emprendedor de dos casas norte-americanas, y no se logró sin notable constancia y cuantiosos desembolsos.

Como las plantas no necesitan cuidados y sólo es costosa la limpia de la fibra, el indio se evita este trabajo cuando los precios no son ventajosos. Nunca se harian entregas regulares si el mercado ofreciese mala colocacion, á no ser por la frivolidad de aquellas gentes que es, en este caso, ventajosa al comprador. Se hacen al cosechero anticipos en géneros ó en dinero, que es preciso reintegre en bandala de su cosecha, obligándole á trabajar el abacá los compromisos así contraidos (144). Miéntras el artículo se paga á buenos precios todo marcha bastante bien, á pesar de sufrir-

---

(144) Los mestizos é indios suelen tambien asegurarse con otros productos agrícolas el trab«jo de los braceros, haciéndoles anticipos que renuevan ántes de saldar antiguas cuentas. Así se meten los indios imprevisores cada vez más y más en deudas, y de hecho se convierten en esclavos de sus acreedores si no logran fugarse. Lo mismo sucede con los contratos de aparcería, por los cuales el propietario cede al cultivador terreno, aperos de labranza y ganado, prestándole ademas no pocas veces hasta vestido y alimentos para toda su familia; al repartír la cosecha suele suceder que su parte no cubre la deuda. Segun la ley, los indios no son responsables arriba de 5 pesos; hay ademas una ley que prohibe terminantemente tales préstamos usurarios, lo cual no impide su frecuencia. (Véase la nota 127.)

se pérdidas motivadas por la poca probidad de los indios y por su indolencia, unidas á la impericia de los corredores, que ninguna cualidad tienen de las que deben concurrir en un buen agente. Bajan, empero, mucho los precios, y el indio procura por todos los medios evadir un compromiso que se le ha hecho tan incómodo; la ganancia del corredor, calculada en un tanto por ciento prudencial, llega apénas á cubrir los intereses del capital prestado, lo cual le obliga á trabajar en malísimas condiciones; y sin embargo, tiene que dedicarse á. él por ser el único medio que le queda de amortizar su deuda. Los indios se quejan luégo amargamente de los tratantes que les han dado el dinero á tan onerosas condiciones, y éstos (generalmente mestizos) se lamentan de los extranjeros generosos y astutos, quienes no reparan en atraerles, á ellos los señores de la colonia, á sus lazos y arruinarles, cuando al fin son realmente los astutos extranjeros los que pierden capitales considerables. Despues de haber sacrificado así mucho dinero firmas respetabilísimas, han logrado los americanos, principales participantes en estos negocios, poner un término al sistema de anticipos, establecer almacenes y prensas en los mismos puntos de consumo y por medio de sus dependientes hacer las compras á los productores directamente. Todas las tentativas anteriores fracasaron ante la oposicion de los españoles peninsulares y del país, porque éstos consideran la utilizacion del comercio interior y de cabotaje como de su exclusivo pertenencia. Son muy envidiosos respecto de los entrometidos extranjeros «que se enriquecen á su costa» y les oponen toda clase de obstáculos. Si dependiera de estas gentes se obligaria á todos los extranjeros á dejar el país, y únicamente conservarian á los chinos como coolies (*).

Los indios aborrecen á los chinos por ser mejores trabajadores, y todas las tentativas para plantear grandes empresas, valiéndose de ellos, han fracasado á causa de la oposicion del indio, que no les puede sufrir, persiguiéndoles abierta ó cautelosamente. Tambien se increpa á las autoridades no proteger, cual están obligadas, á los chinos contra semejantes atropellos; que las empresas vastas no han tenido éxito hasta ahora en Filipinas, no hay que negarlo: en los mejores casos han dejado sólo cortas ganancias, y muchos lo atribuyen precisamente á esta causa. Es verdad que otros lo

---

(*) Poco faltó para que esta envidia ocasionára la derogacion de la medida abriendo nuevos puertos al poco tiempo de haberse planteado. (Véase cap. XXIII.)

explican de distinta manera, asegurando que el indio trabaja bien cuando se le paga puntualmente lo que le corresponde. El Gobierno parece afirmarse en la idea de que la explotacion de las riquezas naturales, que el Archipiélago contiene, no puede hacerse sin el concurso de los capitales y espíritu emprendedor del elemento extranjero. Por esto no pone obstáculos, en estos últimos tiempos, á su radicacion en provincias, y desde 1869 se les autorizó legalmente para hacerlo.

Un porvenir no lejano parece abrirse á la industria abacalera. Desde la terminacion de la guerra civil de los Estados-Unidos, que motivaba naturalmente una depreciacion de este artículo en los importantes puertos norte-americanos, los precios han tenido constante alza. Don Sinibaldo de Mas dice en su informe, que en 1840 se exportaron 136.034 picos de abacá por valor de 397.995 pesos, de donde resulta el pico á 2,9 pesos. El precio subió desde aquella época gradualmente, sosteniéndose entre 4 y 5 pesos, y tuvo mayor alza aún durante la guerra de Crimea, que impidió recibir cáñamo de Rusia, pagándose al enorme de 9 pesos, esto motivó el establecimiento de muchas plantaciones, cuyos productos al llegar á los mercados tres años despues, hicieron bajar los precios á 3 $^1/_2$ pesos, con lo cual aún se recompensaba el trabajo de beneficiar los abacales, pero sin incitar á aumentarlos con nuevos cultivos. Estos precios se sostuvieron hasta 1860, subiendo luégo paulatinamente (sólo durante la guerra americana hubo una breve paralizacion), y ahora están tan altos como durante la campaña de Crimea, sin que se vea probabilidad de que bajen, á no ser que salga algun otro país á hacer la competencia á Filipinas en este artículo. En 1866 el pico en Manila no costaba ménos de 7 pesos, precio que era un máximo dos años ántes, y se hicieron compras hasta á 9 $^1/_2$ pesos en clases ordinarias. « La produccion ha alcanzado ya el límite superior en várias provincias; un aumento no puede verificarse por ahora, pues todos los hombres se entregan á estas faenas..... prueba evidente de que una buena ganancia vence la natural pereza de los naturales » (*).

El siguiente estado confirma la exactitud de esta opinion:

(*) *Rapport Consulaire Belge.*, XIV, 68.

Exportacion de Abacá (en picos).

DESTINO.	1861	1864	1866	1868	1870	1871
Inglaterra.	198.954	226.258	96.000	125.540	131.180	143.498
Estados-Unidos (puertos del Atlántico).	158.610	249.106	280.000	294.728	327.728	285.112
California.	6.600	9.426	. . .	14.200	15.900	22.500
Continente europeo.	901	1.134	. . .	209	244	640
Australia.	16	5.194	. . .	21.144	11.434	6.716
Singapore.	2.648	1.932	. . .	3.646	1.202	2.992
China.	5.531	302	. . .	. . .	882	2.294
TOTAL	273.269	493.352	406.682	460.558	488.560	463.752
	Balanza mercantil.	Informe del cónsul prusiano.	Informe del cónsul belga.	Informe del cónsul inglés.	Estado de los mercados. T. H. y Cª	

El consumo en el país mismo no se incluye en el anterior estado, y es difícil averiguarlo; pero debe de ser considerable, pues los habitantes de muchas provincias usan para su vestido exclusivamente telas de abacá, que por lo comun se fabrican en las casas mismas.

El abacá se falsifica con sesali ó cáñamo sesal, llamado tambien fibra mejicana; de hace algunos años aumenta la cantidad de este textil en los mercados. Su aspecto es parecido al del abacá; pero no tiene su brillo sedoso y es ménos resistente; se paga 5-10 lib. ménos por tonelada, usándose únicamente para jarcia; los desperdicios son buscados para fabricar papel mezclándoles materiales mejores. La revista industrial inglesa *The Technologist* insertó en su número de Julio de 1865 un estudio acerca del orígen de esta sustancia, y uno muy distinto de aquel se lee en el *U. S. Agricultural Report. Washington*, 1870 (con láminas). Atendida la creciente importancia del sesali, y el desconocimiento, que hasta en el mismo Lóndres se tiene de su procedencia, no me parece inoportuno dar aquí un breve extracto de los citados trabajos. El informe cita la mayor belleza de la fibra del abacá, pero no su mayor resistencia (145).

« El sesali, cuyo nombre se deriva del puerto de Sisal que es donde principalmente se embarca (situado al N. O. de la Península) es el producto agrícola más importante del Yucatan, cuyo suelo pedregoso y ardiente parece ser adecuado á

---

(145) En el *Agricultural Report*, año 1869, pág. 252, se elogia mucho otra fibra procedente de un vegetal afine al sesali, que es la *Bromelia sylvestris*, quizá sólo una variedad de éste; su nombre vulgar *jœtle* parece provenir de la semejanza que sus hojas, planas y pinchudas, tienen con los cuchillos de obsidiana de hoja dentada, que usan los aztecas, que llaman *iztli*.

la obtencion de este textil. Allí le llaman *jenequem* lo mismo que á la planta productora. De ésta se cultivan hasta 7 especies ó variedades, de las cuales sólo dos (la primera y la séptima) se hallan silvestres. 1.ª *Chelem*, probablemente idéntica con la *Agave angustifolia*, es la mejor. 2.ª *Yaxci* (se pronuncia yachki y significa: yax, verde; ki=pita), la segunda en calidad y empleada exclusivamente para tejidos finos. 3.ª *Sacci* (pronunciacion sakki, sac=blanco) que es la más importante y productiva, dá casi toda la fibra que se exporta; cada planta echa al año 25 hojas = 25 libr., ó sea 1 libr. de hebra limpia. 4.ª *Chucumei*, parecida á la 8.ª, pero de fibra más grosera. 5.ª *Babci*, las fibras muy buenas; pero las hojas pequeñas y por tanto el producto corto. 6.ª *Gitamci* (pronunciacion kitamki; kitam=cerdo(ni de buena fibra ni de mucho producto); y 7.ª *Cajun ó Cajum*, que es probablemente la *Fourcroya cubensis*, hojas estrechas, su longitud de 4 á 5 pies.

El cultivo del sesal ha empezado recientemente á progresar; la limpia de la fibra y su tejido para járcia se hace en parte por medio de máquinas de vapor; pero más comunmente la trabajan los indios mayas, descendientes de los Toltekas, que la naturalizaron á su emigracion de Méjico, donde abundaba ántes de la llegada de los españoles.

El sesal deja de beneficio anualmente un 95 por 100. Un mecate, 576 varas cuadradas, contiene 64 plantas, dá 64 libr. de fibra limpia, su valor 8,84 pesos deducidos gastos 1,71, 2,13 pesos ganancia. La cosecha empieza á los 4-5 años de hecha la plantacion y dura de 50-60 años. »

Como en los países tropicales apénas hay una choza que no esté rodeada de plátanos, es natural que muchos hayan tenido la idea de lo ventajoso que sería aprovecharlos como plantas textiles, utilizando así lo que puede obtenerse sin gasto, pues la cosecha del fruto cubre ya con creces el exiguo coste del cultivo (146). Esto, sin embargo, no sería hoy por hoy

---

(146) Los plátanos son notoriamente unas de las plántas más útiles al hombre; ántes de llegar á sazon le proporcionan fécula y en la madurez un agradable y nutritivo alimento, que, áun comido con exceso, ni causa repugnancia, ni es nocivo á la salud. Algunas de las mejores variedades dan ya fruto cinco ó seis meses despues de plantadas, y echan de contínuo nuevos brotes de raíz de modo que van fructificando seguidamente sin exigir otros cuidados que cortar las plantas viejas y recoger los racimos. Sus anchas hojas sombrean y protegen otros vegetales, que lo necesitan en aquella ardiente zona, siendo al propio tiempo de utilidad para objetos de economía doméstica, guardan además los plátanos á las chozas que rodean, de los estragos de los incendios tan comunes y terribles en los trópicos donde frecuentemente reducen á cenizas pueblos enteros.

Debo aquí llamar la atencion acerca de un error bastante extendido. En la excelente obra del Obispo Pallegoix, titulada *Description du royaume Thai ou Siam*, en su tomo I, página 144 se lee : « El árbol de barniz, que es una especie de plátano llamado por los siameses *rak*, dá el hermoso barniz que tanto admiramos en los mueblecitos chinos. Cuando estuve en Bangkok hablé de este párrafo con el amable anciano, quien contaba casi 90 años, y sacudiendo la cabeza me dijo que no era posible hubiese escrito tales palabras: entónces saqué su libro y se lo enseñé : — « *Ma foi j'ai dit une bêtise ;—j'en ai dit bien d'autres* », me dijo muy bajito al oido cubriéndose con la mano como si temiese ser oido.

de importancia para Filipinas, porque hasta la limpia del verdadero abacá deja de hacerse á causa de no ofrecer ventaja económica desde el momento en que las plantas han fructificado. La fibra de las especies de fruto comestible podrian sólo emplearse para la fabricacion de papel, y su limpia sería más costosa que la del abacá.

En el acta de la sesion verificada en 11 de Mayo de 1860 por la sociedad de Artes Londinense *(London's Society of Arts)* se trata de una máquina inventada por F. Burke, en Monserrat, para extraer la fibra de los plátanos y otras plantas monocotiledóneas. Miéntras que las máquinas antiguas trabajaban paralelamente á la fibra de los plátanos, aquélla hace la limpia oblicuamente, con lo cual parece se obtienen ventajas; segun se dice se logra un 7,9 por 100 de fibra. La *Tropical Fibre Company* remitió máquinas de Burke á Demarara, á Java y otros puntos para utilizar la fibra del plátano con destino á la fabricacion de papel. En Java se han hecho ya pruebas por valor (utilidad para el fabricante) de 20 á 25 £ (?). Sin embargo, creo que en ningun punto ha alcanzado aún las proporciones de una manufactura propiamente tal, ó por lo ménos no se habla del producto así obtenido en cuantos informes consulares han llegado á mis manos. Las máquinas no se han introducido en la industria abacalera filipina; hasta en su reciente informe (Agosto 1869) se lamenta el cónsul inglés de que cuantas máquinas han ideado los ingenieros han resultado inútiles (*).

Al aprovechamiento de la fibra de los plátanos comestibles se opone además el obstáculo de no cultivarse en extensas plantaciones, como sucede en muchos puntos de América, sino únicamente en piés aislados al rededor de las casas; los acarreos, trasportes, fletes, etc. harian resultar caro puesto en Europa un artículo que siempre sería de calidad inferior respecto á otros filamentos. Por lo ménos costaria á 10 £ tonelada, miéntras que el esparto *(Lygaeum spartum, Loeff.)*, que hace algunos años se

---

(*) Estando en Manila (1872) me honró la Sociedad Económica nombrándome de la comision para examinar una máquina inventada por el Sr. Cuesta. Se hizo una prueba pública en la plazoleta del Jardín Botánico; pero tal vez efecto de no estar en buena sazon la fibra, no dió los resultados que se consignaban en una breve Memoria del inventor. La construccion de la máquina era bastante imperfecta perdiéndose mucha fuerza á causa de rozamientos fáciles de evitar. El ensayo no se juzgó hecho en buenas condiciones y se aplazó para estacion más favorable; no sé si posteriormente á mi salida del Archipiélago habrá tenido lugar, é ignoro, por tanto, los resultados obtenidos. *(N. del Tr.)*

consume cada vez en mayor cantidad para la fabricacion de papel, sólo cuesta en Lóndres 5 £ tonelada (147). Otro material barato para el mismo uso proporcionan los sacos de café de *jute (Corchorus capsularis)*. Sirven especialmente para hacer papel pardo fuerte, pues áun no se ha hallado el medio de blanquear este filamento. Segun P. Symmonds, los Estados-Unidos están gastando desde estos últimos años mucho bambú. Un excelente material, segun se dice, es la corteza de la *Adansonia digitata*, y especial mencion merece en este concepto el cáñamo de Nueva Zelandia, con el cual se elabora un papel muy resistente, y por consiguiente apropósito para documentos de valor.

No se debe perder de vista que los trapos de hilo y algodon, que dan el mejor papel, no tienen más coste que el de su coleccion, pues ya han cubierto su valor sirviendo en otra forma y recibiendo al propio tiempo por los repetidos lavados y el uso mismo una preparacion muy útil para esta industria.

Á medida, por lo demás, que va progresando la fabricacion de papel hacen mayor competencia los filamentos europeos á los que vienen de remotos países; así, por ejemplo, la paja y la madera con cuyas materias hoy ya se preparan muy buenas pastas. El consumo de esparto que se hace en Inglaterra reconoce sin duda por causa su escasa produccion de paja, porque para satisfacer sus necesidades de cereales, los recibe del extranjero en forma de granos.

---

(147) En 1862 recibió Inglaterra de España 156 toneladas ; en 1863, 18.074 ton. ; en 1866, 66.913 ton. ; en 1868, 95.000 ton. La importacion de trapos bajó de 24.000 ton. (1866), á 17.000 (1868). En Argelia se cria tambien mucho esparto (alfa), pero el trasporte á Francia resulta demasiado caro para poderlo utilizar.

CAPÍTULO XXV.

El Monopolio del tabaco.

DE todos los productos que en el Archipiélago filipino se obtienen, el tabaco es el de mayor importancia para el Gobierno, el cual lo ha sometido á un sistema monopolizador, practicado sin ningun género de consideraciones, tanto su cultivo como su elaboracion y venta, que le ocasionan ingresos no pequeños (148). Por mucho que se pueda clamar contra otras cargas públicas consignadas en los presupuestos de ingresos (como capitacion, contratas de galleras y anfion, comercio de espirituosos y cédulas), ninguna es tan odiosa y perjudicial como el monopolio del tabaco.

Várias veces hemos llamado la atencion acerca de la benignidad del Gobierno español en las islas Filipinas, y con ella forma brusco contraste su modo de proceder respecto al tabaco. Toma al cultivador, sin indemnizacion alguna, los campos que éste ha roturado para obtener las producciones necesarias á su alimentacion ; le obliga, conminándole con severas penas corporales y con la expropiacion de sus tierras, á este cultivo determinado que supone mucho trabajo y es en extremo inseguro por la frecuencia con que se malogran las cosechas, clasifica la hoja sin atender á reclamaciones, y fija los precios que le acomodan ; más aún, hace tiempo

---

(148) El cónsul inglés calcula los productos de este monopolio en el año 1866-1867 en 8.418.939 pesos, y los gastos en 4.519.866, de donde ingresó líquido 3.899.075 pesos. En los presupuestos para 1867 se estima este último sólo en 2.627.976 pesos : los gastos del Archipiélago, hecha abstraccion de los producidos por el tabaco, se elevan á 7.033.576 pesos. Segun los estados oficiales del Director de Estancadas, se recaudaron en Manila durante el período de 1865-1869, por término medio, 5.367.262 pesos en concepto de venta de tabaco, y los gastos que no se pueden precisar por falta de cuentas parciales, ascendieron á unos 4.000.000 de modo que se supone haber quedado de producto líquido tan sólo 1.367.262 pesos,

que viene adeudando su pago durante años al cosechero. El Gobierno apremia á sus empleados, que se ven obligados á sacar crecidas rentas de las poblaciones empobrecidas de las comarcas tabacaleras, recompensa á los denunciantes que les descubren terrenos adecuados al cultivo de aquella planta, dándoles la posesion de ellos, prévio despojo del antiguo propietario.

Para justificar estas duras apreciaciones trascribo á continuacion algunos párrafos de la Instruccion general vigente (*), y despues un extracto de la Memoria oficial del Intendente del Archipiélago, Ilmo. Sr. D. J. Jimeno Agius, dirigida al Ministro de Ultramar (**).

Cap. xxv. Art. 329. Seguirá como hasta aquí el cultivo obligatorio en Cagayan, Nueva Vizcaya, Gapan, Igorrotes y el Abra.

Art. 331. La Direccion general de Rentas Estancadas queda facultada para extender á otras provincias el cultivo obligatorio ó suspenderlo en las que esté establecido, pudiendo variar total ó parcialmente estas Instrucciones.

Art. 332. Podrá elevar ó disminuir los precios fijados.

Art. 337. Las demandas y pleitos que sobre posesion ó propiedad particular de tierras tabacaleras se entablen y pendan ante la jurisdiccion ordinaria ó de otro fuero, no impedirán que sigan destinados al cultivo del tabaco, sino que será obligacion del posesor, albacea ó tutor, cultivarlas ó poner persona que las beneficie; y en su defecto, el Juez ó Alcalde mayor la nombrará; pero si por efecto de las cuestiones que en los pleitos se suscitasen no lo verificára, el colector encargará el cultivo al que tenga por conveniente, por arriendo ó módico cánon, segun la costumbre de la provincia, cuyo importe estará á disposicion del Juez que entienda en el pleito.

Art. 851. Los colectores admitirán las denuncias que se les presentaren de los terrenos que habiendo sido anteriormente cultivados hubieren sido abandonados, aunque sean de propiedad particular, y procederán al reconocimiento prevenido en el artículo anterior; y siendo útil el terreno, invitarán á que lo beneficien con preferencia los que tuvieren derecho de propiedad fijándoles un término, trascurrido el cual, entregarán las tierras al denunciante para que las cultive. Esta posesion no privará al propietario de la propiedad; pero hasta trascurrido tres años no podrán reclamar las tierras ni derecho de arrendamiento, cánon ó usufructo.

Cap. xxvii. Art. 857. Los colectores considerarán como un esencial deber, en el desempeño de sus destinos el aprovechar para las siembras del tabaco la mayor extension posible del terreno, preferir los más feraces y propios para su

---

(*) Instruccion general para la direccion, administracion é intervencion de las rentas estancadas, 1849.

(**) *Memoria sobre el desestanco del tabaco en las islas Filipinas.....* D. José Jimeno Agius, Binondo (Manila), 1871.

cultivo, sustituyendo con limpias y desmontes, en donde posible fuere, aquellos que siendo á propósito para cultivar dicha planta estén ocupados en la labor de cereales, tan indispensable á evitar escaseces, y conciliando la posibilidad de los naturales con los intereses de la Renta.

Art. 361. Á fin de conciliar el que sin desatender las operaciones que requiere el tabaco puedan los naturales dedicarse á las siembras de granos y demas artículos que necesitan, se fija la extension de la siembra del tabaco, á un terreno de 50 brazas de longitud, ó sean 8.000 varas cuadradas por cada dos individuos.

Art. 362. Los reservados por edad ó enfermedad, así como las viudas, no estarán sujetos á la cuota prefijada; más los caudillos con acuerdo de sus párrocos, señalarán á cada uno lo que se crea que pueda trabajar, arreglando su extension á la fuerza que áun conserve y familia de menor edad con que cuente, apta para auxiliar las operaciones del cultivo y el beneficio de la planta.

Art. 369. En el caso en que presente (el colector) en una cosecha un número que esceda de 10.000 fardos sobre la antecedente, sin que la proporcion en que estuvieren las clases superiores con las inferiores, esto es, las de 1.ᵃ á 3.ᵃ con las demas no se disminuya, se le abonará por aquella vez y sobre el aumento que consiga doble gratificacion, arreglándose á la remuneracion asignada á cada clase.

Art. 370. Igualmente, siempre que los colectores, sin disminuirse el total de fardos producido en la cosecha antecedente, presentaren acrecentada en un tercio la proporcion de las primeras clases con el total cosechado.

Siguen las disposiciones regulando las gratificaciones de los colectores.

Art. 379. El colector exigirá todos los años que los Gobernadorcillos caudillos le remitan un padron intervenido por el párroco, del número de tributantes de ambos sexos que reuna su jurisdiccion, expresando las edades y la familia menor que tengan, para auxiliarse en las siembras y otras operaciones del tabaco, así como los sitios y ranchos en donde se hallen sus casas y sementeras.

Art. 430. Los colectores de Cagayan y Nueva Vizcaya favorecerán y apoyarán la emigracion á sus provincias, en especial la de los habitantes de ambos Ilocos.

Art. 436. Estando prevenido por bandos de buen gobierno que no pueda ser el indio demandado por cantidad que exceda de cinco pesos procediendo de préstamo ó simple deuda, no será obstáculo para que se efectúe la emigracion el reclamo de mayor cantidad que se hiciera para entorpecerla.

Art. 437. La Hacienda costeará el viaje y manutencion de los emigrantes de Ilocos.

Art. 438. Se les anticiparán los fondos necesarios para ganados, aperos de labranza, etc., hasta el levantamiento de la primera cosecha. (*A pesar de no ser el indio responsable de una deuda que exceda á cinco pesos.*)

Art. 439. Estas anticipaciones serán personales pero responsables de ellas todos los cosecheros de tabaco del pueblo donde se hagan, en los casos en que por muerte, fuga ó insolvencia de algunos no pudiero de otro modo completarse el reintegro.

El tabaco (*Nicotiana Tabacum*, *L.*) fué introducido en el Archipiélago por los misioneros en el primer período de la dominacion española ; las semillas procedian de Méjico (149). El suelo, el clima y la aficion que por este cultivo se desarrolló en los indígenas, fueron causas que motivaron su generalizacion. Despues del de Cuba (y de algunas plantas de Turquía) (150) pasa por el mejor del mundo, y personas peritas de las islas opinan que en breve sobrepujaria á todos si se desestancára, pasando á la industria particular. Ninguna persona imparcial desconocerá que en efecto mejoraria mucho, y sólo algunos empleados que tienen interés directo en mantener el estanco, sostienen lo contrario. La verdadera cuestion se reduce á examiuar hasta qué punto se realizarian las esperanzas fundadas en la adopcion de tal medida, y al hacer este estudio hay que tomar en cuenta que precisamente las personas más entendidas son las que mayores bienes esperan del desestanco, que hoy les impide utilizar sus conocimientos en la explotacion de dicho ramo de riqueza.

Es, sin embargo, un hecho que se prefiere, hasta por los mismos empleados, el tabaco cultivado y elaborado furtivamente, con todos los defectos inherentes á ello, al fabricado por el Gobierno; muchos lo colocan á la altura del habano, y en todo el Oriente de Asia los cigarros filipinos gozan grande estima. Ricos negociantes, para quienes mayor importancia tiene la calidad que el precio, prefieren por regla general el tabaco de Manila al de la Habana.

Segun Jimeno Agius (*Memoria*, 1871) el tabaco filipino no deberia te-

---

(149) Segun parece, el tabaco se introdujo en China procedente de Filipinas : « Las noticias halladas por Wang-too no dejan duda que pasó á las provincias del Sur desde Filipinas en los siglos XVI y XVII, probablemente por el Japon (*Notes & Queries China und Japan*, 31 Mayo, 1867).» Segun Schlegel, Batavia, los portugueses lo llevaron al Japon en 1573-91, y se extendió luégo por China con tal rapidez que su venta se prohibió bajo pena de la vida en 1638. Segun *N. & Q. Chin. u. Jap.*, 31 de Julio de 1867, su uso era ya general el año de 1641 en el ejército Mantchú. En una miscelánea china de Historia natural se lee: «Yen-t'sao (la planta que se fuma) se importó á Fukien en el reinado de Wan-li, años 1573-1620, llamándole tambien Tan-pa-ku (de Tombaku).»

(150) El distrito occidental de Cuba es el que produce el mejor tabaco, la célebre Vuelta de Abajo da 400.000 quintales á 15-105 $ quintal. Clases escogidas se pagan hasta 600 y 750 $ quintal. Cuba cosecha 640.000 quintales. Los cigarros remitidos á la Exposicion de París (1867) costaban de 26-517 $ millar. La exportacion anual se calcula en 500 millones (*Rappt Jury*, V. 375.....) En Jeindge-Karasu (Salónica) se cosechan 17,500 quintales al año, de los cuales hay 2.500 de 1.ª calidad á 2 th. $^1/_2$ la oka (15 rs. libra). Menas superiores se pagan hasta 4 $ libra y áun á más altos precios. (Véase SALAHEDDIN BEY, *La Turquie à l'Exposition*, pág. 91.)

ner más rival en los mercados europeos que el de la Vuelta de Abajo de Cuba, y ningun competidor en las plazas de Asia y Oceanía (por desmerecer el habano á causa de la larga travesía), y sin embargo viene desacreditándose cada vez más.

Si los cigarros filipinos no se han generalizado aún en Europa, debe atribuirse á que su calidad empeora de dia en dia por el cultivo forzado y la falta de puntualidad en los pagamentos, al paso que los elaborados por la industria particular van mejorando, como natural efecto de la competencia. Algo tambien perjudica á su reputacion la errónea creencia de que contienen opio.

El ejemplo de lo sucedido en Cuba enseña claramente cuánto aumenta la produccion dejando este ramo en libertad. En tiempo del monopolio, sólo en una ocasion bastó la cosecha de las Antillas á cubrir las necesidades del consumo interior, miéntras que hoy aquellas islas surten de tabaco á todos los mercados del mundo (151). Mucho valor tiene la afirmacion del general Gándara (*) en una *Memoria* proponiendo las medidas que convendria adoptar para la extincion del monopolio: «Si el cultivo del tabaco pasase á manos de particulares, quizá las cosechas bastáran dentro de breve tiempo á dominar todos los mercados del mundo.» Casi todas las islas del Archipiélago producen tabaco; enumerados en el órden de mayor bondad de la hoja, los distritos tabacaleros son: 1.º, Cagayan y la Isabela; 2.º, País de igorrotes; 3.º, Mindanao; 4.º, Visayas, y 5.º, Nueva-Ecija.

Por la Real órden de 20 de Noviembre de 1625 (*Razon general*, página 11), se viene en conocimiento que en aquella época ya era monopolio del Gobierno la venta del buyo, de la tuba, del tabaco, etc., sin que fueran de estricta observancia las prescripciones dictadas al efecto. El monopolio del tabaco en toda su extension, que está en manos del Gobierno desde la siembra hasta la venta de los productos elaborados, se introdujo por el Capitan general, D. José Basco y Bargas; la Real órden de 9 de Enero de 1780 (confirmada por Real decreto de 13 de Diciembre de 1781), manda que el monopolio del tabaco existente en todas las posesiones es-

---

(151) La industria tabacalera goza en Cuba completa libertad. El extraordinario incremento que ha tenido y la mejora de las menas, se atribuyen en gran parte á la activa competencia de los fabricantes, que no reciben del Gobierno más que la patente (*Rappt Jury*, 67, V. 375).

(*) Informe manuscrito al Ministerio de Ultramar. Marzo de 1868,

276

pañoles de uno y otro mundo, debe igualmente hacerse extensiva á las islas Filipinas.

Hasta el tiempo de este celosísimo gobernador, durante doscientos años,
recibió la colonia anualmente sobrantes de Nueva-España. (Situado de
Nueva-España). Para aliviar al Tesoro español de esta carga, estableció
Bargas, segun las doctrinas económicas dominantes en aquella época, la
explotacion por el Estado de las fuentes de riqueza pública, verdadero
modelo del llamado sistema de cultivos en Java. Las circunstancias en
Filipinas eran, sin embargo, poco favorables para su planteamiento. Prescindiendo de la incompletá sumision del pueblo, habia dos obstáculos
capitales: la oposicion del clero y la falta de empleados de confianza. De
todos los ramos de industria llamados artificialmente á la vida por Basco sólo uno, la preparacion del añil, se ha arraigado como industria particular, y el tabaco como monopolio del Gobierno (152).

Primeramente limitó Basco el monopolio á las provincias inmediatas á
Manila, en las cuales el cultivo del tabaco se prohibió estrictamente á todo
aquel que no tuviera autorizacion especial y formal responsabilidad (153).
En las provincias restantes se permitió el cultivo á todos con la única
condicion de que se vendieran precisamente al Gobierno los sobrantes,
una vez cubiertas las necesidades del plantador.

En Visayas los Alcaldes compraban el tabaco por cuenta del Gobierno y
lo vendian á las fábricas de Manila con arreglo á precios fijados de antemano; á este efecto se les permitia echar mano de los sobrantes de las cajas reales. No pudo imaginarse sistema peor; el empleado atendia únicamente á
su ganancia particular, y no toleraba en la provincia á persona alguna que
le hiciera la competencia; sacaba partido de su posicion oficial para opri-
mir todo lo posible al cultivador, perjudicando así la produccion; las cajas
reales experimentaban en tanto frecuentes desfalcos, pues los Alcaldes que
habian percibido 600 pesos de sueldo, junto con la licencia para comerciar, pagando una contribucion de 100 á 300 pesos, se metian en las más

---

(152) Basco introdujo tambien la cosecha de la seda y plantó en Camarines 4 ¹/₂ millones
de moreras, que se dejaron perder al poco tiempo de cesar en el gobierno.

(153) Segun Lapérouse, esta medida promovió en todos los puntos de las islas disturbios
que fué preciso sofocar por medio de la fuerza armada. Tambien originó grandes conflictos
el monopolio introducido en América por aquellos mismos tiempos, arruinó Venezuela, y
contribuyó no poco al posterior levantamiento de las colonias.

arriesgadas empresas con el afan de enriquecerse pronto. Hasta 1814 no se puso término á tal estado de cosas. En seguida aumentaron las entregas de tabaco en las Visayas, porque los particulares lo proporcionaban al Estado con más ventajas que los codiciosos Alcaldes monopolizadores; pues si bien ya desde 1839 la ley lo permitia, lo impedia la presion ejercida por el Alcalde, y el particular daba siempre mayor precio al cultivador que el pagado por éste.

Actualmente rigen las siguientes disposiciones, cuyos detalles, sin embargo, varian de contínuo. Por Real decreto de 5 de Setiembre de 1865 se permite el cultivo del tabaco en todas las provincias, pero la cosecha debe venderse al Gobierno segun la tarifa establecida. Las compras se hacen en Luzon é islas adyacentes por fardos (*), por medio de las *Colecciones;* esto es, directamente por los empleados de Hacienda, que tienen la direccion desde la siembra misma, y en Visayas por el acopio que se verifica adquiriendo los empleados todos los quintales de tabaco que presentan los cultivadores ó los especuladores.

En Visayas y Mindanao se permite á cualquiera fabricar cigarros para su propio consumo, pero sin autorizarle la venta. Allí se hacen tambien anticipos á los cosecheros. En Luzon é islas adyacentes reparte el Gobierno semillas y plantitas; en estas comarcas no se consiente plantar el tabaco más que en las tierras destinadas á su cultivo.

Como el fisco no puede clasificar el tabaco segun su calidad, como harian los particulares, ha apelado al medio de fijar los precios segun el tamaño de las hojas, el cual depende del cuidado que con las plantitas se tiene, siendo así hasta cierto punto indicio de esmerado cultivo, si bien no seguro de la bondad del producto (154).

(*) Un fardo contiene 40 manos; una mano 10 manojitos; un manojito 10 hojas. Reglamento, § 7.

(154) *Reglamento para todas las Colecciones de Luzon:* § 1.° El tabaco se pagará segun cuatro clases; § 2.° A la primera clase corresponden las hojas, cuya longitud mida por lo ménos 18″ de Burgos (0^m,418); á la 2.ª, las de 18 á 14″ (0^m,325); á la 3.ª, las de 14 á 10″ (0^m,232), y á la 4.ª, las de 7″ (0^m,163) como mínimo; las que no lleguen á esta dimension no se admitirán. Se han renovado ya estas medidas. Como la calidad del tabaco cada dia empeora más y más con el actual sistema del monopolio, se han establecido clases inferiores (la 5.ª y la 6.ª).

Un fardo de 1.ª clase pesa 60 libras, y en 1867 se pagó á $ 9,50.
— » 2.ª » » 46 » » » 6
— » 3.ª » » 33 » » » 2,75
— » 4.ª » » 18 » » » 1

(*Informe del cónsul inglés.*)

Bien sabido es en Madrid todo lo perjudicial del monopolio para la prosperidad de las colonias y el bienestar de sus habitantes, y sin embargo, todas las medidas que se adoptan se encaminan sólo á aumentar los ingresos por este concepto obtenidos.

La Real órden de 14 de Enero de 1866 previene que al cultivo del tabaco en Filipinas se dé todo el incremento necesario para satisfacer las necesidades del consumo local, del de la Península y de la exportacion, sin consideraciones de interés subordinado á las que más tarde se procurará atender, y que pudieran poner trabas á un ilimitado desarrollo. En la ya citada *Memoria* propone el Capitan general reformas que recuerdan el cuento del ganso de los huevos de oro (ingerir nuevos privilegios al ya existente monopolio, hacer el aprovechamiento por contrata total), y cree que así aumentaria en ménos de tres años la coleccion del tabaco de 182.102 quintales (término medio anual del período de 1860-67) á 600.000 y áun á 800.000. Ademas propone, para obtener mayor ganancia, exportarlo por cuenta propia á los centros de consumo y venderlo allí. En 1868 se puso en práctica efectivamente este proyecto, y las remesas hechas á Lóndres hallaron el mercado en tal situacion, que se dió órden de no vender en lo sucesivo en Manila tabaco á ménos de 25 $ quintal (155). Esta

---

El siguiente estado expresa las menas fabricadas por el Estado, y los precios que tenian en el estanco el año 1867:

| | | PRECIOS. | | | Número de cigarros por arroba. |
MENAS.	Menas de la Habana á que pueden asimilarse.	Una arroba. *Pesos.*	Millar. *Pesos.*	Unidad. *Cénts.*	
Imperiales.	La misma..	37,50	30	4,80	. .
Primera veguero.	Id.	37,50	30	4,80	. .
Segunda id.	Regalía..	. .	26	. .	. .
Primera superior filipino. .	Id.	. .	26	. .	. .
Segunda id. id. . .	Sin asimilable.	38	19	3,4	. .
Tercera id. id. . .	Lóndres.	. .	15	. .	. .
Primera filipino.	Superior habano. . . .	21	15	2,40	1.400
Segunda id.	Segunda superior habano.	24	$8,57^1/_8$	$1,37^2/_8$	2.800
Primera cortado.	La misma mena. . . .	21	15	2,40	1.400
Segunda id.	La misma mena. . . .	24	$8,57^1/_8$	$1,37^3/_8$	2.800
Mixta..	Segunda batido.. . . .	20,50	. .	. .	. .
Primera batido larga. . .	Sin asimilable.	18,75	. .	$1,66^3/_8$	1.800
Segunda id. id. . . .	Id. id.	18,75	. .	0,80	3.750

(155) Se exportan anualmente por término medio 407 $^1/_8$ millones de cigarros y 1.041.000 kg. de tabaco en rama, que en junto pesan unos 56.000 quintales, sin contar con el que se remite á las fábricas de la Península.

disposicion puede, sin embargo, tan sólo referirse á las tres primeras clases, cuya cantidad disminuye á medida que aumenta la presion ejercida sobre los cosecheros. De los mismos estados que constan en la *Memoria* del General Gándara, se desprende claramente esta circunstancia: miéntras que la cosecha total de 1867 (176.018 quintales) no quedó muy por bajo del medio anual del período de 1860-67 (182.102 quintales) disminuyó el tabaco de 1.ª calidad de más de 13.000 quintales en 1862, á ménos de 5.000 en 1867.

Las clases 4.ª, 5.ª y 6.ª, que ántes se quemaban en su mayoría, constituyen ahora una parte no insignificante de la cosecha; en el comercio son invendibles y pueden sólo aprovecharse en la Península como «el regalo» que bajo el nombre de atenciones á la Península ésta recibe todos los años (más de 100.000 quintales). Si la colonia no tuviera que abonar la mitad de los fletes, España deberia renunciar *generosamente* á una dádiva que no le compensaria los gastos de trasporte, pues segun opinion del jefe del ramo, es aquel tabaco, en su mayor parte, de tan ínfima calidad, que su precio en venta no podria cubrir el coste de aduanas y fletes. Esta contribucion en tabaco es, sin embargo, una gran carga para el presupuesto de la colonia, que á pesar de su déficit tiene que proporcionarlo, pagar los envases, los trasportes locales y la mitad de los fletes para Europa.

Hay un excelente proyecto elevado al Ministro de Ultramar por el Intendente general, formulado en 1871, la época de oro, para el caso en que se quisiere plantear lo propuesto por Gándara; en él el Sr. Jimeno Agius trata duramente los inconvenientes del actual sistema y pide la inmediata supresion del monopolio. Primeramente, y con el apoyo de datos oficiales, demuestra que las ganancias son mucho menores de lo que por lo comun se afirma. El término medio de los totales ingresos por este concepto en el quinquenio de 1865-69 ascendió, segun los datos oficiales, á 5.367.262 pesos (para los años de 1866-70 sólo 5.240.935 pesos), los gastos no pueden determinarse de un modo exacto; pero si se adicionan las partidas consignadas en presupuestos, resulta un total de 3.717.322 pesos, de los cuales 1.812.250 se destinan á la compra de la hoja. Á los gastos que arrojan la indicada cantidad hay aún que añadir otros varios ocasionados por el ramo, y que cesarian, ó disminuirian por lo ménos mucho, si el Estado abandonase el monopolio. La suma debe fijarse en 4 millones de pesos, y no es alta, de modo que resta 1.367.000 pesos de beneficio (*), y si el Gobierno quiere mantenerlo tendrá que hacer gastos extraordinarios. Es preciso construir nuevas fábricas y almacenes, comprar maquinaria moderna, aumentar los sueldos, y ante todo arbitrar recursos, no sólo para satisfacer la crecida suma de 1.600.000 pesos que se deben por las cosechas de 1869 y 1870, sino que tambien para asegurar los pagamentos corrientes, pués es el único medio de impedir que siga decayendo la produccion del tabaco en las comarcas colectoras, al compas que aumenta la miseria de sus desgraciados habitantes (*Memoria*, pág. 9).

Despues de demostrar el Sr. Jimeno Agius cuán cortos son realmente los sobrantes por los cuales el Gobierno expone el porvenir del Archipiélago, pinta los males que lleva consigo el monopolio, de los cuales sólo extractaré aquí algunos como complemento de lo dicho al principio de este capítulo.

La poblacion de los distritos colectores, que si se levantára el monopolio sería la más rica y feliz de todo el Archipiélago, se halla sumida en la mayor miseria. Es tratada más duramente que los esclavos de Cuba, pues á éstos, siquiera sea por cálculos egoistas, se les da buen alimento y ciertos cuidados, miéntras que aquéllos tienen que entregar á la Hacienda el producto de un trabajo obligado á precios arbitrariamente fijados, que se le pagan cuando el estado del Tesoro lo permite. Frecuentemente les faltan víveres por la prohibicion de establecer otros cultivos. La infortunada poblacion, que no posee más recursos que el producto de su trabajo, se ve obligada, para satisfacer sus necesidades más perentorias, á ceder con gran quebranto los créditos á especuladores usureros. Por tan exigua ganancia (1 ¼ millones) se sume en la pobreza á los habitantes de las provincias más ricas, se crean odios profundos entre gobernantes y gobernados y se originan continuas reyertas entre las autoridades y los sometidos á su accion. Se origina tambien una clase de contrabandistas muy peligrosa, que ya no se concreta á hacer estos ilegales negocios, y que puede convertirse, si se les ofrece ocasion, en fuerte núcleo de resistencia agrupándose á su alrededor los restantes descontentos. Se imputan á lós empleados torpes sobornos y engaños, que ciertos ó calumniosas crean fatal atmósfera,

---

(*) El producto líquido, segun la *Memoria* del Sr. Jimeno Agius, asciende á 1.649.939 pesos. (*N. del T.*)

motivando un creciente descrédito de la administracion colonial, que se hace extensivo á todo el elemento español (156).

La circunstancia de haberse no sólo escrito la anteriormente citada *Memoria* si que tambien impreso, parece indicar que gana terreno en España la creencia de que el monopolio no es sostenible. A pesar de tan dura crítica, hecha por la persona más competente, es sin embargo dudosa la abolicion del monopolio en tanto que haya tenedores de créditos. En el Ministerio de Ultramar se conocen los inconvenientes hace ya tiempo; pero á causa de los frecuentes cambios ministeriales y de la necesidad de dinero siempre creciente, que obliga á los gobernantes á apelar á todos los medios para proporcionárselo, quedan por hacer hasta las reformas de más urgente necesidad, en caso de motivar disminucion de ingresos, aunque sea sólo momentánea. Respecto al monopolio del tabaco, suelen consolarse con la esperanza de que la demanda sea cada vez mayor, y por tanto más altos los precios para mejorar, mediante algunas buenas cosechas, la apenada situacion de la Hacienda filipina, despues de lo cual dicen podrá al fin desestancarse el tabaco.

La circunstancia que en un país económicamente bien administrado influiria para declarar libre la renta, pero que en España inclina al contrario á conservar el monopolio, es el número de empleados que exige. Todo Ministerio necesita disponer de aquellas plazas para contentar á los infinitos pretendientes, y no puede perder la proporcion de dar pingües destinos á sus hechuras, ni tampoco la de mandar honrosamente hasta los antípodas á las personas que en la Península le estorban. El coste del viaje corre á cargo de las cajas de Filipinas. Son tantos los que van que á veces sucede tener que crear plazas en Manila para colocar á los recien llegados (157).

---

(156) El cultivador en tal situacion apénas puede sostener á su familia, vése obligado á tomar prestado con onerosísimas condiciones, sumiéndose así en la miseria..... el temor á multas y penas corporales influye más que la esperanza de altos precios para que las entregas se hagan puntualmente. (*Informe del cónsul inglés.*)

(157) Cuatro Capitanes generales (dos en propiedad y dos interinos) tuvo Filipinas desde Diciembre de 1853 hasta Noviembre de 1854; en 1850 cuentan que se dió el caso de ir un nuevo Oidor de la Audiencia por el Cabo con su familia y al desembarcar hallarse ya cesante y con su sucesor en Manila adonde habia ido por el Istmo. Estos ejemplos no parecerán inauditos sabiendo lo que sucede en la Península misma. Segun un artículo de la *Revue nationale* (núm. de Abril de 1867) de 1834 á 1862 ha habido : 4 Constituciones, 28 Parlamentos, 47 Presidentes del Consejo de Ministros y 529 Ministros con cartera : de los cuales 68 de la Gobernacion, por término medio uno cada seis meses. Los Ministros de Hacienda han

Durante mi estancia allí los fabricantes del Estado no podian elaborar tantos cigarros como pedia el comercio, dándose el caso raro de pagarse más caros en grandes partidas de lo que al menudéo se vendian en los estancos. Para evitar que los negociantes hicieran sus compras en éstos, se fijó un máximo estableciendo una policía odiosa y cara para vigilar las ventas y procurar que una misma persona no hiciera várias compras en distintas espendedurías. Si se descubria contravencion se confiscaban al comprador todas las existencias. Cualquiera podia comprar cigarros al estanco para su propio consumo; pero no ceder ni un cajon á otra persona, aunque fuese por el mismo precio que los hubiere adquírido.

, Varios españoles con quienes hablé de tan extrañas disposiciones las defendian resueltamente, pretendiendo que sin ellas los extranjeros les arrebatarian el tabaco, viéndose en el caso de no poder fumar en su misma colonia un solo cigarro por el justo precio. Segun despues averigüé, existia áun otra razon más poderosa para sostener esta medida. Como el Tesoro en sus recaudaciones admitia las onzas al tipo de 16 pesos plata miéntras que en el comercio tenia mucho ménos valor, llegando el premio de la plata hasta á un 33 por 100, al cual hay que añadir el que ganaba la moneda de cobre, allí siempre escasa (en compras menores de medio peso se descontaba de un 5 á 15 por ciento al pagar con un peso), era ventajoso adquirir en el estanco cigarros por valor de una onza y revenderlos en pequeñas partidas áun cuando fuese al mismo precio, pues sumados los beneficios del cambio subian á veces á un 43 por 100 (158).

No pudiendo describir el cultivo del tabaco por observacion propia, doy á continnacion un resúmen de lo que acerca de él se dice en la *Cartilla Agrícola.* (*Legisl. ultr.*, t. VIII, páginas 510-515.)

---

estado, desde hace 10 años, por término medio, sólo dos meses en el poder. Desde la revolucion de Setiembre se suceden los cambios de Gobierno con mayor frecuencia áun que en el antiguo régimen.

(158) La causa de la prima de la plata está en el afan de los chinos por los duros mejicanos y españoles, que prefieren á las otras monedas, por ser las más conocidas en todo el imperio. (Las que más se pagan son las del reinado de Cárlos III.) La casa de moneda establecida recientemente en Manila, que se sostiene á sí misma áun cuando sin dar sobrantes, ha venido á vencer estos inconvenientes. Los chinos suelen llevar al mercado de Manila moneda extranjera de oro y plata, con la cual compran las mercancías, y los comerciantes filipinos la hacen reacuñar.

En un principio circulaban en Manila casi sólo onzas de plata, siendo muy escasas las de oro. El agiotaje daba por resultado una fuerte importacion que cambió las circunstancias haciendo dominar el oro : la Hacienda pública toma siempre el oro al mismo tipo que la plata.

Manera como deben formarse los almácigos. Se elige un trozo de terréno adecuado al cultivo, y se limita en forma de cuadrado ó cuadrilongo; se ara bien, limpiándolo de todas las hierbas y raices y desmenuzando los terrones por medio de un rastro, peine de caña ó fierro; se hace que tenga un ligero declive, en el perímetro se abre una zanja poco profunda, y se divide en camas ó eras de dos piés de ancho, separadas entre sí por zanjas de desagüe. Hecho esto, se debe procurar deshacer la tierra, y áun reducirla casi al estado de pulverizacion, sin lo cual no quedaria en contacto con la semilla del tabaco, que es muy diminuta y opondria obstáculos al desarrollo de la plantita. La simiente se lava y coloca en trapos, para que escurra la humedad; al dia siguiente se mezcla con ceniza, y se esparce por el campo. Esta operacion es muy importante para el buen éxito de la siembra. La germinacion se verifica pasada una semana; es preciso conservar los almácigos muy limpios, y en tiempo seco regarlos á mano todos los dias y siempre tenerlos protegidos contra las gallinas y otros animales, cubriéndolos con ramas espinosas secas, así como contra las tempestades y baguíos por medio de un *tapanco* ó cubierta de cogon, ligeramente amarrado entre dos rajas de caña dispuesta para su fácil manejo. A los dos meses las plantitas de 5 á 6 pulgadas tienen 4 ó 6 hojas, y entónces se trasplantan, ó sea á principios ó mediados de Noviembre, toda vez que la siembra se hizo en Setiembre. El 15 de Octubre se hace una segunda siembra, á fin de que no falte almácigo necesario en cualquier evento desgraciado y para proveerse de él en las tierras bajas.

Calidad de las tierras para el tabaco. Su preparacion y la de los almácigos que se han de trasplantar. Se elige una tierra medianamente gruesa, de bastante sustancia, y en especial la caliza rica en despojos vegetales descompuestos; su profundidad mínima debe ser de dos piés, á causa de que cuanto más profundice la raíz más se elevará la planta. Por esto son en Cagayan las mejores tierras aquellas que todos los años inunda el Rio Grande, depositando capas de légamo que las fertilizan. Los tabacales puestos en tales circunstancias se diferencian muy marcadamente de los establecidos en tierras altas, ménos favorables; en aquéllos crecen las plantitas vigorosamente, miéntras que en éstas es lento su crecimiento, sin alcanzar nunca gran talla: los primeros muestran muchas hojas grandes, robustas y ricas en sávia, que prometen una buena cosecha, y los últimos sólo tienen hojas pequeñas y en número exíguo. Pero las tierras bajas están asimismo expuestas á las inundaciones, particularmente en Enero y Febrero y hasta entrado Marzo, meses en que los almácigos se han trasplantado ya y están bastante adelantados en crecimiento.

En tales casos todo se pierde sin remedio, especialmente si la inundacion sobreviene cuando no es tiempo para hacer nuevos trasplantes. Por esta razon debe cultivarse tambien el tabaco en las tierras altas, que con el debido esmero quizá no sean, por lo demas, inferiores en rendimiento á las bajas. Se deben arar en Octubre tres ó cuatro veces y escardar dos ó tres. Los tabacales bajos no pueden ararse ántes de fines de Diciembre, ó, á lo más, de la segunda mitad de Enero, á causa de las avenidas; su labor es fácil y sencilla. Se eligen para el trasplante los almácigos más vigorosos de los semilleros, y se trasportan con cepellon, colocándolos en el campo á una vara de distancia intermedia.

Cuidados que deben tenerse con los plantíos. Al mismo tiempo que se mete en la tierra la plantita es necesario ponerle dos terrones algo grandes por la parte de Oriente, para protegerla de los ardores del sol y á fin de que pueda disfrutar más del rocío. Se limpiarán bien las malas hierbas y toda maleza. Es muy dañina una oruga, que á veces se desarrolla considerablemente. Poco ántes de la época de la madurez son muy perjudiciales las lluvias, porque entónces el tabaco no puede volver á adquirir la sustancia gomosa que el agua le hace perder, y que es esencial. El tabaco atacado por las tempestades se queda sin sávia, es de mala calidad y está lleno de manchas blancas, signo seguro de su inferioridad. Los perjuicios que aquéllas le causan son tanto mayores cuanto más próximo se halla á su madurez. Las hojas que cuelgan hasta el suelo se pudren, y deben quitarse. Si falta profundidad á la capa de tierra vegetal amarillean las hojas de las plantas, por cuidados que con ellas se hayan tenido, y casi se secan al fin. En años húmedos esto no suele suceder, porque las raíces encuentran, aunque sean someras, la humedad necesaria.

India vieja fumando.

Corte y sazon del tabaco y del cuidado que se debe tener con él en los camarines. Las hojas superiores maduran las primeras, tomando un color amarillo oscuro y haciéndose frágiles ó quebradizas. Se cogen á medida que van madurando, reuniéndolas en manojos, que se llevan á los camarines en carretones cubiertos. No se deben coger las hojas en dias húmedos, ni áun en los nublados, y nunca hasta que el sol ha hecho evaporar todo el rocío de la noche. Dentro de los camarines se empalillan y cuelgan para el oreo en cordeles ó bejucos, espaciándolas bastante, á fin de que se oreen con igualdad y tomen un color uniforme sin aparecer las manchas oscuras que se originan de apiñarlas. Las hojas secas se amontonan en manos ó en mandalas, que no deben ser muy grandes, y se renuevan con frecuencia. Es preciso hacer esta operacion con cuidado, para que no se calienten demasiado evitando una fermentacion excesiva, lo cual es de la mayor importancia para la buena calidad del tabaco; es preciso practicarlo con tino é inteligencia, y debe continuarse hasta que perfectamente no se note en ellas más que un olor aromático de tabaco. Si este volteo se hace demasiado á menudo no llega á curarse del todo el tabaco, y si se retarda se requema y adquiere mal color. Sólo la experiencia enseña á hacerlo bien, no pudiendo darse para ello reglas fijas.

CAPÍTULO XXVI.

Los Chinos.

—

Resta hablar de una parte importante de la poblacion : de los chinos, cuya influencia va siendo cada dia mayor por el creciente desarrollo de su participacion en todas las transacciones comerciales y que puede aumentar considerablemente si pasan á ser cultivadores. Desde antiguos tiempos es Manila un lugar preferido por los chinos emigrantes, no bastando la ojeriza que la gente indígena les tiene, ni la opresion y trabas que el Gobierno les ha impuesto para contenerla, y ni áun les detiene el recuerdo de las matanzas repetidas en distintas ocasiones. La situacion del Archipiélago al S. E. de dos de las provincias más marineras de China, debia llamar de muy antiguo á la vida la navegacion entre ambas tierras, contribuyendo á ello la circunstancia de lograr fácilmente hacer el viaje lo mismo en la monzon S. O. que en la N. E. con regulares vientos. En algunos escritores antiguos se lee hasta la afirmacion de haber estado las Filipinas bajo el dominio de los chinos (159), y el P. Gaubil dice en sus Cartas edificantes *(Lettres edifiantes)* que Joung-Io, de la dinastía de los Mings, sostuvo una flota de 30.000 hombres, que fué várias veces á Filipinas. Las vasijas de arcilla y los platos de porcelana hallados en cavernas, y anteriores á la época de Magallanes, prueban evidentemente que el comercio chino se extendió á todas las islas. En los primeros tiempos

---

(159) «Todas estas islas pertenecieron en tiempos anteriores á la Corona China, de la cual se separaron por diversas circunstancias. Desde entónces quedaron libres, sin gobierno extraño, mandando los más fuertes y viviendo todos como animales... Los chinos ejercen mucha industria.» (*H. Lindschotten*, 1596, puesto en aleman por los hermanos Brey, Francfort, 1613, pág. 58.) Véanse tambien *The Dutch memoir. Embassies*, I, 140; Morga Hakl, año 18; Purchas, 602; D. Juan Grav y Monfalcon, *Mem. al Rey*, núm. 6; *Calender of State Papers, China and Japan*, núm 266, Manrique, *Itinerario de las Misiones*, Roma, 1653, pág. 282.

de la dominacion española fué de gran importancia, y despues de la supresion de las encomiendas (véase el capítulo siguiente) constituyó casi la única fuente de prosperidad. Era de temer que los juncos llevasen sus mercancías á los holandeses, si en Manila se les suscitaban dificultades; no pudiendo ademas subsistir la colonia sin los sangleyes (160) que llegaban todos los años en gran número al Archipiélago para dedicarse al comercio y á diversos oficios; ellos eran los únicos trabajadores hábiles y aplicados, pues los indios, bajo la dominacion del clero español, en vez de progrésar, olvidaron algunos oficios que ejercieron ántes *(Morga)*.

Los españoles, no obstante, mostraron desde un principio decidido empeño en limitar todo lo posible el número de chinos; entónces, como ahora, eran éstos motivo de envídia y de ódio para el indio, que no podia sufrir su gran industria, economía y sagacidad, cualidades á las cuales debian un pronto enriquecimiento; daban horror al clero que les miraba como empedernidos herejes, «cuyo trato debia impedirse á los indígenas si se queria que hiciesen progresos en el cristianismo»; el Gobierno, empero, les temia á causa de su union y como súbditos del Gran Imperio, que con su proximidad amenazaba á los pequeños establecimientos españoles (161). Felizmente para ellos la entónces decaida dinastía de los Mings no pensaba en conquistas; pero las fuerzas que la derribaron pusieron á la naciente colonia en grave peligro.

Al atacarla el famoso pirata Limahong en 1574, escapó la colonia por milagro de una completa ruina; corto tiempo despues se vió nuevamente amenazada: en 1603 llegaron algunos mandarines á Manila con el pretexto de ver si la tierra junto á Cavite era de oro. Se les tomó por espías y se creyó que tan singular embajada hacía temer un nuevo ataque. El arzobispo y los curas avivaron la desconfianza hácia los numerosos chinos radicados en Manila; los odios y las suspicacias fueron recíprocos; ambos elementos se temian y se preparaban á la lucha. Los chinos tomaron la ofensiva, pero fueron vencidos por españoles, indios y japoneses unidos;

---

(160) En Filipinas se llama vulgarmente Sangleyes á los chinos. Segun el profesor Schott, säng-lúi (en el Sur szang-lói y tambien sěnng-lói) *mercatorum ordo;* sang se llama particularmente á los mercaderes ambulantes ó buhoneros, en oposicion á los Kù, tabernarii.

(161) ...Es un pueblo malo y vicioso... y como son muchos y muy glotones, encarecen los comestibles y los consumen... es cierto que la ciudad no puede existir sin los chinos, que son los trabajadores de todos los oficios; son muy laboriosos y se contentan con exiguo jornal, pero bastaria un número menor que el que hoy se cuenta. (MORGA, f. 349.)

288

23.000, y segun otros 25.000 chinos perecieron ó se refugiaron en los montes. El efecto que esta matanza produjo en China se desprende de una carta del comisario imperial al gobernador de Manila. Este memorable documento muestra de una manera sorprendente cuán vacilante estaba el poder del gobierno chino en aquella ocasion. (Al fin del capítulo cópio dicha carta.)

Despues del exterminio de los chinos llegaron á faltar víveres en Manila, pero ya en 1605 habia aumentado tanto su número, que por una ley (*) se limitó á 6.000 «por bastar éstos para el cultivo de los campos»; se indica que la causa de incremento tan rápido era la codicia de los Capitanes generales que percibian 8 pesos por cada licencia facultando á permanecer un chino en la colonia. En 1639 el número de chinos habia yasubido á 30.000 (segun otros á 40.000); despues de la sublevacion quedaron tan sólo 7.000. Los indígenas, tan apáticos en otras ocasiones, demostraron la mayor saña en el degüello de chinos, más por ódio á aquella industriosa raza que por amor á los españoles (**).

Pronto vino á llenar el vacío la emigracion china; en 1662 la colonia estuvo nuevamente en el mayor peligro por el ataque del pirata chino Kogseng, que mandaba de 80 á 100.000 hombres, y habia ya arrebatado la isla de Formosa á los holandeses. Intimó á Filipinas que se le sometiese; su repentina muerte salvó á la colonia y fué al mismo tiempo señal de una nueva explosion del ódio contra los sangleyes, muchos de los cuales perecieron asesinados en su barrio mismo (***), otros fueron expulsados, álgunos se arrojaron al rio asustados ó se colgaron; gran número de ellos huyó en pequeños botes áFormosa (†). En 1709 alcanzó una vez más tales proporciones el rencor contra los chinos, á quienes se atribuian las sediciones, y particularmente el monopolio del comercio, que se propuso expulsarles á todos con excepcion de los obreros más indispensables y de aquellos que estuvieran al servicio del Gobierno. Escritores españoles alaban los beneficios de esta medida, «pues con pretexto de dedicarse á la agricultura, se dedican en realidad al comercio; son astutos y sin conciencia, se enri-

---

(*) *Recopilacion*, lib. IV, tít. XVIII, ley I.
(**) *Informe*, I, III, 73.
(***) Los chinos no podian estar en toda la ciudad, sino sólo en un determinado sitio llamado *Parian*.
(†) VELARDE, 274.

quecen y remesan su dinero á China, engañando á los filipinos por crecidísimas sumas todos los años.» Sonnerat se queja, empero, que las artes y oficios nunca se han repuesto de tal golpe; felizmente, añade, volvieron los chinos, á pesar de lo dispuesto, gracias á la corruptibilidad de los gobernadores y empleados subalternos.

Aún hoy se les acusa de monopolizar el tráfico, haciéndoles este cargo especialmente los criollos, y en efecto, por su aplicacion y habilidad mercantil, han logrado acaparar casi todo el comercio al menudeo. La venta de los artículos importados de Europa está en sus manos y parten con los mestizos é indios las compras de producciones del país.

En 1757 alcanzó el interés de los españoles una nueva disposicion para expulsar á los chinos; en 1759 se repitieron las órdenes encaminadas á este fin. Pero como la conveniencia particular de los empleados no coincidiera con la de los negociantes del país, acudieron de nuevo los chinos en tropel, y cuando la invasion inglesa (1762), hicieron causa comun con los extranjeros. Por esto ordenó D. Simon de Anda (*) que se ahorcase á todos los chinos de Filipinas, cumpliéndose en general la órden (**). La última matanza se llevó á cabo en 1819, cuando, al desarrollarse el cólera, cundió la voz de que los extranjeros habian envenenado las aguas; la mayor parte de los europeos fué tambien víctima del furor popular, y sólo los españoles fueron respetados.

Desde antiguo viene arraigado el encono de españoles peninsulares y del país contra los negociantes chinos que les impiden explotar con desahogo al indio, y por esta causa se han dictado muchas disposiciones coartando la libertad de esta clase. Se pretendia que los chinos se dedicáran á la agricultura; pero en la práctica lo ha impedido siempre, junto con otras causas, la animosidad de los indios.

Una ley de 1804 mandó expulsar en el término de ocho dias á cuantos chinos hubiere establecidos en Manila, exceptuando únicamente á los casados, á quienes se permitia tener tienda en el Parian. En las provincias debian dedicarse al cultivo de los campos, multándose á los Alcaldes, que consintieran á los chinos llevar vida ambulante, en 200 pesos, y á los gobernadorcillos en 25, y penando á los chinos que no lo cumplimentáran con tres años de cárcel.

(*) Véase el capítulo siguiente.
(**) MARTINEZ DE ZÚÑIGA, XVI.

En 1839 se atenuaron las penas contra estas gentes , conservando en todo su vigor las señaladas para los Alcaldes, lo cual hace sospechar hubiese corruptela. En 1843 se consideraron los buques chinos al igual de las demas embarcaciones extranjeras. (*Leg. ultr.*, II, 476.) Urbistondo, en 1850, intentó fundar colonias agrícolas de chinos, concediendo como estímulo una rebaja del tributo á los cultivadores (*). Muchos aprovecharon la ocasion de pagar ménos ; pero casi todos se dedicaron luégo de nuevo al comercio.

En los últimos tiempos han cesado las matanzas y expulsiones, haciendo pesar sobre ellos sólo fuertes impuestos á fin de poner un dique á su actividad. Así se dispuso á fines de 1867 que los comerciantes chinos de Pangasinan, ademas de satisfacer la contribucion (12-100 pesos), entregasen anualmente 60 pesos para arreglo de los mercados semanales, y se mandó tambien que llevasen los libros en español. (Informe del cónsul inglés , 1869.)

Los chinos en Filipinas, como en todas partes , permanecen fieles á sus costumbres ; cuando se convierten es su cristianismo sólo exterior, lo adoptan para poderse casar ú obedeciendo á respetos sociales , lo abandonan á su regreso á China, y á veces al mismo tiempo dejan en Manila á su mujer, sin acordarse más de ella. Hay, sin embargo, muchos que fun_ dan familia siendo buenos padres; los hijos de éstos forman la parte más emprendedora , laboriosa y acomodada de la poblacion filipina.

Los chinos conservan en todos los países incólume su actividad , sin duda efecto de la ruda lucha por la vida que desde jóvenes tienen que sostener en una nacion tan excesivamente poblada como es la suya. Ningun pueblo puede competir con ellos en laboriosidad, sobriedad, constancia, ingenio y poca aprension en los negocios. Donde ponen el pié van apoderándose poco á poco de todo el comercio. En la India transgangética no sólo se lo quitan á los naturales, sino que tambien ganan terreno de dia en dia sobre sus rivales europeos. No son tampoco peores agricultores é industriales que negociantes.

La emigracion de súbditos del Celeste Imperio, inmenso vivero de hombres, apénas empieza ahora; cuando se haga cosa corriente inundará en primer lugar los países todos del extremo Oriente, y romperá todos los diques que la envidia ó la impotente · prevision traten de oponerle.

(*) *Autos acordados*, II, 272, 279.

En el continente índico, en las islas del Pacífico, en los Archipiélagos de la Malesia, en los países de la América meridional quizá llegue á dominar el elemento chino, y mezclado con los existentes forme una raza que llevará el sello de su carácter.

Su número aumenta considerablemente en los Estados occidentales de la union americana; todos los obreros de las fábricas de California son chinos, pues los europeos tienen pretensiones demasiado altas.

Una de las más interesantes cuestiones entre las muchas trascendentales que envuelve la introduccion de la raza mongola en América, cuyo país se solia mirar como propiedad natural de la caucásica, es la aptitud de cada una de ellas, ambas miden hoy por primera vez sus fuerzas en pacífica liza en los estados occidentales de la Union, y ambas están representadas por sus individuos más fuertes (162). La lucha se traba con toda intensidad, porque ningun país ofrece tan brillantes recompensas al trabajo. Las condiciones, sin embargo, no son iguales, pues á los chinos les pone obstáculos la ley, las autoridades no les protegen contra los ataques de un pueblo que les aborrece por el mero hecho de ser modestos trabajadores, llegando á veces á asesinarles traidoramente, y no obstante, la emigracion china aumenta cada dia. La parte occidental del ferro-carril del Pacífico ha sido principalmente construida por chinos, los que, segun testimonio de los ingenieros, aventajan á los trabajadores de todas las naciones por su aplicacion, sobriedad y buena conducta : lo que les falta en fuerza corporal lo suplen con su constancia é inteligencia. El hecho único y casi increible de haberse hecho el 28 de Abril de 1869 en once horas de

---

(162) No hay en Europa pueblo alguno que pueda compararse ni remotamente con la poblacion de California, compuesta toda de gente escogida, y por lo ménos en los primeros años sólo de hombres muy activos en la fuerza de la vida, sin ancianos sin mujeres y sin niños. Su energia en un país donde era preciso crearlo todo (á leguas de distancia no habia una sola persona civilizada) y donde cada cosa útil proporcionaba una fortuna fabulosa, llegaba á los límites superiores de lo posible.

Sin descender aquí á minuciosos detalles, recordaré sólo que en 25 años se ha creado un estado poderoso, cuya fama llena el mundo y á cuyo alrededor brotan vigorosamente nuevos pueblos, dos de los cuales se han convertido ya en estados. Despues de transformar los buscadores de oro la configuracion orográfica del suelo en provincias enteras, pues con fuerzas titánicas llevaron al mar inmensas masas de tierra allanando largas series de colinas y aprovechando hasta las más insignificantes pajuelas y granos de oro, han empezado los agricultores á hacer prodigios, logrando las producciones de aquel país el primer lugar en todos los mercados, hasta en los más lejanos. Tantas grandezas de un pueblo, que asciende hoy apénas á medio millon de individuos, no obstan para que le sea imposible sostener ventajosamente la competencia con los chinos.

292

trabajo un trozo de 10 millas inglesas de via-ferrea sin tener obra prepa-
ratoria alguna, siendo la construccion satisfactoria á juicio de la comision del Gobierno, se ejecutó por chinos, únicos á quienes era posible
realizarlo (163).

En el elevado órden de trabajos intelectuales, los europeos conserva-
mos siempre el primer puesto; pero en los oficios, que sólo requieren habilidad manual y constante aplicacion, parece que la preeminencia corresponde al pueblo chino. Hasta entre nosotros se hará quizá sentir más ó
ménos tarde el influjo de los chinos en las relaciones entre capital y trabajo, viniendo á limitar pretensiones siempre crecientes.

La emigracion china ocupa ya mucho la atencion de los hombres de
estado norte-americanos, suscitando cuestiones del mayor interés social y
político. ¿ Qué influjo llegará á ejercer este elemento extraño en la constitucion de la sociedad americana? ¿ Formarán los chinos un Estado dentro
del Estado, serán considerados como otros ciudadanos cualesquiera ó mezclados con la sangre caucásica originarán una nueva raza? Además, ¿qué
influencia ejercerán en China los colonos que regresen de los Estados-
Unidos?

Estos problemas, que aquí pueden sólo indicarse muy someramente, han
sido tratados de una manera magistral por Pumpelly, en su obra titulada:
Across America and Asia, que se publicó en Lóndres el año de 1870.

⁂

CARTA DEL COMISARIO GENERAL DE CHINCHEO
Á D. PEDRO DE ACUÑA, GOBERNADOR DE LAS FILIPINAS.

«Al gran Capitan general de Luzon. Como haya llegado á mis oidos
que los chinos que pasaron al reino de Luzon para comprar y vender han
sido matados por los españoles, he investigado las causas de estos sucesos
y rogado al Rey hacer justicia contra los autores de tan gran mal para
evitar en lo sucesivo y asegurar paz y tranquilidad á los mercaderes. En
los años anteriores á mi llegada en clase de comisario régio un comerciante chino llamado Tioneg con tres mandarines fué á Cabit, en Luzon, prévio permiso del Rey de China, para buscar oro y plata, lo que era todo fal-

------

(163) Todos los rails, en una longitud mayor de 32 kilóm. y de un peso de 20.000 qq., se
colocaron por ocho chinos, que se relevaban de cuatro en cuatro. Se eligieron los más hábiles
entre diez mil obreros.

so, pues no halló oro ni plata, y por esto rogué al Rey que castigára al impostor Tioneg para que se supiese que en China se administra la más estricta justicia.

»Era en tiempo del ex-virey y sus eunucos cuando Tioneg y su compañero, llamado Yanglion, dijeron la tal mentira, y despues supliqué al Rey que mandase pedir todos los documentos del asunto de Tioneg y obligase á presentarse á éste con las actas de la causa, y yo mismo examiné los citados papeles reconociendo que todo cuanto habia dicho Tioneg era una impostura. Escribí al Rey que por los embustes de Tioneg los *castilas* habian sospechado que se les queria hacer la guerra y por esto han matado en Luzon más de 30.000 chinos; y el Rey, obrando como yo le habia pedido, castigó al mencionado Yanglion mandando darle muerte, é hizo decapitar á Tioneg y meter su cabeza en una jaula; los chinos, asesinados en Luzon, no tenian culpa alguna para ello. Y yo con otras personas tratamos el asunto con el Rey para que obrase segun mejor le pareciese en este negocio y en otro; á saber, que dos buques inglésés habian llegado á la costa de Chincheo (Fukien), cosa muy peligrosa para China, y que el Rey determinase qué debia hacerse en tan graves asuntos. Tambien escribimos al Rey que tuviera á bien mandar que se castigase á los dos chinos, y despues de haberle comunicado ambos puntos nos contestó á propósito de los buques ingleses llegados á China, que en caso de ser su intento robar se les ordenára inmediatamente ir desde allí á Luzon, y que á los de Luzon debia decírseles que no diesen crédito alguno á los bribones é impostores de China y que inmediatamente se matase á los dos chinos que habian enseñado el puerto á los ingleses, y en todo lo demas que procediésemos á nuestra voluntad. Despues de recibir este mensaje, el virey, el eunuco y yo mandamos ahora la presente misiva al gobernador de Luzon para que su magnificencia se entere de la grandeza del Rey de China y del reino, pues él es tan grande que domina todo cuanto la luna y el sol alumbran, y tambien para que el gobernador de Luzon sepa con cuanta sabiduría se rige este gran reino, al cual hace mucho tiempo nadie se ha atrevido á insultar: aunque los japoneses hayan intentado promover disturbios en Coria, que pertenece al Gobierno de China, no lo han logrado, y al contrario han sido expulsados de allí habiendo quedado Coria en gran paz y tranquilidad como los de Luzon deben saber bien de oidas.

»El año último, despues que averiguamos haberse matado en Luzon á tantos chinos, á causa de las mentiras de Tioneg, se reunieron muchos de nuestros mandarines y acordaron pedir secretamente al Rey que vengase tantas muertes, y dijimos : « el país de Luzon es un miserable país de escasa importancia, y desde antiguo ha sido sólo una morada para demonios y serpientes, y porque (desde algunos años acá) ha ido tan gran número de chinos á comerciar con los castilas se ha ennoblecido tanto, para lo cual los llamados sangleyes han trabajado mucho levantando murallas, construyendo casas y arreglando jardines y otras cosas de gran utilidad para los castilas, y siendo esto cierto, ¿por qué los castilas no lo han tenido en cuenta, reconocido con gratitud estas buenas obras y no haber matado cruelmente á tantos hombres? y si bien nosotros hemos escrito dos ó tres veces al Rey acerca de estos negocios, nos contestó siempre que él estaba encolerizado por tales sucesos, añadiendo que por tres razones no se habia de tomar la correspondiente venganza, ni hacer guerra contra Luzon. La primera de ellas, porque los castilas (desde antiguos tiempos hasta el presente) son amigos de los chinos ; la segunda, porque no podia preverse quiénes saldrian victoriosos de cástilas y chinòs, y la tercera y última, porque los que habian matado los castilas eran gentes malas é ingratas con China, su patria, con sus padres y parientes, pues en tantos años no habian regresado á su país, á cuyas gentes, así decia el Rey, consideraba poco por las razones expresadas ; y mandaba al Virey, al eunuco y á mí remitir esta carta por un embajador á fin de que los de Luzon supieran que el Rey de China tiene un gran corazon, mucha longanimidad y mucha piedad, pues no ha ordenado hacer la guerra contra los de Luzon, y su justicia se manifiesta bien en haber castigado las mentiras de Tioneg. Y siendo los españoles prudentes y razonables, ¿cómo explicarse que hayan matado á tantos hombres, que no les hicieron ningun daño y que no se hayan arrepentido y sean blandos con los chinos que han quedado con vida? Pues si los castilas se muestran benévolos y los chinos y sangleyes que han librado bien de la guerra regresan allí y se les devuelven el dinero y los bienes que les quitaron, se conservará la paz entre este reino y aquél, y todos los años llegarán buques mercantes, y si sucede lo contrario, el Rey no permitirá que salgan barcos de comercio, sino que dará órden de construir mil buques de guerra, tripularlos con soldados y parientes de las víctimas y con todas las gentes y reinos tributarios de China, llevar la guerra sin perdonar á nadie. Y en seguida dará Luzon á las gentes que pagan tributo á China. La carta se ha escrito por el Visitador general el dia doce del segundo mes» (†).

.*.

Un notable contraste con el trascrito documento forma la siguiente carta del Emperador del Japon, que data próximamente de la misma época.

CARTA DE DAIFUSAMA, EMPERADOR DEL JAPON , AL GOBERNADOR DON PEDRO DE ACUÑA, EN EL AÑO 1605.

« He recibido dos cartas de su Señoría , así como todos los obsequios y regalos expresados en el catálogo. Entre los objetos recibidos estaba el vino hecho con zumo de uvas , lo cual me ha alegrado en extremo. Años pasados me pidió su Señoría que permitiese entrar seis buques , y el año último me suplicó asimismo por otros cuatro , á cuyos ruegos accedí. Pero me ha causado profundo disgusto que entre los cuatro barcos , por los cuales su Señoría se interesó , uno es de Antonio , que ha hecho el viaje sin mi mandato ; esto es prueba de gran osadía y un desprecio á mi dignidad. ¿Quiere acaso su Señoría mandar el barco para el Japon sin haber recibido mi prévio permiso? Prescindiendo de esto su Señoría y otros han negociado acerca de las sectas del Japon repetidas veces y suplicado muchas cosas referentes á ellas , lo cual yo no puedo consentir , pues esta comarca se llama Xincoco , que significa « consagrado á los ídolos » que desde tiempos de nuestros antepasados se han honrado con las más altas devociones , cuyos hecho yo solo no puedo dar como no acaecidos ni destruir. Por esto no es pertinente en manera alguna que se propague y predique en el Japon vuestra ley , y si su Señoría quiere conservar la amistad con este reino del Japon y conmigo , haga lo que yo quiero y no haga jamas cosa que me disguste.

»Finalmente , su Señoría me dice repetidas veces que muchos japoneses son gente mala y perdida que van á aquel reino y se quedan en él muchos años y despues vuelven al Japon , lo que me disgusta profundamente ; y por esto desde hoy no permita su Señoría que ni un solo japonés se meta en el buque que sale de ahí , y en las demas cosas obre su Señoría con pausa y precaucion , para evitar en adelante desagradarme de nuevo.»

(†) Siento no haber podido transcribir íntegro el original, que consta en la obra de Morga ; pero al único ejemplar de ella que he podido ver (existente en la Biblioteca Nacional) le faltan precisamente las hojas correspondientes. (*N. del T.*)

CAPÍTULO XXVII.

MAGALLANES descubrió las islas Filipinas el dia 16 de Marzo de 1521, que es el de San Lázaro (164) ; pero hasta 1594 no se tomó posesion efectiva de aquellas tierras en nombre de Felipe II. Cupo esta gloria á Legaspi que llegó á ellas desde Nueva-España con cinco buques, despues de algunas otras expediciones desgraciadas. Su descubridor llamó á las islas «de San Lázaro» en conmemoracion del santo del dia de su descubrimiento, nombre que no prevaleció, empeñándose los españoles en designarlas con el de «islas del Poniente» miéntras que los portugueses usaron la denominacion de «islas del Oriente.» Legaspi las bautizó como «Filipinas» en honor de su rey, quien despues les añadió el título de Nueva-Castilla (165). Legaspi ocupó primero Cebú, despues Panay y hasta á los seis años (1571) no conquistó Manila, que era en aquel entónces una ranchería cercada por empalizadas, donde puso en seguida los cimientos de una ciudad fuerte. La dominacion de las comarcas restantes fué tan rápida, que á la muerte de Legaspi (Agosto de 1572) era ya un hecho en su parte esencial.

Numerosas tribus salvajes en el interior, los estados mahometanos de Mindanao y del grupo de Sulú ó Joló han conservado hasta hoy casi toda su independencia. El carácter y organizacion política favorecieron la empresa de los españoles. No habia reino alguno potente, ni familia reinante antigua, ni una casta sacerdotal que combatir, así como tampoco existia

---

(164) Magallanes cayó mortalmente herido por una flecha envenenada (27 de Abril de 1524) en la pequeña isla Mactan, situada á la entrada del puerto de Cebú. Su segundo, Sebastian de Elcano, dobló el Cabo de Buena Esperanza y entró en el puerto de S. lúcar el dia 6 de Setiembre de 1522 con uno de los cinco barcos que habian salido de allí mismo en 1519; y 18 tripulantes, entre ellos Pigafetta, hicieron así el primer viaje de circumnavegacion en tres años ménos catorce dias.

(165) MORGA, f. 5. Segun escritores más modernos, Villalobos las llamó con este nombre ya en 1542.

un orgullo nacional que respetar se debiera. Los indígenas eran idólatras ó musulmanes y vivian mandados por muchos pequeños caciques, que gobernaban con la mayor arbitrariedad y sostenian contínuas rivalidades favorables á la conquista. Una ranchería se llamaba un *barangay*, agrupacion, que áun hoy, si bien en forma muy variada, sigue siendo el fundamento de la constitucion comunal.

Los españoles limitaron el poder de los cabecillas indígenas, abolieron la esclavitud y cambiaron la aristocracia hereditaria en vasallaje, haciendo todas las variaciones con prudencia y muy gradualmente (166). Los antiguos usos, en cuanto no se oponian al derecho natural, quedaron en vigor teniendo fuerza de ley en los procesos; en asuntos criminales regian las leyes españolas. Actualmente los Cabezas de barangay tienen, ademas del título de Don, la exencion de tributo y de polos y servicios como únicos privilegios; se les ha convertido en recaudadores de contribuciones sin sueldo; pero responsables con sus bienes privados —medida cuya prudencia es dudosa, pues prescindiendo de que se presta á muchos abusos, extraña del Gobierno á una clase que podria prestarle gran apoyo.

---

(166) Segun Morga (f. 140 v.) no habia en aquellas islas ni reyes, ni señores y sí sólo notables, cuyos vasallos se distribuian en familias y barrios. Á estos jefes se pagaba un tributo de la cosecha (*Buiz*) y una especie de feudo, sus parientes estaban exentos de contribuí como los plebeyos (*Timauas*).

Las jefaturas eran hereditarias, sin que se excluyera de la aristocracia á las hembras, Cuando un cacique se distinguia mucho, los otros le daban la preeminencia; pero conservaban el dominio sobre los respectivos barangayes, gobernados por sus subordinados.

Morga dice lo siguiente acerca del sistema de esclavitud establecido entre los indígenas (f. 141 abreviado). Los habitantes de estas islas se dividen en tres clases : nobles, timauas ó plebeyos, y esclavos de los primeros y de los timauas. Hay distintas categorías de esclavos, algunos lo son por completo (*Sanguiguilires*), hacen el servicio de la casa lo mismo que sus hijos. Otros habitan con sus familias casas propias ayudando á sus señores en las siembras y cosechas, sirven tambien de remeros y en los quehaceres domésticos. Tienen obligacion de acudir siempre que son llamados, sin opcion á sueldo alguno. Se les conoce con el nombre de *Namamahayes* trasmitiéndose á sus hijos todos sus deberes. De estos saguiguilires y namamahayes hay algunos completamente esclavos, ó siervos, y otros casi libres.

Cuando el padre ó la madre pertenece á la clase libre, el hijo único es medio esclavo: si hay muchos hijos, el primero hereda el estado del padre, el segundo el de la madre, si son en número impar el último es medio libre y medio esclavo, los descendientes de estos semi-esclavos habidos con hombre ó mujer libre son, por decirlo así, cuarterones de esclavo. Los semi-esclavos sean saguiguilires ó namamahayes sirven á su señor un mes sí y un mes no Tanto ellos como los cuarterones de esclavo pueden comprar con dinero su completa libertad, derecho que no tienen los que son completamente esclavos. Un namamahaya vale la mitad que un saguiguilir. Todos los esclavos son indígenas (f. 143 v.). Una esclava con hijos de su señor quedaba libre así como sus hijos, sin que por esto se les considerase habidos en legítimo matrimonio, no teniendo derecho á heredar del padre ni á disfrutar de los privilegios aristocráticos en caso de pertenecer el padre á esta clase.

Si bien contribuyeron mucho al buen éxito de la conquista las circunstancias en que se hallaban aquellos pueblos, no rebaja esto el gran mérito de los gobernadores y de sus subordinados, salidos de aquellas generaciones de héroes que produjo España, que tanto se distinguieron por su valor y prudencia. Legaspi poseia ambas cualidades en el grado más eminente. Aquellos atrevidos aventureros iban atraidos alli, como á América, por los privilegios que la Corona les concedia y por la esperanza de hallar oro, que afortunadamente para el país salió fallida. «En Luzon, dice Hernando Riquel (*), hay muchas minas de oro en distintos sitios, vistas por españoles; el mineral es tan rico que nada quiero escribir de ello, pues cuanto dijera se creeria exagerado; pero juro como cristiano, que hay en esta isla más oro que hierro en Vizcaya.» La Corona no les daba sueldo alguno y sólo sí el derecho firme de explotar los terrenos conquistados. Unos emprendian semejantes empresas por cuenta propia, y otros bajo la dependencia del gobernador, quien les recompensaba en proporcion á los servicios prestados, con encomiendas, oficios y aprovechamientos.

Las encomiendas eran en los primeros tiempos extensivas á tres generaciones (en Nueva-España á cuatro); pero poco despues se limitó el derecho á dos, pues de los Rios (**) lo cita ya como una disposicion muy perjudicial á la Corona, «pocos quieren dedicarse al servicio de S. M. preveyendo que la miseria va á ser el patrimonio de sus nietos.» Á la muerte del poseedor volvian las encomiendas al Estado, disponiendo de ellas el gobernador. Poco tiempo despues de la ocupacion se dividió ya todo el país en encomiendas conservadas en su mayor parte á la Corona para que pudiese con sus rendimientos subvenir á los gastos públicos. Estos feudos estaban formados por terrenos de extension variable, y sus moradores debian satisfacer una cantidad al encomendero, quien la cobraba en productos, eran de escasa importancia y se vendian con ventaja á los chinos. Tampoco se contentaban los señores feudales con este tributo, y retenian como esclavos á los indígenas, hasta que se expendieron una Real Cédula y un Breve del Pontífice (***) prohibiéndolo terminantemente y permitiendo sólo poseer negros y cafres llevados á la India por los portugueses» (†).

(*) Su descripcion de las nuevas islas del Occidente..... es verídica y concienzudamente hecha. El autor fué secretario del gobierno. Sevilla, 1574. MORGA, *Hahl*, 389.

(**) *Relation et Mém. de l'estat des isles Ph. Thévenot*, 28.

(***) Bula de Gregorio XIV, 18, Apr. 1591.

(†) MORGA, *Hahl*, 328.

Los antiguos encomenderos explotaban á sus vasallos sin miramientos. Ya en tiempo del gobernador interino Labezares (1572-1575) decia Zúñiga (pág. 115) que habia visitado las Visayas reprimiendo la codicia de los encomenderos y haciéndoles ceder en sus abusos. Hácia fines del gobierno de Lasande (1575-80) estalló un gran conflicto entre curas y encomenderos, predicando aquéllos contra la opresion de éstos, de la cual informaron al Rey de España y obteniendo una órden para que se protegiera á los indios por traspasar los límites de lo justo la codicia de los encomenderos. Se dejó á la voluntad de los indígenas entregar el tributo en dinero ó en productos. Á consecuencia de estas humanitarias disposiciones parece que decayeron la agricultura y la industria, pues sin una estrecha obligacion el indio no trabaja más de lo que le es indispensablemente necesario para vivir.

Brevemente vamos á reseñar los hechos de Juan de Salcedo, que es el más notable de todos aquellos conquistadores. Su abuelo Legaspi le facilitó 45 soldados españoles y con ellos dispuso una expedicion á sus expensas, embarcóse en Manila (Mayo de 1572), remontó la costa occidental de Luzon, hizo escala en casi todas las bahías accesibles á sus pequeñas embarcaciones siendo, en casi todas partes, bien recibido por los indígenas. Mayores obstáculos halló siempre que quiso internarse en el país; sin embargo, se le sometieron muchas tribus, y despues de alcanzar la punta N. O. de Luzon, el cabo Bojeador, reconoció la extensa comarca que hoy ocupan las provincias de Zambales, Pangasinan ó Ilocos Norte y Sur, tomando posesion de ella en nombre del Rey de España. La fatiga de sus soldados obligó á Salcedo á emprender la vuelta. Construyó un fuerte en Vigan, actual cabecera de Ilocos Sur, guarneciéndolo con 25 hombres mandados por su teniente y volviéndose él con sólo 17 soldados distribuidos en tres pequeños barcos. Llegó á la desembocadura del rio de Cagayan y lo remontó hasta que el gran número de enemigos le obligó á retirarse. Siguiendo el viaje en demanda de la costa oriental alcanzó Paracali, de donde y por tierra pasó á la laguna de Bay, allí se embarcó en una canoa para Manila y naufragó viéndose próximo á ahogarse: unos indios le salvaron.

En el ínterin ocurrió la muerte de Legaspi; su sucesor, Labezares, mostró á Salcedo dura repulsion. Triunfante éste de sus enemigos, sometió Camarines en breve tiempo. En 1574 volvió á Ilocos para repartir en-

300

comiendas á sus soldados y tomar posesion de las que le correspondieron.
Ocupado aún con la fundacion de Vigan, vió la gran escuadra china del
pirata Limahon, que trataba de conquistar la colonia; componíase de 62
barcos con numerosa tripulacion. En seguida se apresuró á reunir su gente,
y con todas las fuerzas y sin perder momento dirigióse á Manila, donde
fué nombrado general en jefe en lugar del ya derrotado Maestre de Campo,
y arrojó á los chinos de la ciudad que ántes destruyeron. Retiráronse á
Pangasinan; Salcedo puso fuego á sus naves y viéronse en grándes apuros
para escapar.

En 1576 murió este «Cortés de las Filipinas.» (Zúñiga.)

Prescindiendo de los religiosos, los primeros españoles en el Archipiélago fueron empleados, soldados y marinos (Morga, 159); á ellos cor-
respondió, de consiguiente, el mayor beneficio en el comercio con China.
Manila era el emporio de éste y adquirió tambien mucho del de la India,
pues los portugueses con su crueldad lo echaron de Malaca, y si bien tenian Macao y las Molucas, les faltaban las remesas de China y la plata
que Manila recibia de Nueva España.

Ademas Portugal, con todas sus colonias, pasó á la corona de España
en 1580. El intervalo desde este suceso hasta la pérdida de Portugal (1580-
1640) coincide con el mayor poderío relativo de las Filipinas. El gobernador de Manila mandaba sobre una parte de Mindanao, sobre Joló, las Molucas, Formosa y las antiguas posesiones portuguesas de Malaca y de la
India cisgangética. «Todas las tierras que hay entre el cabo de Sincapura
hasta el Japon dependen de Luzon; sus buques surcan los mares, van á
China, á Nueva España, y hacen un comercio tan rico que se le pudiera
llamar, si fuera libre, el más importante del mundo.» (Grav. 30.) «Es
increible cuánto esplendor prestan aquellas islas á la corona de España.
El gobernador de Filipinas sostiene relaciones con los reyes de Cambodja,
del Japon y de la China; el primero es su aliado, y los otros dos son sus
amigos. Puede declarar la guerra y ajustar la paz sin esperar la anuencia
de la lejana Península.» Pero los holandeses empezaron la lucha contra
Felipe II, en aquellos remotos mares, y en 1610 ya se quejaba de los Rios
de hallar el país muy cambiado á consecuencia de las ventajas obtenidas
por el enemigo. Los moros de Mindanao y de Joló, auxiliados por los
holandeses, se hacian cada vez más incómodos (Carillo, 3). Con Portugal
se perdieron sus colonias. La política española, la dominacion del elemento

clerical, las rencillas entre comerciantes ó industriales fueron causas de decaimiento para la agricultura y todas las transacciones, favoreciendo tal vez á los indígenas.

La historia de Filipinas, en épocas posteriores, es en sus detalles tan poco interesante y tan desconsoladora como la de las colonias españolas en América. Infructuosas expediciones contra piratas, luchas entre el clero y los funcionarios públicos seglares, forman su conjunto (167).

«Pasado el primer período de fe religiosa y de gloria militar, se apoderó miserable egoismo de los ánimos, las traiciones estuvieron á la órden del dia, y la mayor parte de los que desde entónces se dirigieron á aquella remota colonia eran la hez de la nacion (*). Los escritores españoles dan muchas descripciones de aquella deplorable sociedad, que no son para repetidas en este lugar.

El Archipiélago se vió libre de enemigos exteriores, si se exceptúan los piratas malayos. En lejanos tiempos los holandeses emprendieron algunas expediciones contra las Visayas. En 1762 (cuando la guerra del pacto de familia de los Borbones) apareció de repente una flota inglesa delante de Manila y se apoderó por sorpresa y sin trabajo de la ciudad. Los chinos ayudaron á los ingleses, los indios se sublevaron, y la colonia, mandada por un arzobispo débil, estuvo en gran peligro. El oidor Anda logró levantar á los indios de provincias contra el invasor extranjero. Gracias á los religiosos tomó el movimiento tales creces, que los de la ciudad quedaron encerrados y se dieron por satisfechos con poder embarcarse en cuanto supieron que la paz se habia ajustado en Europa. Algun tiempo se tardó en apaciguar á los indios soliviantados, y se logró al fin, dirigiendo unas tribus contra otras; se asegura que la provincia de Ilocos perdió á consecuencia de ello 269.270 habitantes, ó sea la mitad de su poblacion (Zúñiga).

La dureza y falta de tacto del Gobierno y de sus funcionarios, así como las preocupaciones religiosas, motivaron más de una sublevacion de indígenas, sin que ninguna por su importancia pusiera en peligro la dominacion española. Los motines quedaron siempre localizados, pues los indígenas no forman ninguna nacion concreta, no les enlaza un idioma gene-

---

(167) V. CHAMISSO (*Bemerkungen und Ansichten*, pág. 72), agradece al traductor de Martinez Zúñiga haberle evitado detenerse en tan desagradable historia; sin embargo, la reseña de Zúñiga es relativamente breve y compendiosa, y la resumida traduccion inglesa contiene muchos errores.

(*) El DUQUE DE ALMODOVAR. *Informe*, I, III, 199.

302

ral ni les unen intereses comunes: los vínculos sociales apénas pasan de los límites de cada pueblo y sus visitas anejas.

Un elemento que debe inspirar más cuidados á la lejana metrópoli que el de los indios indiferentes, sin ocuparse jamas del porvenir, sin unidad ni miras políticas, forman los mestizos y españoles del país, cuyo descontento aumenta con su número y á medida que crece su orgullo. La insurreccion militar de 1823, capitaneada por dos criollos, hubiera fácilmente podido tener un mal desenlace para España. Parece haber sido áun más grave que todas las anteriores sublevaciones la recientemente ocurrida bajo la direccion de mestizos. El 20 de Enero de 1872, entre ocho y nueve de la noche, se sublevaron en Cavite, el puerto militar más importante de Filipinas, la infantería de marina, artillería y cuerpos de guardia del arsenal, asesinando á sus oficiales. Un teniente que iba á dar la noticia á Manila, cayó en poder de los rebeldes; hasta la mañana siguiente no pudo comunicarse la fatal nueva. En seguida se mandaron allí todas las tropas disponibles, y despues de una tenaz lucha lograron apoderarse de la fortaleza que tenian los insurrectos; hubo una horrible carnicería, entrándose á degüello sin dar cuartel. En Manila se hicieron muchas prisiones (†).

Ni un solo europeo tomó parte en la conspiracion; pero sí muchos mestizos, entre ellos algunos sacerdotes y abogados. Aun cuando en las primeras relaciones de los sucesos haya, como es natural, exageracion, todos están conformes en suponer el complot de larga data y muy bien tramado con grandes ramificaciones. Toda la escuadra y un numeroso cuerpo de ejército estaba en aquella ocasion en las aguas de Joló (V. nota 100); parte de la guarnicion de Manila debia dar el grito al mismo tiempo que la de Cavite, y millares de indios lo esperaban dispuestos á degollar á las *caras blancas*. El fracaso del plan parece dependió de una feliz casualidad que se asegura fué la equivocacion de los de Cavite al tomar como la señal convenida los cohetes de la fiesta de un arrabal de Manila.

∴

Para terminar, reunirémos algunas consideraciones acerca de las rela-

---

(†) Grandes fueron los servicios que en aquellos críticos momentos prestaron á la causa de la patria los ilustres generales Izquierdo y Espinar. (*N. del T.*)

ciones de Filipinas con el extranjero, diseminadas en el texto de esta obra, deduciendo de ellas breves conclusiones.

A España corresponde la gloria de haber mejorado notablemente el estado del país; lo halló en el salvajismo, destrozado por contínuas guerras intestinas, su poblacion á merced del capricho de feroces tiranuelos, y la ha elevado á una civilizacion bastante adelantada. Sin duda los indígenas de aquellas magníficas islas se hallan protegidos contra ataques exteriores y, regidos por leyes humanitarias, son los que en los últimos siglos han vivido más felices de todos los de países tropicales, bajo un gobierno propio ó europeo. La principal causa de estos hechos debe buscarse en las especiales circunstancias, tantas veces indicadas, que protegieron á los indios contra la explotacion de los colonos. Gran parte de ello se debió á los frailes. Salidos de las clases ínfimas de la sociedad, acostumbrados á la pobreza y á las privaciones, teniendo que sostener trato directo con los indígenas, amoldaban su modo de ser á las costumbres y hasta á las prácticas religiosas de éstos. Cuando despues poseyeron ricos curatos y su fervor de propagar la fe decreció á medida que sus rentas aumentaban, tuvieron influencia con ventajas ó inconvenientes en la trasformacion social, sin familia propia ni esmerada educacion, siguió siendo necesidad para ellos el trato íntimo con el indio, y hasta su orgullosa oposicion á las autoridades civiles venía, por regla general, á favorecer á éste.

La antigua situacion no es ya viable con el cambio social que han hecho los tiempos. La colonia no puede estar ya excluida del concierto general de los pueblos. Cada facilidad en las comunicaciones abre una brecha en el antiguo sistema y motiva reformas en el sentido liberal. Cuantos más capitales ó inteligencias extranjeras penetran, más aumentan el bienestar, la ilustracion y la estima del propio valer, haciéndose más intolerables los males existentes.

Inglaterra puede abrir sin cuidado sus posesiones al extranjero y establecer la igualdad de nacionalidades, pues están enlazadas con la metrópoli por el interés comun, la produccion de primeras materias con el auxilio de capitales ingleses, su cambio por manufacturas inglesas, etc. La riqueza de la Gran Bretaña es tal, su importancia en el comercio tan grande, que los extranjeros establecidos en sus colonias son, en su mayoría, agentes del comercio inglés, en cuya marcha apénas influye la de los sucesos políticos. Bien distinto es lo que sucede en España, para la cual sus colonias son como una herencia que le es difícil llegar á administrar bien.

Monopolios fiscales manejados sin miramiento, humillante situacion de los criollos y ricos mestizos, unido al ejemplo de los Estados-Unidos, fueron las principales causas de la pérdida de las posesiones americanas, y las mismas amenazan á Filipinas. Ya se ha dicho bastante acerca del monopolio. Ciertamente los hijos del país no se hallan excluidos de todos los empleos, como sucedia en América, pero se sienten muy lastimados y perjudicados por la nube de funcionarios europeos que lleva al Archipiélago todo cambio de ministerio en Madrid. Tambien se vislumbra en el horizonte la influencia del elemento americano aumentando á medida que crecen las relaciones entre ambos países. Hoy éstas son aún escasas y el comercio va siguiendo la senda antigua, la de Inglaterra y los puertos americanos del Atlántico.

El que quiera formar juicio sobre la suerte futura de las islas Filipinas no debe sólo fijarse en su situacion respecto á España, sino que ha de tener presente los cambios poderosos que vienen verificándose en aquella parte del mundo. Por primera vez en la historia empiezan á entenderse directamente las naciones gigantes á ambos lados del mar gigantesco: Rusia, mayor ella sola que dos partes del mundo, China, que contiene en sus estrechas fronteras un tercio de la humanidad, y América, cuyo territorio bien cultivado, basta para sostener casi el triple de la poblacion total del mundo. El futuro papel de Rusia en el Océano Pacífico se oculta aún á nuestros cálculos. El comercio de las otras dos potencias será probablemente tanto más trascendental cuanto á una de ellas sobra la poblacion que á la otra falta.

El mundo de los antiguos se limitaba á las costas del Mediterráneo, á nuestro comercio bastan los Océanos Atlántico é Índico; pero cuando se animen las aguas del mar Pacífico se podrá hablar con razon de comercio é historia universales. El principio está ya iniciado. Hace poco tiempo que era el Grande Océano un mar desierto, pues una nao única lo cruzaba una vez al año en ambas direcciones. Desde 1603 hasta 1769 apénas visitó California una sola embarcacion, y aquel país maravilloso, que hace 25 años, con excepcion de pocos sitios de las costas, era un desierto desconocido, se ve hoy cubierto de florecientes ciudades, cruzado en todas direcciones por ferro-carriles, tiene por capital la tercera ciudad de los Estados-Unidos y es emporio del comercio con esperanzas de alcanzar mayor incremento, á medida que aumente la navegacion del Grande Océano.

El influjo de Norte-América en las provincias ultramarinas españolas se hará sentir, y mayormente en Filipinas al desarrollarse el comercio de su costa occidental (168). Parece que los americanos tienen la mision de reavivar el gérmen de la semilla española. Como conquistadores de la edad moderna, como representantes del positivismo en oposicion al romanticismo de empresas caballerescas, siguen su camino con el hacha y el arado del colono, así como aquéllos lo hicieron levantando la cruz y empuñando la espada.

Gran parte de la América española pertenece ya á los Estados-Unidos, y ha alcanzado desde entónces una importancia que ni habia sospechado bajo el dominio de España, ni ménos aún en el anárquico período que siguió á su emancipacion.

El sistema español, á la larga, no puede prevalecer contra el norte-americano. Miéntras que aquél explota directamente las colonias en beneficio de clases privilegiadas, éste saca de la metrópoli sus fuerzas mejores para sostenerlas; no obstante de ser su poblacion tan escasa, atrae América los más provechosos elementos de todos los países, que, libres allí de embarazosas sujeciones y trabas, adelantan con incesante actividad, extendiendo cada vez más su poder y su influjo. Las Filipinas no podrán evitar la influencia de los dos grandes reinos vecinos, tanto ménos cuanto ni en su metrópoli ni en ellas mismas hay una situacion establemente equilibrada.

Es de desear para los indígenas, que las suposiciones precedentes no se conviertan pronto en hechos, pues su educacion actual no les ha preparado bastante para sostener la lucha con aquellos pueblos, incansables creadores y poco inclinados á consideraciones humanitarias.

---

(168) Me permitiré citar un ejemplo: Cuando en 1861 me hallaba en la costa occidenta de Méjico, habia en Yaquithal (Sonora) una pequeña colonia de una docena de familias de plantadores norte-americanos, era en tiempo de la intervencion de las potencias europeas. Grandes hacenderos mejicanos esperaban la llegada de estos emigrantes para ir allí bajo su amparo. El valor de los terrenos aumentó considerablemente despues de conocerse semejante proyecto de colonizacion.

Buque del siglo XVII.

APÉNDICES.

TRIBUTO, POLOS Y SERVICIOS.

Eʟ tributo es una contribucion que existia tambien en América y que pagan los indígenas sometidos al dominio de España. Se introdujo inmediatamente despues de la conquista, con un doble objeto: 1.ª, proveer á la dotacion de las encomiendas en favor de los españoles, á los cuales se le repartia un número de indios en premio de relevantes servicios prestados á la Corona, cuyos indios debian pagarles tributo; 2.º, formar un fondo para atender á los gastos de administracion de la colonia.

Un tributo completo comprende siempre dos personas, por lo regular marido y mujer, y se puede bajo este concepto asimilar á la capitacion de los cabezas de familia. El número de habitantes de cada poblacion viene dado por el de tributos; ántes se calculaban (quedándose por bajo) 4 ¹/₂ almas por tributo, hoy se computan 6, lo que parece demasiado alto. Un indio solo paga medio tributo.

Primitivamente importaba el tributo completo 1 peso $=$ 8 r. pl., en 1611 se elevó á 10 r. pl. (1 ¹/₂ de aumento para el ejército, ¹/₂ para el clero) (*). Á pesar de muchas disposiciones prohibiéndolo, se solia cobrar por los funcionarios de provincia en especie con utilidad suya; pero en perjuicio de los indígenas y del Gobierno, pues los recaudadores sólo los mandaban á Manila cuando eran desfavorables los precios del mercado, recargándolos ademas con los gastos de trasporte. Hasta 1841 no se hizo general la percepcion en dinero.

Desde 1852 importa un tributo 12 r. pl. (para algunos distritos rigen disposiciones especiales). Hay luégo que añadir: Sanctorum, 3 r. pl.; Comunidad, 1 r. pl.; Recargo, ¹/₂ r. pl.; de modo que la contribucion total asciende á 16 ¹/₂ r. pl., ó sea 1 peso y ¹/₄ de real fuerte por individuo.

El *sanctorum* es para el culto; pero se entrega al Gobierno, que paga al párroco segun el tipo de 180 pesos por cada 500 tributos del curato.

La *comunidad* es para el fondo municipal. (Véase *Organizacion municipal.*)

El *recargo* se puso al suprimirse el monopolio de espirituosos á fin de cubrir el déficit que resultaba. En Mindanao y en las Visayas no se ha introducido aún.

(*) Moɢʀᴀ, 1. 156.

Segun Jimeno Agius (*Memoria*, documento 5) hoy paga cada tributante 6,25 r. pl. +0,55 de recargo, en junto 6,8, prescindiendo del Sanctorum y de la Comunidad. Los habitantes del Abra, de Ilocos y de la Union satisfacen ademas 1 ½ á 2 ¼ r. pl. por el permiso de poder comprar el tabaco fuera de estanco.

Todo indio, sin distincion de sexos, está obligado á pagar tributo desde los diez años cumplidos bajo la potestad paterna, y desde los 16 si es huérfano.

Quedan exceptuados los descendientes de los primeros cristianos de Cebú, los recien convertidos (para siempre ó sólo durante un cierto número de años) los gobernadorcillos y sus esposas, los Cabezas de barangay, sus mujeres y primogénitos, así se llama á los auxiliares de los Cabezas de barangay elegidos por ellos, obligados á desempeñar el cargo de tales y responsables con su fortuna formándose inventario todos los años de lo que cada uno posee. (V. pág. 193.) Algunos prefieren estar en la cárcel seis meses y áun un año á tener el destino honorífico de Cabezas de barangay. (Barrantes, 51 nota.)

Ademas tampoco tributan empleados de plantilla, mujeres y niños dependientes de un cabeza de familia, mestizos y descendientes de españoles, indias casadas con chinos y algunas otras personas, por ejemplo indígenas que pasen de la edad de 60 años impedidos para el trabajo, enfermos, etc.

Reservados: los privilegiados (mestizos españoles) ó exentos de tributo por edad ó enfermedad, pagan ½ r. pl. por cabeza al Gobierno, con lo cual éste atiende á la cura de sus almas, segun parece, con un déficit de ¼ r. pl. por individuo, pues el párroco computa los reservados con los tributantes.

Los *mestizos de chino é india* pagan, desde 1852, 3 pesos anuales; ántes daban ménos.

La india casada con un mestizo de esta clase tributa como él; pero cuando enviuda sólo satisface la cuota correspondiente á las de su raza. Los mestizos cultivadores pagan como los indios. Forman barangayes aparte, reuniéndose 25 ó 30 tributantes; si no llegan á este número se incorporan al barangay indio más próximo.

Todo chino (exceptuando los agricultores que tributan solo por 12 r. pl.) paga, desde 1852, 6 pesos de capitacion, y ademas un impuesto industrial de 100, 60, 30 ó 12 pesos (169).

Lo recaudado por la contribucion personal ascendió:

	1862.	1867.
Indios..	1.740.637 pesos.	1.814.850 pesos
Mestizos.	141.206 »	149.900 »
Chinos..	100.356 »	117.550 »
Infieles.	11.998 »	11.750 »
	1.994.197 pesos.	2.094.050 pesos.

(169) En 1867 se calculaba el número de los chinos sujetos á contribucion industrial en 2.589, perteneciendo 30 á la 1.ª clase, 517 á la 2.ª, 812 á la 3.ª y 746 á la 4.ª Siendo su número total 18.600, sólo era el de agricultores 525. (*Informe del cónsul inglés*, 1869.)

El tributo se recauda por el Alcalde ó gobernador de cada provincia, valiéndose de los Cabezas de barangay y «con el auxilio eficaz del celo de los párrocos», que tienen un interés directo en el aumento de la recaudacion, pues por su importe se regulan sus estipendios.

De cada Cabeza de barangay dependen por lo regular 45 á 50 tributos que deben ingresar en las cajas de la provincia. Como recompensa recibe 1 ¹/₂ por 100, el gobernadorcillo tiene ¹/₂ por 100, y el delegado de Hacienda (ó sea el jefe de la provincia) 3 por 100.

Las capitanías de barangay son hereditarias y electivas; pero en ambos casos necesitan la aprobacion de la Hacienda, que sólo recae siendo los elegidos personas de confianza y de arraigo. La duracion del cargo es de tres años, despues de cuyo tiempo puede ser elegido el mismo individuo, sin que durante él pueda destituirse ni suspenderse á no ser por fallo de los tribunales. En realidad el empleo de Cabeza de barangay es forzoso, el Gobierno le nombra y él designa un auxiliar ó primogénito. Son atribuciones suyas, ademas de la recaudacion de los tributos, la conservacion del órden entre los tributantes de su barangay y entender en todos los asuntos comunales. El tributo anual se paga en tres plazos, habiendo muchos abusos y tropelías por parte de los recaudadores.

Tambien tiene todo indio la obligacion de trabajar 40 dias al año en obras de utilidad pública (polos y servicios), una semana debe prestar servicio en el Tribunal (tanoria) y otra semana ronda de noche (guardia).

Los polos y servicios consisten en trabajos para el Estado ó la comunidad (construccion de caminos y puentes, servicio de guía ó peaton) (170). Pueden redimirse por dinero, en general hasta la cantidad de 3 pesos, que varía, sin embargo, segun la riqueza de la provincia; en los más pobres importa sólo 2 pesos y algunas baja hasta 1 peso por los cuarenta dias.

La *tanoria* consiste en una semana de servicio en el Tribunal, que generalmente se reduce á la limpieza del edificio, custodia de los presos y otros trabajos poco penosos. Los *semaneros* deben estar una semana en el Tribunal para lo que ocurra. La tanoria puede redimirse por 3 rs. pl., y la guardia de noche por 1 ³/₄ rl. pl.

Los *principales* y sus familias, ex-gobernadorcillos, jueces mayores y Cabezas que hayan desempeñado el cargo de tales más de 10 años, están libres de los servicios personales. Forman una especie de nobleza indígena y tienen *Don*.

Una ley dada en 3 de Noviembre de 1863 *(Leg. ultr.,* iii) determina que todos los habitantes de Filipinas del sexo masculino, sean europeos ó indígenas, españoles ó extranjeros, deben prestar servicio personal durante 24 dias del año, ó hacer la redencion en metálico. Esta ley no ha llegado á cumplirse, quedando los europeos libres de toda carga, así como los mestizos de español é india, los cuales, sin embargo, pagan 7 rs. pl.

---

(170) En tiempo de Morga se destinaban al servicio de los empleados y de los sacerdotes semanalmente un cierto número de indios (*polistas*) que trabajaban por un pequeño jornal ¹/₄ r. pl. y la morisqueta)..... Todos los demas servicios prestados á los españoles eran voluntarios y se estipulaba su remuneracion. (MORGA, 156 v.)

para el Sanctorum y ¼ rl. pl. de diezmo para el Gobierno. El pago de los mestizos no se lleva con puntualidad ni exactitud.

Mayores ábusos que en la recaudacion del tributo ocurren en la reparticion de los polos y en su redencion, por la dificultad de una comprobacion exacta dependiendo de la accion de empleados indios siempre dispuestos á defraudar al Erario. Un plebeyo se atreve pocas veces á quejarse de su Cabeza. A menudo suelen tambien algunos empleados peninsulares participar de la corruptela. Es muy general emplear á los polistas en trabajos particulares.

La constitucion comunal del Archipiélago (*) que los españoles al desembarcar hallaron cimentada y hábilmente variaron reemplazando á los caciques hereditarios una nobleza que sólo puede adquirirse sirviendo cargos públicos, y cuyos miembros, si bien se eligen por los indígenas, sólo se nombran por el Gobierno. Esto debe considerarse en conjunto como una feliz trasformacion de las circunstancias preexistentes á la conquista. El Gobierno se entiende sólo indirectamente por medio de estos empleados honoríficos; los indios están sujetos al régimen municipal, á la policía y á la recaudacion de los impuestos. Tal sistema, exageradamente ensalzado por algunos, tiene, sin embargo, defectos capitales: los empleados indígenas elegidos por sus compatriotas, que no perciben sueldo alguno del Gobierno ni tampoco pueden esperar ascensos, están en frente de él en posicion muy independiente, y el lazo que los une es tan débil por las frecuentes variaciones de funcionarios peninsulares, que les hacen difícil, si no imposible, ganar la confianza, las simpatías y la consideracion de los indígenas. Como ademas los Cabezas son responsables con sus bienes privados del tributo de su barangay, se inclinan fácilmente á hacerse con dinero á fin de resarcirse de las pérdidas posibles. Otro defecto mayor es que si bien los que sirven en policía quedan libres de tributo, polos, servicios y otras gabelas, no están remunerados pecuniariamente y desempeñan sus cargos con mucha negligencia, hallándose dispuestos á la corruptela de los que quieren eludir las leyes.

Cuando al fundarse la colonia se introdujo el tributo para contribuir al sostenimiento de las cargas públicas, no habia en Filipinas ninguna riqueza imponible. Su conservacion en las circunstancias actuales no parece hábil ni conveniente. La contribucion no se basa en la produccion, ni siquiera está equitativamente repartida entre pobres y ricos, sino que se favorece por lo general á estos últimos.

Sólo aquellos europeos que poseen haciendas pagan un diezmo del valor declarado del producto en bruto correspondiente (diezmos prediales). El importe total de este impuesto no asciende siquiera á 7.000 pesos anuales. Por otra parte, el Sr. Jimeno Agius calcula en 12.600 pesos la suma que cuestan al Estado los impedidos, ancianos y otros acogidos en los establecimientos de beneficencia.

Hace tiempo desean todos los funcionarios inteligentes y previsores que

---

(*) Crawfurd (*Dict.*, 345) indica la semejanza de los barangayes filipinos con los hundreds y tithings anglo-sajones.

se sustituya el tributo por una contribucion territorial é industrial, librando de aquél á todos los que satisfagan ésta. La ejecucion de una medida tan salvadora es irrealizable miéntras no se haga luz en el cáos de la organizacion de la propiedad. Faltan ademas no sólo todos los datos estadísticos, sino tambien personas que puedan adquirirlos tales, que inspiren confianza. Las dificultades se aumentan aún por la circunstancia de ser pocos los españoles que entienden los idiomas del país y no muchos los indios que poseen el español; es otro obstáculo á su carácter, desconfiado y propenso á ocultar la verdad, siempre que cualquiera les pregunta algo referente á sus intereses. Adquirir noticias exactas sería muy difícil tratándose de averiguar el estado de su fortuna.

Un obstáculo de naturaleza especial para hacer un censo de la poblacion de Filipinas es la falta casi absoluta de apellidos y la poca diferencia en los nombres adoptados. Parece que esta dificultad era ántes aún mayor, como prueba el siguiente decreto dado por el Gobernador superior civil en Noviembre de 1849 (*Leg. ultr.*, I, 449):

«Los indios carecen generalmente de apellidos y toman arbitrariamente nombres de santos, lo cual dificulta mucho el empadronamiento y la recaudacion del tributo. Para remediar este mal se remitirán á las autoridades locales índices de nombres convenientes, como son los apellidos españoles aumentados con los que suministran los reinos vegetal y mineral, la geografía, las artes, etc.; de modo, que á cada vecino de un pueblo se le dé un apellido para él y sus sucesores. Los indígenas, que ya poseen un nombre de familia, lo conservarán. Las familias que justifiquen haber llevado uno mismo durante cuatro generaciones, áun cuando sea de santo, pero no de aquellos que como *de la Cruz*, *de los Santos* y otros semejantes, se hallan tan multiplicados, que continuarian produciendo confusion, podrán perpetuarlo en su descendencia».

ORGANIZACION MUNICIPAL.

(Segun una nota manuscrita facilitada por el Ministerio de Ultramar.)

Sería precisa una investigacion minuciosa de los privilegios existentes en el Ministerio de Ultramar para poder abarcar todo lo concerniente al régimen municipal del Archipiélago filipino, y áun así no llegaria probablemente á hacerse un trabajo completo, pues apénas existe la unidad provincial, y la constitucion de cada pueblo es, prescindiendo de Manila, completamente desconocida. Pero como estas noticias sólo tienen por objeto bosquejar el asunto á grandes rasgos y examinar el organismo de la administracion local en su parte esencial, tambien serán motivo de nuestro estudio los elementos que componen el Ayuntamiento de la capital y los empleados que en los demas pueblos suplen la falta de concejos. El Ayuntamiento de Manila tiene dos alcaldes y doce regidores, que no eran inamovibles hasta que por Real cédula de 3 de Diciembre de 1677 se dispuso que se eligiesen por los regidores salientes. Estos se reunen el dia 1.º de Enero bajo la presidencia de un consejero del Tribunal de justicia, nombran sus dos alcaldes, uno de ellos entre doce candidatos préviamente designados despues de confirmada su aptitud por órden del jefe superior del Gobierno, quien en caso de no aprobarlo expone al Ayuntamiento los motivos que le asisten á fin de que acuerde lo oportuno.

Para la mejor administracion de los diversos asuntos municipales, se reparten éstos entre los regidores, tres de ellos desempeñan los cargos de *Alférez real, Procurador* y *Obrero mayor.* Dos son diputados para festejos públicos, dos se ocupan de la policía y otros dos de los mercados. Parecería natural que el Ayuntamiento tuviera que entender en todos los asuntos de la ciudad; pero no es así, pues su accion se limita al recinto murado y los arrabales corren á cargo del Alcalde mayor de Tondo (ahora provincia de Manila con gobernador civil). El gobernador-corregidor de Manila (empleo creado por Real decreto de Setiembre de 1859) preside el Ayuntamiento; los jueces de paz de los arrabales funcionan en el ramo administrativo como subalternos suyos. Ejecuta los acuerdos de la citada corporacion y cuida de todo lo relativo á policía, mercados, paseos, etc.; nombra á propuesta del Ayuntamiento los empleados, le representa en asuntos judiciales y comunica sus consultas á la autoridad superior. Como gobernador civil ejecuta las órdenes del Gobierno general, legisla sobre todo lo concerniente á la seguridad individual, la propiedad y la conservacion del órden público, expide pasaportes y permisos para usar armas, apoya por todos los medios la recaudacion del tributo ó impone las multas en las contravenciones de los bandos de buena policía. Estas no debian exceder, segun Real decreto de 29 de Setiembre de 1862, de la cantidad de 600 escudos, las impuestas por el Gobierno superior, de 300 las de los gobernadores de Manila, Visayas y Mindanao, y de 100 las de los alcaldes mayores ó jefes político-militares de las provincias restantes. El máximo de la detencion se fija en dos meses cuando la dispone la autoridad superior, un mes si lo mandan los segundos y quince dias si los terceros la ordenan.

Origen de los fondos locales. Para atender á las necesidades locales sirven en Filipinas los fondos de propios, arbitrios y comunidad. Los primeros consisten en todos los bienes muebles ó raíces de propiedad ó usufructo de las ciudades, villas ó pueblos. Se dividen, segun su orígen, en provinciales y locales, invirtiéndose en beneficio de una provincia ó de una localidad determinada. Se llaman *arbitrios* á los productos de la recaudacion de derechos de matadero, del sello, de impuestos sobre carruajes y caballos de silla, de peajes y pontazgos, de billares, etc. Parte de ellos se destinan á formar un fondo provincial, y parte, por ejemplo, la correspondiente á la redencion de polos y servicios, á peajes y pontazgos, constituyen los fondos de los pueblos. Algunos de ellos tenian ántes el objeto de cubrir determinadas atenciones, por lo cual se les llamaba *especiales;* pero por Real órden de 21 de Octubre de 1858 se mandó que ingrèsasen tambien en las cajas reales. Desde entónces corresponde su recaudacion y distribucion á los empleados administrativos. A ellos pertenecen las sumas para creacion y sostenimiento de depósitos, limpia de puertos, alumbrado de costas, etc.

Los *fondos de comunidad* salen del tributo que recauda el Erario público. El recargo por este concepto importa $\frac{1}{2}$ rl. pl. para los indígenas y mestizos sangleyes, y 2 rs. pl. para los chinos. Los fondos de propios y arbitrios forman un todo de que se echa mano sin distincion para subvenir á los gastos de la administracion local, general ó provincial, ó para cubrir las atenciones de los pueblos hasta donde llegan sus créditos respectivos.

Los fondos de comunidad están, por el contrario, separados completamente de los de propios y arbitrios, y tienen su destino especial, les corresponde una tercera parte (las otras dos corren á cargo del Estado y de propios y arbitrios); en la construccion y conservacion de las Casas reales (Real órden de 24 de Mayo de 1855) participan al sostenimiento de asilos generales de beneficencia y hospitales, ayudan á los recaudadores de contribuciones en casos de apuro, y entregan el tributo por ellos cuando no lo pueden pagar á tiempo. Si las cajas de propios y arbitrios de una provincia ó localidad carece de los fondos suficientes para cubrir sus atenciones, la caja general de administracion local les facilita la suma necesaria, así como si ésta no tiene lo bastante para satisfacer sus débitos, le auxilian las cajas comunales á reintegrar.

El Tesoro general, sobre el cual pesan, como ya se ha dicho, los gastos generales de la administracion, se compone de dos secciones: 1.ª, del capital de las cajas comunales, cuyas obligaciones quedan ya expresadas, y 2.ª, del producto de este capital, y del 2 por 100 de la recaudacion anual de los tres ramos.

Si bien por regla general las cajas locales deben abonar ⅕ de los gastos de casa á los gobernadores de provincia, se dispuso por Reales órdenes de 4 y 21 de Enero de 1863, que dichos empleados correrian con estos gastos, sirviéndoles al efecto el 2 por 100 que perciben de las recaudaciones.

Tambien se revocó la órden disponiendo que la manutencion y trasporte de presos pobres se pagasen de fondos municipales (Real órden de 2 de Octubre de 1859); por otra Real órden de 24 Marzo de 1855, ya citada, se previene que la construccion y conservacion de las cárceles de los pueblos se satisfaga de los fondos de propios y arbitrios, y si éstos no bastan, de los comunales; la Real órden de 20 Diciembre de 1863 se dispone que la escuela normal de Manila esté sostenida por la caja central de propios y arbitrios, y las escuelas provinciales figuren en el presupuesto local (171).

Administracion de los fondos locales. Desde la publicacion de la Real órden de 2 Abril de 1846 era regla fundamental en la administracion que los fondos de propios, arbitrios y comunidad debian invertirse en gastos locales, separándoles de los generales del Estado y manejándoles empleados especiales. Á consecuencia de esto se creó una seccion de propios y arbitrios en la Administracion del tributo, y otra en la Chancillería del Gobierno Superior civil (Reales órdenes de 17 Marzo de 1854, y de 1.º Agosto de 1856), dándose al mismo tiempo oportunas disposiciones para la mejor administracion de estos fondos.

Despues pasaron de hecho al Gobierno Superior civil (Real órden de 30 Agosto de 1858) los propios y arbitrios junto con los fondos comunales; se formó una junta directiva de administracion local, que, bajo la presidencia de la primera autoridad, se compuso de un consejero del Tribunal Supremo, del Administrador general del tributo y del Director de Administracion local; ejerciendo el primero el cargo de secretario. Las dos secciones del Gobierno Superior civil y Administracion general del tributo se reformaron con la junta y un tribunal de cuentas para la administracion local.

Los deberes de la Direccion consisten en investigar los propios y arbitrios de los pueblos y de las provincias, los gastos de fondos comunales y todas las cargas que pesan sobre ellos, estudiar las reformas que conviene introducir en estos impuestos, revisar los ingresos y gastos, cuyos presupuestos hacen los ayuntamientos y los jefes de provincia, y finalmente, contribuir á la formacion de los generales en el gobierno civil, comunicando copia por conducto de la Junta directiva de administracion local á la

(171) La caja central, caja del ramo ó caja real, posee á veces hasta 40 millones de reales. Este tesoro, formado de los sobrantes, hace empréstitos al Gobierno cuando necesita dinero; su estado era, por ejemplo, en Octubre de 1866, el siguiente : 83.137 escudos, propios y arbitrios 413.534 escudos, suma 4.966 710 reales. Se me enseñó una Real órden de 6 de Marzo de 1866, disponiendo que se procurase pagar la cantidad de 2.250.364 reales, que debia el Teroro á la caja central de Filipinas.

autoridad superior. La confirmacion compete al Tribunal de cuentas de las islas, al cual deben entregarse mensualmente (por semetres dice la Real órden de 5 Octubre de 1863) y .anualmente las cuentas para su aprobacion, todo con arreglo á la instruccion de 31 Octubre de 1859 (confirmada por la Real órden de 19 Mayo de 1861).

Asimismo tiene á su cargo dicha Direccion las subastas de las contratas de ciertos impuestos, sujetas á la aprobacion del Gobernador superior civil. Tambien propone al Gobierno la imposicion de nuevas contribuciones ó modificaciones en las existentes, y atiende á cubrir el déficit de unas provincias con los sobrantes de otras. Segun la Real órden de 29 Abril de 1860 debe, tan luégo se emprende una obra costeada por fondos locales, anunciarse en la debida forma, y se autoriza (Reales órdenes de 23 Julio de 1861 y de 6 Julio de 1863) al Gobernador superior, para disponer de las sumas necesarias, siendo de 20.000 y 10.000 pesos sin que se exceda á estos tipos. Los trabajos se pagan en la misma forma que los del Estado, se sacan á pública subasta comunicando al Gobierno el resultado sin necesidad de remitirle el acta. (Real órden de 24 Julio de 1862.) En caso de disentir el Gobernador superior de la Direccion, se somete la discordia al fallo del Gobierno Supremo, cuya aprobacion se requiere tambien para todas las disposiciones que tienen carácter permanente.

Por Real órden de 1.º Agosto de 1861 se aprobó la creacion de una seccion independiente de la secretaria del Gobieno superior, que entiende en todo lo relativo á administracion de propios y arbitrios y de los sobrantes de la caja general, encargándole la redaccion de unas instrucciones para la buena administracion de estos fondos. A fin de asegurarla y para evitar los inconvenientes de tener determinados los fondos, dispuso la autoridad superior que se centralizaseu (17 Abril de 1858) en las cabeceras de las provincias custodiándolos los jefes de las mismas, las que deben reunirlo y remesarlo á las cajas de Manila. Despues se mandó (Real órden de 21 Octubre de 1858) que la recaudacion de los ramos llamados de ajenos y de propios y arbitrios ingresaren en el Tesoro público. Por este servicio percibe el Estado 20 por 100 de los propios (en la Península le corresponde tambien el 20 por 100 de toda venta de bienes del comun y de propios) y 10 por 100 de los fondos de arbitrios y comunales de los pueblos y de las provincias.

Ademas tienen los jefes de provincia que han prestado garantía (Real órden de 21 Diciembre de 1860) el 2 por 100, y los gobernadorcillos el 1 por 100 como justa recompensa del trabajo de recaudacion. A consecuencia de estas medidas, el Tesoro público costea la Direccion de administracion local y el Tribunal de cuentas.

A fin de que los cálculos de los ingresos y gastos se basen en reglas fijas, determinó la Real órden de 18 Mayo de 1861, que se estimen en las diferentes provincias, separando los de propios y arbitrios de los de cajas comunales. Estos últimos se destinan á las necesidades particulares de los pueblos, y los de propios y arbitrios á las generales de la provincia ó del distrito. Los ingresos se dividen en ordinarios y extraordinarios, segun su índole, y los gastos en necesarios y voluntarios. Antes la autoridad superior determinaba la clasificacion de los primeros, sin perjuicio de la aprobacion Real, á cuyo fin remitia todos los años los proyectos de presupuestos al Gobierno supremo. Despues se dispuso que los presupuestos se redactáran con todo detalle y claridad; que los gastos no excediesen nunca á los ingresos, y que al terminar un año económico, los sobrantes de los fondos de comunidad y de propios y arbitrios ingresasen en la caja central del ramo correspondiente.

La *Instruccion de Intendentes* de 1786 dispone (Art. 47) que cada pueblo invierta los sobrantes anuales de propios y arbitrios ó de comunidad en la compra de inmuebles, ó los coloque á rédito á fin de evitar arbitrios innecesarios, ó si éstos no existen, dediquen aquellos fondos á sostener establecimientos útiles para el pueblo ó la provincia.

Hasta ahora no se han establecido de un modo fijo reglas para la inversion de dichos sobrantes. La Real órden de 18 Marzo de 1861 previene únicamente que se centralice y entienda en su colocacion la Administracion superior civil ó el Gobierno, segun las circunstancias, ateniéndose á lo regulado (172).

____

(172) La *Instruccion* de 1786 nunca llegó á ponerse en práctica por ser contradictoria con la esencia de la política colonial española; de hecho se mandan los sobrantes á Madrid donde se emplean en cubrir las atenciones más apremiantes. En Filipinas, como ya se ha dicho, apénas se emplea cantidad alguna en gastos reproductivos.

SOBRE EL CRÉDITO TERRITORIAL.

(De unos artículos del Diario de Manila, Diciembre de 1856.)

Exceptuando algunas haciendas obtenidas por donacion en antiguos tiempos, la propiedad rural se funda generalmente en el derecho de ocupacion y roturacion, que áun hoy reconocen como tal las leyes de Indias tratándose de los indígenas. En la práctica de este derecho vecinal el indio toma del terreno inculto la extension necesaria para levantar su casa y establecer sus cultivos; si los deja abandonados por dos años pierde el derecho de posesion. Prescindiendo de estos propietarios indígenas, que suelen ser muy pobres, los caminos legales para adquirir terrenos son los siguientes: por compra al Estado de una cierta extension de baldíos realengos, por compra de terrenos poseidos por indios, en virtud de pactos de retro que se celebran con los indígenas, por hipotecas en garantía de préstamos que tan dados son éstos á pedir, no cumpliendo su compromiso por su carácter descuidado é imprevisor.

El primer medio deberia constituir un manantial de riqueza; pero no es así por distintas causas. Pocos conocen las disposiciones vigentes en la materia, que son muy numerosas y forman un conjunto casuístico, inconexo y embrollado. Por Real órden de 1864 se mandó redactar un proyecto de reglamento para las cesiones de baldíos realengos, y es de creer que el trabajo esté bastante adelantado (†). Despues de una descripcion de las dilaciones que se sufren, se añade: lo positivo es que despues de trascurrir dos ó tres años, si el solicitante logra vencer la oposicion del pueblo en cuya jurisdiccion radica el terreno pedido, recibe un título de propiedad entregando la insignificante cantidad de 4 r. pl. por quiñon (ménos de 1 ¼ pesos por hectárea), suma que más bien parece ser una especie de reconocimiento que un precio de venta. Así se dispuso, en atencion á los considerables gastos de desmonte y roturacion. Por Real órden de 1857 se fija el tipo en 50 pesos por quiñon, debiendo preceder una subasta pública á toda concesion. Desde entónces están retraidos los particulares por haberse unido á los antiguos obstáculos el exagerado precio y las eventualidades de una subasta, en la que puede desestimarse la proposicion de quien haya hecho los gastos de reconocimiento. Al poco tiem-

---

(†) Segun mis noticias, por desgracia no es así; apénas si se conoce la suerte que ha cabido al expediente. (*N. del T.*)

po se derogó dicha Real órden restableciendo el antiguo tipo; pero, sensiblemente, esta disposicion no se ha publicado.

Si se quiere que acudan capitales á la agricultura, sin los cuales no puede desarrollarse, si se han de producir cereales y frutos coloniales para la exportacion, es indispensable vencer todas estas dificultades que asustan á las empresas particulares. Entre los obstáculos existentes se cuentan en primera línea la administracion de justicia local en las cuestiones de ventas de terrenos baldíos realengos, y en segunda, las dificultades que se suscitan á españoles y extranjeros que quieren obtener su radicacion y vecindad. Ademas de lo difícil que es lograr grandes fincas, hay aún que sostener lucha en otras cuestiones. El plantador puede fácilmente hallar trabajadores anticipándoles vestidos, arroz, ganado y dinero; pero los indios cumplen los contratos con poca formalidad, y los medios legales de que aquél dispone para obligarles á llenar sus compromisos son tan pesados y perjudiciales como la renuncia misma de su derecho. Si el Alcalde no es activo y no está animado de un buen celo, los plantadores prefieren ceder su derecho á seguir legalmente el asunto; sufren las pérdidas consiguientes y muchos abandonan disgustados su empresa. Este cáncer de la agricultura se curará tan pronto como el indio posea una cédula de vecindad. Si se aguanta el primer año, vienen despues las tempestades, nubes de langosta y crísis mercantiles, que hacen bajar considerablemente los precios de los artículos. El mayor mal para el hacendero en estos casos críticos, es no tener ningun establecimiento de crédito á que acudir. No hay hipotecas, por lo ménos no existe ningun registro obligatorio, y así nadie expone su dinero prestándolo sobre tierras, y si lo hace es cobrando réditos usurarios. Una reforma en este sentido,—exigida con premura en Filipinas por el cultivo en grande y en pequeño, por el comercio y por todos los propietarios,—pondria un término á los pactos de retro y á los contratos onerosos que en Luzon se llaman *tacalanan* y en Visayas *alili*, y que consisten en prestar dinero con garantía de la cosecha próxima, y tambien remediaria la miseria que aflige á muchas comarcas y que debe atribuirse á los fatales resultados de este atrasado estado de cosas.

Deben darse pronto disposiciones claras y terminantes que hagan una verdad los contratos del hacendero con el indio mandando que se registren las hipotecas, y así bajará el interes del dinero.

El pacto de retro es una de las formas más habituales del traspaso de fincas de unas manos á otras. Una parte considerable de la Pampanga, Bataan, Manila, Laguna, Batangas y otras provincias, ha cambiado de propietarios por este medio. Así adquieren los extremadamente astutos y económicos mestizos sus haciendas, cuyo cultivo despues mejoran; lo que no impide que esta costumbre sea perjudicial para el bienestar del país.

El indígena que tiene sus terrenos por haberlos desmontado y puesto en cultivo, rara vez por compra, empeña su finca en cuanto se ve apurado; pero como el prestamista no tiene documento que legitime su transaccion, sólo se aviene á darle los fondos mediante un interes crecidísimo.

El capitalista trata de asegurarse por la posesion inmediata. La hipoteca se convierte en prenda pretoria, y como es difícil, ó por lo ménos sucede rara vez, que el indio pague voluntariamente al vencimiento el dinero tomado, y no estando en el interes del prestamista obligarle al pago, sucede que la propiedad cambia de dueño por una suma correspondiente al préstamo hipotecario, ó sea por la mitad ó la tercera parte del valor de la garantía. No es tampoco raro que el propietario anterior pase á servir como colono (bracero, propiamente esclavo de su deuda) en la misma finca. Frecuentemente arrastra al indio á hacer tales contratos su pasion por las riñas de gallos y en general por los juegos de azar.

Las leyes del país exigen que los indios vivan en pueblos, reuniendo sus caseríos en aldeas para que puedan ser vigilados y recaudarse el tributo. En las circunstancias ordinarias, el indio hace su casa en el campo que cultiva y la habita durante las faenas agrícolas, yendo el sábado por la noche al pueblo inmediato para asistir el domingo á misa. Sus tierras no tienen para él gran valor, pues siempre puede cultivar un nuevo terreno; tal es su abundancia cerca de todos los pueblos distantes de la capital. La facilidad con que abandona una finca y ocupa otra, es altamente perjudicial para el progreso de la agricultura. Un pequeño propietario que planta de arroz ó de batatas un trozo de terreno inculto sin pedir permiso á nadie, pone el grito en el cielo si una vaca ó un caballo, que hace años pastaba allí, entra en su campo; y le apoya la ley, que obliga al dueño del ganado á pagarle una indemnizacion muchas veces imaginaria: lo justo sería que el perjuicio recayera sobre aquel que cultiva sus tierras sin cercarlas.

El mismo pequeño propietario hace valer para sí todos los privilegios y derechos de un pueblo entero de indios, siempre que se presenta una persona acaudalada á establecer una hacienda en la comarca. El capitalista, decidido á arrostrar las dificultades de la empresa de cultivar tierras incultas que ha comprado á la Hacienda y pagado, ve, despues de vencer todos los trámites dilatorios, que los indios han puesto algunas sementeras y aseguran con testigos, elevando exposiciones llenas de firmas al Tribunal, que vienen cultivando las tierras desde tiempo inmemorial, sin que hayan cesado nunca de labrarlas de padres á hijos.

Un remedio á estos abusos se pondria deslindando los términos jurisdiccionales, de modo que para las necesidades del aumento de poblacion quedase tanto terreno como los vecinos pudiesen razonablemente desear, más ó ménos que la llamada legua comunal, la que por lo demas no se encuentra bien definida en ninguna ley. Todo el terreno sobrante se debería declarar propiedad del Estado, y las fincas que quedáran fuera del límite jurisdiccional reconocerlas como legítima propiedad de sus poseedores y anular la posesion de las que no cumplieran con las prescripciones legales; deberia tambien permitirse al indio vivir en cualquier punto dentro del término del pueblo, desde donde se oyeran las campanas de la iglesia, sin obligarle á estar precisamente dentro de la poblacion, reservando tal sujecion para los que abandonáran las tierras que cultivasen. Los indios roturarian nuevos trozos dentro de su jurisdiccion, entregando á la caja comunal un pequeño censo ó una módica suma como precio de la tierra.

Estas roturaciones se tendrian que inscribir en un libro con la autoridad de los Principales y la intervencion del párroco, y la extension debiera quedar limitada por lo que el cultivador pueda labrar con los carabaos de que disponga.

Si la concesion no excedia de un quiñon, podria autorizarlas el jefe de la provincia, y siendo de más importancia se haria en la capital del Archipiélago; pero todas se registrarian en el libro de la provincia y pueblo correspondientes. Desde luégo conviene derogar todas las disposiciones encaminadas á favorecer desmesuradamente al indígena, y los excesivos privilegios de la ganadería que en vez de fomentarla impiden su desarrollo.

La agricultura, como cualquier otro oficio, no necesita más proteccion que claridad en las leyes y seguridad en sus condiciones vitales.

LA SOCIEDAD ECONÓMICA DE AMIGOS DEL PAÍS.

El creador del monopolio del tabaco, Basco y Vargas, que esperaba por medio de recursos artificiales vencer la apatía de los colonos haciéndoles trabajar por el bien comun, fundó en 1781 la Sociedad económica de *Amigos del País* para el fomento de la agricultura y de la industria. Las actas de la Sociedad, que se publicaron en 1860, referentes á su fundacion y hechos notables, son tan convincentes para demostrar la impotencia de tales esfuerzos en una colonia sin espíritu de asociacion, que puede ser interesante dar aquí un extracto de ellas.

Poco despues de redactar la Sociedad sus estatutos se paralizó su actividad, y en 1797 el presidente tomó la determinacion de suspender las sesiones y entregar los fondos, importantes 6.000 $, al Tribunal de Comercio. Hasta el año de 1820 no consiguió un Capitan general llamarla de nuevo á la vida. En su creacion se concedió á la Sociedad el privilegio de cargar mercancías en la nao de Acapulco (V. pág. 15) hasta dos toneladas. La ganancia que esto le proporcionaba no bajaba de 41.749 $, La Sociedad, nuevamente organizada, revisó sus estatutos y se constituyó en cuatro secciones: Historia natural, Agricultura, Industria y Comercio, cada una con un vicedirector, un vicecensor y un vicetesorero; pero volvió á pararse su actividad. En 1822 se animaron algun tanto los trabajos, y durante una serie de años dió por lo ménos señales de vida. En los últimos tiempos ha vuelto á mostrarse cansada, pues en su sesion de 24 de Agosto de 1866 decidió entregar sus fondos como patriótico donativo á los buques que volvian de la expedicion del Pacífico despues de haber bombardeado el Callao, y aprovechó tan excelente ocasion de hacer un acto patriótico y de prestar un verdadero servicio al Estado.

La Sociedad posee de 25 á 30.000 $, pero sus fondos inspiran cuidados; de estas existencias, cuyo verdadero estado no es conocido de los socios, hace años no se destina cantidad alguna al fomento de la riqueza pública, á pesar de ser éste el objeto con que la Sociedad fué creada. La mayor parte del tiempo dedicado á las sesiones se pierde lastimosamente en preguntas referentes á la colocacion y distribucion de estos capitales. Durante años la Sociedad se ha ocupado solo de las formalidades y contabilidad de los fondos. Tambien ha sucedido que socios honrados con los cargos de censores no han querido hacerse cargo de las llaves de la caja, que años há no puede abrirse por la dificultad de reunir á los conclaveros.

El celoso Capitan general D. José de la Gándara vituperó á la Sociedad en su discurso del 17 de Enero de 1867 , por su *patriótico* ofrecimiento, y la excitó á fundar con aquellos fondos un jardin botánico unido á una escuela de agricultura, y á formular una Memoria que diera á conocer en el extranjero la riqueza de Filipinas, la facilidad con que se pueden crear pingües haciendas é impulsar la inmigracion de familias que dispusieran del capital necesario y de los conocimientos prácticos requeridos para semejantes empresas agrícolas.

El arte de hállar un buen pretexto para dejar de hacer lo que se está decidido á no llevar á cabo, parece innato en los hombres de gobierno españoles. De ello será ejemplo el siguiente apéndice , acerca de la introduccion del opio ó anfion.

INTRODUCCION DE LA RENTA DEL OPIO Ó ANFION.

La renta del opio se estableció en Filipinas el 1.º Enero de 1844, despues de decidir su conveniencia la mayoría de una junta convocada para discutir esta medida. En el preámbulo del decreto (Autos acordados, I. 392) elogia el Capitan general la decision de esta mayoría y vitupera á la minoría disidente, que se dejó guiar erróneamente por preocupaciones antiguas y vulgares prevenciones, oponiéndose á todas las mejoras hasta á las de más reconocida utilidad, separándose de las buenas doctrinas de la economía política, y desatendiendo los ejemplos de las naciones civilizadas. En un informe del Consejo en pleno al Capitan general dado en 22 Setiembre de 1864 sobre la misma materia, se dice en resúmen: «Despues de haber pesado detenidamente el Consejo todas las razones en pro y en contra de la renta del opio se decide porque deben permitirse los fumaderos de anfion.....» En primer lugar hablan contra la introduccion de esta costumbre los dictámenes de once médicos notables, económos y corporaciones: se opone, sin embargo, á ellos la aseveracion del cónsul español en China (*) segun la que los chinos fumadores de opio conservan toda su fuerza fisica y su aptitud para el trabajo. Tambien es consentido el uso de este narcótico por las leyes en Turquía, en toda la India inglesa, en Cochinchina y en China. Ademas, dice el profesor Dr. D. Pedro Mata en su *Medicina legal y Toxicologia*, obra de texto en todas las facultades de Medicina de España, que bebidas espirituosas, ciertos medicamentos y un excesivo estudio son causas de impotencia, sin que mencione entre ellas el uso del opio. El Consejo opinó finalmente que si el opio produjera la impotencia, bien seguro es que los chinos ricos no lo fumarian, y que en Europa ha habido personas notables usando el opio durante toda su vida, que esta sustancia no es peor en sus efectos que el aguardiente, y así si se prohibe aquél hay que prohibir tambien éste.

En la contestacion del Capitan general á este informe se dice entre otras cosas lo siguiente: «Despues de considerar detenidamente las razones favorables y contrarias al permiso de fumar opio, alega el Consejo testimonios contra esta medida á los cuales se oponen otros, que deben tomarse, por lo ménos, tan en cuenta como ellos, y cuyo carácter oficial es preeminente. Si hay que rechazar el uso del opio como repulsivo á la religion, á la moral y á la humanidad, no lo consentirian ciertamente naciones tan adelantadas en la civilizacion como Inglaterra y Francia; pero como sucede lo

---

(*) Sinibaldo de Mas: *La Chine et les puissances chrétiennes*, Paris, 1861.

contrario, debe deducirse la legítima consecuencia que en nada lastima á aquellas cosas más elevadas y sagradas, como algunos suponen, y prescindimos al decir esto por completo de lo que sucede en Turquía y China.»

Más adelante se añade: «Como no hay estadística alguna en prueba de que hayan muerto chinos en Singaporé por fumar opio, quizá sean exageradas las suposiciones que hacen los enemigos del anfion y no pueden hacer fe fundándose en ellas un perjuicio á la Hacienda. Si esta sustancia fuese tan venenosa como algunos afirman, los chinos moririan á docenas de resultas de fumarla, lo cual no sucede.....» Asisten tambien razones políticas de peso para permitir su uso: los chinos han emigrado al Archipiélago en la idea de que se les consentia tener fumaderos, y si se cerrasen de repente, como en tiempos anteriores se propuso, y se penase pecuniaria ó corporalmente á los que usasen el opio, y tal se haoia ántes de establecer esta renta, la mayor parte de los chinos radicados en Manila irian á la cárcel ó abandonarian las islas. Esto no sería conveniente y nunca debe tenderse á crear conflictos, cuya trascendencia no es fácil prever. Una medida semejante sería precisamente en las circunstancias actuales en extremo antipolítica. Queremos tratar de hacer convenios con China para facilitar el comercio, y mal se avendria con este propósito proceder así con los naturales de aquel imperio..... Para nuestro Erario es indispensable la renta del opio. Sin embargo, queda esta consideracion subordinada á las razones económicas y políticas de órden más elevado referentes á la emigracion de chinos para quienes el uso del opio es una necesidad.»

La ley de 29 de Setiembre de 1864 vino á confirmar el sostenimiento de la renta del opio. A los mestizos é indios no se les permite fumarlo.

En una comunicacion reservada del Capitan general Gándara al Ministro de Ultramar, fechada en Febrero de 1867, que me facilitaron en el Ministerio, se queja del decrecimiento experimentado en la renta del opio, que atribuye á medidas inconvenientes ó á la poca probidad de los empleados. Sea para aumentar los ingresos, sea para lucrar con ello los empleados, se permite ademas de 478 fumaderos públicos «verdaderos focos de inmoralidad siempre llenos de chinos» á los particulares por centenares fumarlo en su casa, lo que se opone completamente á la ley y á las miras del Gobierno.

Segun el presupuesto, importó la renta del opio: en 1860, 98.000 escudos....., en el año económico de 1865-66 140.000 escudos, y en el 1866-67 207.000 escudos. Lo poco que usaban el opio los chinos ántes de que los ingleses lo introdujeran queda probado con el siguiente pasaje de una carta escrita por el Padre Pareunin, en 20 Setiembre de 1740: «Los médicos y cirujanos chinos no hacen casi uso alguno de la *goma china*. No creo que llegue á consumirse anualmente en Pekin media libra de yapien (opio) (*Lettres édifiantes*).

DESCRIPCION DE LOS BARCOS LLAMADOS «BARANGAY»

QUE SE USABAN ÁNTES DE LA LLEGADA DE LOS ESPAÑOLES,
según Morga, 128. v.

Sus navíos y ’embarcaciones son de muchas maneras : porque en los rios y esteros, dentro de la tierra usan unas canoas de un palo, muy grandes, y de bancas hechas de tablazon, armadas sobre quillas. Y de vireyes y barangayes, que son unos navíos sutiles y ligeros, bajos de bordo, elevados con cabilla de madera, tan sutiles por la popa como por la proa, en que caben muchos remeros por ambas bandas, que con bueçeyes ó canaletes y con gaones bogan por fuera del bordo, jostrando la boga, al són de algunos que van cantando en su lengua cosas á propósito por do se entienden para alargar ó apresurar la boga. Encima de los remeros hay un Bailio ó crujía armada de cañas sobre la que anda la gente de pelea sin embarazar la esquifazon de remeros, en que conforme á la capacidad del navío vá el número de la gente, y desde allí se marca la vela, que es cuadrada y de lienzo, en una cabria hecha de dos cañas gruesas, que sirve de árbol, y cuando el navío es grande lleva tambien trinquete de la misma forma, y ambas cabrias con sus encajes para abatirlas sobre la crujía cuando el viento es contrario, y sus timoneles en popa para gobernar. Lleva otra armazon de cañas en la misma crujía, en la cual cuando hace sol ó llueve se arma una tienda de unas esteras tejidas de hojas de palmas, muy espesas y tupidas, que se llaman cayanes, con que todo el navío y gente dél vá cubierta y reparada. Vá tambien hecha otra armazon de cañas gruesas por ambas bandas del navío, por todo el largo dél, fuertemente atadas, que van besando el agua, sin que impidan la boga, que sirven de contrapesos, para que el navío no pueda trastornarse ni çoçobrar por mucho mar que haya ni fuerza de viento que la vela lleve. Y acaece llenarse el navío de agua, todo el cuerpo dél (que son sin cubierta) y quedar entre dos aguas hasta que se deshace y desbarata sin irse al fondo, por los contrapesos. Destos navíos se usa comunmente en todas las islas desde su antigüedad, y de otros mayores que llaman caracoas, y lapes y de tapaques. Para acarrear sus mercaderías son muy á propósito, por ser capaces y que demandan poca agua, y los varan muy de ordinario en tierra, todas las noches en bocas de rios y esteros, por do siempre navegan sin engolfarse ni dejar la tierra. Todos los naturales los saben bogar, y los gobiernan. Hay algunos tan grandes, que llevan cien remeros por banda y treinta soldados encima de pelea, y los comunes son barangayes y vireyes de ménos esquifazon y gente, y ya á muchos de ellos, en lugar de la cabilla de madera, y costura de las tablas, los clavan con clavazon de hierro, y los timones y proas con espolon á la castellana.

EL PADRE NUESTRO EN TAGALO.

Ama   namin sung ma sa langit ca, sambahin ang naḡla   mo,
Padre nuestro que estás en los cielos tú,   bendito sea el nombre tuyo,

napa sa amin ang cahavian mo, sundin ang loob   mo aqui sa
venga á nos el   reino tuyo, hágase la voluntad tuya así en

lupa   para nang sa langit. Bigyan mo   cami   nḡaion nang
la tierra como   en el cielo,   da   tú á nosotros ahora   de

amin canin sa arao arao at patavarin mo   cami   nang aming
nuestro pan de dia en dia y perdona   tú á nosotros   nuestras

manga otang pava nang pagpapatravar namin sa nanḡag   caca
   deudas   así como perdonamos nosotros á aquellos que tienen

otang sa   amin at hovag mo caming ipahintolot sa   tocso at iadya
deudas con nosotros y no por tí nos dejes caer en tentacion y libra

mo , cami   sa dilan masama.   Amen.
tú á nosotros de todo   mal.

EL NUEVO DECRETO SOBRE ADUANAS.

(Véase pág. 9.)

El decreto arancelario, que se ha elogiado en la pág. 9, se ha modifi-
cado ya por medio de otro, que ha vuelto á introducir el derecho diferencial recargando los principales artículos del Archipiélago con derechos de
exportacion. En oposicion á la antigua órden sobre aduanas se ha puesto
en vigor la de 1.º Julio de 1872, que supone siempre un progreso evidente. Sus principales rasgos son : simplificar la nomenclatura, pues en
lugar de 766 artículos sujetos á derechos, enumera la tarifa tan sólo 122.
Fijacion del derecho por el peso, en vez de hacerlo por el valor tasativo de
los géneros (para algunos artículos se han conservado los derechos *ad va-
lorem*). Exencion de derechos para los artículos españoles conducidos por
buques nacionales. Rebaja de derechos para artículos extranjeros conducidos en barcos españoles. La rebaja importa un 25 por 100, y á los dos
años debe disminuirse un 5 por 100, cesando en Julio de 1879 (suponiendo que para entónces no habrán hecho valer su influencia los navieros españoles). Hilados de algodon sin diferencia de números, ni de cantidad de
hilos (ni de colores), pagan 10 cénts. por kilógramo. Carruajes de hierro

y de madera, pueden introducirse abonando cierta cantidad. Libres de derechos quedan los objetos necesarios para la construccion naval, suprimiéndose en cambio el premio á los buques de porte hechos en Manila. Los tipos de derechos arancelarios más importantes son: azúcăr, 14 cénts.; abacá, 20 céns.; índigo en parte, 100 cénts.; id. líquido, 10 cénts.; arroz, 5 cénts.; café, 30 cénts.; palos tintóreos, 4 cénts. por 100 kilógramos (por término medio el 2 por 100 de su valor).

Todos los gastos para faros, limpia de puertos, etc., se convierten en uno sólo que se gradúa por el número de toneladas de los géneros descargados. Barcos obligados á trasbordar sus mercancías quedan libres de pago, así como los vapores que hacen viajes periódicos. Se permite la introduccion de buques de hierro y de madera mediante el pago de un derecho de entrada. Todo barco español puede carenarse y limpiar fondos con entera libertad en cualquier puerto extranjero.

Algunas aclaraciones harán más evidentes las reformas contenidas en la nueva tarifa:

Los derechos de hilados de algodon blanco, negro y color de rosa, importaban un 40 por 100 del valor en buques españoles, y un 50 por 100 en los de bandera extranjera. Esta tarifa tan elevada se introdujo hace más de treinta años con objeto de proteger el cultivo del algodon, que despues fué aniquilado por las plantaciones de caña dulce, no llegó á subsistir más que una fábrica de hilados establecida por un mestizo, y áun tuvo necesidad de parar sus trabajos al poco tiempo. El derecho se conservó, perjudicando precisamente á la industria más floreciente de Filipinas, ó sea á la fabricacion de tejidos, y habria acabado con ella si los comerciantes no hubieran hallado medio de eludirlo. Bien dice el refran: «Quien hizo la ley hizo la trampa.»—Hilados de ciertas clases pagaban sólo un derecho general de 7 por 100, que se eleva en casos particulares hasta el 14. Por esto se teñian ántes los hilos en Inglaterra con ciertos colores que pudieran desaparecer fácilmente con un simple lavado, ó se recubria un fardo de hilo blanco con una capa de hilo coloreado, ó se tejian telas de modo que pudieran deshacerse y aprovechar el material como hilo. Los hilados no resistian un 50 por 100 de derechos, y por esto no se introducia ninguna partida sin fraude. Dampier ya observa que «ningun pueblo aventaja al español en hacer bien el contrabando.» (Pinkerton, xi, 8.)

Otro mal consistia en que los derechos no se fijasen segun el valor declarado de los artículos, sino al tenor de una tarifa hecha treinta años ántes, en la que se les asignaba un valor más alto, en general, que el actual. Tampoco en esto tenía el Gobierno ventaja alguna, pues semejantes objetos, para los cuales ningun valor establece la tarifa, se ponian realmente más bajos; los comerciantes se aprovechaban de estas circunstancias para evitar tasaciones altas. Si, por ejemplo, se fijaban valores para camisería de 36″ y 37″ de ancho, se importaban de 36 ¹/₂″, cuyos derechos bajaban positivamente mucho, respecto á los precios de mercado.

Para proteger á la insignificante construccion de buques de cabotaje, no podia introducirse ningun vapor de madera de ménos de 400 toneladas, ley muy perjudicial para una colonia en que casi todas las transacciones se hacen por agua. Los estrechos de aquellos mares dificultan mucho la navegacion con vientos contrarios, y vino una prohibicion para los pequeños vapores, que son allí los más necesarios. Los de escaso porte penetran en innumerables desembocaduras de rios y ensenadas para cargar productos ó guarecerse contra los malos tiempos. Los vapores de hierro tienen que pagar una cantidad considerable para obtener la autorizacion de llevar bandera española.

Muy contrario á los intereses de la colonia es el restablecimiento del derecho diferencial de bandera y derechos de exportacion, abolido por Real órden de 5 Abril de 1869. De lo primero sólo reportan ventajas los navieros peninsulares y filipinos y apénas existe comercio entre Filipinas y la metrópoli. Segun la balanza mercantil, ascendia en 1863 la importacion en la Península (de los países al Oriente del Cabo), á 650.000 $; y la exportacion á ménos de 500.000 $, ó sea en junto 1.150.000 $, de los cuales 61.000 $ van á las posesiones inglesas y holandesas. A Filipinas se mandan principalmente libros y papel por 150.000 $; legumbres, frutos, conservas, por 168.000 $, y bebidas alcohólicas por 125.000 $ (*Diario*, 23, vii, 66).

La mayor parte de artículos importados procede de Inglaterra; pero una parte considerable (estimada por algunos en una mitad) es de orígen aleman y suizo. En los puertos alemanes no se hacen expediciones directas, porque los buques españoles, únicos casi que hasta hoy se dedican á este comercio, sólo cargan en Inglaterra.

Los derechos diferenciales motivaron que la Compañía Peninsular y Oriental dejase el servicio postal que hacía regularmente en combinacion con el correo de la India, sin que le bastase la subvencion del Gobierno de la colonia. Por la misma razon rehusaron las Mensajerías marítimas hacerse cargo del servicio. Entónces el Gobierno lo dispuso en vapores propios; pero, por lo ménos en un principio, lo hacía de tal modo, que los comerciantes preferian remitir su correspondencia en buques de vela. No se admitian paquetes, ni tan siquiera muestras, y á veces tampoco pasajeros. Las mercancías de Manila, recargadas con los derechos diferenciales y los altos fletes, no podian competir con las de otras colonias, que, por los mayores capitales, mejores métodos de cultivo, situacion más próxima á los puntos de consumo y política mercantil más liberal, están en condiciones mucho más ventajosas.

Más aún que los mismos aranceles de exportacion, perjudica al comercio el modo vejatorio de ejecutar sus disposiciones. Estas circunstancias contrastan con la prontitud y facilidad que hallan los comerciantes en Singapore y en China, y hacen sentir doblemente sus malos efectos, habiendo desacreditádo al puerto de Manila.

COMERCIO CON CHINA
ÁNTES DE LA LLEGADA DE LOS ESPAÑOLES.
(Véase pág. 10.)

Antes del descubrimiento del Archipiélago parece que el tráfico entre Manila y China era insignificante. Alonso Barrera (Sevilla, 1574; Hakluyt Morga, 390) escribe desde Manila: «Hace un año que se ha establecido el depósito en la isla de Luzon; han llegado tres buques de Manila, llevando algunas mercancías de aquel país, como es su costumbre. Son, sin embargo, todas pequeñeces y en corta cantidad, pues los moros piden principalmente grandes tinajas, artículos de alfarería ordinaria, hierro y cobre, este último en gran cantidad; los cabecillas gastan algunas piezas de seda, porcelana fina y artículos de alfarería fina.»

Morga (f. 161, v.) da el siguiente é interesante índice de los artículos introducidos en su época por los chinos:

«Estos navíos vienen cargados de mercaderías, con gruesos mercaderes, cuyas son, y con criados y fatores de otros que quedan en la China, y de ella salen con permiso y licencia de sus vireyes y mandarines, y las que comunmente traen y se venden á los españoles, son: seda cruda, en maço, fina de dos cabeças y otra de ménos ley; sedas flojas finas, blancas y de todos colores, en madejuelas; muchos terciopelos llanos y labrados de todas labores, colores y hechuras, y otros, los fondos de oro y perfilados de lo mismo; telas y brocadetes de oro y plata sobre seda de diversos colores y labores; mucho oro y plata hilada en madejas sobre hilo y sobre seda, pero la hojuela de todo el oro y plata es falsa; sobre papel (*); damascos, rasos, tafetanes y gorvaranes, picotes y otras telas de todas colores, unas más finas y mejores que otras; cantidad de lencería de hierba (**), que llaman lençesuelo, y de mantería blanca de algodon, de diferentes géneros y suertes, para todo servicio; almizcle, menjuy, marfil, muchas curiosidades de camas, pabellones, sobrecamas y colgaduras bordadas sobre terciopelo; damasco y gorvarán de matices, sobremesas, almohadas, alfombras, jaeces de caballos de lo mismo, y de abalorio y aljófar; algunas perlas y rubíes, y çafiros, y piedras de cristal, vacías, peroles, y otros vasos de cobre y de hierro colado; mucha clavazon de toda suerte, fierro en plancha, estaño, y plomo, salitre y pólvora; harina de trigo y conservas de naranja, durazno, escorzonera, pera, nuez moscada, jengibre y otras frutas de la China; perniles de tocino y otras cecinas, gallinas vivas, de casta, y capones muy hermosos; mucha fruta verde, de naranjas de todos géneros, castañas muy buenas, nueces, peras y chicueyes verdes y pasados (***), que es fruta muy regalada; mucho hilo delgado, de todo género, agujas, antojos, cajuelas y escritorios, y camas, mesas y sillas y bancos dorados y jaspeados de muchas figuras y labores; bufanos mansos, gansos como cisnes, caballos, algunas mulas y jumentos; hasta pájaros enjaulados, que algunos hablan, y otros cantan y les hacen hacer mil juguetes; otras mil bujerías y brincos de poca costa y precio, que entre los Españoles son de estima, sin mucha loça fina de todas suertes, canganes y sines, y mantas negras y azules; tacley, que es abalorio de todo jénero, y cornerinas ensartadas, y otras cuentas y piedras de todos colores; pimientas y otras especias y curiosidades, que referirlas todas sería nunca acabar, ni bastaria mucho papel para ello.»

(*) Estos hilos de oro consisten en una tira estrecha de papel de oro, arrollada en espiral alrededor de un hilo; en el Museo industrial de Berlin hay expuestos algunos ejemplares.
(**) De las fibras de la *Boehmeria nivea*.
(***) Probablemente *Lei-tschi, Nepholium litchi Wight.*

Principales artículos exportados de los puertos de Manila, Cebú é Ilo-ilo en 1871.

		Puertos de los Estados-Unidos en el Atlántico. 1871.	Gran Bretaña. 1871.	California. 1871.	Continente de Europa. 1871.	Australia. 1871.	Singapore. 1871.	China, Japón, Molucas y Habana. 1871.	TOTAL. 1871.	TOTAL. 1870.
Abacá..	Picos.	285 112	143.498	22.500	640	6.716	2.992	2.294	463.752	488.560
Azúcar.	—	545.929	555.907	99.844	57.476	139.787	»	491	1.399.434	1.251.416
Sibucao.	—	10.520	5.301	320	660	»	1.631	58.050	76.482	176.924
Cigarros..	Millares.	1.453	10.080	378	13	2.930	35.089	26.849	76.792	77.526
Café.	Picos.	1.451	31.434	3.700	10.653	»	1.415	4.717	53.370	34.120
Járcia..	—	»	220	484	87	114	2.640	8.389	11.934	11.307
Indigo.	Quintales.	3.390	1.715	»	»	»	186	»	5.291	5.662
Tabaco en rama.	Picos.	»	27.773	»	25.775	»	»	»	53.548	136.680
Nácar..	—	2.037	503	»	»	»	»	45	2.585	3.022
Concha.	Cates.	»	100	»	»	»	»	902	1.002	1.043
Cueros.	Picos.	777	1.053	»	»	»	325	971	3.126	3.859
Desperdicios análogos..	—	5.833	»	»	»	»	»	1.908	7.741	4.303
Almáciga.	—	»	9.506	»	»	»	309	»	9.815	11.028
Sinamay (Cyprœa moneta).	—	»	1.577	»	»	»	»	»	1.577	3.887
Arroz.	Cabanes.	»	»	1.805	6 370	»	130	28.522	36.807	28.560
Indigo líquido..	Quintales.	»	»	»	»	»	416	19.328	19.744	14.262

TABLA COMPARATIVA de la EXPORTACION DE										
Abacá.	1869	298.692	94.568	22.000	60	13.458	2.396	174	426.348	
	1868	294.728	130.060	14.200	200	21.144	3.646	1.102	465.080	
	1867	287.570	113.030	17.602	1.318	12.100	2.398	786	435.804	
	1866	278.888	96.432	15.120	1.614	12.244	1.250	1.156	406.704	
	1865	289.444	79.316	18.600	3.342	9.550	1.100	1.445	397.797	
Azúcar.	1869	343.959	512.578	120.741	6.992	115.239	136	1.436	1.101.081	
	1868	185.613	819.462	44.050	10.559	96.980	»	28.627	1.185.291	
	1867	98.502	507.432	81.783	28.610	121.871	»	194.758	1.032.956	
	1866	85.842	470.676	131.749	10.959	57.709	88	120.444	877.467	
	1865	68.640	324.676	131.235	15.026	184.686	»	158.568	882.826	

Superficie de las principales islas del Archipiélago filipino (*).

(Véase pág. 41.)

	CALCULADA SEGÚN		Segun Engel-harld (**).	Segun el Anuario estadístico de España 1858. Bemh. Anuario geográfico, I. 1869.	
	la carta de Coello.	la carta hidrofóbica.			
	Mill. cuadrs.	*Mill. cuadrs.*	*Mill. cuadrs.*	*Mill. cuadrs.*	*Kils. cuadrs.*
Luzon.	1934.2	1932.9	1937.31	2014.8	110.940
Mindanao.	1569.9	1625.7	. .	1538.8	84.730
Palauan (Paragua).	265.8	235.4	. .	251.5	13.850
Samar.	236.5	228	229.50	221.1	12.175
Panay.	223.2	317.4	233	214.1	11.790
Mindoro.	185.3	182	188	175.3	9.650
Negros..	163.7	227.8	174.33	158.1	8.705
Leyte.	168.9	163.3	192	172.5	9.500
Cebú.	104.2	76.1	88.8	107.6	5.925
Bohol.	55.9	55.9	59.6	59	3.250
Masbate.	62.3	55.6	. .	. .	3.637
Catanduanes.	30.4	29.7	. .	. .	. .
Polillo..	14.2	16.8	. .	. .	. .
Marinduque..	14.1	13.8	. .	. .	. .
Tablas.	13.2	15.2	. .	. .	. .
Burias.	11.3	8.6	. .	. .	. .
Ticao.	6.8	6.4	. .	. .	. .
Superficie total del Archipiélago.	5293 (***)	5392.7	. .	5368	295.585

(*) Nos ha parecido conveniente dar aquí sólo la extension de las islas más importantes. Los cálculos de la superficie detallada, que llenan muchas páginas y están hechos á la vista de trabajos auxiliares por el Cuerpo de Estado Mayor, y tomando por base los mapas de Coello y del Depósito hidrográfico, sólo tienen interes para los geógrafos y se publicarán en uno de los próximos cuadernos de la Revista berlinesa de la Sociedad geográfica. (Berliner Zeitschrift der Gesellschaft für Erdkunde.)

(**) F. B. Engelhardt. Superficie de los distintos estados de Europa y de los demas países de la tierra. Berlin 1853. (Der Flächenraum der einzelnen Staaten in Europa und der übrigen Länder auf der Erde.)

(***) Si se incluyen, como hace el Anuario, las islas, en realidad independientes, de Basilan 23,2, Joló 14,5, Tavi-tavi, etc., y en junto miden 27,5 M. cuadradas, resultan 6365,5 M. cuadradas.

Resúmen de las observaciones meteorológicas hechas en Manila durante el año de 1865 (V. la pág. 43).

		Media..	755,50^{mm}	
Presion atmosférica.	. .	Máxima.	760,75 »	(13 Diciembre.)
		Mínima.	746,77 »	(24 Setiembre.)
		Diferencia mayor.. .	13,96 »	

		Media..	27°,9ª	
Temperatura del aire..	. .	Máxima.	37°,7 »	(15 Abril.)
		Mínima.	19°,4 »	(14 Diciembre. 30 Enero.)
		Diferencia mayor.. .	18°,3 »	

		Media..	63,93 %	
Humedad del aire..	. .	Máxima.	97,81 %	(21 Agosto.)
		Mínima.	22,12 %	(16 Mayo.)
		Diferencia mayor. .	75,69 %	

Cantidad de lluvia.	3072,8^{mm}
Dias de lluvia.	168
Evaporacion media en 24 horas.	6,3^{mm}
Evaporacion total..	2307,3^{mm}
Dias despejados.	49
Parcialmente cubiertos..	144
Cubiertos.	172
Viento N. E.	554
» S. E.	561
» S. O.	513
» N. O.	453

Velocidad media del viento por segundo :

N. E.	2,1 metros.
S. E.	3,1 »
S. O.	3,6 »
N. O.	2,8 »

Términos medios del período de 1865 á 1869.

	Enero.	Febrero.	Marzo.	Abril.	Mayo.	Junio.	Julio.	Agosto.	Setiembre.	Octubre.	Noviembre.	Diciembre.
	mm.	mm.	mm.	mm.	mm.	mm.	mm.	mm.	mm.	mm.	mm.	mm.
Barómetro.	757.19	756.78	756.58	755.30	751.5	753.95	753.50	753.07	752.02	754.78	755.75	756.37
Fuerza expansiva de los vapores..	14.71	14.27	15.53	16.25	18.48	20.42	20.70	20.92	21.77	18.53	17.41	15.24
Aire seco (altura barométrica ménos tension del vapor)..	742.48	742.51	741.05	739.05	734.69	734.32	733.33	732.89	729.75	733.08	736.25	738.87
Lluvia..	24.2	13.46	14.56	16.46	110.3	243.08	255.08	281.22	723.42	236.9	143.97	11.47
Evaporacion..	17.18	18.25	250.35	273.32	217.67	243.33	171.27	186.77	163.53	196.7	189.0	201.35
Temperatura (grados $^{c.}$).	26.39	27.02	28.6	30.1	29.25	27.85	27.38	27.95	27.48	28.1	26.83	26.33

Lluvia anual. . . . . 2074.84 (1867: 3.072.8).

Evaporacion anual. . . 2402.14.

NOTICIAS

ACERCA DE LA POBLACION DE LAS ISLAS FILIPINAS.

(Véase pág. 45.)

(Segun apuntes sacados de centros oficiales y comunicados recientemente
por el Dr. A B. Meyer.)

Entre los pueblos están incluidas 81 rancherías de nuevos reducidos.
El número de habitantes es (prescindiendo de errores materiales) seis veces mayor que el de tributos. Antes se computaban 4 habitantes por
tributo (pág. 46).

El Gobierno tiene el proyecto de dividir las Filipinas de un modo más
conveniente que el actual. Este proyecto expresa: § 1.º El territorio del
Archipiélago se dividirá en 18 provincias, qué se clasificarán en tres categorías segun su importancia. Las islas Mindanao, Basilan, Joló, Sa-
males y Balabac se regirán por leyes especiales y no se comprenden en la
division anterior (la soberanía de España, prescindiendo de algunos distritos de Mindanao, es allí poco efectiva). § 2.º Se consideran provincias
de 1.ª clase: Manila, Ilo-ilo, Cebú, Ilocos y Cagayan; de 2.ª: Pangasinan,
Pampanga, Laguna, Cavite, Batangas, Albay, Nueva Écija, y de 3.ª: Bulacan, Camarines, Cápiz, Negros, Leyte y Marianas. § 3.º Las actuales
provincias no enumeradas en el párrafo anterior se incorporarán á las que
se expresan. § 4.º Cada provincia se subdividirá en el número de distritos
que se juzgue conveniente á su mejor régimen gubernativo y administrativo.

Isla de Luzon.

Nombres de las provincias.	NÚMERO			
	de los pueblos.	de los polistas.	de tributos.	de almas.
Abra.	8	4.678	6.211	37.266
Albay...	38	44.050	56.915 $^1/_2$	341.498
Bataan.	12	10.865	11.227	67.362
Batangas..	21	64.482	72.084	432.504
Bulacan.	24	45.788	57.719 $^1/_2$	346.317
Cagayan..	19	19.059	19.066	114.396
Camarines Norte..	9	6.327	7.087 $^1/_2$	42.525
Camarines Sur..	34	29.558	72.336	434.016
Cavite..	19	26.031	28.865 $^1/_2$	173.193
Ilocos Norte..	15	30.449	36.673	220.038
Ilocos Sur.	21	38.821	44.205 $^1/_2$	265.233
Isabela.	9	5.461	7.844 $^1/_2$	47.067
Laguna.	28	29.921	36.072 $^1/_2$	216.435
Lepanto.	81	9.384		56.088
Manila.	29	44.138	59.058	354.348
Morong.	12	11.833	12.180	73.080
Nueva Ecija..	23	28.780	27.887 $^1/_2$	167.325
Nueva Vizcaya.	6	3.399	3.578 $^1/_2$	21.471
Pampanga.	29	36.409	50.094 $^1/_2$	300.567
Pangasinan..	30	65.036	71.948 $^1/_2$	431.691
Tayabas.	17	20.856	25.880	155.280
Union..	13	18.885	22.242	133.452
Zambales..	23	16.284	18.174	109.044

Islas entre Luzon y Mindanao.

Nombres de las provincias.	de los pueblos.	de los polistas.	de tributos.	de almas.
Antique.	19	15.231	21.981	131.886
Bohol..	36	18.853	47.252 $^1/_2$	283.515
Burias..	1	420	405	2.430
Capiz..	32	29.780	45.882	272.292
Cebú..	51	35.369	71.226	427.356
Ilo-ilo..	41	80.325	108.068	648.408
Leyte..	43	46.069	47.582 $^1/_2$	285.495
Masbate y Ticao.	9	2.573	2.865	17.190
Mindoro..	18	9.630	11.821	10.926
Negros..	43	32.204	42.645 $^1/_2$	255.873
Romblon..	9	4.909	5.689 $^1/_2$	34.137
Samar..	35	41.363	41.677	250.062

Mindanao.

Nombres de las provincias.	de los pueblos.	de los polistas.	de tributos.	de almas.
Cottabato.	1	200	200	1.200
Misamis.	32	12.574	16.733	100.398
Surigao.	28	12.295	12.295	73.770
Zamboanga..	2	2.303	2.429	14.574
Davao..	1	332	310	1.860
Basilan.	1	95	100	600

Islas más apartadas.

Nombres de las provincias.	de los pueblos.	de los polistas.	de tributos.	de almas.
Batanes.	6	2.000	2.000	12.000
Calamianes.	5	940	4.531 $^1/_2$	27.189
TOTALES.	933	957.427	1.232.544	7.451.352

De los distritos enumerados en la pág. 46 hay algunos que figuran en la lista anterior como provincias; otros, segun parece, han perdido su autonomía. Junto á Mindanao hay la pequeña isla de Basilan que hoy forma un distrito y ántes estaba incorporada al de Zamboanga. Falta la poblacion de las Marianas, que se calcula en 8.000-9.000 habitantes: probablemente el factor para el cómputo, segun los tributos, fué 6 en vez de 4.

POBLACION DE MINDANAO.

Los datos siguientes inspiran aún ménos confianza que los anteriores; son de orígen oficial pero no muy recientes.

1. Infieles:

Negritos diseminados en los montes (poco seguros)..	10.000
Manobos en las cercanías de Butuan.	10.000
Manguangas en Tingog, cerca de Misamis, y en los montes hasta el lago de Buhayen ó Maguindanao.	80.000
Mandayas, desde Linao hasta los lagos de Liguasin y Butuan.	40.000
Mestizos de los dos últimos, cerca del seno de Davao. . . .	7.000
Guiangas y *bagobos* desde el volcan Apo (?) hasta las llanuras contiguas al seno de Davao..	12.000
Tagacaolos, *sanguiles*, *bilanes*, desde el volcan Apo hasta la costa S. E.	76.000
Subanos, desde Misamis á Zamboanga..	70.000
	305.000

2. Moros (mahometanos).

Seno de Davao 6.000, id. de Sarangani 15.000.	21.000
Rio Painan y costas del Sur.	45.000
Bahía Illana hasta Sibuguey 30.000, bahías de Sindangan y Illigan 40.000..	70.000
Al Oriente de Misamis 10.000, lago de Buhayan y rios que salen del mismo, 60.000 en 30 pueblos..	70.000
En el interior, al Sur de la provincia de Misamis, muchos infieles inclinados al islamismo.	30.000
	541.000
3. Cristianos en 64 pueblos.	191.802
Total, unos.	732.802

ERUPCIONES COETANEAS DE TRES VOLCANES EN 1641.

(Véase pág. 120.)

Las noticias que se tienen de este fenómeno son muy incompletas.
A. Perrey da en la pág. 53 una descripcion tomada de T. F. Nierembergius, cuyas obras filosóficas contienen una copia del informe oficial. Como
los ejemplares de estas últimas son muy raros (debo su conocimiento al
profesor D. P. Gayángos) y tampoco abundan los ejemplares de los documentos de Perrey (*Mem. Acad. Dijon*), trascribo los pasajes más notables, abreviando ó suprimiendo los de menor interes. En los puntos en
que la traduccion de Perrey se separa del texto original (prescindiendo
de diferencias de poca importancia) me atengo al texto español y pongo
el frances entre [ ].

El título dice:

«Succeso raro de tres Volcanes dos de fuego y uno de agua, que reventaron á 4 Enero deste año de 641 á un mismo tiempo, en diferentes partes de estas islas Filipinas, con grande estruendo en los ayres, como de
artillería y mosquetería.

»Averiguado por órden y comission del Señor Don Fray Pedro Arçe
obispo de Zebu y Gobernador del Arçobispado de Manila JHS en la compañía de Jesus. Manila, Año MDCXXXXI, por Raymundo Magisa.»

A fines de Diciembre de 1640 cayó ceniza por dos veces en los alrede-
dedores de Zamboanga, cubriendo los campos como la escarcha. En 1.º de
Enero llegó de Manila una escuadra con tropas de desembarco, que se dirigia á Ternate. El 3, á las siete de la tarde, se percibió en Zamboanga re-
pentinamente un ruido lejano al parecer media hora, que inspiró temores. Sonaba como fuego de arcabuces y artillería; creyendo las gentes que
el enemigo atacaba la costa, se prepararon á la defensa. El General de la
flota mandó un bote ligero para ver si era algun buque de la escuadra de
socorro que se fuese á pique, pero no se vió nada.

Al siguiente dia, el 4, como á las nueve de la mañana, [*le lendemain a
quatre heures et a neuf heures du matin*] aumentó el [supuesto] fuego de
cañon; tanto, que se temió que la escuadra de auxilio hubiese tropezado
con los galeones holandeses. Duró cosa de media hora. Pero pronto se con-
vencieron que el ruido procedia de un volcan que habia reventado; pues al
ser mediodia se notó en la parte del Sur una gran oscuridad, que iba extendiéndose gradualmente sobre aquel hemisferio y cubria todo lo que alcanzaba la vista, haciéndose tan densa, que á la una de la tarde quedó
convertido el cielo en una verdadera noche, y á las dos eran tales las ti-

nieblas que no se veia la mano puesta delante de los ojos..... Gran terror. Todos corrieron á las iglesias, rezando, pidiendo confesion y encendiendo cirios.

Estas tinieblas, durante las cuales no se distinguió en todo el horizonte una sola luz, duraron hasta las dos de la mañana, en que se comenzó á descubrir alguna claridad de la luna [*ce ne fut qu'alors qu'on commença a découvrir la Laguna*] con gran contento de los españoles é indios que temieron ser enterrados bajo la ceniza que desde las dos [*qui dès le deux*] habia empezado á caerles encima. En la misma noche se dispersó la escuadra, que siguiendo la costa de Mindanao estaba cerca del cabo de San Agustin, junto á una isla llamada Sanguil (el padre Nieremberger escribe Sanguir), en donde el volcan (ó un volcan) habia reventado. Para ellos anocheció ántes que en Zamboanga, pues á eso de las diez de la mañana estaban en tan densa oscuridad y horrorosas tinieblas, que creyeron llegado el dia del juicio final. Empezaron á llover tantas piedras, tierra y cenizas, que los buques se vieron en peligro, teniendo que encender luces y echar fuera á toda prisa la pesada carga de tierra y ceniza. La galera quitó su tolda y encendió linternas como si fuera de noche. Durante mucho tiempo se vió desde los buques que de la isla de Sanguil salian muy aprisa distintos penachos de fuego y columnas que se elevaban al cielo y al caer incendiaban los montes vecinos. La oscuridad se extendió á la mayor parte de dicha isla de Mindanao, que es muy grande. La ceniza llegó hasta Cebú, Panay y otras islas contiguas; tambien á la de Joló, que dista más de 40 leguas de la de Sanguil, donde rompió el volcan, y aunque entónces por la oscuridad y revolucion del tiempo no repararon en Joló, de dónde les venia lo que el cielo arrojaba, despues de despejarse el cielo advirtieron que al mismo tiempo que en Mindanao y Sanguil habia reventado el primer volcan [*quoique l'obscurité eut empêché les navires d'observer ce qui se passait alors a l'île de Jolo* (los buques estaban más de 100 leguas distantes de Joló) *au dessus de la quelle le ciel paraissait tout rouge, ils on appris depuis, que dans le même moment, où le premier volcan faissait éruption à Sanguir et lançait ses cendres jusqu'a Mindanao*] allí tambien hubo revolucion de los elementos y reventó un segundo volcan en la pequeña isla, que está frente de la barra del Rio Grande de Joló, donde tenemos el presidio. Se abrió la tierra (segun despues se comprobó) con grandes sacudidas y vomitó llamas de fuego, y entre ellas árboles y grandes piedras. [*Des flammes de feu qui entraînèrent avec elles des arbres.*] Tan grande fué el trastorno de los elementos, que el volcan, penetrando por las entrañas de la tierra hasta las del mar por su boca, abierta en la tierra, arrojó multitud de grandes conchas y otras cosas que el mar cria en su fondo. Hoy está abierto el cráter de este volcan, es muy ancho y ha quemado todos sus alrededores en aquella isla.

Lo que más asombró fué, empero, que en la provincia de Ilocos de la isla de Manila, que dista por lo ménos 150 leguas en línea recta de aquel sitio, en el mismo dia y hora que reventaron los dos citados volcanes, en algunos pueblos de ilongotes, que son aún infieles, hubo otra tempestad y reventó el tercer volcan, que era de agua, y tan terrible, como se puede ver por un capítulo de la carta de Fray Gonzalo de Palma, procurador general de los Agustinos, que en su esencia dice: «En el país de ilongotes, alejada de Ilocos cinco jornadas al Oriente, tierra adentro, tuvo la tierra el 4 de Enero un temblor tan grande y espantoso como el furioso huracan que le precedió. La tierra tragó tres montañas, una de las cuales era inaccesible y tenía en su ladera tres pueblos. Esta masa, separada por completo de su base firme, se fué al aire con mucha agua, originándose un lago en el espacio que dejó, sin quedar señal de lo que ántes habia; ni de los pueblos, ni de los altos montes que allí estaban. Viento y agua reventaron las entrañas de la tierra con furia tan extraordinaria que los árboles y montes fueron arrojados en pedazos á una altura de doce picas, haciendo tal ruido al chocar unos con otros en el aire y al caer, que se oyó muchas horas léjos.

Despues de entretenerse el cronista en difusas digresiones de supersticion religiosa dice:

El último y más notable milagro acaecido en tal dia 4 de Enero fué el ruido ya mencionado en esta carta, que empezó en el aire entre nueve y diez y se oyó no sólo en Manila y en las provincias de Ilocos y Cagayan (distantes más de 130 leguas), sino en todas las islas del Archipiélago y en las Molucas. Llegó hasta el continente asiático: reinos de Cochinchina, Champa, Cambodia—como se supo por distintos religiosos y otras personas fidedignas, que llegaron á Manila procedentes de aquellas tierras.—En un espacio de más de 300 leguas de diámetro y 900 de circunferencia se percibió el estruendo, que parecia igual y en el mismo sitio. Todos creyeron que era un fuerte fuego de artillería y de fusilería, y gentes crédulas añadian que *discernieron sonido como de cajas de guerra (distinguaient le son comme celui de boîtes d'artifice)* su·intensidad hacía creer que sonaba á una distancia de dos ó tres leguas del sitio donde estaban. Los de Manila decian que era en el puerto de Cavite, y los de Cavite que era en Manila..... se mandaron propios con despachos de un lugar á otro..... y así sucedió en todas las islas, ciudades y pueblos dentro de un círcuito de 900 leguas, cosa milagrosa que parece traspasar los límites de lo natural y contradecir los fundamentos de la filosofía.

Siguen otra vez reflexiones supersticiosas, entre ellas una de interés cronológico. Como Malaca fué conquistada por los holandeses el 13 de Enero, y el 4 estaba ya en gran apuro, muchos juzgaron, cuando despues recibieron la nueva, que el cielo habia causado aquel cataclismo para avisar á los españoles los grandes males que la pérdida de la ciudad causaria al Archipiélago, á las costas é islas adyacentes.

Tambien se indica que el 5 de Enero en Macao corresponde al 4 en Manila, porque los portugueses llegan á sus colonias yendo de O. á E. y los españoles van á las suyas de E. á O. Los misioneros de Cochinchina fijaron el 5 de Enero como fecha de la erupcion.

Perrey saca la consecuencia que el Sanguiz de Nieremberger debe ser idéntico al Sanguil ó Sanguir (se halla escrito tambien Sangin, Sangi, Sanghir, Sangir, Sangil, Sanguili) y que el volcan que puso en peligro á la escuadra reventó en la isla de Sanguir, situado unas 36 leguas al

Sur de Mindanao. Confirma lo mismo el informe original; pero respecto al segundo volcan hay bastantes dudas. Así inclina á creerlo el nombre de la isla y su situacion entre Zamboanga y Ternate.

Es, empero, tambien frecuente en aquellos paises designar distintas localidades con un nombre mismo, de lo cual se origina gran confusion (un buen ejemplo de ello se hallará al fin de este artículo). En la isla de Mindanao hay tambien sin duda un volcan llamado Sanguil, que los autores situan en distintos puntos. En el texto original no se dice, como en la traduccion, que el primer volcan estallára en Sanguil, arrojando sus cenizas hasta Mindanao y sí que reventó en Mindanao y Sanguil; el párrafo es muy confuso, pero segun parece quiere decir: «en Mindanao y á saber en Sanguil.» La circunstancia de llamarse *Sanguiles* á unas tribus de aquella isla hace sospechar la existencia de una comarca que áun hoy conserva dicho nombre.

Segun Berghaus (*Hydro-geog.*, *Mem.* 62) el volcan Sanguili está en la Península de Sarangani, en el extremo Sur de Mindanao; un mapa inédito hallado en la testamentaria de Forster (*Nueva Carta de las islas Filipinas*, corregida y perfeccionada, 1772, existente en la Biblioteca real de Berlin) representa un volcan Sanguil indicado próximamente en el sitio en donde Berghaus sitúa el Gunong Tibangan, ó sea á los 6° 30' N., y 124° 30' long. E. Segun Magisa, el volcan se halla en una isla (?) Sanguil, próxima al cabo de San Agustin, que segun la «*Allg.. Historie*» (véase más adelante) podria ser el cabo Serangani, y segun Perrey está en la isla Gran-Sangir. Combés lo sitúa en la jurisdiccion de Mindanao (lo cual dice Semper que no puede referirse al Sur de la isla), pero el volcan que en 1641 tuvo la gran erupcion en el distrito de Buhayen á 60 leguas de Zamboanga, distancia que está conforme con la que media entre esta poblacion y la punta Sur de Mindanao, ó sea el cabo Sarangani. Murillo Velarde (pág. 124) indica un volcan en Sanguil, al Sur de Mindanao. El profesor Semper da como uno mismo (pág. 5 y mapa) el Sanguil y el Serangani; pero en una nota duda de la identidad de ambos (pág. 92) (*).

Contra lo segundo que dice Perrey habla ademas la circunstancia de ser el movimiento de la escuadra á lo largo de las costas. Si se hallaba en el cabo de San Agustin hubiérase separado mucho de su camino, para lo que parece no haber razon, pues no se habla de ninguna tempestad ántes de la catástrofe. El indicado rumbo convendria mejor de estar la flota, en el momento de la erupcion cerca de la punta Sur de Mindanao, en el cabo Sarangani ó sea inmediata del volcan existente allí, y que haya habido en las narraciones un cambio de nombre. Tambien en la *Historia general de viajes*, XVIII, 391, se lee que el cabo situado bajo los 5° 30', lleva el nombre de Sarangani ó de San Agustin. No obstante, ni con una ni con otra version podian hallarse los buques al mismo tiempo cerca de la isla Gran-Sanguir (distante 52 y respectivamente 36 leguas) y de la

---

(*) Véase mi traduccion de este estudio publicada en la revista *El Bazar*. Madrid, Marzo, 1875. (*N. del T.*)

de Joló (á más de 100 leguas) hasta el punto de recibir las piedras y cenizas arrojadas por la primera, y ver lo que en la segunda acontecia.

Perrey da aún otra razon, ó sea la circunstancia de que en Zamboanga avanzaban las tinieblas desde el Sur, siendo así que la isla Gran-Sanguir está al S. E. Lo más probable es que las cenizas caidas en Zamboanga procediesen de Joló, en donde tuvo lugar una erupcion. El Dr. Neumayer me hizo observar que por Enero no hay tempestades en aquellos marés, los informes sólo hablan de tempestades locales y malos tiempos, la monzon N. E. reinante en aquella época del año no sufrió por tanto un cambio general. Las cenizas de la erupcion del volcan de Joló pudieron ser llevadas, como se nota en otras erupciones fuertes, por las corrientes inferiores de aire á la ecuatorial superior, que se dirige de S. O. á O. S. O., y llegar así á Zamboanga y á las Visayas.

Tambien hace sospechar de la exactitud de los datos de Perrey que Valentyn (*Beschrijving der Moluccos*, pág. 2, publicada en *Oud en Nieuw Oost Indie* en su descripcion detallada de la isla Gran Sanguir, y lo mismo todos los escritores holandeses más modernos, no citan ninguna erupcion anterior á la de 1711. Y sin embargo, los holandeses conocian la isla de mucho tiempo ántes; en 1625 se perdió cerca de ella el buque *Trouw*; en 1664, solo 23 años despues de las tres erupciones simultáneas, pasó á su poder dicha isla junto con la de Ternate.

Con fundamento se puede admitir que el foco de la erupcion fué el volcan del extremo Sur de Mindanao (península de Sarangani); sin embargo, por el informe del jesuita Magisa no es posible fijar con certeza el sitio donde ocurrió. La posicion de la escuadra es dudosa, ni se indica la direccion en que las tripulaciones observaron el fenómeno. Las distancias, que se dan disminuidas las más en una mitad, demuestran cuán poco valor estas noticias tienen. El autor refiere de oidas, segun costumbre de su clase y de su época, y no trata la cuestion bajo el punto de vista geológico, y sí bajo el teológico.

Con reflexiones semejantes debemos consolarnos al leer en la obra en seis tomos sobre la *Historia de los P.P. Dominicos en las islas Filipinas*, (Madrid, 1870, Aribau y Cª) que se menciona con orgullo haber sido Aduarte (un dominico) el único que describió el terremoto del 30 de Noviembre, y se copia su relato equivocando por cierto la fecha; 1619 en vez de 1610. (Véase pág. 7.)

En las historias de las Órdenes religiosas se incurre con frecuencia en tales errores, á los que no se da importancia. Peor es aún que periódicos serios y muy leidos den falsas noticias con todo el sello de ser de mucha confianza. Así la *Ilustracion inglesa* (*Illustrated London News*) en su número de 7 de Octubre de 1871, inserta un artículo con la vista de un volcan aparecido en la isla Camiguin de las Filipinas: en él se dice lo siguiente: « El honorable E. C. P. Vereker, teniente de marina comandante del buque de la armada británica *Nassau*, destinado á una comision hidrográfica, nos comunica el presente diseño de la erupcion volcánica ocurrida en la pequeña isla de Camiguin *una de las más septentrionales del Archipiélago, situada á los* 19° *N.*, *y á unos* 122° *long. E.*

Sigue una breve reseña de la erupcion de 1.º de Mayo de 1871 sin indicar la fecha del trabajo..... Cuando el *Nassau* visitó el volcan en Julio estaba aún en actividad, viéndose grandes masas de vapores y de humo, que saliendo de los flancos llegaban á la cúspide, echando piedras en todas direcciones. Dos oficiales que intentaron verificar la ascension del volcan, tuvieron que desistir por el calor del suelo.

La noticia va casi revestida de carácter oficial, y sin embargo, es inexacta, pues la frase subrayada se añadió por el redactor de su propia cuenta; la isla representada y que visitó el *Nassau* está á 9° N. 124° 20′ long. E., ó sea á más de 200 leguas de la isla del mismo nombre en el grupo de las Babuyanes, en la que el periodista supone tuvo lugar el acontecimiento.

Segun noticias de Manila forman esta isla tres sierras: Catarman, Sigay y Maginog. El 17 de Febrero se sintieron fuertes sacudidas acompañadas de gran ruido subterráneo. En 1.º de Mayo de 1871 los habitantes de la pequeña aldea Catarman notaron una columna de humo que salia de la tierra; á cosa de las siete de la tarde del mismo dia oyeron de repente un violento estampido, y se hallaron rodeados de una nube de fuego y de piedras. Algunos que estaban á gran distancia quedaron tambien en medio de la nube y sufrieron quemaduras. Todos se dirigieron á la costa con propósito de abandonar la isla; el número de buques era escaso. Las víctimas debieron ser muchas. El dia 12 el volcan arrojaba aún humo y llamas por cinco cráteres.

Segun parece, habia en la cúspide de la montaña de Catarman y en un cráter un lago, cuyo nivel sufria grandes variaciones. A veces quedaba en seco, otras se desbordaba inundando la comarca, como sucedió en los años 1827 y 1862. Con frecuencia acusaba violento oleaje por corrientes de gases. Una erupcion propiamente tal no habia tenido lugar de tiempo memorial.

ADICIONES Y RECTIFICACIONES.

Segun las noticias del Dr. A. B. Meyer y de algunos otros amigos recien llegados
de Filipinas.

Pág. 4.—Ya existen vapores directos entre la Península y Manila; la
sociedad es realmente inglesa; los buques van de Liverpool á España y
hoy por Suez llegan á Manila; miden de 2.000-3.000 toneladas. Esta línea se utiliza para el pasaje oficial.

Pág. 4, nota 5. — Tambien Singapore y Manila están hoy enlazadas con
una línea de vapores. Cada quince dias sale uno de Manila con el correo
para Singapore, y regresa con el correo de Europa. Esta es hoy la línea
más frecuentada por los viajeros. El viaje dura seis dias por término medio. El Gobierno satisface á la compañía 5.000 pésos por cada viaje; pero
no ejerce vigilancia ni intervencion alguna. Los buques á veces no reunen
las condiciones requeridas. El Dr. A. B. M. estuvo por el camino trece dias
en lugar de seis (*). El vapor que le conducia tuvo que refugiarse dos dias
en las islas Cuyos, y en el siguiente viaje se vió obligado á arribar al puerto de Labuan, que alcanzó con bastante trabajo. Ademas de estos vapores
salen otros, de tiempo en tiempo, para distintos puntos de las costas de
China (Emuy, Hong-Kong, etc.). El trasporte de la correspondencia y
del pasaje en buques de guerra ha cesado del todo.

Pág. 6. — En 1872 se veian aún muchos montones de ruinas en distintos sitios de Manila y sus arrabales, causadas por el terremoto de 1863.
La plaza está aún como quedó despues de la catástrofe, y lo mismo el
puente que «dudo se reconstruya.» (Véase la nota 19.)

Terremotos de Octubre 1871 hasta Marzo 1872.

1871 : 8-9 de Octubre: Mindanao, Pollok, brotaron nuevos manantiales
     . sulfurosos.

»   8-14 de Diciembre, Mindanao: ruina de Cottabato.

»   Diciembre. Provincia de Albay, erupcion del Mayon.

1872 :	Enero.	»	Albay, id., id.
»	29 Enero.	»	Manila, siete de la tarde, E. á O. suave.
»	» »	»	Zambales, » fuerte.
»	7 Febrero.	»	Camarines, por dos veces.
»	5 Marzo.	»	Manila, nueve de la mañana.
»	6 »	»	Laguna, nueve de la mañana (quizás tambien el 5).
»	22 »	»	Manila, fuerte.
»	» »	»	Batangas.

(*) Once dias tardé en llegar á Manila desde Singapore. (*N. del Tr.*)

346

En *La Epoca* del 20 y 21 de Marzo de 1872 se pintan los terremotos de Pallok y Cottabato como terribles en sus consecuencias. El 8 Diciembre de 1871, á las seis y diez minutos de la tarde, era Cottabato un bonito pueblo, y á las seis y veinte minutos un monton de ruinas. Otro temblor más violento aún que los anteriores tuvo lugar el 9 á las siete y media de la mañana; la tierra parecia estar hirviendo, se repitieron las sacudidas por cinco veces más (*).

Pág. 25.—*Jardin botánico.* «Está en el mismo estado que cuando V. lo vió. El Director percibe ciertamente 2.000 pesos ó más de sueldo, pero su único cuidado consiste en cultivar flores para ramos. La mayor parte del terreno está ocupada por maíz y plátanos. Otra prueba de la falta de intervencion.»

Pág. 64.—«El camino entre Majaijai y Lucban, y entre Mauban y Lucban, se halla ahora en tan mal estado, que sólo puede pasarse por él exponiendo la vida, y sin embargo, el tráfico entre Mauban y Santa Cruz es considerable.

Pág. 66.—«La cascada está entre Lucban y Majaijai, no entre Mauban y Lucban. Probé várias veces de medir su altura arrojando piedras, y hallé que por término medio tardaban en caer cinco minutos. Segun esto, la altura sería de 390'5».

Pág. 85.—«Las islas Filipinas producen ahora más cacao, y su cantidad basta á satisfacer las necesidades del consumo, y así obtienen bajos precios las remesas de Ternate. Sólo mandando de retorno cigarros los comerciantes pueden tener algun lucro. El cacao se paga en las Célebes y Batjan, tan caro como en Manila. De Ternate llega sólo indirectamente; los comerciantes de Ternate mandan sus buques á Batjan, á la bahía de Tomini (Célebes) y á Togian ó islas de las Tortugas, y cargan cacao, que ó bien envian á Manila ó venden á comerciantes filipinos en Ternate ó Menado. Vi las plantaciones de la bahía de Tomini y de las islas Togian; su estado era malo y la exportacion amenazaba cesar dentro de poco, si no ocurre variacion favorable en las circunstancias. El cacao de las Célebes es de especiales condiciones; pero hace algunos años padece una enfermedad.

Pág. 134.—No todos los dias hay carnero en los mercados de Manila, y sí sólo cuando alguno los hace venir de Shanghai.

Pág. 251.—El sistema de anticipos vuelve á introducirse y costará desterrarlo en mucho tiempo, hasta que se tengan salarios fijamente establecidos. Los braceros faltarán miéntras todos puedan ser propietarios.

(*) Pueden verse los datos que acerca de estos terremotos consigno en mi *Memoria sobre los Montes de Filipinas*, págs. 203-207 (Madrid, 1874, Aribau y Cª). (*N. del T.*)

OBRAS CITADAS EN ABREVIATURA.

Aduarte. . . . . . Historià de la provincia del S. Rosario de Filipi-
nas, Zaragoza, 1693.
Albo. . . . . . . En la obra de Navarrete.
Anson. . . . . . . R. Walter, A voyage round the world in the years
1740-1744 by G. Anson. London, 1748.
Apuntes. . . . . . D. de Ormacheo, Islas Filipinas. Apuntes para la
razon general de su hacienda. Madrid, 1858.
Arenas com. . . . . Memoria sobre el comercio de las Filipinas, 1838.
Arenas hist. . . . . Memorias históricas y estadísticas de Filipinas.
Manila, 1850.
Autos acordados.. . Coleccion de autos acordados de la real Audiencia
chancillería de Filipinas. Manila, 1861-65.
Carillo.. . . . . . Relation des Isles Philippines faite par l'amirante
D. Hieronimo de Banuelos y Carillo en Thé-
venot.
v. Chamisso. . . . Bemerkungen und Ansichten auf einer Entde-
ckungsreise.
Combes. . . . . . Historia de las islas de Mindanao. Madrid, 1667.
Comyn.. . . . . . Tomás de Comyn. Estado de las Islas Filipinas
en 1810. Madrid, 1820.
Crawfurd. . . . . A descriptive Dictionary of the Indian islands.
London, 1856.
De Guignes. . . . Voyage à Pékin, Manille..... 1784-1801. París,
1808.
Depons. . . . . . Reise in den östlichen Theil von Terra-firma 1801-
1804, traducido al aleman por Wyland.
Di los Rios. . . . Relation et mémorial de l'estat des Isles Philippi-
nes et des isles Molucques, par F. di los Rios,
en la obra de Thévenot.
Estado geogr.. . . Estado geográfico, topográfico, estadístico, histó-
rico-religioso..... por Huerta..... convento de San
Francisco. Manila, 1855.
Fray Gaspar. . . . Fray Gaspar de S. Agustin, Conquistas de las Islas Philipinas. Madrid, 1698.
Gemelli Careri. . . A voyage round the world in Awnshaw & Chur-
chill, a Collection of travels, vol. IV. London,
1704.
Grav. . . . . . . Grav y Monfalcon. Mémoire pour le commerce des
Philippines, en la obra de Thévenot.
Hernandez. . . . F. Hernandi medici atque historici... opera cum
edita tum inedita. Madrid, 1790.

Informe. . . . . Informe sobre el estado de las Islas Filipinas (por D. S. de Mas). Madrid, 1842.

Kottenkamp. . . . Geschichte der Kolonisation Amerika's.

Lapérouse.. . . . Voyage de Lapérouse autour du monde par Milet-Mureau. París, 1797.

Legentil. . . . . Voyage dans les mers des Indes. París, 1779. 40.

Leg. ultr. . . . . Legislacion ultramarina concordada y anotada por D. Joaquin Rodriguez San Pedro. Madrid, 1865.

Mas.. . . . . . Véase Informe.

Morga.. . . . . Sucesos de las Islas Filipinas. México, 1609.

Morga Hakl. . . . Traduccion inglesa de la obra anterior, publicada por la Hakluyt Society.

Navarrete.. . . . Coleccion de los viajes y descubrimientos, etc. Madrid, 1825-37.

Nierembergius. . . Historia naturæ maxime peregrina. Antwerpen, 1635.

Perrey.. . . . . Documents sur les tremblements de terre et les phénoménes volcaniques dans l'Archipel des Philippines. Extrait des mémoires de l'Acad. de Dijon.

Pigafetta. . . . . Primo viaggio in torno al globo terraqueo..... dal cavaliere Antonio Pigaffetta..... da un codice manuscripto della biblioteca Ambrosiana di Milano, 1800.

Rapp. Jury. . . . Rapport du jury international de l'Exposition universelle de París. París, 1868.

Ste. Croix.. . . . Renouard de Ste. Croix. Voyage commercial et politique aux Indes Orientales, aux Isles Philippines, 1803-7. París, 1810.

Recopilacion.. . . Recopilacion de las leyes de los Reynos de las Indias. Madrid, 1774.

Reiseskizzen.. . . Singapore, Malacca, Java. Reiseskizzen von F. Jagor.

Thévenot.. . . . Relation des divers voyages curieux. París, 1664.

Thévenot Religieux.. Relation des Isles Philippines para un religieux qui y a demeuré 18 ans, en la obra de Thévenot.

Torrubia. . . . . Disertacion histórico-política y en mucha parte geográfica de las Islas Philipinas. Madrid, 1753.

U. S. Expl. Ex. . . C. Wilkes Narrative of the U. S. Exploring Expedition during the years, 1838-42.

Velarde. . . . . Murillo Velarde. Historia de la provincia de Philippinas. Manila, 1749.

Zúñiga.. . . . . Historia de las Islas Philippinas. Sampaloc (Manila, 1803).

Zúñiga Mavers. . . Traduccion inglesa de la obra anterior hecha por Mavers.

CONSTITUCION GEOLÓGICA DE FILIPINAS,

POR J. ROTH.

Exceptuando Java—gracias en primer lugar á las exploraciones de Junghuhn—está muy atrasado el estudio geognóstico de todas las islas del extremo Oriente; reduciéndose á trabajos aislados sobre puntos determinados. Por tal razon tiene interés cualquier nuevo trabajo en esta materia. Las rocas recogidas por el Dr. Jagor en su viaje de 1859 y 1860, y que me ha comunicado, permiten decir algo más concreto que lo escrito hasta hoy. La bibliografía geológica de Filipinas no es ciertamente muy rica. Ademas de algunas noticias dadas por A. de Chamisso (*), E. Hoffmann (**), Meyen (***), Sainz de Baranda (†), Chevalier (††), Dana (†††); tenemos una enumeracion de los volcanes en la obra de L. de Buch sobre las islas Canarias, los informes de Hochstetter (§) acerca del viaje de la *Novara*, el estudio de Richthofen acerca de la formacion numulítica (§§), los de C. Semper (§§§) y sus seis bosquejos *Filipinas y sus habitantes (Die Philippinen und ihre Bewohner*, Würzburg, 1869). En las siguientes líneas intento formar un todo con las observaciones particulares que me son conocidas.

Como una parte de la gran faja volcánica del mar Pacífico se han estudiado desde hace tiempo los volcanes del Archipiélago, que vienen á constituir el enlace de la línea de las Curilas, Japon y Formosa, con la que se extiende por Mindanao y las islas Sangirin continuando en las Molucas, en donde se separan la rama que cruza Java y la llamada por L. de Buch del Occidente de Australia, que llega hasta la Nueva Zelandia. Mucho ménos se conocen en Filipinas los terrenos sedimentarios sobre los cuales sólo breves noticias se pueden dar.

De las últimas investigaciones geológicas en el Archipiélago resulta que se apoyan sobre masas de pizarras cristalinas, depósitos modernos, unos de seguro terciarios (eocénicos) y muchos otros más recien-

---

(*) *Bemerkungen und Ansichten auf der Entdeckungsreise von O. von Kotzebue*, 1821.
(**) *Geognostische Beobachtungen auf der Reise von O. von Kotzebue*, 1829.
(***) *Reise um die Erde.* Berlin, 1835.
(†) *Constitucion geognóstica de las Islas Filipinas. Anales de minas.* 2-197-212, 1841.
(††) *Voyage de la Bonite, Géologie*, París, 1844.
(†††) *U. S. Exploring expedition under the command of C. Wilkes. Geology by Dana*, Philadelphia, 1849.
(§) *Wiener Akad.*, Ber., 36-121, 1859.
(§§) *Zs. geol. Ges*, 14-358, 1862.
(§§§) *Zs. f. allgem. Erdkunde.* N. F., 10-249, 1861 y 13-81, 1862.

tes aún; bancos de corales y arrecifes levantados con las mismas especies de moluscos que viven actualmente en el Océano Pacífico. Los arrecifes de corales se unen por completo á los de formacion actual y alcanzan una notable potencia ; segun los datos de Dana miden en la punta de San Diego al Sur de Manila , hasta 600 piés sobre el nivel del mar. El levantamiento dura todavía, así parece, por lo ménos probable, áun cuando falten mediciones exactas. Segun de Richthofen , una parte de las rocas volcánicas es más moderna que las calizas numuslíticas ; éstas forman con las traquitas brechas groseras y aparecen encerradas en ellas. En los depósitos volcánicos y apoyándose en los mismos hay sedimentos de menor antigüedad, cuya formacion dura aún , así como la actividad volcánica. Esta se manifiesta en vivos y frecuentes terremotos. Tomada en conjunto, la estructura del Archipiélago corresponde á la de Java.

En las islas de Luzon, Samar y Leyte no halló el Dr. Jagor ningun vestigio de formaciones antiguas. Segun Semper parece que los fósiles del Norte de Luzon y de Cebú indican mayor antigüedad. Rocas eruptivas de remotas épocas, entre las cuales cita Humboldt (*) el granito de la parte septentrional de Luzon, se observaron por el Dr. Jagor ; pero sólo en cantos rodados. Estas masas eruptivas penetran sin duda las pizarras cristalinas (**).

Como en todas partes donde se manifiesta la actividad volcánica y se presentan erupciones de lava, hay tambien en Filipinas volcanes apagados ó inactivos, y otros que permanecen en el estado transitorio de *solfataras*. Se debe admitir que no faltan rocas eruptivas modernas, lo cual, sin embargo, no se deduce claramente de los ejemplares reunidos ni de las noticias existentes. La presencia de las traquitas —tomando la palabra en su acepcion más lata— y doleritas á manera de antiguas rocas eruptivas, ó sea sin recubrir un esqueleto volcánico que, no obstante, indican colinas cónicas aisladas. En muchos de los volcanes apagados es dificil adquirir la seguridad de la época é importancia de las erupciones, y hasta de si han ocurrido dentro de la época histórica.

Prescindiendo de Mindanao (***) y Negros, en cuya última isla Semper vió humear con intensidad un volcan (en la parte N.), estimó su altura por lo ménos en 5.000 piés (llamado Malespina en el mapa hidro-geográfico de Filipinas) se conocen volcanes activos únicamente en Luzon, Babuyanes y la pequeña isla de Camiguin (entre Mindanao y Siguijor). En Camiguin tuvo lugar una erupcion, segun cartas de Manila (publicadas en el Spernesche Zeitung, 1871, núm. 167) en 1.º de Mayó de 1871. Durante seis meses hubo en Bojol, Cebú y Camiguin repetidos terremotos. La mayor parte de los habitantes de Camiguin abandonaron la isla. A las cinco

---

(*) *Cosmos*, tom. 4.º, 405.
(**) L. Horner halló tambien en Java (J. Miner, 1838-2), en algunos rios que desaguan al mar del Sur, rocas graníticas y dioríticas; en Junghuhn no se encuentra noticia alguna de ellas. Véase *Jahrbuch Geologischer Reichsaustellung*, 1-191 y 194, 1858.
(***) La situacion del Serangani en Mindanao ó cerca de allí no parece bien fijada. Tampoco se conoce de cierto si el volcan de Davao junto á la bahía de Davao ó Tagloc, y el Sugut (al E. de la bahía Illana) están ó no en actividad. Nada se sabe respecto á un volcan de la isla Siguíjor ó de Fuegos, entre Mindanao y Negros.

de la tarde del 1.º de Mayo se abrió con espantoso ruido una montaña situada por cima del pueblo de Catarman. Arrojó humo, cenizas, tierra y piedras; el cráter tenía de longitud unos 1.500 piés por 150 de ancho y 27 de profundidad. A las siete de la tarde siguió una segunda erupcion. No se habla de corrientes de lava. En Julio de 1871 el volcan continuaba en actividad.

En la isla Babuyan está el Claro, un volcan que parece ser continuamente activo (*) y en la más al S. E. del grupo de las Babuyanes, en la de Camiguin, hay uno en estado de *solfatara*. En los arrecifes de Didica al oriente de Camiguin, que, segun Semper, son los restos de los bordes de un antiguo cráter, se formó en 1856 un volcan que en Octubre de 1870 levantaba ya por lo ménos 700 piés. Despues de haber salido humo entre dos arrecifes se originó allí un islote que aumentaba con los escombros de los arrecifes, cuya mitad superior se derrumbaba. En 1857 estalló una violenta erupcion acompañada de fuertes terremotos.

D. Claudio Montero halló en la punta septentrional de Luzon, junto al Cabo Engaño (provincia de Cagayan) un volcan de 2.489 piés de altura, el monte Cagua (**). Semper lo vió humear en Octubre de 1860, desde Aparri. Entre estos cuatro volcanes tan poco distantes y enlazados por una serie de volcanes apagados, hay los otros tres activos de Luzon: el de Taal, el de Albay ó Mayon y el del extremo Sur de la isla, el Bulusan, en cuya falda, segun Hochstetter, brotan manantiales de agua termal.

Mucho más numerosos son los volcanes apagados. Segun Semper, los hay en todas las islas del Archipiélago, exceptuando las de Cebú y de Bojol, que segun parece se han formado por un levantamiento de bancos madrepóricos y por depósitos sedimentarios. Dana no vió en Panay indicio alguno de rocas volcánicas. Las noticias existentes dejan, sin embargo, dudas sobre si se refieren á volcanes extinguidos ó á montañas amameladas sin cráter. En la parte oriental de la isla de Leyte hay uno apagado, el Dagami, bien conocido, á cuyo pié y en la parte E. se halla una *solfatara*. En Samar no se sabe que exista ninguna; pero sí abundan en Luzon constituyendo una serie. Es su primer miembro el monte Pocdol cerca de Bacon en la punta Sur de la isla entre el Bulusan y el Mayon; al N. O. de Albay tenemos el Mazaraga, al Norte del cual se levantan el Malinao ó Buhí y el Iriga. Siguiendo la misma direccion encontramos el gran Isarog. En la provincia de Camarines, Norte, citarémos el Labo y el Pico de Colasi; al Sur de la Laguna de Bay descuella el Majaijai ó Banajao, el Sosoncambing y el Malarayat más al Mediodia, el Tanabon (sin duda el Monton Tombol de Hochstetter), y finalmente el Maquiling (***), notable por sus grandes solfataras.

(*) SEMPER, Skizzen, pág. 14.

(**) HORSBURGH (citado por Berghaus en su *Memoria geo-hidrográfica de Filipinas*, 1832) habla de una isla con masas de lava, llamada de *Lava ó del Cabo*, al Norte de Cabo Engaño. ¿ Se referirá acaso al de Camiguin ?

(***) La Gironiere dice del Mainit, que parece intimamente ligado con el Maquiling (cita de la obra de Perrey *Documents sur les tremblements de terre dans l'archipel des Philippines*) que á veces arroja llamas y humo. Segun esto debe colocarse en la categoría de volcanes en ignicion.

En su falda brotan las aguas sulfurosas termales de los Baños, hay tambien el lago Dagatan, el volcan de cieno de Nataños, el cráter de Maicap, etc. Entre esta montaña y la de Majaijai se halla la comarca volcánica de San Pablo con sus numerosos y pequeños lagos situados en cráteres. Al N. E. del Majaijai, entre Lucban y Mauban, hay doleritas y tobas. Las lavas doleríticas de la isla Talim en la Laguna de Bay y las de la península de Jalajala, la corriente de obsidiana de la península y bahía de Binangonan indican allí un gran centro volcánico. La bahía de Manila queda limitada al Oeste por la sierra del Pico Butilao y la de Mariveles; esta última con lavas doleríticas. Kotzebue (*) vió en la islá del Corregidor un antiguo cráter. En los alrededores de Manila hay grandes masas de toba, que tambien separan, formando un dique de poca altura, la laguna de Bombon del mar.

No es posible inquirir si las rocas que aparecen mezcladas con calizas entre Antipolo y Bosoboso, y que Richthofen llama traquitas, así como las que se presentan del mimo modo cerca de Zamboanga, son simplemente eruptivas ó deben considerarse como lavas. En la llanura de la Pampanga, al N. O. de Manila, apénas elevada sobre el nivel del mar 90 piés, se levanta hasta 3.150 piés el monte Arayat, formando un doble cono de traquita; en su base hay manantiales calientes. En la parte septentrional de la gran llanura de Luzon, entre el Arayat y Santo Tomás, se ven, aislados sin relacion con cordillera alguna cuatro pequeños montes volcánicos, entre ellos el Cujaput. Es dudoso si deben considerarse como extinguidos los volcanes Arayat, el monte Data cerca de Mancayan (N. O. de Luzon) y el Subig en la cordillera de Zambales. El 4 Enero de 1641, ó sea el dia de la erupcion de Sanguir (**) aparecieron, segun los escritos españoles, al mismo tiempo un volcan en la isla Sulu (***) (Joló) y otro llamado Aringay ó de Santo Tomás, en el golfo de Lingayen. Si efectivamente se formó alli un volcan está ahora apagado. Segun D. Claudio Montero, mide 6.948 piés.

Un ensayo para relacionar en un sistema todos estos volcanes, tanto los activos como los apagados, fracasa por el imperfecto conocimiento no sólo de los de Luzon, sino que tambien de los existentes en las otras islas contiguas. Parece que la faja sigue la direccion de N. á S., pero se desvia segun la situacion y configuracion topográfica de las cordilleras que forman el esqueleto de las islas.

El volcan de Taal, que apénas mide 840 piés, siendo el más bajo (†) de todos los activos de Luzon, es notable por el sitio en donde se halla: una isla de escorias en la profunda laguna de Bombon y por el lago de su cráter, eu medio del cual descuella el cono de erupcion dentro de un segundo cráter. A. de Chamisso (††) vió en 1818 al volcan en débil ignicion;

<hr>

(*) *Entdeckungsreise*, II. 137.
(** Véase tambien *Zeitschrift f. allg. Erdkunde.* N. T. 6-71, 1859.
(***) DANA l. c. 545 vió cantos de lava celular con tobas grises, semejantes á las de Manila.
(†) AL. DE HUMBOLDT. *Cosmos* IV, 522 y 287.
(††) Véase la lámina en *Choris Voyage pittoresque*, 1820.

E. Hoffmann en 1825, Wilkes (†) en 1842, lo observaron en completa erupcion. Delamarche (§), quien lo halló inactivo en 25 de Octubre de 1842, nos dá una descripcion detallada de la colina. Semper, que lo visitó en 30 de Abril de 1859, vió el cráter humear sin interrupcion. El piso del cráter, que sobresale entre las numerosas y pequeñas prominencias, estaba cubierto de arcilla y de cristales de yeso, de todas partes salian vapores acuosos, ácidos y calientes; alumbre, azufre y materias semejantes abundan allí, y en algunos sitios salian pequeños arroyos de agua hirviendo. Semper vió el cráter lleno de agua caliente de color lechoso y exhalando vapores sulfurosos. Segun esto, el volcan de Taal se halla en el estado de solfatara. En el extremo N. O. de la isla hay una montaña cónica con su cráter, completamente apagado; lo forman tobas y se llama el Binintiang grande; al Sur hay el Binintiang chico. La roca de la montaña, segun L. de Buch (*), consiste en una masa pardooscura, de textura astillosa fina, con pequeños cristales de feldespato. No puede determinarse por los ejemplares disponibles, que están muy descompuestos, si son traquitas sanidínicas ó si pertenecen al grupo de los feldespatos triclínicos; es probable que sean doleritas. La erupcion más notable fué la de 1754 (la anterior ocurrió en 1716); arrojó en ella muchas cenizas; despues ocurrieron algunas erupciones de poca consideracion. Segun parece, hace ya mucho tiempo que de aquella montaña no han salido corrientes de lava.

El Albay ó Mayon, 7.000′ sobre el nivel del mar, no sólo ofrece erupciones de cenizas acompañadas de las corrientes de fango tan asoladoras, y tambien de las de lava. Sus principales erupciones son las de los años 1766, 1800 y 1814. En 1857 vomitó muchas cenizas; en 1858 el cráter estaba lleno de humo. El Dr. Jagor lo vió en 1859 despedir vapores sulfurosos calientes.

En Filipinas, como en todas partes, se hallan relacionados los volcanes activos y apagados con tobas. Más adelante se dan detalles acerca de los sitios en donde se encuentran. Ya hemos hablado de su abundancia cerca de Manila. Estas tobas, de colores verdoso-cenicientos, son bastante compactas para poder emplearse como materiales de construccion; forman en muchos puntos de las márgenes del Pasig, hácia la Laguna de Bay, depósitos de 40 á 60 piés de potencia. Segun G. Rose (*Meyen Reise*, II, 202) son conglomerados de piedra pómez, que encierran en una masa áspera, gris, fácilmente rayable, fragmentos angulosos, gris azulados de piedra pómez. Dana dice que contienen impresiones de hojas y maderas silicificadas, generalmente de palmeras idénticas á especies de la flora actual. En las inmediaciones de los volcanes activos hay areniscas volcánicas sueltas, y en las de los apagados están unidas en masas más ó ménos sólidas, depositadas sin órden, mezcladas con la roca subyacente ó con ca-

---

(†) *U. S. Explor. Expedition*, V, 317.
(§) *Bulletin de la Société géographique*, 19, 79, 1842 (*en el résumen de d'Archiac: Histoire du progrès de la géologie*, I, 544, 1847).
(*) *Description phisique des îles Canaries*. Paris, 1836, 437.

lizas en las costas, las cuales, procedentes de moluscos marinos, sirven de cemento. El grano es muy variable, así como el número y tamaño de los fragmentos incrustados. En donde las tobas se presentan atacadas por los agentes atmosféricos ó por la accion de las fumarolas, se han separado las arcillas formando á veces depósitos considerables.

· Entre las numerosísimas rocas volcánicas que tengo, procedentes del Sur de Luzon, de Samar y de Leyte, y en las tobas relacionadas con ellas, hay representados, con muy pocas excepciones, sólo dos tipos, y que áun son muy afines ambos caracterizados por la presencia de feldespatos triclinoédricos, y distinguiéndose uno por la de la hornblenda y el otro por la de la augita, andesita hornbléndica y andesita augítica ó dolerita. Un análisis de los feldespatos decidirá, si en muchas de estas rocas, como su aspecto y semejanza con las lavas del Etna hace suponer, entra el labrador ó un feldespato rico en sílice. En las andesitas anfibólicas suele haber ademas hierro magnético, y en general tambien olivino; á veces entra en la composicion, pero con poca abundancia, la augita verde. Estas rocas se hallan en los grupos del Labo, del Colasi, del Isarog, en la isla de San Miguel, cerca del Dagami y de Danaan en Leyte; son comunmente de aspecto porfídico y muy semejantes entre sí. Al grupo de las doleritas corresponden las lavas del Albay, del Iriga, del Mazaraga, del Malinao y de toda la comarca de la Laguna de Bay. Junto con la augita aparecen en ellas olivino é hierro magnético, y más rara vez laminillas de mica oscura. Los mismos minerales de estas rocas se encuentran de nuevo en las tobas y arenas. Si bien hay en ellas fragmentos aislados de piedra pómez, los depósitos constituidos esencialmente por esta sustancia están muy subordinados. Es asimismo rara la presencia de amigdalas y de ceolitas. Las rocas vítreas escasean mucho; de Hochstätter observó en la península de Binangonan, en la Laguna de Bay, corrientes de obsidiana en forma de columnas fraccionadas. Es dudoso que en aquella localidad haya traquitas sanídicas propiamente tales. Acerca de la edad relativa de ambas andesitas se puede decir tan poco como de la série cronológica de los volcanes.

Tambien aquí se nos ofrece un buen paralelo con Java, en cuanto las andesitas se presentan igualmente abundantes allí, áun cuando no constituyan exclusivamente el suelo. Hay, no obstante, en Luzon, Samar y Leyte las rocas basálticas compactas, que tan frecuentes son en Java, y sólo en un sitio, como prueban las gradaciones transitorias, se componen de andesita anfibólica.

Como muy característico debemos citar ademas que en la actividad de las fumarolas sólo se ha observado la accion de los vapores de hidrógeno sulfurado, de ácidos sulfurosos y sublimacion de azufre, y juntamente la formacion de yeso, alumbre, alumbrógeno y bianquetto, y segun la fuerza y la duracion de la influencia, la completa ausencia de arcilla ó su trasformacion en sales de azufre. La abundante formacion de yeso se explica por el contenido de la hornblenda en cal, así como de la augita y del feldespato. Tampoco faltan los óxidos de hierro con ácidos sulfurosos, y la coloracion roja del residuo por los óxidos de hierro; finalmente, el orígen de las piritas explicado por los ingeniosos experimentos del profesor Bunsen, cuya, trasformacion contribuye á la descomposicion de las rocas. Por esto falta todo indicio de fumarolas de ácido clorhídrico. Si bien no era creible la sedimentacion de combinaciones de cloro fácilmente solubles, no se halla un solo indicio de cloruro de hierro sublimado y descompuesto en hierro brillante. Tampoco se ha observado en parte alguna la formacion de palagonita, como parece deberia motivar la abundancia de tobas (áun cuando de grano grosero). En cambio abundan los depósitos de toba silícea, ópalo é hialita en la última fase de la actividad volcánica, manantiales de aguas carbónicas y de bicarbonatos alcalinos, semejantes á los de Islandia, Madera, Nueva Zelanda, California, Nevada, Montana-Wyoming y de otros puntos. La explicacion de todas estas formaciones se encuentra en los trabajos de Bunsen sobre Islandia. El mismo orígen deben reconocer los jaspes que se encuentran en las comarcas volcánicas.

La participacion de las formaciones volcánicas en la constitucion de Filipinas no debe, sin embargo, estimarse mayor de lo que realmente es; por el espacio que ocupan están subordinadas á las pizarras cristalinas y á los sedimentos. Entre las primeras se han observado: el gneis, la pizarra micácea, la hornbléndica, el gneis hornbléndico, las pizarras talcosa y clorítica, la serpentina. En la parte septentrional de Luzon están muy extendidas. Meyen vió en San Mateo y cerca de Balate (al N. de San Mateo) pizarras hornbléndicas de grano fino, yacentes sobre las calizas de San Mateo. Los lavaderos de oro, citados por Semper en el valle del rio Agno grande, en país de igorrotes, indican asimismo la existencia de pizarras cristalinas, y tambien la denotan los minerales de hierro cerca de Angat (provincia de Bulacan); segun Chevalier hay serpentinas en la provincia de Bataan (al O. de la bahía de Manila). La costa N. E. de la provincia de Camarines Norte, entre Paracali, Mambulao y Longos, está formada de gneises y las correspondientes pizarras hornbléndicas, de pizarras talcosas y de serpentinas, que llegan hasta Indang y Labo, y probablemente continúan en la sierra de Caramuan, situada á la otra parte de la bahía de San Miguel. En la costa meridional de la misma provincia, cerca de Pasacao, aparecen gneises hornbléndicos y pizarras hornbléndicas. En la parte N. O. de la isla de Samar, junto á Loquilocum, en Basey, y en la isla de Leyte, cerca de Tanauan, se han observado las mismas rocas.

Segun Sainz de Baranda se halla la serpentina en Mindanao junto á Camahat, provincia de Caraga, y á Pigtao, provincia de Misamis. En el extremo O., junto á la Caldera (al N. O. de Zamboanga) vió Dana cantos rodados de hornblenda y de pizarra talcosa; en la isla Lubang (S. O. de Manila) pizarras talcosas y cloríticas que siguen hasta la isla de Mindoro pasando alli á serpentinas. En San José, costa O. de Panay, observó el mismo geólogo cantos de pizarra talcosa y de cuarzo. Segun Meyen (l. c. 245) la pizarra talcosa abunda especialmente en Cebú.

Con su descomposicion las pizarras cristalinas suministraron el material para los depósitos sedimentarios, en los cuales se reconocen distintos minerales de la roca primitiva, tales como cuarzo, feldespato, mica y hierro magnético. Estos depósitos son más ó ménos silíceos y arcillosos, y su carácter petrográfico oscila entre el de los depósitos arcillosos y el de los de areniscas.

Los datos acerca de la presencia de rocas eruptivas antiguas parecen poco exactos. En el Norte de Luzon se cita granito y pórfidos. En Pual (Sual del mapa, 16° 10′ lat. N. en el golfo de Lingayen) alternan segun Callery (*) eufotida, serpentina y petrosilex. Itier (**) halló cerca de Angat (provincia de Bulacan) cantos de diorita, amigdalas, espilitas, epidoto y pórfidos.

Debajo de los sedimentos aparecen junto á las calizas, areniscas y capas de arcilla, cuyo orígen, como hemos mencionado, se explica en parte por la descomposicion de pizarras cristalinas, y en parte por la de tobas volcánicas. La trasformacion rápida observada por Semper en los bancos madrepóricos levantados, y que ocupan gran extension, convirtiéndose en calizas de corales, muy duras y compactas, prueba que la caliza tenáz y compacta no se origina siempre, como supone de Richthofen, por una metamórfosis debida á las traquitas. En algunas de estas calizas se descubren aún huellas de corales, si bien á consecuencia de la trasformacion mal conservados. Cerca de Binangonan (al N. de la Laguna de Bay) halló de Richthofen en las calizas, allí fragmentarias, muchos numulitas, junto con ostras, en mal estado de conservacion (***). En las calizas de San Mateo Mayen buscó en vano fósiles. Richthofen vió entre ambos puntos la caliza de Antípolo y Bosoboso, formando una moutaña de laderas acantiladas, muy asurcadas y con la cima plana como una especie de muela. Probablemente las cúspides abruptas de la sierra de Zambales (N. O. de la Pampanga, N. O. de Manila), se componen de la misma caliza. Callery (l. c.) vió á cuatro leguas de Sual una faja de caliza grosera y travertino, que tenía dos leguas de ancho y descansaba horizontalmente sobre la eufotida. Halló en la caliza los crustáceos decapodos: *Portunus leucodon*, Desmarest, y el *Noptacus Latreillci*. Semper vió las calizas de corales en el valle de Benguet y en la provincia de Batangas (Norte de Luzon), tambien en las costas Norte y Oeste de Luzon y la Occidental de Camignin (Babuyanes).

En la parte Oeste de la gran cordillera del Norte de Luzon Semper recogió, á 800′ sobre el nivel del mar, en medio de la comarca, áridas areniscas con moluscos marinos *(Conus sp.)*, y en el valle del Agno (Norte de Luzon) á una altura de 400 piés, corales en roca porfídica, cuyos principales componentes eran cantos rodados graníticos y traquíticos (****). Junto á la punta Sur de la parte occidental de Mindanao, cerca de Zamboanga, de Richthofen halló en las calizas montones de conchas de ostras. A poca distancia se presentan areniscas impuras con impresiones de plantas, margas calizas azules y pizarras blandas de color oscuro. Tambien en otros puntos hay arcillas y areniscas con impresiones de

(*) Cita de Chevalier, pág. 227.
(**) D'ARCHIAC, *h staire de la géologie*, 3, 520.
(***) Vorbcek describió los numulitas de Borneo en el *Jahrb. Mineralogie*, 1871, 1.
(****) Zeitschr. f. allg. Erdkunde. N. F. 13, 86.

hojas; las últimas encierran á veces carbón pardo. En Cebú se tiene hulla en la comarca de Naga, en las montañas de Alpacó (*Revista Minera*, 1863. 17. 244), asimismo existe en Mindanao, segun Richthofen, al E. de Zamboanga, en el seno de Sibugey, y segun Sainz de Baranda en la isla Siargao (extremo N. E. de Mindanao). Los sedimentos son, por tanto, sólo en parte de orígen marino. Para la comparacion de las capas debe preferirse la agrupacion de las formaciones de Java hecha por Hochstetter (*Novara-Reise, Geolog. Theil.* t. II).

Entre los metales descubiertos en Filipinas citaré: los de hierro en pizarras cristalinas, el hierro magnético al pié de la sierra de Bacacay (al Sur de Paracali) y los hierros de las cercanías de Angat-Kupang, provincia de Bulacan. No se sabe nada positivo respecto á los ricos criaderos de cobre del Norte de Luzon. Hay depósitos considerables de este metal en Mancayan, distrito de Lepanto, situado entre las provincias de Cagayan é Ilocos. Segun Zerrenner (*Berg-und Hüttenm. Zeit.*, 28, 105 y 113. 1869) se encuentra allí en los filones de cuarzo, que atraviesan pórfidos traquíticos, la pirita de cobre con la enargita. En los escritos españoles se designa la roca con el nombre de trapp. Dana dice que las pizarras talcosas y cloriticas de la isla Lubang (S. O. de Manila) contienen pirita de cobre. Los filones de cuarzo, que aparecen en las pizarras cristalinas, especialmente en las talcosas, y en serpentinas, muestran ademas de pirita de hierro, hierro brillante y pirita de cobre, oro nativo y espato de plomo cromatado. Así por lo ménos se observa en Mambulao y Paracali (Camarines Norte). El modo de presentarse estos minerales es el mismo que en los Urales, cerca de Beresowsk.

En muchos sitios se lavan arenas auríferas, ricas en hierro magnético y procedentes de la descomposicion de pizarras cristalinas. Segun Sainz de Baranda (*) el oro se halla, ademas de Luzon, en Mindanao, Sibuyan, Panay y Dinagat; el mercurio probablemente en Leyte; el cobre nativo, reducido á polvo finísimo y la pirita de cobre, en Mindanao. Hay tambien hermosos cristales de rutilo en la isla Bigat, lo cual prueba que existen allí pizarras cristalinas.

Apuntadas estas generalidades, pasemos á la descripcion especial de las rocas recogidas por el Dr. Jagor.

I. LUZON.

PROVINCIA DE BULACAN.

La márgen del rio Quingoa cerca de Angat, al Norte de la provincia, está formada por tobas conglomeradas, compactas, gris-amarillentas, que encierran fragmentos de piedra pómez blanco-agrisados y trozos de lava y de escorias oscuras, aquéllos de mayor tamaño que éstos, y contienen ademas: feldespatos triclinoédricos, augitas y hierro magnético. Su consistencia permite en muchas localidades emplear la roca como material de cons-

---

(*) L. c., 204.

truccion , explotándose canteras en Tubagan y Buena Vista (entre Balinag y Angat). En algunos sitios toman las tobas una coloracion más intensa, efecto de aumentar la cantidad de lavas y escorias que hay en ellas.

El arroyo Banavon arrastra al N. de Angat, hácia Kupang, muchos cantos de una caliza con restos de corales , y de una roca con vetas cuarzosas , plutónica y muy descompuesta (*). En sus cercanías aparecen minerales de hierro.

En los bancos de las orillas del rio Quingoa cerca de Calumpit (al O. de Angat) se puede seguir en un trecho largo capas de arcilla conteniendo *Cyrenas.*

PROVINCIA DE BATAAN.

Los grandes cantos que están esparcidos por la costa de Mariveles al Sur del pueblo de este nombre , son lavas doleríticas , extraordinariamente parecidas á las más recientes del Etna y de la isla Stromboli. En otras rocas de masa algo más porosa, de grano más fino y color gris azulado, hay implantados feldespatos triclinoédricos , augita, hierro magnético y olivino. Las augitas se distinguen por su notable tamaño. En un ejemplar aparece un grano de cuarzo.

Es de suponer que toda la cordillera—á la cual pertenecen el Pico Butilao, la sierra de Mariveles , la isla del Corregidor y el pico de Loro , situado al Sur—está formada por la misma roca.

Segun Chevalier (l. c. 222) hay cerca de Mariveles un banco de aragonito fibroso, de color rojizo, apoyado sobre lavas.

PROVINCIA DE LA LAGUNA.

La extremidad Sur de la península de Jalajala, que avanza en la Laguna de Bay , está compuesta de tobas compactas de color gris amarillento, que encierran fragmentos de piedra pómez y de lava de tintas grises. Los pedazos mayores de lava contienen feldespatos triclinoédricos y pocos granos de augita verdes, ó pardos por la accion atmosférica, implantados en una masa opaca de grano fino, cruzada por grietas paralelas. El hierro magnético escasea. El olivino no se descubre ni con auxilio del microscopio. Estas tobas rumbean á h. 12 y buzan 20.º O.

La ladera occidental de la sierra, que corre en direccion N. atravesando toda la Península , se compone de tobas cuyo carácter es semejante al de las anteriores, y de doleritas descompuestas por el ácido sulfhídrico parecidas á las de la vecina isla de Talim. En las tobas se encuentran amigdalas de un tamaño que llega á ³/₄ pulgada ; son de forma aovada ó esférica y de textura concéntrica, y consisten en las mismas tobas de color gris amarillento claro sin núcleo sólido. Las rocas de la parte alta del puerto

---

(*) Véase lo que dice Itier en la pág. 7.

son doleritas no descompuestas, gris azuladas, contienen feldespato, augita y hierro magnético; más abajo se presentan ya alteradas en muchos puntos por el ácido sulfhídrico y á veces las atraviesan fajas coloreadas de rojo por el óxido de hierro. Finalmente pierden por completo el color, convirtiéndose en una masa arcillosa, en la que el agua cargada de carbonato de sosa disuelve abundantemente el ácido silícico. En los primeros estadios de la descomposicion se ven pequeños cristales de feldespato y granos de augita verdes, ó un núcleo de augita envuelto en una cubierta blanda de color amarillo: finalmente las augitas están del todo trasformadas en una masa amarilla sin consistencia. En las rocas descoloridas y alteradas se halla la pirita en puntitos finos, ó en las grietas depósitos estrechos de yeso fibroso, cuyo orígen se explica por el contenido en cal de la augita y del feldespato. Las aguas, que lavan estas rocas descompuestas, depositan en abundancia sulfato básico de óxido de hierro hidratado; el agua de los arroyos tiene un sabor astringente. En estas rocas han ejercido posteriormente su influencia los carbonatos alcalinos, que en disolucion tienen silicato de hierro; consisten en una mezcla de cuarzo amarillo y rojo de sangre, con algo de ópalo. Asimismo se presentan grandes cantos de cuarzo compacto, blanco agrisado con puntos de pirita y drusas de cristales de cuarzo. Más abajo hállanse jaspes pardo-rojizos con drusas y venas, llenas éstas de cristales de cuarzo.

A un cuarto de milla al E. N. E. de la hacienda se ven depósitos, cuya potencia alcanza á 3-4 piés, consistentes en cantos de toba volcánica grosera, á los que sigue una capa de 5 piés de tierra vegetal. Esta es la formacion de la llanura del litoral, entre la línea de colinas y la Laguna. Finalmente en la parte Oeste de la extremidad Sur de la Península hay bancos de moluscos que están levantados 15 piés sobre el nivel de las aguas de la Laguna. Entre las especies halladas allí, todas de la fauna actual, y que han sido clasificadas por el Dr. de Martens, son muy frecuentes el *Tapes virgineus, L. Phil* y el *Cerithium moniliferum, Kien*. En la playa de la isla Talim se levanta un banco de toba que tiene 20 piés de altura; en la meseta sólo se ven tobas. En la costa hay alineados grandes cantos volcánicos. Estas doleritas contienen en una masa compacta gris azulada feldespatos triclinoédricos vítreos, augita verde y hierro magnético. La roca, ya en vías de descomposicion, muestra numerosos y grandes espacios vesiculares arredondeados, en parte llenos de hidrato de óxido de hierro (originado por la descomposicion del carbonato de hierro). Se ven tambien señales de pirita de hierro, que observó G. Rose, asimismo en ejemplares procedentes de Talim; esto indica la accion del hidrógeno sulfurado, y aclara la sedimentacion de combinaciones de hierro; de Hochstetter observó en la Península de Binangonan, separada de la isla de Talim por un estrecho canal, corrientes de obsidiana fraccionadas en forma de columnas.

La dolerita se encuentra un cuarto de milla al Sur de los Baños (orilla meridional de la Laguna) en forma de acarreos del arroyo Malauin, por lo tanto forma masas más arriba. Esta roca contiene allí—en una masa de grano fino, gris azulada oscura, cruzada de grietas paralelas finas—feldespatos triclinoédricos vítreos, augita verde, algunas laminillas de mica, en parte hexagonales, y algo de hierro magnético y de olivino. El eje mayor de los cristales de feldespato, de 3-4^{mm}, está orientado, por lo general, en todos, segun la misma direccion. Las tobas correspondientes tienen el grano fino, son poco coherentes, de color amarillo agrisado y forman bancos en la orilla del arroyo Malauin; contienen junto con fragmentos de piedra pómez grises, arredondeados y del tamaño de un guisante, escasos granos cristalinos de augita verde, abundantes restos de augita, feldespatos triclinoédricos, olivino, mica y hierro magnético.

Las doleritas no alteradas del volcan de fango Natañós, situado á 2 ¹/₂ leguas del pueblo Los Baños, presentan los mismos caractéres que las descritas al hablar de éste; pero su coloracion es algo más oscura, quizá por ser mayor la cantidad de hierro magnético. Como prueba la parcial decoloracion de las rocas, que en algunas es completa, el agente que ha contribuido á la descomposicion ha sido el hidrógeno sulfurado. Hay sitios en que la roca está trasformada en una masa parda por el óxido de hierro ó gris amarillenta, de naturaleza arcillosa, deleznable, con hoquedades y grietas, que contienen ópalo. En la superficie de la roca el agua ha depositado una costra, cuya parte exterior se presenta ondeada. Los depósitos de color gris azulado de las tobas de sílice hidratada con pequeñas cantidades de sulfato básico de óxido de hierro alternan con otras capas amarillo-rojizas, ricas en hierro. El color gris azulado procede de la mezcla de un polvo fino, como se prueba tratando los ejemplares por los ácidos y los álcalis. La toba tiene segun esto una composicion semejante á la silicea de Islandia estudiada por de Bickell, otra prueba más de ser iguales los procesos que en ambos puntos han tenido lugar. La citada roca, descompuesta y de color gris amarillento, dá en el agua yeso, la roca pardo-rojizo tratada por el ácido clorhídrico descubre gran cantidad de ácido sulfúrico, el hierro está en ellas tambien en combinaciones básicas del acido sulfúrico.

Al Norte de la laguna de fango de Natañós forma la orilla del arroyo Malauin una dolerita azul agrisada, algo agrietada. Las grietas están revestidas de piedra pómez pardo-amarillenta, con la textura fibrosa corta. En la masa fino-granuda hay implantados feldespatos triclinoédricos vítreos, augita verde, algun olivino y hierro magnético.

El borde del pequeño lago circular de Dagatan, cerca de los Baños, está formado por una toba poco coherente, gris, de grano grosero, que contiene, ademas de fragmentos de dolerita, feldespato y augita. Grandes cantos sueltos de dolerita probablemente desprendidos de la montaña Maquiling, de igual composicion que los de Natañós, están descoloridos por la accion del hidrógeno sulfurado, y en las grietas encierran hialita.

Los ejemplares recogidos por C. Semper en el Maquiling, prueban la gran actividad con que allí obran las fumarolas de hidrógeno sulfurado y tambien los bicarbonatos alcalinos, disolviendo la sílice que depositan despues las aguas. Una demostracion de ello nos dan las tobas y otras rocas descoloridas, en parte recubiertas de hierro y descompuestas hasta presentarse como bianqueto, lo indican ademas la formacion de yeso, á veces en hermosos cristales, de alumbres fibrosos con brillo sedoso, los depósitos de toba silícea y la presencia del ópalo blanco.

Al Sur de los Baños y cerca de Calauan hay un cráter de erupcion cuyos muros tienen centenares de piés de altura (llanura de Imuc) y están cubiertos con un cafetal del Sr. Scott. En el borde del S. O. y en el cráter hay rapili, en fragmentos irregulares, que alcanzan hasta una pulgada; se vé ademas lava dolerítica, en la cual pueden reconocerse feldespatos triclinoédricos, augita y hierro magnético. Las corrientes de lava de igual naturaleza, de grano fino y color gris, con su composicion mineralógica habitual y sin mica, forman cerca de la hacienda un muro que tiene 100 piés de altura, en él hay asimismo lavas más compactas agrietadas y tambien otras porosas. Las tobas correspondientes á esta formacion de textura fino-granuda, de colores grises, de una potencia de 2 piés, con impresiones de hojas pertenecientes á especies tropicales de la flora actual, cuyo estado, sin embargo, no permite clasificarlas con certeza, descansan horizontalmente en la llanura de Calauan. Las recubre una capa de 3 piés formada por tierra vegetal y se apoyan en una de arcilla, cuya potencia pasa de 5 piés.

El borde superior del cráter, llamado mar de Tigui (cerca del camino de Calauan á San Pablo que está al Sur) convertido en un lago en su mitad y profundo de 100 piés, se compone de rapili, semejante al ya descrito. La meseta, por donde rompió el cráter, consiste en una toba pardo-amarillenta, de grano fino, en la cual se reconocen algunos fragmentos de rocas muy descompuestas.

Las tobas que forman el cráter Maïcap, una legua S. E. de Calauan, y el cráter Palacpacan, son de grano grosero y contienen numerosos trozos de dolerita, en parte esponjados como piedra pómez, con algunos feldespatos triclinoédricos vítreos y augita verde. En ambos cráteres hay lagos.

Al Este de la cascada del Botocan, en las vertientes del volcan Banajao y cerca del pueblo de Majaijai, aparece, oprimido entre dos grandes masas de toba un débil banco dé una roca parecida al piperino. Fajas de obsidiana negra irregularmente limitadas, y cuyos fragmentos delgados son traslúcidos y de color gris amarillento, atraviesan una roca gris amarillenta, de grano fino, en la que están implantados pedazos de otra feldespática de coloracion gris, reconociéndose en ellos mica oscura y augita verde. Se debe admitir que esta roca se ha originado por penetracion de una masa flúida en las tobas.

PROVINCIA DE TAYÁBAS.

Junto á la carretera nueva que vá bordeando el rio Mapon, de Lucban á Mauban, hay ántes de llegar al rio grandes cantos prismáticos de dolerita, de grano fino, compacta, gris-azulada oscura. La masa contiene numerosos cristalitos de feldespato triclinoédrico, algo de augita y mucho olivino. La roca ejerce gran atraccion sobre la aguja magnética. Más allá y en el mismo camino se hallan tobas arcillosas muy descompuestas, poco coherentes, gris ó gris amarillentas, de textura terrosa fina, con restos fósiles poco reconocibles, impresiones de hojas, y, segun la clasificacion del Dr. de Martens, ejemplares de la *Melania asperata*, Lam. var. *M. dactylus*, Lea. Esta Melania coincide en lo esencial con los ejemplares vivos procedentes de Loquilocum en Samar. Tambien se encuentra en Luzon, Mindanao, Guimares y Leyte. Dichas tobas alternan con acarreos calizos cementados, en algunos sitios, por espato calizo cristalino-grosero formando conglomerados. Se ven diseminados en la caliza fino-granuda y gris-amarillenta, restos orgánicos mal conservados. En medio de las tobas alteradas y de las capas de acarreos calizos hay una roca de poca coherencia, de color claro, cuyo cemento calizo está formado por fragmentos de caliza arredondeados, del tamaño de un guisante hasta el de una nuez, que une los elementos mineralógicos de la roca volcánica. Debajo de las tobas alteradas, ya descritas, yacen otras gris-verdosas algo groseras y compactas, con cemento calizo, en las cuales pueden reconocerse, en parte ya en estado de descomposicion, feldespato, augita, olivino, etc. Las mismas tobas se hallan más al E. superpuestas tambien á las alteradas.

PROVINCIA DE CAMARINES NORTE.

Junto á la costa septentrional de esta provincia forman el terreno entre Paracali y Mambulao gneises y pizarras hornbléndicas, en las cuales hay filones de cuarzo con abundancia de metales. La montaña, un cuarto de legua al N. de Mambulao y la que se levanta al N. N. E. del mismo pueblo, separada por un arroyo de la montaña Dinaan, se componen de gneis con el cual se mezclan aglomeraciones de cuarzo blanco fino-granudo y de feldespato con cristales aislados blancos de ortoklas y feldespatos triclinoédricos separados por capas débiles, interrumpidas y alternantes, bastante anchas de mica de color pardo-tumbaga. Parece que la roca es aurífera.

La montaña, $\frac{1}{4}$ legua N. O. de Paracali, la de Dinaan y el terreno entre Paracali y Mambulao, están formados por las pizarras hornbléndicas. La roca no alterada del Dinaan es de coloracion oscura, por dominar la hornblenda de grano bastante grosero; depósitos subordinados de feldespato triclinoédrico blanco, y en general microcristalino, forman fajas interrumpidas que destacan por su blancura. Ademas hay tambien algo de pirita de hierro y de mica parda. El iman no acusa en el polvo la presencia del hierro magnético. La roca descompuesta, cuyas capas se inclinan al E., entre Paracali y Mambulao, y buzan 40° al S., es de color verde agrisado, de consistencia blanda, penétrala abundante hierro magnético, y se trasforma unas veces en pizarra talcosa con serpentina y otràs en pizarra serpentínica con talco. La costra caliza que recubre las hendiduras indica su origen de la hornblenda. Algunas partes verde-amarillentas, blandas, bien limitadas, parecen ser feldespatos descompuestos.

Las venas de cuarzo se presentan principalmente en estas rocas serpentínicas (no está bien comprobado que suceda lo mismo en los gneises); en parte forman hermosas drusas de cuarzo, por lo comun asociadas á la pirita de hierro, y muchas veces á las de cobre y plomo brillante, junto con los productos de la descomposicion de otros minerales (como hierro pardo, óxido de hierro con manganeso, que desprende cloro tratado por el ácido clorhídrico, etc.,) el oro se halla en formas dendríticas y se beneficia lavando los filones de cuarzo ferruginoso descompuesto y de estructura celular.

El plomo cromatado espático va asociado á los mismos minerales ya citados en idénticas vetas de cuarzo; por ejemplo, en el monte Dinaan (*). No es raro que le recubra una costra pulverulenta, amorfa, verde de cardenillo, que es vauquelinita, como sucede en los Urales.

A veces aumenta tanto la cantidad de pirita de cobre, que motiva explotaciones mineras; en otros sitios domina el plomo brillante.

En el litoral, entre Paracali y Mambulao, se forma un conglomerado de fragmentos de conchas, de madréporas y de trozos de cuarzo.

Al E. de Paracali, cerca de Lungos, hay una pizarra talcosa blanca, untuosa al tacto, á manera de la esteatita, cuyo anterior contenido, de hierro y cobre, seguramente en forma de piritas, acusa la coloracion parda y verde que conservan aún algunas partes. Los indios sacan oro por levigacion. Cerca de Lungos aparecen cuarzos auríferos, y tambien contienen este precioso metal las arenas de la costa, ricas en hierro magnético, que se someten al lavado.

Segun los ejemplares recogidos en el pueblo de Colasi y en el rio del mismo nombre, constituyen la montaña de Colasi (no el Pico chico de Colasi) las andesitas anfibólicas. En una masa casi compacta, gris y de grano fino, se ven, junto á feldespatos triclinoédricos, hornblendas en cantidad escasa, en grandes ejemplares de color pardo, y algun hierro magnético. Las rocas están bastante descompuestas y han tomado un tinte rojizo. El mismo aspecto tienen las de la colina, en que se asienta la visita de Barceloneta, situada al Sur, á la tercera parte del camino que conduce á Cabusao. Pertenecen al mismo grupo que las rocas del Labo, que se levanta al N. O.

Los límites de las pizarras cristalinas observadas en la costa del N. O. con las tobas del volcan Labo, situado al Sur y más tierra adentro, se hallarán próximamente entre Indan y Labo. El rio Labo arrastra allí, junto con fragmentos de pizarras cristalinas, los minerales de la roca volcánica: feldespatos triclinoédricos vítreos, hornblenda y pequeños cantos de andesita anfibólica. En el mismo lecho del rio hay tobas pardo-rojizas, las más de ellas alteradas, fragmentos de andesita anfibólica descolorida y tambien cantos arredondeados de cuarzo y hornblendas aislados, cristalinos superficialmente. Aquella toba no parece una roca depositada sobre sedimentos secundarios.

En el segundo estuario, entre la barra de Daet y Colasi, inmediatamente más allá del rio Fungbo, avanzan en el mar peñascos; hasta aquel sitio la playa es llana y está cubierta de restos de moluscos. Los forman

---

(*) Consúltense las clasificaciones mineralógicas de Dauber. *Wiener-Akademie Berichte*, 42, 26.

tobas volcánicas, gris amarillentas, poco compactas, mezcladas con fragmentos de conchas.

Cantos acarreados por el rio Labo, recogidos en el pueblo del mismo nombre, indican la composicion de la montaña Labo, situada al Sur á jornada y media.

Hay en primer lugar andesitas anfibólicas. En la masa gris blanquecina, de textura algo esponjosa, parecida á la de la piedra pómez, hay implantados feldespatos triclinoédricos, en granos arredondeados ó en cristales mal limitados, cuyo eje mayor alcanza hasta 6^{mm} de longitud; abundan más que los de las hornblendas pardo-oscuras de menor tamaño; la masa ocupa casi el mismo espacio que estos elementos segregados de ella. Hay tambien laminillas de mica, color pardo de tumbaga, aisladas y de tamaño bastante grande. La titanita, la augita y el olivino, segun parece, faltan en esta roca. En algunos ejemplares la hornblenda queda por completo subordinada, y la masa compacta y gris azulada domina mucho, viéndose en parte descompuesta por la accion que sobre ella han ejercido las fumarolas; en otros se ven implantados feldespatos triclinoédricos vítreos, grandes, junto con pequeñas y escasas hornblendas pardas y grandes láminas de mica pardo-tumbaga, algunas de las cuales han sufrido cambio de color por una alta temperatura, en una masa espumosa, pardo-amarillenta, y más abundante que las segregaciones de elementos mineralógicos distintos. Finalmente, se hallan rocas aisladas, muy compactas, gris-negruzcas, cuyos elementos apénas se distinguen con la lente. Estudiando los tránsitos á otras rocas, resultan ser andesitas anfibólicas.

La presencia de masas cuarzosas compactas, gris blanquecinas, rojizas y azul-agrisadas, con granos de cuarzo aislados, indica que han sido depositadas por aguas termales silíceas.

La roca de la colina Dalas, ¹/₂ legua S. S. O. del pueblo Labo, es difícil de reconocer, por efecto de la descomposicion que han experimentado las piritas de hierro que en ella abundan. Probablemente la constituyen un gneis y una pizarra hornbléndica, rica en cuarzo y en feldespato, alterada por la descomposicion de las piritas. De esta colina se saca algun oro; las arenas arrastradas por las aguas contienen junto con las piritas una cantidad no pequeña de plomo brillante y de blendas. En la ya abandonada mina Lugas se beneficiaba una arcilla gris-azulada para obtener oro y plomo; contenia tambien piritas de hierro y de cobre, estas últimas en descomposicion. Ejemplares de rocas más compactas, procedentes de la misma localidad, son ricos en plomo brillante.

PROVINCIA DE CAMARINES SUR.

Los alrededores del volcan Isarog son notables por la presencia de andesitas anfibólicas. Son rocas de colores claros, algo porosas, ricas en feldespato, con la masa subordinada á los elementos segregados; contienen hornblendas de color pardo-oscuro, en ejemplares de tamaño variable, limitados con bastante irregularidad; algo de hierro magnético y poco olivino. En varios puntos, por ejemplo en la colina donde se asienta la iglesia de Maguiring, hay junto á las hornblendas augita verde, pero en poca abundancia. Las márgenes altas del rio Goa, en la falda del Isarog, están formadas por andesitas anfibólicas gris-rojizas, conteniendo augitas aisladas; la roca es de textura poco coherente, esponjosa á manera de piedra pómez; su fácil descomposicion origina unas arenas blanco-rojizas. Esta arena llena los intersticios de los fragmentos mayores de la roca; la misma se encuentra en la falda del Isarog, cerca de Raï-Raï y Uacloy. De la roca muy descompuesta, poco coherente, porosa, amarillenta, sale una fuente termal cuyas aguas depositan toba caliza ferruginosa de color blanco-pardusco. Los barrancos entre Maguiring y Raï-Raï, que surcan la llanura ondulada, están abiertos en una roca descompuesta, poco compacta, que no tiene el aspecto de toba. En el cauce del rio de Uacloy hay andesitas anfibólicas grises, compactas, poco porosas, que contienen, ademas de hornblendas pardas, algunas augitas verdes, cuya descomposicion ó alteracion ha originado aquellas masas poco coherentes. Desde la mitad de la altura del Isarog hasta su cúspide domina una roca verde-clara, poco porosa, en la que se reconoce hornblenda parda, augita verde subordinada y algo de olivino. No parece verosímil, si bien es posible, que el análisis de los feldespatos que hay en las rocas del Isarog descubra, junto con los feldespatos triclinoédricos vítreos dominantes, la sanidina. Si así fuese, resultaria dudosa la clasificacion de estas rocas en el grupo de las andesitas anfibólicas, y deberian colocarse aproximadamente junto á las traquitas.

La gran mole del Isarog ocupa todo el espacio entre la bahía de San Miguel y el seno de Lagonoy, en una extension de 18 millas marinas; segun de Hochstetter, se formó primero el istmo, enlazando la isla, que ántes probablemente constituyó la sierra de Caramuan, compuesta de pizarras cristalinas (*), y unida hoy á Camarines Sur.

Más allá, al Sur del Isarog, se levanta el extinguido volcan Iriga, situado junto al lago de Buhi. La colina, aislada al Oeste del Iriga, próxima al camino de Nabua, consiste en una dolerita gris-azulada, algo porosa, en cuya masa, fino-granuda, hay feldespato triclinoédrico vítreo en pequeños ejemplares, abundante olivino amarillento, ademas de augita verde y hierro magnético. La augita se presenta en el rapili formando cristales bien reconocibles en todo su contorno y notables por sus caras tópicas planas (lo que les asemeja á los de Bufaure y de Forstberg). Algunos de estos cristales están tan acortados en sentido del eje principal, que parecen casi tablas; las caras laterales, aunque pequeñas, se presentan, sin embargo, bien desarrolladas. Las lavas doleríticas, compactas unas y sueltas otras, del volcan Iriga, son, en parte, pobres en olivino; pero los feldespatos alcanzan grandes dimensiones. La superficie de algunas lavas está fundida en algunos puntos, lo que allí se atribuye á la accion del rayo. Las lavas, algo escoriformes de la visita Tambong, cerca del lago de Buhi, se distinguen por los abundantes y grandes ejemplares de olivino que contienen. Escorias doleríticas, rojas, con feldespatos tri-

---

(*) Poseo ejemplares de cobre beneficiado allí.

clinoédricos y augitas verdes, forman un muro de 250 piés debajo de la cumbre del Iriga, que se compone de doleritas bastante bien conservadas, compactas, pardo-agrisadas, ricas en olivino. Los cantos de la cresta más alta del borde del cráter, que es la meridional, son de grano grosero y porosos.

Las numerosas colinas, altas sólo 50 piés, que hay entre Iriga y Buhi, se componen de augitas en grandes ejemplares y de feldespatos triclinoédricos de menores dimensiones; su contenido en olivino varía. En el camino entre ambos pueblos aparecen tobas blancas de piedra pómez, que contienen escasas hojitas de mica, irregularmente limitadas y de color oscuro. El feldespato parece ser sanidina, y por lo tanto la roca corresponde al grupo de las traquitas. Las colinas cerca de Buhi consisten en rapili en capas gruesas, con la inclinacion hácia el Isarog, y de consiguiente relacionadas con otro centro eruptivo. En la falda oriental del Iriga está el lago de Buhi, y en él una isla peñascosa formada por una roca gris-clara, porosa, fino-granuda, en cuya masa dominante se ven, junto con hornblenda parda, augita verde, olivino, hierro magnético y feldespato triclinoédrico. Los poros de la roca, alargados comunmente en una misma direccion, que discrepa de la observada en las restantes del Iriga, se presentan en su mayor parte revestidos de tablas delgadas de feldespato triclinoédrico.

En secciones finas se ve que la masa está compuesta principalmente de feldespato asociado con hornblenda, augita, olivino y hierro magnético.

A consecuencia de contener la roca hornblenda, se halla este mineral tambien en la arena de las márgenes del lago Buhi; tampoco falta la augita.

La cresta de la sierra, entre Buhi y Tibi, esto es, en la ladera del volcan apagado Malinao ó Buhi, está constituida por la dolerita, que en el puerto se presenta en estado fresco, y más abajo, al S. O., muy alterada por la accion del hidrógeno sulfurado. Hácia Buhi la recubre en parte una arena descompuesta. La dolerita bien conservada, no muy compacta, gris-clara, algo porosa, fino-granuda, contiene feldespatos triclinoédricos, augita verde, algun olivino y hierro magnético. En las arenas volcánicas de grano bastante grosero se halla ademas tambien hornblenda parda, que no se ve en la dolerita. Algunos ejemplares de augita se presentan en estas arenas bien cristalizados. Las doleritas, descompuestas por el hidrógeno sulfurado, han adquirido un tinte blanco-rojizo por la influencia del óxido de hierro segregado. La masa y los feldespatos están más alterados que las augitas, que conservan aún su color verde. El olivino no puede descubrirse en ellas.

En las costas S. O. de la provincia vuelven á observarse las pizarras cristalinas, al Oeste de Pasacao cerca de Calbajan. Allí aparecen tambien rocas de grano grosero no pizarrosas, que consisten en hornblendas dominantes, negras, con un crucero muy perfecto, formadas por feldespato triclinoédrico de crucero imperfecto, algun hierro magnético y pirita de hierro. El feldespato se descompone completamente tratado por el ácido clorhídrico en ebullicion, pertenece, pues, á los básicos; pero no toma consistencia gelatinosa.

Junto á este gneis hornbléndico de grano grosero se halla uno de la misma especie de grano fino, de igual composicion, que tampoco tiene estructura pizarrosa. Otras rocas alteradas hay en el mismo sitio que se presentan notablemente corroidas en los puntos donde alcanzára la plea y la bajamar: las compone un feldespato compacto con algun cuarzo, las hendiduras están rellenas de espato calizo. Sobre ellas se apoya un conglomerado reciente con cemento calizo, formado de conchas fraccionadas. En él se descubren ejemplares arredondeados de cuarzo blanco, fragmentos de pizarra hornbléndica, pedacitos de caliza y laminillas de mica parda.

Al Este de la cresta que corre por la parte S. O. de la provincia aparece (al N. de Pasacao) y en la márgen del rio Libmanan, entre Libmanan y Naga, una roca de textura fofa y de color blanco amarillento. Despues de la levigacion de la arcilla quedan hojitas de mica pardo-amarillenta, algun hierro magnético, poca augita verde, algo mayor cantidad de hornblenda parda y astillitas de cuarzo trasparente. En los alrededores de Libmanan hay tobas volcánicas tenaces, gris-amarillentas, en cuya masa sobresalen ejemplares de hornblenda y feldespato. Su consistencia indica el Isarog como lugar de procedencia.

Al S. O. de Libmanan se levanta la montaña Yamtik, formada por caliza micro-cristalina, y con muchas cuevas estalactíticas. Los bancos de las márgenes del rio Bicol cerca de la visita Sibucat, consisten en tobas volcánicas tenaces, pardo-amarillentas, con cantos de andesita anfibólica debajo de las cuales hay la roca tenaz y gris amarillenta de que queda hecha mencion. La roca contiene aquí más arcilla que entre Naga y Libmanan, el residuo que deja la levigacion es por lo tanto mucho menor y lo forman hornblenda, mica, hierro magnético, algo de augita verde y astillitas de cuarzo. Más arriba, siguiendo el rio Bicol, hay arcillas con restos de moluscos. Las calizas en masas bastante compactas, finamente porosas, blanco-amarillentas, de forma arredondeada, con espato calizo blanco fino granudo, segun los ejemplares recogidos en la calera Palsong (entre Naga y Batu) contienen fósiles indeterminables, algunos de los cuales son probablemente impresiones de ramas de corales del género Seriatopora, representando tambien en la fauna actual del Océano índico.

Una caliza procedente, segun la etiqueta, de Montecillo, cerca de Libon (al Sur del lago de Batu), bituminosa, fino-terrosa, gris amarillenta, tiene escamas de peces ctenoides. Se extrae por el rio Quinali para emplearla en construcciones.

PROVINCIA DE ALBAY.

Las rocas de textura concéntrica, arredondeadas por completo, alteradas por las solfataras débiles de Igabo, al N. E. de la cúspide del volcan apagado Buhi ó Malinao, ya citado, y de 250 piés de diámetro, que cubren todo el suelo de la solfatara, son doleritas gris-claras, como se vé en sus núcleos no descompuestos. Hay en ellas feldespatos triclinoédricos dominando, augita verde, olivino escaso y mica oscura. Finalmente, la roca al descomponerse origina un caolin blanco, penetrado por óxido de hierro, ó rojo, en el cual se halla azufre y yeso.

El manantial silíceo situado cerca de Tibi, Naglêgbêng, dá hermosa toba silícea, en parte con impresiones de hojas. En la roca porosa y poco coherente se notan agrupaciones aisladas de hialita. Segun un análisis que el profesor Rammelsberg tuvo la bondad de hacer, el agua contiene en 1.000 partes: 7,5 de ácido silícico, 25,4 de cal con indicios de hierro, 0,2 de magnesia, abundante cantidad de clóridos, pero ningun sulfato, como depósito deja una pequeña cantidad (0,02) de ácido silícico (sin formas orgánicas). Algunos de los sedimentos silíceos forman tubos de estructura concéntrica, cuyas extremidades arredondeadas dan á la superficie un aspecto variolítico. Se explica su orígen por la accion de burbujas de gases ascendentes. En donde se presentan, finalmente, rellenas de hialita dan un depósito que tiene cierta semejanza con los grupos madrepóricos, la cual desaparece cuando toda la trasformacion en hialita ha cesado. Elevando la temperatura reaparecen en la masa de aspecto homogéneo de la hialita los tubos primitivos que resultan más por ser su coloracion algo distinta de la de la masa que los rellena.

A las doleritas del Mazaraga al S. de Malinao y al N. del volcan Albay, siguen desde la mitad de la altura rocas compactas, gris parduscas, de grano fino, ricas en feldespato y pobres en olivino y augita. Las doleritas algo más porosas, por lo demas parecidas en un todo á las de la cumbre, están descoloridas y descompuestas por fumarolas ácidas. Los rapilis de un profundo barranco encierran grandes ejemplares de feldespato triclinoédrico y de augita, en parte bien cristalizados, pero casi ningun olivino.

ISLA DE SAN MIGUEL.

La isla de San Miguel, situada al E. de Malinao y Tabaco, presenta en la costa meridional una faja de costa muy estrecha, cubierta de arena volcánica. Esta consiste ó principalmente en hierro magnético con poca augita y escaso olivino, ó en feldespato, augita verde en parte bien cristalizada, algo de olivino y hierro magnético, cuyos octaedros tienen á veces caras granatoideas muy marcadas. A lo largo de toda la costa forman una valla grandes cantos de andesita anfibólica en estado fresco, compacta, gris clara, más al N. O. hay doleritas compactas, gris azuladas. La andesit apresenta en la masa fino-granuda junto á ejemplares grandes de hornblenda parda, feldespatos triclinoédricos vítreos y otros aislados de augita y hierro magnético. La roca es en un todo igual á la del Isarog. La dolerita contiene en una masa fino-granuda principalmente feldespato triclinoédrico, augita verde y algo de hierro magnético.

Detras de la faja de la costa se levantan bancos de una roca de cemento calizo, de aspecto de toba, algo arcilloso-silícea, amarillo-verdosa y poco compacta. Ademas de partes que se parecen á la piedra pómez y tienen un color blanco agrisado, se ven feldespato, hojitas de mica amarilla y oscura y algun hierro magnético. En el residuo que queda tratándola por los ácidos, se descubren augita y pequeños fragmentos de una roca feldespática, gris y compacta. Sobre estos bancos hay otros arcillosos compactos, bastante homogéneos, y gris azulados con algunas escamillas de mica amarilla. Se emplean en Tabaco como baldosas y la capa superior dá piedra de construccion; tienen un color blanco; su potencia es de 2 piés ; en su masa se ven escamas de mica y fragmentos de piedra pómez. Hácia arriba este banco pasa á una toba blanca con escamas de mica, fragmentos de una roca feldespática gris, feldespato cristalino y trozos de piedra pómez blanca; su consistencia es bastante escasa, toca más al N. O. con un depósito de cantos del grueso del puño. Todos estos bancos alternantes de arcilla y de tobas siguen el rumbo h. 4 y bucean al Norte.

Más allá al S. E. hay bancos de arcilla compacta, gris amarillenta, con escamas de mica amarillenta aisladas.

El centro de la isla está formado por arena ferruginosa y cascajo. En la costa septentrional tenemos arenas, bloques volcánicos y bancos arcillosos parecidos á los de la costa Sur.

Nada positivo se sabe acerca del lugar de donde proceden las rocas volcánicas de San Miguel.

El volcan de Albay ó Mayon, en actividad, situado al E. de Mazaraga, presenta lavas doleríticas: gris claras á gris oscuras, compactas ó porosas, que muestran en una masa fino-granuda feldespato triclinoédrico, augita verde, algo de olivino y hierro magnético. Son en parte parecidas á las doleritas de Mariveles y tambien á las del Etna, hasta el punto de confundirse con ellas. Aumentando la cantidad de feldespato, la roca toma un color más claro y el olivino disminuye á veces hasta quedar reducido al mínimo. Las lavas de la cúspide están muy descompuestas por las grandes fumarolas—de vapores acuosos calientes y de hidrógeno sulfurado—hay yeso en abundancia. De la Trobe analizó una variedad de estructura fibrosa, parecida á la piedra pómez y mezclada con silicatos descompuestos (véase *Rammelsberg. Handbuch der Mineralchemie*, 263). La extremidad inferior de una corriente de lava que empieza cerca de la cumbre, está próximamente á una cuarta parte de la altura total. El enfriamiento ha motivado una separacion en bancos dispuestos concéntricamente, cuya potencia es como de un pié. Las caras de las hendiduras son normales á la roca subyacente, y formando arcos presentan una inclinacion que pasa gradualmente de 20 á 30°. La arena volcánica grosera de las vertientes meridionales presenta sólo fragmentos de feldespato, augita, olivino, hierro magnético, no se ven ejemplares bien cristalizados; junto con estos elementos hay pequeños trozos de escorias, y en corta cantidad pedazos de vidrio volcánico pardo. En la falda Sur del volcan y cerca de Camalig aparecen rocas con mucho yeso y descoloridas por la accion del ácido sulfhídrico.

La colina aislada entre Legaspi, Daraga y Albay se compone de doleritas algo escoriformes y de color oscuro, cuya composicion es la comun de estas rocas. Debajo del rapili de la superficie hay bastante cantidad de augita en ejemplares aislados y bien cristalizados en la formas habituales. Estos, así como los cristales gemelos del mismo mineral y los de olivino con caras bien conformadas se hallan unidos al feldespato triclinoédrico en trozos de la roca más compactos y de coloracion ménos intensa, de donde proceden, sin duda, por la descomposicion de la masa, los cristales aislados. En un barrauco de la colina tenemos doleritas escoriformes rojas con pequeños ejemplares de feldespatos en descomposicion, y otros grandes de augita verde.

En la estrecha faja de tierra entre el golfo de Albay y Sorsogon, se levanta el monte Pocdol, de naturaleza probablemente volcánica, y equidistante de los volcanes activos Mayon y Bulusan. Alrededor de Bacon, al E. de Pocdol, hay acarreos volcánicos formando pedregales y arcillas, como último producto de la descomposicion por la influencia de los gases volcánicos. Las arcillas, que contienen yeso y se ven en la gran cresta entre Bacon y Gubat, situado al S. E., permiten suponer que allí las tobas doleríticas han sido descompuestas por la accion de las fumarolas. Delante del volcan Bulusan, que está en ignicion, por lo ménos desprende humo, se observaron masas de tobas de piedra pómez, cuya altura no bajaba de 100 piés.

II. SAMAR.

En el rio Catarman (costa N. de la isla) (*) y entre Catarman y Cobocobo hay bancos de una arcilla bastante compacta, ferruginosa, pardo clara, sin cal y que contiene restos de plantas carbonizadas y numerosas, galerías abiertas, segun el Dr. de Martens, por la *Modiola striatula*, Hanley, que áun se ve dentro de algunos de sus agujeros. Lavando las arcillas queda un residuo compuesto de cuarzo, en parte formando granos arredondeados y astillas angulosas con bastante hierro, algo de hierro magnético, mica blanca, parda y verde, y feldespato. Algunos depósitos aislados casi de arena pura, ferruginosa, parda, de grano bastante grueso, presentan igual composicion. Capas análogas —tambien de arenas, pero de color verdoso— aparecen más arriba en el mismo rio Catarman. Tratándolas por el ácido clorhídrico se ven en el residuo, junto con hierro magnético, abundante cuarzo blanco, en algunos puntos asociado á una mica de coloracion bastante oscura, y ademas feldespato con hojitas de mica blanca y oscura. En el Salta Sangley, que está más al Sur, tenemos arcillas gris-azuladas con depósitos de arenas verdosas, que contienen los minerales enumerados. En el rio que nace cerca de Salta Sangley y corre hácia el Sur en direccion de la visita Tragbukan á Calbayog hay acarreos en forma de cantos rodados de una roca completamente alterada. En ella se distinguen una mica blanca y otra algo oscura; por decantacion se separa un residuo que contiene cuarzo ferruginoso, feldespato y algo de hierro magnético. Segun esto deben proceder los cantos de gneises ó de pizarras micáceas ricas en feldespato.

Más allá, rio abajo y pasada la visita de Tragbukan, vuelven á aparecer areniscas poco compactas, ferruginosas, verdosas y pardas, su grano es

____

(*) Parece que más al E, á unas 6 horas de Lauang rio arriba cerca de Binontuan, se levantan calizas marmóreas.

grosero y su estructura la ya indicada: estos bancos deben proceder, como los anteriores, de gneis descompuesto ó de pizarras micáceas feldespáticas. En todos los depósitos de arcillas y areniscas no se halla fragmento alguno de roca que pueda aclarar su formacion.

Siguiendo en la misma direccion se encuentran bancos de arcilla que contienen cal; su textura es compacta, fino terrosa, su color pardo y tienen fósiles en mal estado. El residuo, tratado por los ácidos, muestra algunas hojitas de mica y granos de cuarzo.

A lo largo de la costa, al S. E., hay tobas volcánicas cerca de Catbalogan y en la isla Majava próxima á este pueblo, son bastante compactas, poco arcillosas, de grano grosero y gris verdosas. Contienen ademas de fragmentos numerosos de augita, algunos ejemplares bien cristalizados de este mineral, abundante hierro magnético, feldespato blanco y escasos trozos de una roca, idénticos á grandes fragmentos que se encuentran en algunos puntos. La roca gris y compacta, de bastante dureza, presenta en una masa feldespática mucha augita verde y hierro magnético. El ácido clorhídrico ataca fuertemente la masa blanqueándola. Esto y la presencia de pequeños ejemplares de feldespato triclinoédrico prueban que es una dolerita porfídica ó una andesita piroxénica. Un canto arredondeado procedente de estos mismos conglomerados tiene en una masa compacta y parda augita verde. Los espacios vesiculares son numerosos y están rellenos de ceolita radiada y ópalo; las tobas corren h. 2,5 y buzan á los 80° N.

Cerca de Catbalogan se ven bancos grises y pardos, algo arcillosos y en parte fino-arenosos. El polvo acusa con el iman la presencia de hierro magnético. Contienen una corta cantidad de feldespato triclinoédrico, augita y fragmentos parecidos á piedra pómez y á veces tambien otros de una roca compacta muy oscura, en la que pueden reconocerse ejemplares aislados de feldespatos triclinoédricos. Relacionándola con la roca de Majava debe considerarse esta formacion como procedente de rocas doleríticas.

Recubre en parte á estos bancos una caliza gris amarillenta, fino-granuda. Tratada con el ácido clorhídrico queda un residuo que encierra muchas partículas arcillosas, algo de feldespato, augita, hierro magnético y pequeños fragmentos grises de la roca, algunos de naturaleza caliza. Las capas están orientadas á h. 5-5 ¹/₂ y buzan á los 35° N., son compactas, duras y de color gris blanquizco; las inferiores se componen de tobas volcánicas y calizas mezcladas.

Junto á la orilla del mar y cerca de Paranas, que está en el extremo oriental del seno, se observan brechas de moluscos, ó sea fragmentos de conchas unidos por un cemento calizo; descansan en masas fraccionadas sobre bancos más blandos de la misma naturaleza. Entre muchos pedazos indeterminables el Dr. de Martens reconoció la *Plicatula depressa*, Lam, que áun hoy vive en el Océano índico. Las arcillas gris amarillentas que yacen debajo de estas capas, extendidas horizontalmente, tienen su buzamiento hácia la parte de tierra. Los restos de moluscos y de pterópodos que encierran, se conservan en buen estado, y parte de ellos han sido clasificados por el Dr. de Martens, hallando especies de los géneros *Yoldia*,

Pleurotoma, Cuvieria, Creseis, Dentalium que son de la actual fauna de los mares de la India. Con especies vivas se identifican las siguientes: *Venus (Hemitapes) hiantina*, Lam.; *Venus squamosa*, L.; *Arca (Scapharca) Cecillei*, Phil.; *Arca inæquivalvis*, Brug. *var.* (*); *Arca chalcanthum* Rv.? *Corbula crassa*, R.; *Natica unifasciata*, Lam. *var lurida*, Phil.

En el monte entre Paranas y Loquilocum, situado al NE. tierra adentro, se levantan unos peñascos de caliza brechiforme, compacta, blanco-agrisada, atravesada por venas de espato calizo; en esta roca se distinguen restos orgánicos muy borrados, probablemente de corales. En el rio de Loquilocum — que, siguiendo el curso N. E. desagua junto á la costa oriental de la isla — hay por bajo de la visita Loquilocum calizas amarillo-parduscas, muy descompuestas, formando grandes masas no estratificadas.

El carbon, que aparece flotado junto á la sexta cascada más allá de Loquilocum, está penetrado por el yeso y se asemeja á los troncos del carbon pardo. La estructura de la madera se reconoce en él á primera vista y dá un polvo pardo.

En un gran depósito de acarreos de cascajo y cantos rodados, situado en frente de la cascada inmediata á Loquilocum, donde tuvimos que descargar por primera vez la banca, viéndonos obligados á pasar el equipaje por tierra, se hallan: una roca gris-rojiza, muy descompuesta, atravesada por epidota, de textura granuda, en la que ademas de cuarzo y feldespato triclinoédrico se ven bastantes puntos de hierro magnético — no parece una roca eruptiva, y quizá pertenezca á las pizarras hornbléndicas de la série feldespática — y una roca porfídica, gris-azulada, cuya masa vítrea no tiene la propiedad de la doble refraccion, está llena de pequeñas esferolitas y contiene escasos granitos de cuarzo y hierro magnético, junto con ejemplares mayores de feldespatos de color blanco mate. Sólo en uno de los cristales se pudo reconocer con seguridad estriacion triclinoédrica. La roca debe de ser eruptiva reciente, pero queda en duda una clasificacion más concreta; es, sin embargo, siempre interesante la presencia del cuarzo en su masa vítrea. Los granos de cuarzo no pueden considerarse como implantaciones. Hay ademas, cruzando la roca, agata de color blanco de leche, que ha pertenecido á rellenos de amigdalas, segun se observa en la superficie, y jaspe pardo-rojizo con venas finas de cuarzo.

Los acarreos del rio Basey (en la costa Sur de la isla) reunidos junto á la gruta Sogoton, están formados por una roca eruptiva antigua. Tiene implantados en una masa verde-agrisada oscura, fino-granuda, feldespatos triclinoédricos, de color blanco mate, hierro magnético escaso y algunos cristales no reconocibles verdes, que deben de ser augita. Segun estas circunstancias, y ademas por su modo de portarse con el ácido clorhídrico hirviendo, corresponde á los pórfidos con augita y oligoclas. La roca, que está junto á la descrita, es de color pardo-rojizo, ferruginosa, da efervescencia con los ácidos; contiene un feldespato que éstos descomponen completamente; quizá sea toba de un pórfido semejante. En el

---

(*) Sus dientes son algo más numerosos y delgados que los de la *A. inæquivalvis*, Brug.

lecho del rio Sogoton, al N. de Basey, se hallan acarreos de rocas talcosas y cloríticas.

La gruta de Sogoton está formada de peñascos calizos, en los cuales se distinguen vestigios de bivalves y de agujas de equínidos. Delante de la cueva hay bancos con moluscos marinos, situados á 20 piés de altura sobre el rio, en su márgen derecha. Estos fósiles pertenecen á la fauna actual, y son, segun el Dr. de Martens: *Vénus (Hemitapes) hiantina*, Lam.; *Arca (Scapharca) Cecillei*, Phil.; *Arca uropygmelana*, Bory; *Placuna placenta*, L. Las conchas se adhieren apénas algunas de ellas á la lengua, la sedimentacion debe, por lo tanto, de ser muy reciente. En una de las pequeñas islas, cerca de Nipa-nipa (Basey), se levantan bancos conchíferos á una altura de 60 piés sobre el rio, y en su orilla derecha; segun la clasificacion del Dr. de Martens, sus especies fósiles son idénticas á las que viven en aquellos mares: *Chama sulfurea*, Rv.; *Pinna* cf. *nigrina*, Lam.; *Ostrea denticulata*, Born.; *O: Cornucopiæ*, Chemn.; *O. rosacea*, Desh. En la costa al O. de Basey existe un agregado de fragmentos de moluscos bastante suelto, con cantos aislados arredondeados y de pequeño tamaño.

III. LEYTE.

En la costa oriental de la punta norte de la isla se ven rocas procedentes de la comarca de Dagami y Tanauan. En el puerto del monte Dagami tenemos andesitas anfibólicas en estado fresco. La masa casi compacta, fino-granuda, blanco-agrisada, que al descomponerse toma un color gris-pardusco, encierra muchos y grandes cristales columnares de hornblenda de color pardo, pequeños ejemplares de feldespatos triclinoédricos vítreos y algo de hierro magnético; la hornblenda, que en astillas es verde y traslúcida, suele conteuer feldespato. La roca es completamente igual á la del Isarog. Hácia el Norte se le une una formacion de rapili y más abajo arena volcánica. En la falda oriental del Dagami se halla una solfatara, de ella sale un arroyo, cuya agua tiene una temperatura de 50° R.; sus orillas están cubiertas por una costra de toba silícea rojiza que en su superficie presenta apéndices ramificados; depósitos semejantes, recubiertos por sulfato básico de óxido de hierro pardo, se observan en el borde del manantial silíceo Nol. En las rocas descompuestas, por una parte hasta bianqueto y por otra en arcilla, hay costras de sulfato básico de hierro y depósitos de cristales de azufre. Las ménos alteradas están en algunós puntos recubiertas por yeso. Al paso que las hornblendas no han experimentado casi cambio alguno, la masa, compuesta de hierro magnético y feldespato, está mucho más atacada.

La solfatara del monte Danaan presenta análogos fenómenos: un manantial silíceo, depósitos de azufre, formacion de alumbre en las andesitas anfibólicas descoloridas y descompuestas. Junto al mar, cerca de Tanauan y al Sur del pueblo, hay, al otro lado del estuario, pizarras cloríticas cuarzosas de color verde-agrisado, contienen venas de epidoto.

CRÁNEOS ANTIGUOS Y MODERNOS DE FILIPINAS,

POR ROD. VIRCHOW.

El Dr. Jagor ha tenido la amabilidad de permitirme hacer un estudio de los cráneos que recogió en Filipinas.

Este viajero dió cuenta de la investigacion de algunos de ellos en la sesion de la Sociedad Antropológica de Berlin, correspondiente al 15 de Enero de 1870, é hizo las siguientes observaciones:

«Al comunicarme el Dr. Jagor que habia traido de Filipinas gran número de cráneos y pensaba someterlos á mi estudio me preparé, para añadir á su disertacion algunos detalles anatómicos. Las primeras investigaciones me mostraron que una de las deformaciones artificiales más raras entre las conocidas en la craneoscopia, se presentaba en notables ejemplares, y que estos cráneos ofrecian un interés especial. Parte de ellos tiene esencialmente la misma forma, que se halla en los procedentes del N. O. de América y se conoce con el nombre de forma de cabeza aplastada (*Flathead* ingl., *Flachkopf* alem.). Especialmente uno de los cráneos traidos por el Dr. Jagor, recogido en la cueva de Lanang, es una cabeza aplastada típica; está aplastada de arriba y de enfrente para abajo y atras, como una torta, y las eminencias parietales están corridas hácia atras; la parte posterior, casi completamente aplanada, corre oblícuamente en un plano inclinado hácia abajo en direccion al gran agujero occipital (Lám. I, figuras 3-4). Algunos de los otros cráneos presentan análogas circunstancias, si bien su deformacion no es en grado tan notable.»

Las minuciosas investigaciones modernas demuestran, como dicen algunos autores, que en las islas de Asia han predominado los mismos usos que en América; el hecho queda, sin embargo, algo oscuro, pues lo apoyan pocas observaciones fidedignas, de las cuales apénas se trata en las obras de los especialistas. Sólo Thévenot (*), en un libro publicado á fines del siglo XVI, pone en boca de un religioso, dando una descripcion de Filipinas, que los naturales del Archipiélago tenian la costumbre de colocar la cabeza de los niños recien nacidos entre dos tablas, y comprimirla de modo que en vez de conservar la forma arredondeada, se dilatase en

____

(*) MR. Thévenot, *Rélations de divers voyages curieux.* París, 1591. (Como más adelante se indica, el año está equivocado.)

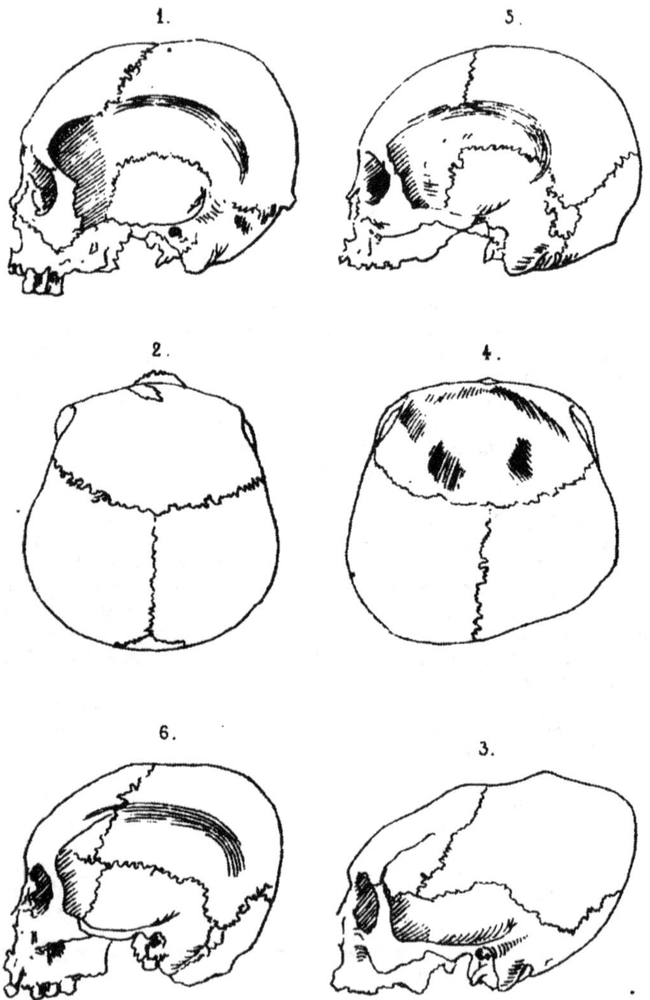

sentido longitudinal. Añade que tambien aplastaban la frente juzgando esta forma más bella. Un exámen detenido de los cráneos objeto de nuestro estudio, muestra claramente la doble compresion, que por una parte es oblícua de atras y abajo, y por otra parte desde delante y arriba; sólo hay necesidad de imaginar ambas superficies oprimidas prolongadas, y se obtiene la posicion convergente de las dos tablas, que áun hoy usan ciertas tribus salvajes de la costa occidental de la América del Norte.

El asunto tiene actualmente un interes especial, porque el número de localidades donde se encuentran estos cráneos deformados ha ido siendo cada vez mayor en el trascurso de los últimos años, habiéndose hallado tambien en Europa. Por lo que concierne á Alemania, los cráneos deformados que han adquido mayor celebridad son los encontrados cerca de Viena, sobre los cuales han versado largas y científicas discusiones, sosteniendo unos que significaban cráneos de awares, tal vez restos directos de los antiguos hunos, miéntras otros suscitaban la cuestion de si debia aceptarse la idea, dada la semejanza de estos cráneos con los de los antiguos peruanos, de que los cráneos del Perú se hubiesen llevado á Alemania perdiéndose allí con el tiempo.

Esta última version, que siempre era dada á discutirse, ha perdido todo el terreno desde que en otros puntos de Europa se han hecho hallazgos análogos. Despues de hablar acerca de uno de estos cráneos, Blumenbach en su célebre escrito *De generis humani varietate nativa*, 1776, pág. 63, cráneo hallado en una gruta de Gœttinge, se ha mencionado por el señor Ecker de Friburgo, en el primer tomo de los *Archivos de Antropología*, pág. 75 *(Archiv für Antropologie)*, otro semejante descubierto en la Hesse rhénica, dando minuciosos detalles sobre el particular. Este cráneo se encontró en las cercanías de Niederolm, entre Maguncia y Alzey, en una gran serie de sepulturas que allí se han descubierto. Esta descripcion movió al Sr. Barnard Davis á hacer notar las particularidades de algunos cráneos estudiados en su obra *Cránia britannica (Archiv für Antropologie*, II, pág 17), que segun opina se hallaron en el cementerio anglo-sajon de Harnham, cerca de Salisbury, condado de Wilt.

Con esto apénas queda duda que efectivamente en los pueblos aborígenes ha habido usos semejantes, y si consideramos, por otra parte, que los límites del área donde se presenta esta deformidad se extienden más allá de los fijados, llegando á las islas del extremo oriente—hasta ahora se habia dado Tahiti como el punto más avanzado desde el Oriente, de los que ofrecian cráneos semejantes—y si atendemos á que en Filipinas se ha seguido igual práctica, hallamos una cierta consonancia en las manifestaciones del espíritu humano, como otros casos análogos nos presentan de un modo sorprendente, sin poder deducir de la comunidad de estos usos seguidos en distintos países que los pueblos habitantes en ellos han tenido relaciones directas y sin que se saque legítimamente la consecuencia—lo cual, á mi modo de ver, es más importante—que la presencia de ciertas deformidades en los cráneos signifique la derivacion de unos pueblos de otros, ni pruebe tampoco que se hayan verificado emigraciones prehistóricas en sentido determinado. Insisto en esto contra lo dicho por el señor

Gosse (*Mémoires de la societé d'anthropologie de Paris*, 1861, t. II, p. 567), quien pretende demostrar con las deformaciones concordantes del cráneo, que un antiguo pueblo pasó de la Florida á Méjico, extendiéndose posteriormente hácia el Perú.

Son muy interesantes unos cráneos semejantes á los que nos ocupan hallados en Crimea, y que han sido asunto de un estudio especial del Sr. de Baer (*). Es esta una localidad clásica, de cuyos pobladores ya nos habla Hipócrates (situada en el rincon oriental del mar Negro), llamándoles *macrocéfalos*: de ellos dice que por la forma de su cráneo se diferencian de todos los demas. Empleando vendajes y aparatos forzaban, segun el naturalista griego, la cabeza del recien nacido, á desarrollarse longitudinalmente, por considerar el mayor largo de la cabeza como signo aristocrático. Despues de Hipócrates varios escritores se han ocupado de aquel pueblo.

En todas partes, donde se ha presentado tal deformidad, existe el hecho comun que ó bien los recien nacidos se colocaban en una tabla sujetándoles la cabeza á ella por medio de vendajes, ó bien que se ponia entre dos tablas sometiéndola á una presion en los dos puntos, ó bien finalmente poniendo á su alrededor y en determinados puntos compresas y sobre ellas vendas envueltas distintas, de modo que determinaban las compresas un aplastamiento y las vendas una forma circular.

El célebre viajero americano Catlin es el primero que ha publicado dibujos referentes á estas particularidades; en su obra se representan tambien los aparatos de compresion. En su descripcion de los chinooks que habitan en la costa occidental del Norte-América, dibuja una cabeza plana de mujer, que tiene su hijo recien nacido sujeto á un aparato de compresion, y en la lámina siguiente representa un pequeño utensilio en forma de navecilla, en el cual descansa un niño fajado y en una posicion tal, que puede suspenderse en la espalda, para trasladarle de un sitio á otro en las correrías habituales á pueblos tan poco sedentarios.

En Europa y hoy mismo se observa algo semejante á esta práctica, llevándose á cabo por operaciones, si bien ménos complicadas, que no ceden á aquella en eficacia, como confirman los diferentes hechos comprobados en los departamentos del Mediodía de Francia. Se conocen tres ó cuatro comarcas en donde se deforma la cabeza de los niños recien nacidos. Habiéndose hallado cráneos semejantes en varios puntos de Alemania, me permito llamar especialmente la atencion acerca de este punto, pues es de desear que se hagan observaciones encaminadas á descubrir los restos de esta costumbre antigua, que pueden haber quedado tambien en el Norte de Alemania. Un pasaje de la obra de Blumenbach ya citada (l. c. p. 60) indica particularmente la comarca de Hamburgo.

Despues de patentizar la analogía de los deformes cráneos filipinos con los de los chinooks y de otros distintos pueblos de cabeza aplastada, surge la cuestion: ¿Qué forma cranescópica primitiva tenian aquellas gentes?

____

(*) Los macrocéfalos del territorio de la Crimea y del Austria: *Mémoires de l'Académie imperiale des sciences de St. Petersbourg*, Ser. VII, t. II, núm. 6.

¿Qué aspecto hubiera sido el de su cabeza si no se hubiese deformado artificialmente?

Respecto á esto, observo que el Sr. Gosse, médico ginebrino, que ha escrito un folleto muy apreciable sobre la deformacion artificial del cráneo, repite la opinion ya expuesta por Hipócrates, ó sea que la forma podia perpetuarse hereditariamente bastando la naturaleza para reproducirla sin necesidad de una cooperacion ulterior por parte del hombre. Están contra esta hipótesis todos los hechos observados ; en Catlin hallamos retratos de indios-chinooks de tiempos recientes, en que ya no seguian la práctica de deformarse la cabeza, y sus cráneos no presentan nada anormal. Entre los pueblos orientales de América hay algunos, como el de los choctaws, que primitivamente habitaron en la parte hoy civilizada de los Estados-Unidos y tenian semejante costumbre, habiéndose hallado en sus antiguas sepulturas cráneos aplastados, y sin embargo ha desaparecido en ellos todo indicio de tal conformacion de la cabeza, desde que dejaron de comprimir la de los niños. A esto añadiré que en algunos pueblos esta deformidad era signo de los varones nobles, no pudiendo darse á las cabezas de las mujeres ni de los esclavos — circunstancia que en manera alguna habla en favor de la hipótesis hereditaria. No se puede, pues, admitir que la monstruosidad que nos ocupa se haya trasmitido naturalmente, y donde se presenta debe preguntarse el observador si hay cráneos en que se reconozca la forma primitiva.

Para resolver esta cuestion en el caso particular de los cráneos filipinos hay una circunstancia especialmente favorable. Ademas de los cráneos mencionados tenemos otros cuatro procedentes del mismo sitio. Todos se hallaron en la cueva de Lanang, donde se presentaban de modo que revelaban su grande antigüedad. Citaré primero uno rodeado de una espesa masa de cal que le da un tamaño enorme y un aspecto gigantesco, apareciendo como un verdadero cráneo fósil. A pesar de la masa caliza que lo recubre, se reconoce bien que pertenece al mismo tipo aplastado, ó por lo ménos se le aproxima mucho. En otro tercer cráneo no se descubre ningun aplastamiento, de manera que sin duda no ha sufrido depresion alguna, y como se halló junto con los demas, le atribuyo gran importancia. Finalmente, los dos últimos, si bien muestran señales evidentes de aplastamiento, es éste menor que en los primeros, reconociéndose una escala gradual de la monstruosidad. Separé en estos gran parte de la costra caliza que los recubria, y ví que su forma aparecia más normal y distaba mucho de presentar marcada semejanza con la de las cabezas de los chinooks, si bien la caida brusca y plana de la parte posterior indica que ha habido deformacion artificial (Lám. I, fig. 1-2).

Son áun más importantes los dos cráneos recogidos por el Sr. Jagor (*Zeitschrift für Ethnologie*, I, p. 80) en una cueva bastante distante de la que encerraba los anteriores, situada en los arrecifes de Nipa-nipa, entre Samar y Leyte (Lam. I, fig. 5 y 6). Uno de ellos presenta muy marcada la misma deformidad (Fig. 6). Citaré sólo, tomándolo de las noticias del Sr. Jagor, que desde el mar hay una entrada en forma de portal entre las peñas, por la que se llega á un seno rodeado de rocas abruptas, en una

378

de las cuales se halla, á bastante altura sobre el mar, la cueva de difícil acceso donde estaban los cráneos.

En los dos cráneos de la cueva de Nipa-nipa se nota una marcada diferencia; uno presenta un aplastamiento positivo con brusca caida de las *eminencias parietales* hácia abajo, como nunca se vé en un cráneo naturalmente desarrollado (Lám. I, fig. 5); y el otro—hallado en el mismo sitio, de análoga coloracion y naturaleza huesosa—tiene un ligero aplastamiento indicado por cierta inclinacion lateral; pero por lo demas, aproximándose claramente al estado normal ó primitivo (Lám. I, fól. 6).

De este modo puede llegarse, á mi juicio, desde la forma artificial á la natural, y establecer comparaciones craneoscópicas de interes. Tengo tanta más confianza en los resultados, en cuanto se comprueban los obtenidos del estudio de ambas series.

Para aquellos lectores que no hayan hecho estudios anatómicos especiales observaré que en los últimos tiempos se ha acostumbrado á determinar las relaciones de la masa del cráneo que tienen mayor importancia ethnológica, averiguando los valores relativos de la longitud, latitud y altura del cráneo para lo que se expresa la longitud por 100 y se reducen á ella las otras dimensiones. A fin de abreviar, puede llamarse índice de latitud y de altura á los tantos por 100 de estas dimensiones. Aplicándolo á los cráneos ménos deformados de los procedentes del Archipiélago se llega siempre á un índice de latitud extraordinario para las razas de las islas del Oriente de Asia, segun las observaciones ethnológicas que de aquellos pueblos tenemos. El cráneo ménos deformado de la cueva de Nipa-nipa nos da: índice de latitud=89,1; índice de altura=78,9; índice de altura—latitud=88,5; en uno de los de Lanang se mide: índice de latitud=80,1; índice de altura=77,8; índice de altura—latitud=97,1. Estas cifras son anormales para la latitud, cuyo límite en Europa presentan los lapones, y oscila entre 82 y 83.

De estos resultados se deduce, sin género de duda, que este pueblo notablemente *braquicéfalo* y perteneciente, segun parece, á tiempos remotos (*) no tiene nada de comun con los negritos, por cuanto éstos, segun los conocimientos actuales, presentan afinidad con la raza de Melanesia, notable por la corta latitud de su cráneo en relacion con su longitud considerable. Algunos otros pueblos polinésicos se distinguen precisamente por el poco ancho del cráneo y su gran altura y longitud (*hypsistenocéfalos*).

Debemos, pues, buscar otros puntos de apoyo, y la primera cuestion que se presenta es si el pueblo que nos ocupa corresponde á la raza malaya. Los resultados obtenidos no se enlazan con las observaciones existentes sobre esta raza. Hay, ciertamente, en el área ocupada por ella dos puntos en que se han hallado cráneos notablemente anchos. Welcker, (*Archio für Antropologie*, II, págs. 154-156) ha demostrado estas dimen-

---

(*) Como desde Thévenot ningun autor moderno se ocupa del aplastamiento artificial de los cráneos filipinos no se les debe considerar posteriores al siglo xvi. La incrustacion caliza pudo formarse en algunos siglos, pero tambien es admisible que despues de formada hayan quedado invariables un tiempo indeterminable y sea por tanto mayor su antigüedad.

siones relativas extremas en cráneos de la isla de Madura, situada al Norte de Java; pero no son éstas tales como las que presentan los de Filipinas, objeto de nuestro estudio. Segun los datos de Welcker, el índice de latitud, igual al de altura, es 82 en los cráneos madurenses (*). Despues de estos siguen, en la enumeracion hecha por el mismo autor, los menadaneses, con el índice de latitud 80 y el de altura 81. Para los javaneses fija un índice de latitud de 79, miéntras otros autores lo determinan de 82 á 84. Las investigaciones recientes prueban que dentro del grupo malayo existen ciertas oscilaciones del índice de latitud en los distintos pueblos que lo componen, y que en algunos de ellos se presentan relaciones análogas á las de los lapones.

Entre los cráneos que trajo de Filipinas el Sr. Jagor sólo uno pertenece á los actuales habitantes de aquellas islas, recogido en el Isarog (isla de Luzon), y que segun noticias adquiridas en la localidad, es de un indio cimarron muerto á consecuencia de una cuchillada en la parte posterior de la cabeza. Este cráneo es sensiblemente el único de los de la coleccion de que se tenga seguridad que pertenece á una raza existente hoy, y como son tan escasas las noticias que hay de la craneología de Filipinas (**), no puedo clasificarlo fijamente. Su índice de latitud es 76,9, el de altura 76,1 y el de latitud-altura 98,9; la capacidad, de 1.315 centímetros cúbicos. Si se comparan los huesos que lo forman con los de los cráneos de Lanang y de Nipa-nipa, se obtienen resultados tan diferentes que no puede hallarse analogía alguna entre el cráneo moderno y los de las cavernas. Las mediciones arrojan cierta semejanza entre este cráneo de un cimarron y los cráneos malayos de las vecinas islas de la Sonda, particularmente los de los dayaks (***).

Queda que considerar aún una serie de cráneos, compuesta de 6 ejemplares, todos sacados de otra caverna distinta de las citadas; pero situada en el mismo grupo de rocas de Nipa-nipa, en el que está una de aquellas. Estos cráneos (Lám. II, figs. 1-3) tienen un valor especial, por conservar en su mayor parte la mandíbula inferior. Segun su aspecto corresponden á otra categoría, y parecen, á causa de su buen estado de conservacion, ser de un grupo mucho más moderno. Para determinar su época cronológica tienen aún un indicio particular, y es que dos de ellos están marcadamente atacados por la sífilis; tanto, que merecerian figurar como ejemplares típicos en un museo patológico. En uno de ellos se ve una perforacion en el paladar y una lesion de las fosas nasales junto á la mandíbula superior y

---

(*) En dos cráneos de Madura, dados á conocer por J. van der Hœven (*Catal. craniorum*, pág. 38), calculé el índice de latitud en 80,4 y 78,4 y el de altura en 79,7 y 84,6.

(**) Meyen (*Nova Acta Acad. Leopold. Car.* 1834, tom. XVI, supl. I, pág. 47), que tambien dibuja el cráneo de una tagala de Manila, coloca á este pueblo con los habitantes de las Carolinas, Marianas, etc., en la raza océanica. Scheteling *Trans. Ethnol. Soo.*, 1868, VII), clasifica á los luzoneses decididamente en el grupo malayo. Segun sus mediciones, tiene el cráneo de esta raza un índice de latitud de 83,5 y el de altura de 77; Davis ha calculado en los cráneos visayas 80 y 79.

(***) Welcker da para éstos un índice de latitud de 75 por 1 de altura de 77. Uno de los cráneos de los dayaks, descritos por van der Hœven, tiene el índice de latitud de 75,2 y otro de 78,7.

de los huesos de la nariz, que aparentemente fué curada; el otro presenta
(Lám. II, fig. 3.ª) un ejemplo modelo de caries seca, que se extiende por
la region frontal hasta la base de la nariz; de modo que indudablemente
presenta un caso de *periostitis gummosa* crónica del frontal y huesos nasales.

Ciertamente se sustentan opiniones muy diversas sobre la antiguedad
de la sífilis; sin embargo, nadie ha avanzado hasta hoy la idea de que la
sífilis hubiera dominado primitivamente en Filipinas, ni se halló ántes
vestigio de tal enfermedad en ningun cráneo antiguo para probar que hubiera en la antigüedad semejantes alteraciones venéreas. Podemos, no
obstante, suponer, que estos cráneos se introdujeran en las cavernas mucho
despues del descubrimiento del Archipiélago, probablemente despues de
principios del siglo XVI. Por otra parte, no es fácilmente admisible que
un pueblo cristiano haya depositado restos humanos en aquella caverna,
pues, segun dice el Sr. Jagor, los curas católicos han mostrado grande encono contra tales despojos. Se puede afirmar con bastante seguridad que
la época del depósito de tales cadáveres en las cuevas de Nipa-nipa no es
lejana de aquella en que los naturales comenzaron á sostener trato frecuente con los europeos, y quizá se esté en lo cierto fijando para los cráneos la de fines del siglo XVI ó principios del XVII, tiempo en que por el
Archipiélago se extendió el dominio de los españoles. No es probable que
esta práctica en los enterramientos se conservase posteriormente, y más
entre los pueblos de las costas que en gran parte profesaban, cuando la
conquista, la religion mahometana.

Como las tribus de la costa están separadas de las que habitan el interior, por regla general el lugar donde se encuentran los cráneos indica el
asiento del pueblo á que pertenecieron. Si se trata, como en Nipa-nipa,
de un sitio en la costa, se puede suponer que la tribu correspondiente ha-
bitaba cerca del mar. De aquí se saca la deduccion que este grupo de cráneos tiene alguna relacion con los actuales pobladores de la costa, y en
efecto, examinándolos y comparándolos con las fisonomías de los dibujos
de aquellas gentes, hechos por el Sr. Jagor, se encuentran precisamente
en los visayas ciertos rasgos que se relacionan con los cráneos de las cuevas: la poca longitud relativa á la latitud, se acusa en la comparacion del
perfil y frente de las mujeres visayas; á esto hay que añadir la conformacion característica de las regiones frontal y nasal, completamente distinta
de la que se presenta en la raza caucásica, pues en aquellas la protuberancia más acentuada de la frente corresponde precisamente al sitio donde
en la nuestra hay una depresion plana (caverna). El aplastamiento anormal de la nariz y el estado prognático tan marcado de las mandíbulas se
reconocen bien en todos los ejemplares. Si se hace un estudio comparativo
de los perfiles, se vé que su semejanza es tanta como puede haber entre
un cráneo y un rostro con vida.

Tambien poseen estos cráneos extraordinaria latitud; por término medio el índice de ésta es 83,3 y el de altura 76,5, relacion hallada tambien
por Davis y Scheteling en los cráneos de visayas, y que no presenta ningun otro pueblo del extremo Oriente. Aun ménos se halla semejante pro-

porcion en los habitantes de la Polinesia. En Australia, Nueva Caledonia, Nueva Zelandia, Tahiti, se hallan particularidades de raza muy distintas; de modo, que una parte de la poblacion de Filipinas parece ser completamente especial y característica. Observaré, ademas, que la cavidad de los cráneos suele ser por término medio de 1.282 centímetros cúbicos, que el índice de altura-latitud en sus órbitas es 94,7, el de latitud-altura en la nariz 41,3 y el de altura-latitud de sus cráneos 91,7. Es tambien digno de mencion que en ninguno de los ejemplares se ven indicios de haberse limado artificialmente la dentadura, como es costumbre bastante extendida entre los malayos, y que cita Thévenot tambien en Filipinas. Sólo en algunos se notan en los dientes señales de la coloracion dada por el buyo.

Renuncio á más minuciosos detalles sobre la cuestion de los cráneos, pero es preciso apuntar una circunstancia importante. Si pudiera afirmarse que dentro del área ocupada por la raza malaya se conservó por largo tiempo, en un sitio relativamente protegido contra el influjo de extranjeros, una poblacion en grado tan eminente braquicéfala, al paso que no sólo en las islas vecinas (Borneo, Java, Sumatra) los habitantes se aproximan más al tipo dolicocéfalo sino en la inmediata proximidad: en el interior de la isla de Luzon viven aún tribus salvajes dolicocéfalas—como prueba el cráneo de indio cimarron descrito—sería preciso reconocer que en la misma raza se presentan las desviaciones extremas de la forma del cráneo, levantándose así una objecion de mucha fuerza contra la teoría de clasificacion de razas enteras, segun el carácter del índice de latitud, y demostrándose irrefutablemente que sólo con una gran copia de valores relativos puede fijarse el lugar ethnológico que á un cráneo corresponde.

Tenemos que mencionar aún dos cráneos diferentes de los que hasta aquí nos han ocupado. El primero procede de la segunda cueva de Nipa-nipa, donde se halló al lado de un ataud de madera que ha traido el Sr. Jagor, en el cual hay un cadáver momificado en parte, cubierto de andrajos y sin cabeza (*). Este cráneo se distingue por un gran desarrollo en sentido longitudinal; sin embargo, su índice de latitud alcanza á 80,2 (siendo el de altura 76); por lo demas, se relaciona bajo muchos conceptos, principalmente por su notable capacidad de 1.450 centímetros cúbicos con el grupo de que hemos hablado. El otro cráneo es extraordinariamente pequeño; su capacidad no pasa de 1.160 centímetros cúbicos. Se desenterró en un monte de Samar situado una legua tierra adentro de Barangan, donde estaba con otros huesos; su procedencia es desconocida. Algunas particularidades le separan de los cráneos restantes, pero su índice de latitud es tambien 79,3 y el de altura 75,7.

Esta serie de cráneos distintos, bastante numerosa, presenta, sin embargo, prescindiendo del del indio cimarron, mucha afinidad en los ejemplares que la constituyen, mayor que con cualquiera de las razas vecinas, y por lo ménos en los grupos muestra tambien diferencias bastantes para suponer que los pueblos á que pertenecieron debian vivir en circunstancias muy distintas, sin que se pueda rechazar la idea de que eran miembros

---

(*) El cráneo no parece en manera alguna pertenecer al esqueleto del ataud.

de una gran familia. Respecto á los dos grupos principales de cráneos de las cavernas, se puede decir que los procedentes de la segunda cueva de Nipa-nipa, cuyas dimensiones son menores que las de la primera, causan la impresion de corresponder á una poblacion más delicada, más sedentaria y más civilizada, miéntras que los cráneos de la primera cueva de la misma localidad y los de la de Lanang indican mayor energía, con cierta fuerza de desarrollo propia de un pueblo más salvaje.

En las relaciones de tamaño se nota á primera vista que los cráneos del último grupo tienen, ademas de mayor latitud, una altura relativamente más considerable. La deformacion artificial no destruye completamente esta proporcion, pues hasta en el cráneo más aplastado se mide un índice de latitud de 94,8 por uno de altura de 80. Circunstancia que les diferencia esencialmente de los cráneos de los chinooks. Con este tamaño está íntimamente enlazada la notable capacidad de las cabezas aplastadas de Filipinas. Los cráneos de Lanang, realmente macrocéfalos, tienen una capacidad media de 1.510 centímetros cúbicos, los de la primera cueva de Nipa-nipa 1 380, miéntras que las cabezas de forma más arredondeada halladas en la segunda cueva del mismo sitio, sólo miden por término medio 1.282 centímetros cúbicos. Son estas diferencias de tamaño tales que su importancia no debe desatenderse.

No entraré aquí en la cuestion de la influencia que el aplastamiento artificial del cráneo puede tener en el desarrollo del cerebro. Sólo diré con toda brevedad que el Sr. Gosse, autor de la monografía ya citada, sostiene la opinion, apoyada principalmente en tradiciones de Tahiti, que es posible variando la forma de la cabeza dar á las facultades psíquicas una direccion fijamente determinada. Refiere que en Tahiti se usaron dos maneras de deformar el cráneo: á los guerreros se les apretaba la frente, como dijo ya un sabio en la sociedad Antropológica de París, y á los senadores la parte posterior del cráneo. El Sr. Gosse explica esto suponiendo la intencion de desarrollar en aquellos las facultades de energía residentes en la parte posterior de la cabeza, y á los hombres de Estado las intelectuales, que tienen su asiento en la parte anterior del cerebro, y añade en serio ser este un ejemplo cuyo ensayo debe hacer la pedagogía moderna. No puedo asentir á tal opinion, en cuanto la experiencia enseña que lo mismo puede dislocarse el cerebro que el cráneo, de modo que la parte anterior del cerebro se corre hácia atras si la frente se deprime y la posterior avanza si se aplasta la correspondiente del cráneo. Como en otro lugar he demostrado, un acortamiento del cráneo suele implicar un ensanchamiento correspondiente y vice versa. No puede quedar duda alguna que un aplastamiento de parte de la cabeza no supone como necesaria consecuencia una disminucion de la masa cerebral, y concuerdan con esto los asertos de observadores afamados que de hecho al hablar de las cabezas planas no les atribuyen falta alguna de inteligencia.

Este estudio logró el feliz resultado de atraer la atencion hácia la olvidada craneología de aquellas remotas islas. En primer lugar, recibió la sociedad Antropológica de Berlin un escrito del residente holandés en Gorontalo (islas Célebes) Sr. Riedel, en que se dice practicar aún los habitantes de las comarcas Buool, Knidipan y Bolaangitam, la costumbre de deformar la cabeza de los niños recien nacidos (*Zeitschrift für Ethnologie*, t. iii, pág. 110, lám. v). El Sr. Barnard Davis comunicó en seguida á la Sociedad detalles acerca de los cráneos de negritos. Como tenía nuevo material recibido despues de terminar mi anterior trabajo, dí las siguientes noticias en la sesion de 10 de Diciembre de 1870:

«Los interesantes datos de las Célebes, que nos ha comunicado hoy el Sr. Riedel, vienen á demostrar que mi primer estudio sobre los cráneos de Filipinas, leido en la sesion del 15 Enero de 1870, han llamado oportunamente la atencion hácia un asunto que en particular bajo el punto de vista-ethnológico es de la mayor importancia, y sin embargo de ello, ha sido objeto de pocas investigaciones. Nada me podia causar mayor sorpresa que el haberse hecho observaciones craneológicas dirigidas á averiguar la existencia del uso de deformar artificialmente los cráneos, precisamente en un país del que hace más de dos siglos ninguna noticia se ha dado acerca de este particular, y que este estudio haya sido el resultado de trabajos emprendidos en Europa. Es sensible que la carta del Sr. Riedel no nos dé esperanzas de recibir cráneos de aquellos países, pues dice que los naturales se resisten á entregarlos por repugnar á sus costumbres. Por ahora fuerzá será contentarnos con los ejemplares de Filipinas.

Felizmente he tenido ocasion, desde que hablé por primera vez de esta materia, de completar mis observaciones. En primer lugar, poseia aún el Sr. Jagor un cierto número de cráneos rotos recogidos en una gran caverna de Caramuan, en la isla de Luzon. Estaban tan fraccionados, que apénas parecia posible hacerlos objeto de estudio. He conseguido, no obstante, reunir en gran parte los trozos y proporcionarme así por lo ménos las mitades anteriores de tres cráneos, incluso la mayor parte del rostro de cada uno. Son de naturaleza algo distinta: dos de ellos (E. 319-20) se presentan recubiertos por una costra caliza algo áspera, en algunos puntos de color pardusco por la mezcla de óxido de hierro; los huesos son muy quebradizos, se adhieren á la lengua y su fractura tiene aspecto de creta; otro (E. 318), es mucho más liso, hasta los huesos han tomado una coloracion parda intensa, y los de la parte derecha de la frente aparecen completamente verdosos.

Los tres revelan, sin dejar duda, señales de un aplastamiento artificial, y demuestran que esta costumbre, comprobada sólo en Samar, se siguió tambien en Luzon. La deformidad de los dos primeros es más notable que la del tercero. De uno de ellos (E. 319) tenemos ciertamente tan sólo la parte anterior, pero como el aplastamiento empieza inmediatamente detras de los arcos superciliares, las prominencias de la frente casi desaparecieron, la frente misma es muy ancha y la deformidad acaba poco ántes de la sutura circular, formando una protuberancia arredondeada. El segundo cráneo, si bien es ménos fuerte, en cambio es más característico (E. 320); en él afortunadamente se han conservado las *bases del cráneo* y el principio de la *escama interoccipital*. Se reconoce sin esfuerzo un doble aplastamiento; uno bastante brusco en la parte posterior y otro oblícuo y hácia atras en la anterior. La frente del tercer cráneo (E. 318) está tan

384

redondamente abovedada, que sin el conocimiento de otras formas difícil
sería sospechar en el aplastamiento, si bien son muy notables el ancho de
la frente y la escasa prominencia de las protuberancias frontales. En cambio se reconoce en la parte interoccipital, á pesar de la falta de la base
del cráneo, una deformacion muy marcada y brusca, que causa una curvatura casi angular de los huesos laterales. Muy interesante es el frontal
del cráneo de un niño, que podria tener unos dos años, procedente de la
misma caverna : exteriormente presenta una cubierta igualmente pardo-
amarillenta y su superficie se adhiere mucho á la lengua. Interiormente
tiene la misma estructura, llamada de capas osteofíticas, como signo de una
inflamacion interna, y conforme con esta circunstancia es relativamente
grueso. Los indicios del aplastamiento se reconocen bien. La frente sufre
poca variacion hasta las prominencias bajas ; por encima de ellas cambia,
empero, casi de repente, poco ántes de la sutura circular hay un fuerte
abovedamiento, desde el cual vuelve á caer la superficie bruscamente hácia
la sutura.

No puedo fijar si estos cráneos corresponden á una misma época y pertenecieron á un mismo pueblo. El primero muestra tal analogía con uno
de los procedentes de Lanang (Z. 842), descrito más adelante, que su comunidad de orígen apénas puede dudarse. Lo mismo pasa con el segundo
de Carauman (E. 320), que se paraliza perfectamente con uno de los de la
cueva de Nipa-nipa (Z. 873). El tercero se asemeja, al contrario, más á
los modernos de la gran cueva de Nipa-nipa, que tienen las señales sifilíticas. Particularmente los huesos de la cara concuerdan en un todo. Lo
mismo se puede decir del frontal del niño, así como de una mandíbula inferior muy delicada (E. 322), que quizá pertenece al cráneo (E. 318), y
se distingue por el prognatismo enorme de su pieza media, miéntras que
otra mandíbula inferior por su forma é incrustacion perteneciente al E. 319,
muy fuerte, tiene poquísimo prognatismo y presenta una curvatura del todo diferente, mucho más abierta.

Segun esto me inclino á creer verosímil que tambien se hicieron enterramientos en la cueva de Carauman durante largo tiempo y que allí hay restos mezclados de individuos de distintas razas. Por lo que se refiere á la
forma del aplastamiento corresponde ésta de un modo notable á la de un
cráneo peruano, como luégo demostraré; ninguno de éstos, sin embargo,
ofrece las circunstancias ejemplares que conocemos en los de Lanang.

Un segundo grupo de cráneos filipinos debo á la bondad del Sr. Scheteling, que tambien pasó largo tiempo en Asia. Se compone de ocho ejemplares, bien conservados en su mayor parte, cuatro de ellos con la mandíbula inferior, y uno con todo el esqueleto correspondiente. Unidos á la
coleccion del Sr. Jagor componen un material de estudio que puede cali-
ficarse de considerable.

Segun las noticias del Sr. Scheteling, la mayor parte de estos cráneos, ó
sean cinco de ellos, proceden de cementerios. Observa en su carta que en
la parte donde dominan los españoles hay la costumbre de desocupar las
sepulturas cada tres años si no se ha encargado cierto número de misas ó se
ha dejado de pagar una cantidad anual por la sepultura. Segun parece, se

amontonan despues los cráneos, como es tambien práctica en algunos países católicos de Europa, los que naturalmente quedan expuestos á la accion atmosférica. El Sr. Scheteling atribuye á esta causa las diferencias exteriores que los cráneos presentan. Le pregunté si acaso uno de estos cráneos recubierto de una incrustacion blanca y en algunos puntos verdosa procedia de una capa caliza de alguna cueva; pero él me contestó que lo ponia en duda. Recogió cuatro cráneos en Tabaco (provincia de Albay) en Mayo de 1867, segun su opinion pertenecen á bicoles. Uno de ellos es de un individuo jóven, probablemente de una mujer, áun no tiene las muelas del juicio y está con la synchondrosis esfeno-occipital abierta. Otro cráneo con la sutura frontal bien conservada parece haber sido de una mujer. (Es el que tiene la incrustacion de que se acaba de hablar.) El quinto (Abril 1867), procede asimismo de un cementerio, que es el de Tibi, pueblo de las cercanías de Tabaco; el Sr. Scheteling lo supone tambien de un bicol. Ademas hay otros dos, muy alterados en la superficie, muy ligeros y bastante deteriorados, que se atribuyen á indios cimarrones (*) de los alrededores de Albay y tambien se desenterraron. El Sr. Scheteling supone que son de una raza mestiza de negritos y bicoles. El último cráneo es el que mayor interes ofrece por haber pertenecido á un cacique negrito; tiene el esqueleto correspondiente con sus piezas principales bien conservadas.

El Sr. Jagor mencionó en su discurso de 15 de Enero que áun existe en el interior y junto á la costa N. E. de Luzon una raza negra de pequeña estatura y con el pelo crespo, distinta completamente de la que puebla las costas, en la cual á su vez hay diferentes ramas (tagalos, bicoles, visayas, etc.). La clasificacion ethnológica de los llamados negritos habia quedado hasta ahora indeterminada. Por lo general se les ha colocado entre los papuas. De esta opinion es el Dr. Semper (véase *Die Philippinen und ihre Bewohner. Würzburg*, 1869, pág. 48), dando en apoyo de ello una detallada descripcion de la raza. Su escrito, así como las noticias comunicadas á la Sociedad por el Sr. Barnard Davis, han motivo un estudio crítico sobre los negritos, inserto en la *Gaceta antropológica de Lóndres (Journal of Anthropology, Lond.* 1870, Octubre, pág. 139). Su autor insiste con razon en que todas las noticias anteriores acerca de esta raza son muy superficiales, fundadas sólo en exterioridades y deduciendo ligeramente toda clase de afinidades con otros pueblos del Oriente de Asia y de Australia. Me echa en cara, y con razon, haberme dejado llevar por tales ideas; preciso es que yo reconozca que segun lo dicho por él mismo de los cráneos de los negritos de Luzon, y segun lo que indica el traido por el Sr. Scheteling, no puede admitirse afinidad alguna entre la raza negra de Filipinas y las de Melanesia y Australia. Sus cráneos difieren completamente, y si estas circunstancias deben tomarse como características, no puede sostenerse la opinion de unas relaciones de afinidad opuestas á ellas.

Esta cuestion tiene un grandísimo interés científico, pues segun todos los viajeros, incluso Semper, los negritos parecen ser los primitivos po-

---

(*) La etiqueta de uno de ellos dice: *Semarrona llamada Omang*, y en el otro se indica: *Semarron llamado Baringoag* (?)

bladores de Filipinas; hoy están relegados á las asperezas de las sierras por haberles ido echando de las costas los pueblos invasores. Si tenemos presente que en las islas vecinas viven monos antropoides, que se han refugiado en las montañas de un modo análogo, se llega fácilmente á la idea que siguiendo la teoría de derivacion ó descendencia se ha formado aquí una raza de transicion. El Sr. Jagor, sin embargo, ya ha expresado sus dudas respecto á interpretar así el orígen de la raza negra, y el Sr. Davis deduce de mi descripcion de los cráneos dè las cavernas, que hay la misma razon para admitir como autochtonas ciertas tribus blancas que se diferencian de la raza malaya, de la que puede asistir para clasificar como tal la negra.

Me parece que se ha ido demasiado léjos. Despues de haber demostrado el Sr. Jagor que desde antiguo se comunican entre sí los diferentes grupos de islas empezando los habitantes sus viajes en embarcaciones muy toscas, no se puede desechar la idea de Forster que atribuye á invasiones sucesivas de extranjeros el hecho de refugiarse los indigenas en las montañas. Admitiendo dos razas aborígenes se significa que la pobladora de las costas inmigró en tiempos antiguos, de modo que la expresion de pueblos primitivos sólo tiene un valor histórico. Confieso, sin embargo, que todo esto son sólo cálculos de probabilidades, á los cuales no se les debe atribuir gran valor hasta que se apoyen en un conocimiento más exacto de los detalles.

El Sr. Davis hizo dibujar el cráneo de un negrito de Panay, y dice que posee ademas otros dos. Llega á la misma consecuencia expuesta por Omalius d'Halloy (*Des races humaines ou éléments d'ethnographie*. Brusélas, 1869, pág. 103) en general analogía con los cráneos de los isleños andamanes; con bastantes diferencias, sin embargo, para motivar una separacion de ambas razas. Juzgando por dibujos el cráneo recogido por el Sr. Scheteling tiene alguna semejanza en su parte de cabeza con el citado por el Sr. Davis; pero la cara parece bastante distinta. El último tiene una mandíbula inferior robusta, y es notablemente prognatha, y el primero presenta lo contrario á pesar de cierta lesion en la mandíbula superior.

Viene aquí la dificil cuestion de determinar la raza. El Sr. Scheteling me dice : « Yo mismo desenterré el esqueleto de este cacique que me vendieron las gentes de su misma tribu en las laderas del pintoresco volcan de Buhi, ya extinguido : el Arituktuk (*). La tribu, como la mayor parte de las de negritos, no es melanésica pura, sino que está evidentemente mezclada con elementos bicoles. Y sin embargo, estas gentes tienen el pelo muy crespo, lo cual no es ninguna particularidad de la raza malaya. » El Sr. Davis no dá noticias concretas acerca de la procedencia de sus cráneos de negritos. Esto es tanto más sensible en cuanto son diferentes. Dos pertenecen al grupo de los dolicocéfalos y uno es braquicéfalo, de

---

(*) La opinion manifestada por el Sr. Jagor, que esta montaña debe ser el mismo volcan Iriga, situado junto al lago Bugi ó Buhi, en Camarines, ha sido posteriormente confimada por el Sr. Scheteling. En una carta llama este viajero al cacique «capitan Juan Galapnid.»

modo que el tipo de la raza, propiamente tal, difícilmente puede deducirse. El mismo Sr. Davis vacila en la significacion de la forma. Es evidente que si fuese un tipo dolicocéfalo puro, sería grande la semejanza con las razas negras restantes.

Respecto al cráneo de Arituktuk (ó Iriga), pertenece probablemente á un jóven; pero que habia ya alcanzado todo su desarrollo físico. En el esqueleto correspondiente se halló que la ternilla entre la cabeza del pectoral y la parte principal del mismo áun estaba abierta. Ademas se observaba un notable acortamiento (de unos 3,5 centím.) procedente de una fractura curada de los huesos del muslo derecho. Es probable que ésta fuera causada por la delicadeza suma de los huesos, por lo ménos en parte. En efecto, los huesos están generalmente poco desarrollados (*) y por su aspecto casi parecen los de un niño. Al propio tiempo se observan en ellos algunas curvaturas poco pronunciadas, pero más notables que las que por lo regular se ven, tanto que algunos ethnólogos, especialmente de la escuela francesa, explicarian esta forma como resultado de un raquitismo. Haré observar que en las discusiones sobre la poblacion prehistórica de Francia, ante todo se ha concedido preferente atencion á la tibia; la de los negritos es notable por la forma comprimida en su mitad superior. El hueso es casi tan plano como la vaina de un sable, tiene una cresta superior conformada á corta diferencia como la anterior. En cambio la *fosa supercondyloidea humeral* no está perforada. La forma del borde anterior de la sien es especialmente distinta de la conocida, la espina anterior inferior está colocada tan hácia atras y la incisura iliaca menor situada sobre ella es tan considerable, que originan una formacion completamente específica.

La capacidad del cráneo es relativamente sólo mediana; no pasa de 1.350 centímetros cúbicos, que es, sin embargo, la bastante para separarle de los cráneos de Australia. Su forma se presenta arredondeada con bastante regularidad, la frente llena, la coronilla muy abovedada; la parte lateral descubierta; la escama interoccipital muy redonda. A la derecha de esta última hay un proceso parancondyloideo especial con la cabeza de la articulacion recubierta por una ternilla; pero sensiblemente falta el átlas, y por tanto, no puede decirse con seguridad de qué modo se habia efectuado la union con los apéndices transversales del átlas. Como resultado de la medicion, el cráneo debe considerarse esencialmente braquicéfalo; el índice de latitud es 83,4 por uno de altura de 77,10 (relacion de la altura á la latitud 93,2 : 100.) Si bien por estas circunstancias se aproxima á los cráneos de Filipinas ántes estudiados, particularmente á los más jóvenes de la cueva Nipa-nipa, presenta no obstante algunas diferencias que le distinguen de aquellos. La forma del esqueleto del rostro difiere mucho, sólo uno de los cráneos anteriores (Z. 865) se le aproxima algo en este concepto. Citaré en primer lugar la extraordinaria delicadeza de los huesos de la cara, que áun ceptando la hipótesis de una edad muy tierna es siempre notable. Si se ompara la dentadura se vé un desgaste marcadísimo de los incisivos y mo-

---

(*) El hueso fémur tiene una longitud de 88 cent., la tibia 30,5, el húmero 27 y el radio 21.

lares, lo que demuestra haber pasado el individuo de la edad juvenil. Ademas la *synchondrosis espheno-occipital* está completamente osificada, asi como la seccion inferior de la *sutura coronaria* á la izquierda, y el *proceso estyloide* á la derecha tiene una longitud y una consistencia anormales; todas las inserciones de los músculos están indicadas por profundas desigualdades, cavidades y prominencias; la region supraciliar es notable por los bultos gruesos y porosos, que convergen encima de la nariz. Si relacionamos estas particularidades anatómicas con los datos del Sr. Scheteling, segun los cuales este cráneo perteneció á un cacique, no puede quedar duda de que fuese de un individuo en plena edad viril. Ninguno de los otros cráneos tiene una formacion de rostro tan atrofiada como éste, que casi recuerda la fisonomía del rostro de un lapon que en otro lugar describí. La altura total (de la base de la nariz á la barba) es sólo de 103 milím., la de la nariz de 46, la altura média de la mandíbula inferior de 25, y el diámetro maxilar mide 60. Sólo la órbita (ancho 37,4, altura 34,6) está muy desarrollada y su forma trasversal cuadrada se diferencia esencialmente de la de la cavidad de los ojos que presentan todos los demas cráneos filipinos, hasta hoy estudiados. Correspondiendo á ella, la base de la nariz es tambien estrecha; la línea de la nariz avanza mucho y probablemente indica la forma aguileña. La mandíbula superior tiene sensiblemente en medio del borde alveolar un pequeño defecto; puede, no obstante, reconocerse con regular seguridad que sólo habia un prognatismo muy pequeño de la mandíbula superior. En la inferior falta por completo esta particularidad. Tal es la mayor diferencia que presenta comparado con los cráneos bicoles que tengo á la vista. Es ademas notable en la formacion del cráneo de este individuo la circunstancia de presentar tan pocas analogías con las particularidades comunes en las razas salvajes: las *planos semicirculares* no alcanzan muy arriba, el abovedamiento superior entre los apéndices de los músculos de las sienes es muy grande, los yugulares no son muy salientes, la ramificacion de la mandíbula es de escasa consistencia. Segun esto no puede desconocerse que la forma, segun las exterioridades, no tiene el carácter comun á la propia de los salvajes, y si añadimos que la longitud de los huesos del cráneo ofrece una proporcion bastante favorable, es preciso admitir que este cráneo, por su forma, se aproxima evidentemente á los de pueblos civilizados. Esto sólo haría rechazar la opinion de una afinidad con la raza austrálica. Por otra parte, es ciertamente digno de mencion que respecto de la delicadeza de la formacion del rostro, los cráneos más jóvenes de la caverna de Nipa-nipa presentan cierta analogía; pero en manera alguna los procedentes de los cementerios de Tabaco y Tibi. En todos estos está muy desarrollado el esqueleto de la cara, especialmente los yugulares; la mandíbula superior y la base de la nariz son anchas, el rostro alto, y sobre todo hay un prognatismo muy fuerte en las mandíbulas superior é inferior, de modo que en particular junto á la primera el apéndice alveolar se aproxima á una posicion casi horizontal. Hasta el cráneo jóven de Tabaco, en conjunto muy delicado y pequeño, muestra respecto de la formacion del rostro la mayor diferencia, y sobre todo la dentadura salien-

te presenta un gran contraste con las particularidades del cráneo de Arituktuk. En los cráneos bicoles se observa realmente una construccion del
aparato de masticacion parecida á la del de los monos.

Por lo demas, estos cráneos de cementerio forman un excelente complemento de la coleccion reunida por el Sr. Jagor, por suministrarnos datos
acerca de la osteología de los pobladores modernos. Los cinco ofrecen gran
armonía, junto con un prognatismo muy notable presentan una braquicefalia tan marcada que no la conozco igual en ningun otro pueblo del
Oriente de Asia. El cráneo de Tibi mide un índice de latitud de 80,2, el
de altura es 78,5; los cuatro cráneos de Tabaco tienen por índices de latitud 81,3—83,1— 83,1—84,6 y los de altura son : 79,7—82,4—80,5—
80,5. El primero es de una capacidad igual á 1595 y los de Tabaco de 1505,
1330, 1350, y el más jóven de 1290 centímetros cúbicos. Las circunferencias correspondientes equivalen á 514 la del de Tibi, y 514, 490, 478
y 495 las de los otros. Todos están bien conformados con la frente y sienes llenas, la escama interoccipital muy alta y saliente y las *planos semicirculares* grande:

Ya se ha hablado ántes de la formacion del rostro y del tamaño relativo, y especialmente del ancho de estos cráneos ; el de Tibi tiene una mandíbula inferior descomunal de 185 centímetros de circunferencia y 34,5 de
altura média.

Si se comparan estos cráneos bicoles con los de las cavernas, anteriormente descritos, se nota una semejanza no pequeña entre el de Tibi y el
hallado por el Sr. Jagor en la cueva de Nipa-nipa junto á un ataud, miéntras que los de Tabaco se aproximan á los más jóvenes de Nipa-nipa, en
parte atacados por la sífilis. Sólo el cráneo de mujer procedente de Tabaco
se asemeja á los más marcadamente braquicéfalos de la segunda cueva de
Nipa-nipa (Z. 873-874) que presentan señales de deformacion artificial,
y es notable que tambien en aquel se descubran indicios análogos. Su parte posterior se inclina inmediatamente detras de las eminencias *parietales*;
la region de las *fontanellas* laterales posteriores es aplastada, y de aquí que
las fosas de la parte posterior del cráneo correspondientes al cerebelo y á
los lóbulos posteriores del cerebro tengan un abovedamiento muy pronunciado hácia adelante. Una compresion lateral semejante se observa en el
cráneo de Tabaco perteneciente á una muchacha.

Un interés mayor todavía ofrecen los cráneos de cimarrones de Albay,
que por su aspecto exterior parecen más antiguos y muestran cierta analogía con los de Lanang, que trajo el Sr. Jagor. Ambos son entre sí muy
distintos. Que esta diferencia dependa sólo de la de sexo me parece muy
dudoso; si se tratára de un pueblo mestizo se podria explicar mejor por la
trasmision de caractéres. El cráneo de mujer (Omang) es corto y ancho,
el de hombre (Baringeag) ancho y largo; en ambos se reconoce claramente una deformacion artificial.

El cráneo de mujer se parece por una parte á las formas de Lanang y
por otro al tambien femenil de Tabaco, así como á los afines de Nipa-nipa.
Tiene un índice de latitud de 87, el de altura equivale á 79,7, su circunferencia es de 488 y su capacidad mide 1.380 centímetros cúbicos. La cara

es ancha, la nariz aplastada; el borde de la mandíbula inferior muy saliente. Ademas muestra una gran trasformacion de la parte posterior del cráneo, la que sin embargo es distinta de la de los cráneos aplastados de Lanang. Miéntras que en éstos hay un sencillo aplastamiento de la frente y parte posterior, se nota en el de la cimarrona, así como en el de la mujer de Tabaço; pero aún mucho más marcado, que en ambos lados, ha obrado una presion de atras á delante y de arriba abajo; es muy notable ver cómo la presion sólo se ha ejercido en la region donde confluye la sutura lambda como la mastoidea y de la escama, ó sea allí donde está la fontanella posterior lateral. La consecuencia de ello fué la formacion de protuberancias esféricas en tres direcciones: hácia arriba, en el medio y hácia abajo, á derecha é izquierda, ó sea dispuestas en forma de hoja de trébol. Estas protuberancias se originaron evidentemente por la necesidad del cerebro de procurarse espacio en otra direccion. Esta forma es en extremo curiosa. Muy característico es ademas que la presion lateral obró con inclinacion, siendo más fuerte á la derecha que á la izquierda; de modo que toda la parte posterior de la cabeza experimentó una especie de torsion.

El cráneo de hombre (Baringeag) es largo y claramente dolicocéfalo. Su índice de latitud es 75,4, el de altura 77,7, la circunferencia máxima 515 y la capacidad 1.470. Todas las inserciones de los músculos son muy fuertes, el rostro más bien algo estrecho, la nariz tambien estrecha, el borde de las mandíbulas muy saliente. Este cráneo tiene relacion íntima con el hallado por el Dr. Jagor en el monte Isarog, de un igorrote que murió en 1856 á consecuencia de una cuchillada de-*taco* (cuchillo de monte). Tambien en él se ven los indicios de una presion lateral, pues se prolonga á ambos lados de las eminencias parietales hácia abajo, formando una superficie lateral que cae bruscamente, y hay ademas prominencias semejantes á las del cráneo anterior, si bien menores de la misma forma esférica, junto á la escama de la parte posterior. La superior está únicamente oculta, sobre ella hay una protuberancia occipital externa anormalmente grande.

Por estos hechos opino que en ambos casos, á pesar de sus diferencias primitivas, debe admitirse la existencia de cierta deformacion, operada, sin embargo, de un modo esencialmente distinto que en la cabeza plana de Lanang. Si proceden tambien, como dice el Sr. Schetelig, de un pueblo mestizo de negritos, apénas podrá dudarse que el cráneo dolicocéfalo de hombre corresponde al tipo característico de los igorrotes, y que al contrario los de la mujer y del cacique, ambos braquicéfalos, aunque bastante distintos entre sí, se aproximan más al tipo bicol. No puedo formular lo que en uno y otro caso caracteriza á los negritos; sin embargo, considero el cráneo del cacique como el de tipo más puro, tanto más en cuanto la conformacion de su esqueleto está en armonía con las descripciones que los viajeros hacen del cuerpo de los negritos.

Si dirigimos una mirada retrospectiva á los resultados obtenidos, vemos que con excepcion de los dos cráneos dolicocéfalos de cimarrones se presenta una serie marcadamente braquicéfala con prognatismo más ó ménos pronunciado. Principalmente queda éste subordinado en el cráneo, que bajo distintos conceptos difiere de los restantes, y se atribuye á un cacique negrito. Los cráneos bicolés modernos vienen á llenar el vacío ya indicado entre los antiguos más ó ménos deformados de Lanang y los más modernos de Nipa-nipa notables por sus lesiones sifilíticas, lo que se hace más evidente. extendiendo el estudio al de la caverna de Caramuan. No puede desconocerse una relacion íntima entre ellos. Muy .extraña es, sin embargo, la gran diferencia de su conformacion general. Los cráneos de Lanang presentan una gran consistencia en sus huesos, al paso que los de los jóvenes de Nipa-nipa son notables por su delicadeza. Los bicoles modernos forman tambien en este concepto un término medio, de modo que no se está autorizado como ántes para deducir de la sola delicadeza de formas un grado mayor de civilizacion. Quizá pudiéramos admitirlo tratándose del tipo visaya, pero con todo, faltan observaciones para hacer distinciones tan concretas, y debe esperarse á reunir mayor número de ejemplares. Para una diferencia real de tipos, es un carácter el distinto modo de aplastamiento de que ya nos hemos ocupado. Miéntras que los cráneos de las cavernas de Lanang y Caramuan han sufrido una depresion anterior y posterior, presentan los de los cementerios, más modernos que aquéllos, un aplastamiento lateral; de modo que la descripcion de Thévenot conviene más á estos últimos que á los primeros.

Debo aún mencionar que el Sr. Davis ha manifestado una duda respecto á la época de los hallazgos, de que ántes me ocupé, que vá encaminada á rebajar á los cráneos en cuestion un siglo de la edad que se les supuso. Dije, en efecto, que á lo más estas cabezas planas podian remontarse á fines del siglo XVI. Me apoyaba en el único dato acerca de la deformacion artificial de los cráneos que tenemos, ó sea en el pasaje de Thévenot (*). El Sr. Davis dice que la obra de este viajero se publicó entre los años de 1663 y 1672, y deduce de aquí ser los cráneos de fines del siglo XVII. Preciso me es confesar aquí un error, al cual me indujo la autoridad de un escritor, por lo demas muy fidedigno; Gosse (*Annales de hygiène publique et de médecine legal*, 1855, *Juill.*, pág. 375), da la siguiente cita : *Relations de divers royages curieux par Mélchisedec Thévenot. Nouvelle édition, 2 vol. in folio. Paris*, 1591. Me he convencido, empero, que Melquisedec Thévenot († 1692) no nació hasta cosa del año 1620, resultando por lo tanto evidentemente falsa la cita de Gosse. Sin embargo, no debe deducirse como consecuencia forzosa que la observacion pertenezca á la segunda mitad del siglo XVII. Thévenot incluye en su gran recopilacion el escrito de un religioso que vivió durante 18 años en Filipinas. Y este dice en un sitio : «Hace tres años se efectuó la recaudacion en la isla de Mindanao por D. Sebastian Hurtado de Corcuera» (pág. 3). Esta recaudacion, segun una

---

(*) El p saje está en «Relations de divers voyages curieux. París, 1664, II,» y en la «relation des Isles Philippines, faite par un religieux qui y a demeuré 18 ans, pág. 6.» En él se dice: «Ils auoient accoustumé dans quelques unes de ces Isles, de mettre entre deus ais la teste de leurs enfants quand ils venoient au monde, et la pressoient ainsi, afin qu'elle ne demeura pas ronde, mais qu'elle s'extendit en long; ils luy applatissoient aussi le fr nt, croyant que c'estoit un trait de beauté de l'auoir ainsi.»

noticia posterior, debe referirse al año 1636, de lo cual resulta que aquel religioso escribió sus apuntes en la primera mitad del siglo XVII. Una nota puesta al fin de la relacion está conforme con esto; segun ella, lo inclui-do en la obra de Thévenot es traduccion de un impreso de Méjico del año 1638. Se lee en él., ademas de la noticia de que aquellas gentes deforma-ban la cabeza de los niños, la descripcion de otra costumbre, cual era la de limarse los dientes y pintarlos con un barniz negro ó de color de fue-go (*). Y como ninguno de los cráneos traidos por el Dr. Jagor presen-ta estos caractéres, saqué la consecuencia que los cadáveres habian sido depositados allí en un tiempo en que esta costumbre, muy extendida aún hoy en las islas vecinas, no se habia introducido, pues me pareció ménos verosímil haberle dejado de pronto los habitantes que haberse importado más tarde por los malayos. Debo confesar, sin embargo, que estos ar-gumentos son tambien dudosos, y habiendo averiguado por las inves-tigaciones del Sr. Riedel que en una isla próxima suelen deformar los cráneos, no repugna creer que los cráneos de Lanang corresponden así mismo á una época más moderna de la que les atribuí. Es siempre notable que aquel gran aplastamiento de los cráneos hallados en la cueva de La-nang no se presente en ninguno de los restantes, y aunque se tomen en consideracion los demas caractéres, muy importantes, de los cráneos de La-nang, creo aún muy probable que remonten á mayor antigüedad.

Para terminar llamaré aún la atencion sobre un punto al cual me refe-riré tambien en una descripcion, que pienso hacer, de los cráneos perua-nos. En el cráneo de muchacha, procedente de Tabaco, que presenta claros indicios de un aplastamiento lateral, aquella gran pieza interpola-da entre la coronilla y la escama interoccipital (*Os epactale*) que se ha llamado: *Os incæ*. Su forma es casi completamente triangular y mide en la base 115, en las ramas 76-78ᵐᵐ. Hablo en especial de esta circunstancia por haber rebajado su importancia, á mi juicio, recientemente Gosse (*Bu-lletin de la Société d'Antropologie de Paris*, 1860, vol. I, pág. 549. *Mémoi-res de la même Société*, t. I, pág. 165), y Jacquart (*Bullet.*, 1865, t. VI, pág. 720). Se han preocupado en querer demostrar que la separacion de-pende simplemente de no haberse desarrollado con libertad fundándose en que en un período de la vida del feto siempre existe tal separacion. Pero, segun mi opinion, de esto no puede sacarse ninguna consecuencia contra .la importancia de esta particularidad despues del nacimiento. Posterior-mente hice poner en maceracion muchos cráneos de recien nacidos, y no hallé uno sólo que conservase ya tal separacion. Es esta tan rara, que siempre que se presenta debe averiguarse la causa motivante. No puede, por lo tanto, darse poca importancia al hecho de hallar uno con semejante separacion entre 8 cráneos filipinos. La importancia de ello aumenta to-

---

(*) Pour ce qui est des dents, elles (les femmes) imitent en tout les hommes; ils se les liment dès leur plus tendre jeunese, les uns les rendent par là esgales, les autres les affi-lent en pointes en leur donnant la figure d'une scie, et ils couvrent d'un vernis noir et lus-tré, ou de couleur de feu, et ainsi leurs dents deuiennet noires ou rouges comme de vermi-llon et dans le rang d'en haut, ils font vne petite onverture qu'ils remplissent d'or qui brille d'avantage sur le fond noir ou rouge de ces vernis.

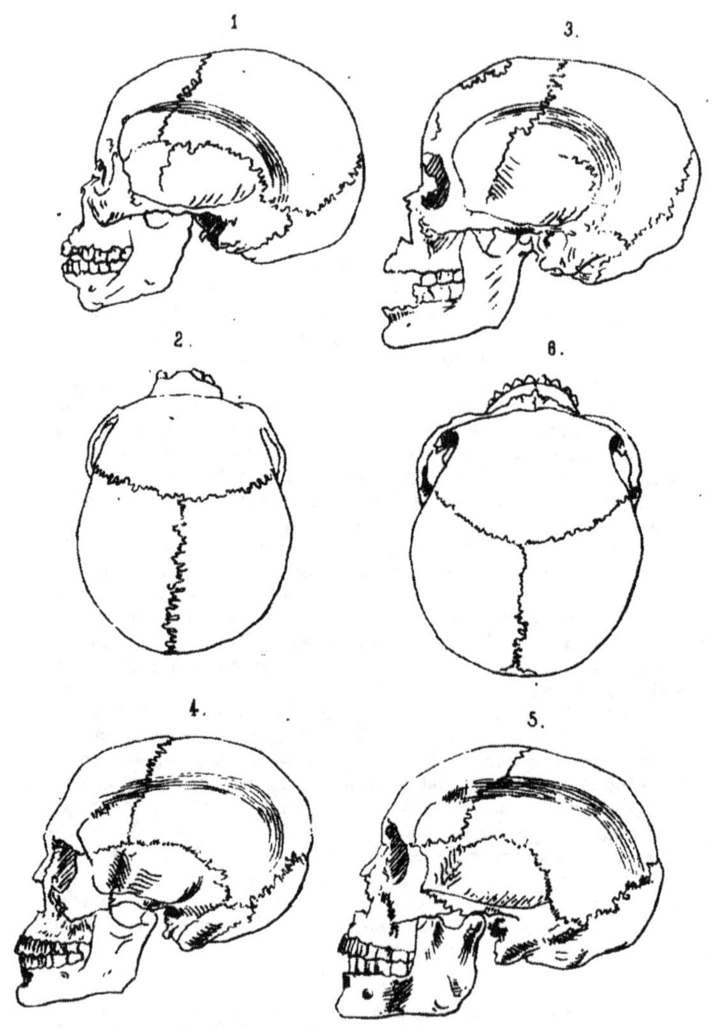

1
3.
2.
6.
4.
5.

davía por haber otro igual entre los 16 traidos por el Sr. Jagor, y es uno de los hallados en la segunda cueva de Nipa-nipa, en Samar (Z. 865). Pertenece á un hombre en todo su desarrollo, que debió ser robusto. El *Os incæ* tiene 50ᵐᵐ de altura, de longitud en la base 115 y en las ramas 25-28; llega hasta la protuberancia occipital externa y está inserto en una fuerte sutura dentada. Es aún notable la circunstancia de que el único cráneo de negrito ó aita de Luzon, existente en las colecciones del Jardin de plantas de París, presenta tambien, segun Jacquart, un *Os epactale.*

Todo esto puede ser debido á la casualidad, pero es siempre una circunstancia singular. Tambien se presentan aún dudas acerca de la significacion del *Os incæ* en los cráneos peruanos. He recibido hace corto tiempo dos cráneos antiguos del Perú, uno de ellos tiene esta pieza completamente desarrollada. No hay otros que nos presenten esta particularidad con tanta frecuencia, y de ello deduciria que tenemos una especialidad etnológica, la cual no puede considerarse como cosa ordinaria y sin importancia. Será despues objeto de nuestro estudio cómo debe explicarse este hecho, y si puede sacarse de él alguna consecuencia para las afinidades de los pueblos de uno y otro mundo. »

Desde que pronuncié esta disertacion ha ido aumentando considerablemente el número de objetos por haber facilitado á la Sociedad el Dr. A. B. Meyer un gran número de cráneos y esqueletos recogidos en las islas Filipinas. En la sesion de 15 de Junio de 1872 pude hablar de 6 esqueletos de negritos y de un cráneo de igorrote. (Véase la *Correspondenzblatt der deutschen anthropologischen Gesellschaft*, 1872, núm. 8.) Un envío posterior consistió principalmente en cráneos modernos hallados en un cementerio cerca de Manila.

De estos objetos, el cráneo de igorrote presenta afinidad con los estudiados por el Sr. Jagor y sacados del Isarog (así como con el de un indio cimarron de Albay que figura en la coleccion del Sr. Schetelig), á pesar de ser aún en mayor grado largo y al mismo tiempo estrecho. Su índice de latitud es de 68,8 por uno de altura, igual á 73,1 ; es, pues, marcadamente dolicocéfalo y bajo. El mejor modo de evidenciar las relaciones de los tres cráneos será comparar las cifras que las expresan y son las siguientes:

	Indice de latitud.	Indice de altura.	Cabida.
Cimarron del Isarog.	76,9	76,1	1315
» de Albay.	75,4	77,7	1470
Igorrote (Meyer)..	68,8	78,1	1400

Son, ademas, muy notables en los últimos cráneos : el escaso prognatismo del borde alveolar, la altura relativamente considerable de las cavidades de los ojos, la altura de la nariz con la base estrecha y protuberancia grande encima de ella. Esta protuberancia dá al cráneo un aspecto de cierta fiereza que aumentan aún las *yugulares* muy pronunciadas y las *plana parietalia*, notablemente echadas hácia arriba; su distancia, medida sobre el cráneo, es de 105ᵐᵐ en la sutura coronaria; hay, por lo tanto, un desarrollo colosal de los músculos de la masticacion. Esto com-

prueba la existencia de una raza dolicocéfala salvaje, afine á los hypsistenocéfalos de las islas de Polinesia y del grupo de la Sonda.

Los cráneos de negritos son completamente distintos de aquéllos. Me
limitaré á dar las cifras correspondientes á cuatro:

	Indice de latitud.	Indice de altura.	Cabida.
I.	90,6	77,6	1310
II.	80,8	75,6	1200
III.	83,8	77,8	1250
IV.	86,7	82,3	1150

El núm. ii perteneció á un hombre y es típico, segun parece; el número i tiene una deformacion artificial. Revelan una raza notablemente braquicéfala, cuyos cráneos tienen regular altura y poca capacidad; son, al
propio tiempo, muy prognáticos; sin embargo, la prominencia es mayor
en los apéndices alveolares, miéntras que el sitio de la insercion de la espina nasal inferior está próximo á la fosa interoccipital, la que se halla
casi perpendicular debajo de la base de la nariz.

Las relaciones de dependencia que tienen estos cráneos de negritos se
presentan claras por un signo en extremo característico, cual es tener la
dentadura limada en forma de sierra. Los dientes anteriores, y especialmente los de la mandíbula superior, están limados en ambos lados, de
modo que quedan puntiagudos como los de los carniceros; una forma
opuesta á las que hasta hoy se conocen en los pueblos malayos, quienes
los liman en su superficie anterior aplanando el borde posterior. Es nota-
bilísimo que ambas maneras de limar se hallan ya descritas por Thévenot:
*Les vns rendent les dents égales, les autres les affilent en pointes en leur
donnant la figure d'une scie.* Sólo de la abertura de los dientes de la mandíbula superior, rellenada con oro — lo cual describe tambien el mismo
autor — no se nota vestigio alguno. Los cráneos que el Dr. Meyer desenterró con gran peligro en la provincia de Bataan de una sepultura de una
tribu de negritos que dió á conocer, son tambien modernos (*).

En la mayor parte de los cráneos se hallan vestigios de una deformacion artificial; sin embargo, no en el grado que los cráneos de las cavernas de Lauang y Caramuan. Por lo comun la parte posterior del cráneo
está inclinada muy bruscamente, y los parietales se arquean hácia abajo casi en ángulo recto inmediatamente detras de las *tubera parietalia.*
Sólo uno de los cráneos, que es de hombre, deja de presentar señales de
deformidad artificial; su parte posterior sobresale mucho, hallándose el
mayor abovedamiento junto á la escama por cima de la *línea nuchæ supre-
ma* (Véase la lám. ii, figs. 5-6). Si bien este cráneo, comparado con los
de mujer y deformados (Lám. ii, fig. 4.ª), debe considerarse como el más
típico, podria, sin embargo, suceder que no le faltase en otra parte la de-

---

(*) Segun una carta del Sr. Semper, únicamente los negritos de Mariveles y de las comarcas vecinas se liman los dientes de la manera descrita. En los otros pueblos negritos,
que visitó, no vió practicar esta costumbre.

formidad anormal. Muestra, en efecto, una base nasal muy ancha y aplastada, y los huesos de la nariz están soldados lateralmente con los procesos nasales de la mandíbula superior. Como la misma synostosis se halla en otro cráneo de un negrito, ocurre la duda de si depende de una particularidad de raza, ó es un efecto patológico. Su aspecto causa la impresion de lo último, y una noticia comunicada por el misionero frances Montrouzier me inclina aún más á creerlo así. Este viajero dice que en toda la Nueva-Caledonia en cuanto nace un niño calientan agua, mojan en ella el dedo y aplastan con éste la nariz de la criatura. Ciertamente no se sabe hasta hoy que tal costumbre esté en uso en punto alguno de Filipinas, pero quizá pase con ello lo mismo que ha sucedido con el aplastamiento artificial de los cráneos.

Debo aún citar otra particularidad de los cráneos de los negritos, que consiste en su notable forma ojival, que se observa lo mismo mirándolos de frente que considerándolos por su parte posterior y que es visible tambien en las fotografias. Especialmente en los hombres el abarquillamiento de la parte anterior de la cabeza es fácilmente reconoscible. La *glabella* tiene un desarrollo extraordinario, las prominencias frontales están poco pronunciadas y en medio suele haber la indicacion de una *crista frontalis*. Con esto se halla relacionada la grande altura de las *plana temporalia*, las cuales en el hombre llegan hasta por encima de las *tubera parietalia* y distan entre sí sólo 95^{mm} detras de la sutura coronaria.

Segun esto, es preciso reconocer en el tipo del cráneo de los negritos algo de bestial, ó concretando más la idea, algo parecido al del mono. La grande anchura de la parte inferior de la nariz, que en las fotografias se presenta de un modo tan notable, contribuye no poco á hacer mayor la expresion de fealdad. El Sr. de la Gironière (*Aventures d'un gentilhomme breton aux îles Philippines*. París, 1855, pág. 321) puede ser por lo tanto fiel en su descripcion, cuando en su peculiar estilo, algo exagerado y excesivamente pintoresco dice: «*Les hommes me paraissaient plutôt une grande famille de singes que des créatures humaines.*»

Para completar esta reseña osteológica, añadiré que todos los demas huesos del esqueleto prueban, y todos los viajeros atestiguan, que los negritos son de complexion débil y delicada. Sus tibias están lateralmente aplastadas. Los huesos superiores de sus brazos suelen tener un agujero sobre la articulacion del codo, y muestran ademas otra torsion en la continuidad que los europeos. En resúmen, todas las circunstancias se reunen para evidenciarnos su inferior desarrollo; pero un desarrollo que, segun los conocimientos actuales, no se parece absolutamente al de los negros de África, ni al de los papuas, ni tampoco al de los negros de Australia.

Si despues de haber visto que en el interior de Filipinas hay pueblos salvajes, tanto dolicocéfalos como braquicéfalos, volvemos á ocuparnos de los de las costas, recordaré, en primer lugar, que segun el aserto de los viajeros se han efectuado en ellos numerosos cruzamientos determinados por las distintas invasiones. Es, por consiguiente, necesario tratar este asunto con mucha circunspeccion, y haré observar que las mezclas entre la poblacion de las costas, probablemente malaya, y la de las montañas deben observarse con gran cautela. Precisamente en este sentido tienen su mayor importancia los cráneos traidos por el Sr. Jagor, y procedentes de las cuevas de Samar, y tanto se la dan su antigüedad como la situacion de éstas cerca del mar, é igualmente tambien la meridional de aquella isla, pues es probable correspondan á elementos más puros de raza que los desenterrados en los cementerios, por los cuales podemos más bien estudiar la actual poblacion de la costa.

En las adjuntas láminas hay dibujos del contorno de los tres grupos de cráneos de las cuevas de Samar, que bastan para formarse idea de su conformacion y permiten compararlos con el de negrito. Los representados son los siguientes:

1) De la cueva de Lanang, en la lám. i, figs. 3-4 (Z. 84), hay la cabeza plana con el mayor aplastamiento, y en las figs. 1-2 (Z. 839), el que lo tiene sólo débilmente marcado. Pueden servir como ejemplo de una raza probablemente vigorosa y con la cabeza muy grande, la cual, si bien braquicéfala, se presenta, sin embargo, poco prognata, siendo la que más se diferencia de la de los negritos.

2) De la primera cueva de Nipa-nipa proceden dos cráneos: lám. i, fig. 5 (Z. 873) y fig. 6 (Z. 874), ambos muy braquicéfalos y más prognatas y aplastados los dos, especialmente el de la fig. 6, de atras á delante.

3) De la segunda cueva de Nipa-nipa proceden dos cráneos: lám. ii, figs. 1-2 (Z. 867) y fig. 3 (Z. 870). Pertenecen á la raza más débil y de cabeza menor, braquicéfala y eminentemente prognata, en la cual estaba marcada la sífilis.

Continuaré algunas cifras referentes, considerando tambien los cráneos modernos de cementerios, traidos por el Sr. Schetelig:

	Indice de latitud.	Indice de altura.	Cabida.
Lanang.			
N.º 839.	93,0	78,6	1510
— 841.	94,8	80,0	1470
Nipa-nipa. B.			
N.º 873.	89,1	78,9	1360
— 874.	96,2	88,6	1400
Nipa-nipa. A.			
N.º 867.	78,4	74,5	1210
— 870.	86,6	77,0	1351
Tabaco.			
N.º III.	83,3	82,4	1320
— IV., ...	81,1	79,7	1505
Tibi., ...	80,2	78,5	1595

Se vé desde luégo que la braquicefalia se extiende por toda la serie, y que la altura es tambien notable en los cráneos que la componen. La capacidad es la que más oscila; ménos, sin embargo, dentro de cada grupo de los cráneos de las cavernas que en los de los modernos. Hoy es aún difícil obtener un resultado definitivo para la clasificacion de los grupos y fijacion de sus mútuas relaciones. La dificultad motivada por la deformacion artificial de muchos de estos cráneos es demasiado grande para que pueda hallarse una norma fija y científica. Como ya se ha dicho, los índices de los cráneos modernos de cementerios, procedentes de bicoles, presentan la mayor semejanza con los cráneos de la caverna de Nipanipa A., los que no obstante tienen una capaeidad inferior á la de aquéllos. Sólo que los cráneos de las cavernas considerados aquí son los que ménos deformidad artificial muestran, y de ello puede deducirse que dan más perfecta y cabal idea del tipo que los cráneos de los otros dos grupos de las cavernas. Es de esperar que investigaciones ulteriores nos proporcionen material más abundante y permitan hacer una exposicion más completa que la presente, llevando así la luz á uno de los campos más interesantes de la ethnografía.

FIN DE LOS APÉNDICES.

ÍNDICE ALFABÉTICO DE NOMBRES SISTEMÁTICOS.

FIN DEL ÍNDICE ALFABÉTICO.

FE DE ERRATAS.

Página.	Línea.	Dice.	Léase.
2	19	las.	le
3	22	Albo una.	Albo dá una
11	6	Cambodje.	Cambodja
48	nota	Souneratia.	Sonneratia
57	10	canal de.	canal, de
62	28	ron.	rom
86	20	Guinau.	Guiuan
86	nota	Bonplaud.	Bonpland
id.	id.	O'Lumar.	O'Cumar
90	nota	Reisenskizzen.	Reiseskizzen
91	13	Laguua.	Laguna
93	nota	Lygopodium.	Lygodium
97	9	Mátnog.	Matnóg
101	nota	uve.	tuve
105	16	el cual.	y
106	5	componen.	compone
122	17	*Bromelia Ananassa.*	*Bromelia Ananas*
129	2	Guinali.	Quinali
131	12	al Oeste se.	al Este se
131	grabado	toked.	tokod
142	nota	Reiseum.	Reise um
189	21	Vallesnería.	Vallisnería
190	grabado	N. N. O.	N. N. E.
197	nota	Bebú.	Cebú
id.	id.	Hondio.	Hondiv
id.	id.	Max of.	Map of
199	7	Poedol.	Pocdol
201	grabado	Gobernaorcillo.	Gobernadorcillo.
208	2	Umánas.	Umáuas.
	paginacion	115.	215
249	nota	*La Ilustracion Española y Americana.*	*El Bazar*
257	5	cañavioleta	caña violeta
263	22	urdimbre, y la segunda.	urdimbre con la segunda
268	8	Chucumei.	Chucumci
274	nota 150	Jeindge.	Jenidje
297	nota 166	notar.	nota-
	paginacion	193.	305
311	20	oblgacion.	obligacion
326	40	Pareunin.	Parennin
328	2	naḡla.	nḡala
329	5	en p :tc.	en pasta
333	epíg. cas. 3.ª	hidrofóbica.	hidrográfica
346	8	Pallok.	Pollok
350	2	numuslíticas.	numulíticas
350	nota (**)	1, 191 y 194.	9, 291 y 294
351	39	Monton Tombol.	Monte Tombol
361	30	piperino.	piperno.
374	3	Este viajero dió cuenta.	Dí cuenta
id.	5	é hizo.	haciendo

www.ingramcontent.com/pod-product-compliance
Lightning Source LLC
LaVergne TN
LVHW051345190726
843642LV00007B/2535